LES GRANDS PERSONNAGES DU MONDE

1000 ans d'histoire

Catalogage avant publication de la Bibliothèque nationale du Canada

Hutchings, Rachel
Les grands personnages du monde : 1000 ans d'histoire
Traduction de : 1000 years of famous people.
Comprend un index.
Pour les jeunes de 8 ans et plus.
ISBN 2-7625-2652-3
1. Célébrités - Biographies - Ouvrages pour la jeunesse. I. Laver, Sarah. II. Bonneau, Ginette, 1966- . III. Titre.
CT104.H8714 2003 j902.02 C2003-941240-7

Révision et actualisation du contenu rédactionnel
Ginette Bonneau

CONCEPTION ET DIRECTION ÉDITORIALE
Direction artistique Julian Holland
Équipe éditoriale Rachel Hutchings, Sarah Laver
Maquette Nigel White
Recherche Janet Laver
Iconographie Anne-Marie Ehrlich

KINGFISHER
Direction éditoriale Miranda Smith
Direction artistique Miranda Kennedy
PAO Sarah Pfitzner
Édition Sheila Clewley
Iconographie Rachael Swann
Dessins Wendy Allison, Steve Robinson
Direction de la fabrication Jo Blackmore, Debbie Otter

Ont également collaboré
Clive Gifford, Julian Holland, Ann Kramer, Jan Laver,
Peter Mellett, Bethan Ryder, Philip Wilkinson

La traduction française a été réalisée sous la direction de
FRANKLAND PUBLISHING SERVICES LTD
Traduction Claude et Hervé Lauriot-Prévost
Mise en pages Thierry Blanc

ISBN 2-7625-2652-3
ISBN 978-2-7625-2652-3

Imprimé en Chine

LES GRANDS PERSONNAGES DU MONDE

1000 ans d'histoire

Sommaire

INTRODUCTION 7

CHAPITRE UN
LES DIRIGEANTS DU MONDE 9

Les dirigeants du monde avant l'an 1000 10
Les rois et les reines 14
Les hommes politiques 19
Les chefs militaires 26

CHAPITRE DEUX
LES EXPLORATEURS 33

Les explorateurs avant l'an 1000 34
Sur terre 36
Sur mer 45
Dans les airs 51
Dans l'espace 54

CHAPITRE TROIS
LES SCIENTIFIQUES 57

Les scientifiques avant l'an 1000 58
Les penseurs et les mathématiciens 60
Les astronomes 64
Les physiciens 67
Les chimistes 71
Les biologistes 74
Les experts des sciences de la terre 78

CHAPITRE QUATRE
LES INGÉNIEURS ET LES INVENTEURS 81

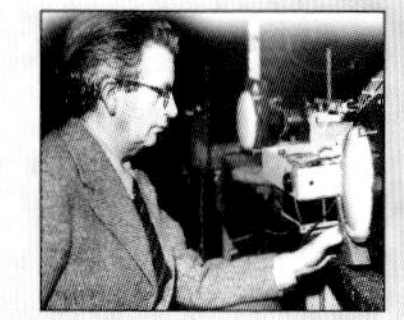

Les ingénieurs et les inventeurs avant l'an 1000 82
La construction 84
L'électricité 86
Les machines 90
Sur terre 94
Sur mer 96
Dans les airs 98
Les inventeurs 101

CHAPITRE CINQ
LES ÉCRIVAINS ET LES RÉFORMATEURS 105

Les écrivains et les réformateurs avant l'an 1000 106
Les écrivains 108
Les poètes 118
Les auteurs dramatiques 120
Les réformateurs 123

CHAPITRE SIX
LES STARS DE LA SCÈNE ET DE L'ÉCRAN 129

Les spectacles avant l'an 1000 130
Les acteurs et les actrices 131
Derrière la caméra 148

CHAPITRE SEPT

LES ARTISTES ET LES ARCHITECTES 153

Les artistes et les architectes avant l'an 1000 154
Les artistes 156
Les sculpteurs 169
Les photographes 171
Les architectes 173

CHAPITRE HUIT

LES MUSICIENS ET LES DANSEURS 177

La musique et la danse avant l'an 1000 178
La musique classique 179
L'opéra 186
La musique populaire 188
Le blues et le jazz 196
La danse 199

CHAPITRE NEUF

LES GRANDS NOMS DU SPORT 201

Les sports avant l'an 1000 202
Les sports de balle 203
L'athlétisme 213
Les sports mécaniques 216
Les sports aquatiques et les sports d'hiver 218
La boxe 221
Les autres sports 223

CHAPITRE DIX

LES CÉLÉBRITÉS 225

Les célébrités avant l'an 1000 226
Les célébrités 228
En marge de la loi 237

INDEX 249

SITES INTERNET ET REMERCIEMENTS 256

Introduction

« Tout homme connaîtra la gloire pendant 15 minutes. »

Andy Warhol, peintre américain (1926-1987)

Il est bien possible qu'Andy Warhol ait dit vrai, car la célébrité a souvent la vie courte. La plupart des musiciens, vedettes de cinéma ou politiciens actuels seront sans doute oubliés dès l'année prochaine, comme s'ils avaient vécu il y a un siècle. Quelques noms, cependant, ont marqué l'histoire – ceux de personnalités qui ont accompli des œuvres extraordinaires ou remarquables, de gens à qui l'on doit de réelles avancées. Ce livre vous présente la vie et l'œuvre de plus de 1500 d'entre eux, dont la réputation et la gloire subsistent encore de nos jours.

En évoquant le génie hors du commun de Léonard de Vinci, de Napoléon, conquérant militaire de l'Europe, de Nellie Melba, avec sa voix merveilleuse, d'Albert Einstein, à qui l'on doit la théorie de la relativité, de Laszlo Biro, inventeur du stylo à bille, d'Ernest Shackleton, explorateur héroïque de l'Antarctique, de Marilyn Monroe, dont la relation à la caméra était unique, de Neil Armstrong, le premier homme à marcher sur la Lune, cet ouvrage parcourt le quotidien, l'extraordinaire, l'exceptionnel.

Les personnages décrits ici n'ont pas tous fait progresser l'humanité. Certains d'entre eux sont restés fameux pour leur malfaisance ou leurs atrocités. Des despotes, des meurtriers, des criminels de guerre sont également célèbres – et néanmoins haïssables. Des tortures de Torquemada pendant l'Inquisition espagnole aux crimes de Billy the Kid et à l'immonde « solution finale » d'Adolf Hitler, l'histoire est parsemée d'actes barbares par lesquels leurs auteurs ont parfois changé irrémédiablement la face du monde. Mais les forces du progrès ont, en général, réussi à dominer celles du mal.

En parcourant *Les grands personnages du monde*, vous découvrirez la vie privée, les passions dominantes de ces personnalités et la façon dont leurs œuvres ont modelé le monde d'aujourd'hui.

◀ La star américaine Marilyn Monroe (1926-1962), une des plus célèbres actrices du XXe siècle, photographiée ici à l'apogée de sa carrière.

LÉGENDES DES ILLUSTRATIONS

Page 1 : Nelson Mandela ; Page 3 : Napoléon Bonaparte

PAGE 5 :

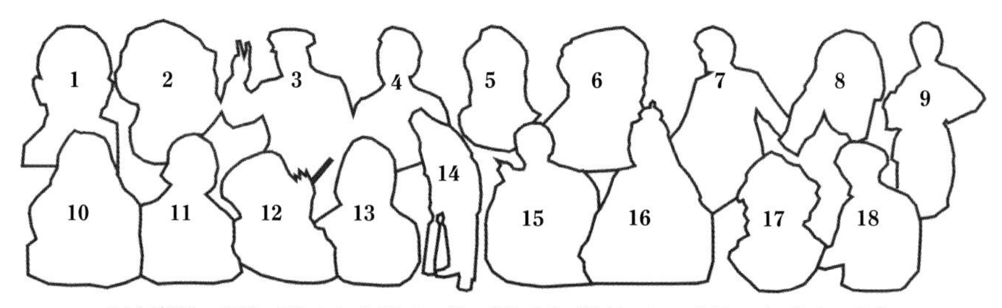

1 Adolf Hitler ; **2** Albert Einstein ; **3** Winston Churchill ; **4** David Livingstone ; **5** Alexander Graham Bell ; **6** Rudolph Valentino ; **7** Léon Trotsky ; **8** Greta Garbo ; **9** Benito Mussolini ; **10** Orville Wright ; **11** Isambard Kingdom Brunel ; **12** Marlene Dietricht ; **13** Grigori Raspoutine ; **14** W. G. Grace ; **15** Oscar Wilde ; **16** La reine Victoria ; **17** Charles Dickens ; **18** Michael Faraday

PAGES DE TITRE DES CHAPITRES

p. 9 LES DIRIGEANTS DU MONDE
Napoléon Bonaparte (1769-1821) conduit son armée à la victoire contre les Autrichiens à la bataille de Marengo (1800).

p. 33 LES EXPLORATEURS
Grâce au travail du photographe australien Frank Hurley (1885 – 1962), l'expédition malheureuse d'Ernest Shackleton (1914-1916) en Antarctique (1874 – 1922) restera dans la mémoire des générations à venir. Ici l'*Endurance*, le bateau de Shackleton, est pris par les glaces de la mer de Wedell, à seulement 128 km de sa destination finale.

p. 57 LES SCIENTIFIQUES
Le chercheur écossais Alexander Fleming (1881 – 1955) travaille dans son laboratoire. Il découvrit la pénicilline en 1928.

p. 81 LES INGÉNIEURS ET LES INVENTEURS
L'ingénieur électricien écossais John Loggie Baird (1888 – 1946) est représenté avec un de ses premiers appareils de télévision.

p. 105 LES ÉCRIVAINS ET LES RÉFORMATEURS
Chef du mouvement des droits civils américains, Martin Luther King J.-R. (1929-1968) remercie la foule rassemblée devant le Lincoln Mémorial à Washington après avoir prononcé son célèbre discours «*J'ai fait un rêve*» en août 1963.

p. 129 LES STARS DE LA SCÈNE ET DE L'ÉCRAN
L'acteur américain Humphrey Bogart (1899 – 1957) et l'actrice suédoise Ingrid Bergman (1915-1982) dans une scène du film *Casablanca*.

p. 153 LES ARTISTES ET LES ARCHITECTES
Le peintre hollandais Vincent Van Gogh (1853 – 1890) a réalisé de nombreux autoportraits.

p. 177 LES MUSICIENS ET LES DANSEURS
La violoniste Vanessa-Mae (née en 1978 à Singapour) lors d'un récital au Bridgewater Hall de Manchester, Angleterre, en 2001.

p. 201 LES GRANDS NOMS DU SPORT
L'athlète américain Ed Moses (né en 1955) participant à une course de haies sur 400 mètres en 1979.

p. 225 LES CÉLÉBRITÉS
Concert de charité contre le SIDA organisé au stade de Wembley à Londres le 13 juillet 1985 par le musicien de rock irlandais Bob Geldof (né en 1954).

CHAPITRE UN

LES DIRIGEANTS DU MONDE

Les dirigeants du monde avant l'an 1000

L'histoire de l'humanité remonte au moins à cinq millions d'années, lorsque les premiers mammifères à caractère humain – les australopithèques – font leur apparition en Afrique centrale. Les peuples préhistoriques ont sans doute des chefs, mais nous ne possédons aucune information à ce sujet. Aux environs de 10 000 ans avant J.-C., les hommes inventent l'agriculture et s'installent dans les régions fertiles. Ils construisent des cités et des villes, et se mettent à faire du commerce. De là, émergent de puissants chefs et dirigeants, ainsi que les premières grandes civilisations du monde.

▲ Le pharaon d'Égypte et la reine son épouse recevaient toutes sortes de présents de hauts personnages venus d'autres pays – défenses d'éléphant, peaux de bêtes, épices, or et pierres précieuses. De telles richesses étaient placées dans les tombes des souverains afin qu'ils puissent en disposer dans l'autre monde.

ÉGYPTE, SUMER ET BABYLONE

L'une des premières grandes civilisations voit le jour sur les rives du Nil, en Égypte. Ses dirigeants, semblables à des dieux, sont appelés pharaons. **Narmer**, le premier pharaon, réunit les deux royaumes de Haute et de Basse-Égypte vers 3100 av. J.-C. Le pharaon **Kheops** (vers 2589 – 2566 av. J.-C.) construit la Grande Pyramide. Le Nouvel Empire (1570 – 1085 av. J.-C.) est doté des pharaons les plus puissants. Citons la reine **Hatshepsout** (vers 1540 – vers 1481 av. J.-C.), la seule femme pharaon, **Akhenaton** (XIVe siècle av. J.-C.) et son épouse la reine **Néfertiti** qui introduisent le culte d'Aton, un dieu du soleil, et **Ramsès II** (1290 – 1224 av. J.-C.), chef militaire qui défend les Égyptiens contre les Hittites et construit les temples d'Abou Simbel.

Vers 5000 av. J.-C., les Sumériens s'installent en Mésopotamie, bande de terres fertiles qui s'étend entre le Tigre et l'Euphrate. Ils y édifient les premières villes du monde dont Ourouk, où régna le roi **Gilgamesh** vers 2700 av. J.-C.

En réunissant ces villes vers 2300 av. J.-C., **Sargon**, le roi d'Akkad, crée l'Empire sumérien qui s'étend de la Syrie au golfe Persique. Aux environs de 1900 av. J.-C., le roi des Amorrites, **Hammourabi** (roi de 1792 à 1750 av. J.-C.), conquiert le sud de la Mésopotamie. Il publie le premier système de lois (le Code d'Hammourabi) et fait de Babylone un centre de pouvoir, d'enseignement et de culture.

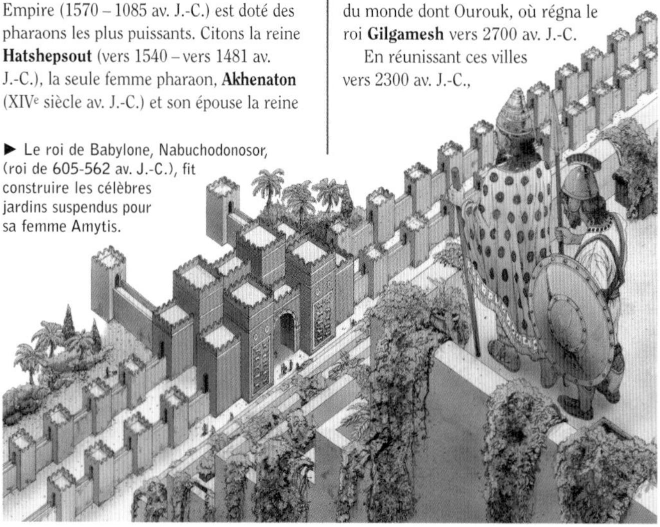

► Le roi de Babylone, Nabuchodonosor, (roi de 605-562 av. J.-C.), fit construire les célèbres jardins suspendus pour sa femme Amytis.

D'autres civilisations se développent dans la vallée de l'Indus (Pakistan d'aujourd'hui) et en Chine où, vers 1500 av. J.-C., les rois de la dynastie Shang (famille dirigeante) règnent sur la vallée du fleuve Jaune. Vers 1380 av. J.-C., le chef militaire hittite **Souppilouliouma** fonde un puissant empire qui va durer jusque vers 1200 av. J.-C.

Entre 1200 et 500 av. J.-C., la culture de Chavín et les Olmèques fondent les premières civilisations américaines. Étrusques, Grecs et Romains développent des sociétés très élaborées en Europe, et les dirigeants phéniciens fondent Carthage en Tunisie. En Chine, les chefs des Zhou mettent fin

◀ Saül (xe siècle av. J.-C), roi des Hébreux, ne put battre les Philistins. Ici, David coupe un pan du manteau de Saül, qui est endormi.

à la dynastie Shang, et, au Moyen-Orient, **Salomon** (vers 962 – 922 av. J.-C.), roi d'Israël, construit le Temple de Jérusalem.

ASSYRIENS ET PERSES

À partir des années 900 av. J.-C., des chefs militaires fondent l'empire d'Assyrie. **Tiglath-Phamasar III** (roi de 745 à 727 av. J.-C.), l'un des premiers dirigeants, était un roi guerrier dont les armées conquirent la Syrie, l'Arménie et Babylone, faisant de l'Assyrie une grande puissance. Parmi ses successeurs, citons **Sargon II** (roi de 721- à 705 av. J.-C.), qui fait la conquête d'Israël, **Sennachérib** (roi de 705 à 681 av. J.-C.) qui met Babylone à sac et adopte Ninive comme capitale, et **Assourbanipal** (roi de 668 à 627 av. J.-C.) le dernier des grands rois assyriens. Sous **Nabopolassar** (roi de 626 à 605 av. J.-C.), Babylone retrouve sa puissance. Son fils **Nabuchodonosor II** (roi de 605 à 562 av. J.-C.) reconstruit Babylone et conquiert le royaume de Juda. Aux environs de 548 av. J.-C., **Cyrus II** (vers 600 – 529 av. J.-C.) devient roi de Perse. Il conquiert un vaste empire s'étendant de la Turquie aux frontières de l'Inde ; il annexe Babylone en 539 av. J.-C. et fonde l'Empire perse. L'un de ses successeurs, **Darius Ier** (522 – 486 av. J.-C.) conquiert une partie de l'Égypte et la vallée de l'Indus, et fait construire Persépolis.

INDE ET CHINE

En 332 av. J.-C., **Chandragupta Maurya** réunit presque toute l'Inde et fonde le premier empire de la région. **Açoka**, son petit-fils (roi de 269 à 232 av. J.-C.), s'empare du royaume de Kalinga mais, dégoûté par les guerres, devient bouddhiste et fait du bouddhisme la religion d'État. En 246 av. J.-C., un chef chinois, **Ying Zheng** (259-210 av. J.-C.), devient roi de Qin. De 230 à 222 av. J.-C., il réunit les États en guerre et, en 221 av. J.-C., il est proclamé premier empereur de Chine de la dynastie des Qin. Il entreprend la construction de la Grande Muraille pour se protéger des tribus d'envahisseurs venant du Nord. La dynastie des Han va remplacer celle des Qin et gouvernera la Chine jusqu'en 220 ap. J.-C.

GRÈCE ET ROME

Dans les années 400 av. J.-C., la Grèce est une civilisation très élaborée. Athènes, la première démocratie du monde, est la plus importante des cités-États. Son chef politique, **Périclès** (vers 495 – 429 av. J.-C.), bat les Perses et Xerxès (vers 520 – 465 av. J.-C.) à la bataille de Salamine. En 338 av. J.-C., **Philippe II** (382 – 336 av. J.-C.), roi de Macédoine, annexe les cités-États grecques. Son fils, **Alexandre le Grand** (356 – 323 av. J.-C.), général d'exception, construit un grand empire en conquérant la Phénicie, le royaume de Juda, l'Égypte et la Perse.

Avec des éléphants dressés à faire la guerre, le chef carthaginois Hannibal (p. 12) franchit les Alpes avec son armée pour attaquer les Romains.

◄ Jules César était un grand général romain. Il conquit la Gaule dont il fit une province romaine.

► La légende raconte que l'empereur romain Constantin adopta le symbole chrétien en le peignant sur les boucliers de ses soldats avant la bataille décisive du pont Milvius en 312.

Durant le IIe siècle av. J.-C., Rome devient la ville la plus importante d'Europe. Les Romains conquièrent l'Italie mais se heurtent rapidement à Carthage à cause du partage des droits commerciaux en Méditerranée. Les guerres puniques qui s'ensuivent vont durer 60 ans. Durant cette période, le général carthaginois **Hannibal** (247 – 183 av. J.-C.) franchit les Alpes avec son armée et envahit l'Italie. À la suite d'une série de victoires remportées par Hannibal, le grand général romain **Scipion** (235 – 183 av. J.-C.) se met en route pour l'Afrique pour attaquer Carthage, contraignant ainsi Hannibal à regagner son pays. Scipion bat finalement les Carthaginois, donnant ainsi aux Romains le contrôle de l'Espagne et de l'Afrique du Nord. En 49 av. J.-C., **Jules César** (vers 100 – 44 av. J.-C.), général et politicien ambitieux et brutal, prend la tête de la République romaine. Ses armées conquièrent la Gaule et envahissent la Bretagne. Après la mort de César en 44 av. J.-C., les Romains préfèrent la dictature au chaos. **Octave** (63 av. J.-C. – 14 apr. J.-C.), son successeur, s'empare progressivement du pouvoir et adopte le nom d'Auguste («consacré par les augures»): il réorganise le gouvernement et l'Empire et «impose» la paix. Parmi les empereurs qui lui succèdent, citons **Claude** (10 av. J.-C. – 54 apr. J.-C.) qui envahit l'île de Bretagne et l'annexe à l'Empire, **Trajan** (53 apr. J.-C. – 117) durant le règne duquel l'Empire atteint son apogée, et **Hadrien** (76 – 138) qui fait construire un gigantesque mur au nord de l'île de Bretagne pour arrêter les incursions barbares. Vers 180 apr. J.-C., sous le règne de **Commode** (161-192), empereur cruel et perturbé, l'Empire est soumis à de fortes tensions. Les Barbares – Goths, Francs, Alamans et Vandales – le menacent et, de 260 à 272, les Romains doivent abandonner des parties entières de leur Empire. En 286, l'empereur **Dioclétien** (245 – 313) divise l'Empire en deux, l'Empire d'Orient où l'on parle le grec et l'Empire d'Occident où l'on parle le latin. Il désigne **Maximien** pour gouverner en Orient entre 286 et 305. En 313, **Constantin** (vers 274 – 337) réussit à réunifier l'Empire et décide d'adopter le christianisme comme religion officielle de Rome; en 330, il fait de Byzance sa capitale, qu'il appelle Constantinople.

◄ Boudicca, reine des Icéniens, une tribu anglaise, mena une rébellion contre les occupants romains et en tua près de 70000. Les Romains ripostèrent, et exterminèrent des milliers d'Icéniens. On raconte que Boudicca, pour échapper aux représailles des Romains, s'empoisonna en 61 apr. J.-C.

LES BARBARES ET LA CHUTE DE ROME

Au Ve siècle de notre ère, des peuples que les Romains appelaient les Barbares migrent à travers l'Europe et envahissent

Liu Xiu (6 – 75 apr. J.-C.) fut le premier empereur des Han postérieurs (ou orientaux) en Chine.

En 260 apr. J.-C., le roi Châhpuhr Ier de Perse battit l'empereur romain Valérien (193 – 260). Il le mit à mort et exposa sa dépouille dans les principales villes de son royaume.

l'Empire romain. **Alaric** (vers 370 – 410) était roi d'un peuple germanique, les Wisigoths. En 410, il s'empare de Rome et met la ville à sac. Attila (vers 406 – 453), un autre grand seigneur de guerre, devient le roi des Huns en 433. Parti d'Asie, il envahit l'Europe et s'installe en Hongrie. Sous le règne d'**Attila**, les Huns sèment la terreur dans les Balkans et en Grèce, forçant les Romains à leur donner de l'or pour sauver Constantinople. Après l'invasion de la Gaule et du nord de l'Italie par Attila, l'Empire romain d'Occident finit par s'effondrer.

L'EUROPE ET CHARLEMAGNE

Après la chute de Rome, un certain nombre de royaumes de l'ouest de l'Europe vont devenir de nouvelles nations, comme le royaume des Francs en Gaule (France). Leur chef, **Charles Martel** (vers 688 – 741), bat les envahisseurs arabes à Poitiers en 732. Charles fonde la dynastie des Carolingiens et, en 771, son petit-fils **Charlemagne** (747 – 814) devient roi des Francs. De 772 à 800, il crée un vaste empire en battant les Saxons, les Lombards d'Italie, et en envahissant l'Espagne. Chrétien dévot, il convertit les peuples sur les terres qu'il conquiert. Il est couronné empereur d'Occident et premier empereur du Saint Empire romain le jour de Noël de l'an 800. Peu après sa mort, son empire s'effondre et est divisé en deux, la Germanie et la France.

Charlemagne fut le roi des Francs. Il soutint l'Église romaine dans son royaume. En retour, le pape Léon III (vers 750 – 816) couronna Charlemagne premier empereur du Saint Empire romain, en 800. Ce couronnement, qui eut lieu à Saint-Pierre de Rome, était un geste politique destiné à contrebalancer le pouvoir de l'Empire byzantin d'Orient.

▶ Attila, roi des Huns, fut un grand guerrier. En 453, il épousa une Germaine. Il mourut dans son lit subitement, sans doute empoisonné.

LA BRETAGNE ANGLO-SAXONNE

Les Romains ont abandonné la Bretagne vers 410. En 446, le grand roi breton **Vortigern** (roi vers 425-450) demande l'aide des Anglo-Saxons pour lutter contre les Pictes. Les Saxons assiègent une forteresse mais sont repoussés par **Arthur**, le roi légendaire des Bretons. Cependant, après une grande bataille qui se déroule en 552, les Saxons prennent le contrôle de presque tout le sud et le centre de l'Angleterre. Finalement, sept royaumes sont créés mais ceux-ci se battront souvent pour obtenir la suprématie. En 829, **Egbert de Wessex** est le premier souverain à régner sur toute l'Angleterre. Au milieu du IXe siècle, les Vikings commencent leurs raids sur l'Angleterre. À cette époque, **Alfred le Grand** (849 – 899) règne sur l'ancien royaume du Wessex, au sud de l'Angleterre. En 886, il bat les Vikings, prend Londres et divise l'Angleterre en deux, laissant aux Vikings une partie de la Mercie et l'Est-Anglie. Il accomplit une œuvre importante de législateur qui perdura jusqu'à ce que les envahisseurs normands, menés par **Guillaume Ier** (p. 14), conquièrent le pays en 1066.

L'EMPIRE ISLAMIQUE

Durant les 500 ans que dure le règne de la dynastie des Abbassides, l'Empire islamique va connaître une unification et une culture florissante. Les plus célèbres des califes abbassides sont **Harun al-Rachid** (766 – 809), le cinquième des califes, et son fils **al-Mamun** (786 – 833). Ils encouragent l'instruction et les arts, et font de Bagdad un centre mondialement connu pour l'astronomie, les mathématiques, la géographie, la médecine, le droit et la philosophie.

LES ROIS ET LES REINES

Guillaume Ier le Conquérant

Harold fut tué par une flèche reçue dans l'œil au cours de la bataille d'Hastings.

1027 – 1087

Guillaume, fils du duc Robert de Normandie, hérite du duché en 1035. Il est également l'héritier mâle adulte le plus proche du roi d'Angleterre, Édouard le Confesseur (v. 1003 – 1066). En 1051, Édouard en fait officiellement son successeur. Mais, en 1066, alors qu'il est mourant, Édouard se rétracte, lui préférant son beau-frère Harold. Guillaume envahit alors l'Angleterre afin de faire respecter ses droits. Il défait l'armée anglo-saxonne et tue Harold à la bataille d'Hastings. Le jour de Noël de 1066, Guillaume est couronné roi d'Angleterre.

Conquérant normand et roi d'Angleterre (1066 – 1087) ; il fait dresser un vaste inventaire des terres du royaume (Domesday Book).

Montezuma II

1466 – 1520

La civilisation aztèque recouvrait la plus grande partie de ce qui est actuellement le Mexique et l'Amérique centrale. Montezuma II gouverne le peuple aztèque de 1502 à 1520. En 1519, lorsque l'explorateur espagnol Hernán Cortés (p. 37) arrive au Mexique, Montezuma le prend pour Quetzalcoatl, le dieu roi, revenant d'exil. Mais Cortés emprisonne Montezuma. En juin 1520, les Aztèques, doutant que les Espagnols soient des dieux, se révoltent et Montezuma est tué.

Empereur des Aztèques de 1502 à 1520.

Soliman le Magnifique

vers 1494 – 1566

Sous le règne de Soliman, l'Empire ottoman atteint son apogée, représentant une véritable menace pour l'Occident. Ses conquêtes s'étendent des Balkans jusqu'à la Perse. Sa flotte navale domine la Méditerranée, le golfe Persique et la mer Rouge. En 1529, Soliman avance jusqu'au cœur du Saint Empire. Sa dernière défaite est la bataille de La Valette, dans l'île de Malte, l'année précédant sa mort.

Fils de Sélim Ier auquel il succède en 1520 ; il prend Belgrade en 1521 et Rhodes en 1522 ; il met le siège devant Vienne en 1529, mais sans succès.

HENRY V 1387 – 1422

Couronné roi d'Angleterre en 1413, Henri V consacre son court règne à revendiquer les terres françaises perdues après la mort d'Édouard III (1312 – 1377). Durant la guerre de Cent Ans, il remporte la grande victoire d'Azincourt en 1415. Au moment de sa mort, la moitié du nord de la France se trouve sous la domination anglaise.

ISABELLE Ire 1451 – 1504 ET FERDINAND D'ARAGON 1452 – 1516

En épousant son cousin Ferdinand d'Aragon en 1469, la reine de Castille, Isabelle, réunit leurs royaumes qui constitueront la base de l'Espagne moderne. Ils chassent les envahisseurs maures du sud de l'Espagne et font de celle-ci un pays catholique. Isabelle est à l'origine de la richesse de l'Espagne et du commerce avec les Amériques.

Catherine de Médicis

1519 – 1589

Catherine de Médicis, fille de Laurent II de Médicis, comte d'Urbino, épouse Henri II de France (1519 – 1559) en 1533. Ses trois fils deviennent successivement rois de France : François II, Charles IX et Henri III. Régente, elle gouverne la France et elle est l'instigatrice du massacre de la Saint-Barthélemy (1572) : Charles IX ordonne d'exécuter le chef des huguenots (protestants), Gaspard II de Coligny, et ses compagnons. Près de 25 000 huguenots périssent dans la nuit du 23 au 24 août. Le pape Grégoire XIII félicite Catherine et fait frapper une médaille en son honneur.

Épouse d'Henri II de France (1533 – 1559) ; régente pour ses fils François II (1559 – 1560) et Charles IX (1560 – 1563).

En 1588, Élisabeth Ire s'adresse aux marins près de Londres, alors que la flotte anglaise s'apprête à combattre l'Invincible Armada espagnole.

Ivan le Terrible

1530 – 1584

Ivan IV est couronné tsar de Russie en 1547. Impitoyable et intelligent, il réduit le pouvoir de l'aristocratie, du gouvernement et des marchands. Sur ses ordres, des milliers de Russes sont exécutés ; il tue aussi de ses propres mains son fils lors d'un accès de rage. Il est le fondateur de la Russie moderne et, sous son règne, le pays s'étend et annexe les territoires du Kazan, de l'Astrakhan et de la Sibérie. Moscou devient sa capitale, et des relations commerciales sont établies avec l'Angleterre.

Il assume le pouvoir de premier tsar en 1547 ; il réduit le pouvoir de la noblesse en Russie.

Elisabeth Ire

1533 – 1603

Fille d'Henri VIII et d'Anne Boleyn, Élisabeth organise l'Église anglicane grâce à l'Acte de suprématie et à l'Acte d'uniformité, faisant du protestantisme la religion légale d'Angleterre. Une grande partie de son règne est consacrée à combattre les forces catholiques d'Espagne. Elle fait emprisonner puis exécuter la reine catholique Marie Stuart en 1587. Et un an plus tard, les armées d'Élisabeth vainquent l'Invincible Armada espagnole. Elle encourage les explorations et finance les voyages de Walter Raleigh (p. 48) et de Francis Drake (p. 47).

Première reine protestante d'Angleterre 1588 – 1603 ; elle présida à l'épanouissement de la Renaissance anglaise.

Cha Djahan

1592 – 1666

L'Empire moghol est à son apogée durant le règne de Chah Djahan, cinquième empereur moghol de l'Inde. Son fils, Aurangzeb (1618 – 1707), va le destituer, l'emprisonner et tuer deux de ses trois frères. Chah Djahan est surtout connu pour avoir fait construire le Tadj Mahall d'Agra, mausolée de marbre blanc érigé en l'honneur de son épouse défunte, Mumtaz-i-Mahall.

Empereur de l'Inde de 1628 à 1658 ; grand amateur d'architecture et de techniques de construction.

HENRY VIII 1491 – 1547
Fondateur de la dynastie des Tudor, Henri devient roi d'Angleterre en 1509. Il hérite l'immense fortune de son père, mais la gaspille en partie dans des guerres étrangères. Il fait de l'Angleterre une grande puissance navale, mais il est surtout connu pour ses six femmes. Quand le pape refuse son divorce de Catherine d'Aragon, Henri se détache de l'Église catholique romaine.

CHARLES QUINT 1500 – 1558
Roi d'Espagne (sous le nom de Charles Ier) et empereur du Saint Empire romain de 1519 à 1556, il hérite de la couronne des Pays-Bas, d'Espagne et d'Autriche. Son empire est défié par la France, par l'Empire ottoman et par le mouvement protestant. Accablé, il cède le trône en 1556 à son fils Philippe II d'Espagne (1527 – 1598).

AKBAR LE GRAND 1542 – 1605
Considéré comme le plus grand des empereurs moghols de l'Inde du Nord, Akbar gouverne de 1556 jusqu'à sa mort. Il est le petit-fils de Baber, fondateur de l'Empire moghol de l'Inde en 1526. La sagesse d'Akbar, ses dons d'administrateur, sa ferme autorité, sa tolérance religieuse et son intérêt pour les arts lui ont valu le surnom de « défenseur de l'humanité ».

Louis XIV

1638 – 1715

Louis est couronné roi de France à l'âge de 4 ans. Il régnera 72 ans, le plus long règne parmi les rois et les reines d'Europe.

Il gouverne en monarque absolu, s'arrogeant la totalité du pouvoir après la mort de son premier ministre, le cardinal Jules Mazarin, en 1661. C'est alors qu'il prononce cette phrase célèbre de l'histoire : « l'État, c'est moi. » Roi très ambitieux pour la France, il entreprend quatre guerres contre des coalitions de plusieurs nations européennes pour accroître la puissance de son royaume. Mais ces guerres ne lui apportent pas le succès escompté malgré la grande compétence de son ministre des Finances, Jean-Baptiste Colbert (1619 – 1683). Après la mort de ce dernier, et en dépit d'un pays criblé de dettes, Louis XIV continue à profiter de sa vie de plaisirs et de fêtes dans son splendide palais de Versailles. Sa cour est si brillante qu'on le surnomme le « Roi Soleil ». Ses excès et sa volonté de réunir tous les nobles du royaume au sein de sa cour nourrissent un mécontentement populaire qui mènera, plus tard, à la Révolution de 1789. Mais si Louis XIV n'a pas connu les succès qu'il espérait sur les champs de bataille, il a en revanche favorisé les lettres et les arts, donnant ainsi un prestige considérable à la France. Écrivains, artistes et architectes portent la culture française à son apogée. Beaucoup d'entre eux obtiennent les faveurs royales grâce aux recommandations de deux de ses maîtresses, Madame de Montespan (1640 – 1707) et, plus tard, Madame de Maintenon (1635 – 1719), que le roi épousera secrètement après la mort de sa femme, Marie-Thérèse d'Autriche en 1683. Fervente catholique, elle incite le roi à chasser les protestants hors de France.

Le plus long règne d'un monarque européen (1643 – 1715) ; il mena la guerre de Dévolution (1667 – 1668) ; il construisit le palais de Versailles (1661 – 1708) ; il révoqua l'édit de Nantes (1685) ; il signa le traité d'Utrecht, 1713.

◄ Le palais de Versailles fut construit entre 1661 et 1708 aux frais du peuple français.

CHARLES Ier 1600 – 1649

Charles accède au trône de Grande-Bretagne et d'Irlande en 1625. Il se considère comme un souverain de droit divin, ne devant son pouvoir qu'à Dieu sans avoir à en répondre devant le peuple. Sa dictature est la cause principale de la guerre civile anglaise (1642-1651) qu'il perdra. Accusé de trahison, il est décapité en 1649.

CHARLES X DE SUÈDE 1622 – 1660

Chef militaire volontaire et sans pitié, Charles Gustave conduit l'armée suédoise pendant la guerre de Trente Ans (1618 – 1648). Il devient prince héritier en 1650 et accède au trône en 1654. Son armée inflige de cruelles défaites à la Pologne et au Danemark. C'est pendant son règne que les territoires suédois atteignent leur plus grande extension.

Guillaume d'Orange

1650 – 1702

Guillaume est le fils de Guillaume II de Nassau (1626 – 1650) et de Marie (1631 – 1660), fille de Charles Ier d'Angleterre (p. 16). À 22 ans, Guillaume résiste à l'invasion de la Hollande par les Français. En 1677, il épouse Marie II Stuart (1662 – 1694), fille du roi d'Angleterre Jacques II (1633 – 1701), une catholique. En 1688, des hommes d'État anglais lui demandent de l'aide pour leur pays. Au cours de ce que l'on a appelé la Glorieuse Révolution, il envahit l'Angleterre, forçant Jacques II à se réfugier en France. Il est couronné en 1689 sous le nom de Guillaume III et gouverne le pays avec Marie. Il meurt d'une chute de cheval.

Sous le nom de Guillaume III, il fut roi de Grande-Bretagne et d'Irlande de 1689 à 1702.

Frédéric le Grand

1712 – 1786

Couronné roi de Prusse en 1740, Frédéric II (connu plus tard sous le nom de Frédéric le Grand) est un souverain puissant et efficace, un exceptionnel stratège et un bienfaiteur renommé des arts. Il conquiert la Silésie qui était alors autrichienne et défait la coalition formée par l'Autriche, la France et la Russie au cours de la guerre de Sept Ans (1756 – 1763), conservant ainsi ses possessions intactes. Frédéric encourage l'industrie et l'agriculture, réforme le système éducatif, et fait preuve d'une grande tolérance religieuse. Il écrit des poèmes, joue de la flûte et compose de la musique. Il correspond aussi avec Voltaire (p. 108), le grand homme de lettres français qui le décrit comme le « roi philosophe ».

Roi de Prusse (1740 – 1786) et réformateur du système éducatif, de l'industrie et de l'agriculture.

La Grande Catherine

1729 – 1796

Princesse prussienne, Catherine épouse Pierre, le grand-duc de Russie (1728 – 1762) en 1745. Pierre monte sur le trône de Russie en 1762, mais il est destitué et assassiné à la suite d'un coup d'État. Catherine devient alors impératrice de Russie et gouverne avec énergie et efficacité. Pendant son règne, la Russie élargit ses frontières à la Crimée, à une partie de la Suède et à presque toute la Pologne. Elle apporte les idées européennes en Russie, construit des écoles et des hôpitaux, développe l'éducation des femmes et encourage la tolérance religieuse. Malheureusement, elle ne fait rien pour soulager la misère du peuple ni pour abolir le servage. Elle réprime sans aucune pitié les révoltes paysannes.

Impératrice de Russie (1762 – 1796), elle élargit le territoire russe.

Pendant son règne, la Grande Catherine introduisit la culture européenne en Russie.

KANGXI 1661 – 1722
Sous le nom de Kangxi, Hsuen-yeh est le second empereur de Chine de la dynastie Qing. Homme tolérant et grand lettré, il encourage l'éducation, la littérature, les arts et les sciences. Il invite aussi des missionnaires occidentaux en Chine, légalisant leur présence en 1692. À sa mort, l'Église catholique chinoise compte près de 300 000 membres et plus de 300 églises.

PIERRE LE GRAND 1672 – 1725
Tsar de Russie en 1682, Pierre Ier étend les frontières de son pays par des guerres victorieuses et introduit des idées modernes venant d'Europe. Il voyage à travers l'Europe et apprend des technologies modernes en Hollande et en Angleterre. Il réorganise l'armée et la marine, encourage l'éducation et place l'Église sous le contrôle de l'État.

LOUIS XVI 1754 – 1793 ET MARIE-ANTOINETTE 1755 – 1793
Roi et reine de France à la chute de la monarchie qui entraînera la Révolution française (1789 – 1799). Louis XVI a l'image d'un roi faible, fortement influencé par une épouse « trop autrichienne » fille de l'empereur d'Autriche François Ier (1708 – 1765). Pendant la Révolution, ils sont tous les deux emprisonnés puis guillotinés en 1793.

LA REINE VICTORIA

La reine Victoria

1819 – 1901

Sous le règne de Victoria, l'Empire britannique s'étend à travers le monde entier, faisant de la Grande-Bretagne le pays le plus riche du monde. En 1840, Victoria épouse son cousin, le prince Albert de Saxe-Cobourg-Gotha (1819 – 1861). Celui-ci encourage l'industrie et les techniques, et organise la Grande Exposition de 1851. La mort d'Albert en 1861 laisse la reine complètement désemparée : elle ne reparaîtra publiquement que pour célébrer le jubilé de ses 50 ans de règne, en 1887.

Reine de Grande-Bretagne et souveraine de l'Empire britannique (1837 – 1901) ; elle initia la monarchie constitutionnelle moderne en 1840 ; impératrice des Indes (1876 – 1901).

Cetewayo

v. 1826 – 1884

Le règne de Cetewayo, roi des Zoulous, est dominé par la guerre contre les Anglais. En 1879, il remporte les victoires de Isandhlawana et de Rorke's Drift, mais l'armée zouloue sera finalement vaincue à Ulundi. Le Zoulouland est alors divisé en 13 chefferies et Cetewayo exilé. En 1883, les Anglais lui restituent certains de ses pouvoirs.

Roi du Zoulouland (1873 – 1883) ; victoire des Zoulous en 1879, à Isandhlawana.

Nicolas II Tsar de Russie

1868 – 1918

Tsar de Russie en 1894, Nicolas a un règne tragique : répression, incompétence et mauvaise administration. Il agit sous l'influence de son épouse Alexandra qui, à son tour, subit celle du moine mystique Grigori Raspoutine (p. 240). Après une guerre désastreuse avec le Japon (1904 – 1905) et des troubles civils, la première révolution a lieu en 1905. Répondant aux demandes des rebelles, la douma, une assemblée élue, se réunit en 1906. Elle ne siégera encore que quatre fois quand, en 1917, la seconde révolution – plus aboutie que la première – éloigne Nicolas II du pouvoir. Lui et toute sa famille sont exécutés par les Gardes rouges en 1918.

Tsar de Russie (1894 – 1917).

Hailé Sélassié Ier

1891 – 1975

Hailé Sélassié introduit les idées et l'économie occidentales en Éthiopie, et proclame que l'esclavage est un crime. En 1916, il devient régent et héritier du trône. Lorsque les Italiens envahissent l'Éthiopie en 1935, il s'exile en Grande-Bretagne, puis remonte sur le trône lorsque les Anglais reprennent l'Éthiopie aux Italiens en 1941. Destitué, en 1974, par un coup d'État militaire, il meurt un an plus tard. Hailé Sélassié, anciennement appelé le ras Tafari, « le lion de Juda » a donné son nom au rastafari jamaïcain, fondé sur les idées du philosophe Marcus Garvey (p. 127). Les rastafariens ont déifié l'empereur d'Éthiopie, le proclamant Messie.

Empereur d'Éthiopie (1930 – 1974) ; il instaure un gouvernement démocratique en 1955.

L'Empereur Hirohito

1901 – 1989

Fils aîné de l'empereur Taisho (1879 – 1926), Hirohito devient le 124e empereur du Japon en 1926 et gouverne sous le nom de Showa. Il ne s'oppose pas aux entreprises militaires du Japon contre la Chine ni à son rôle important durant la Seconde Guerre mondiale, mais on dit qu'il ne les approuvait pas non plus. En 1946, durant l'occupation américaine de l'après-guerre, il accepte de remettre son pouvoir politique entre les mains d'un gouvernement élu. Il est le premier empereur japonais à devenir un symbole de l'État plutôt qu'un dirigeant de droit divin.

Premier empereur japonais à visiter l'Occident ; empereur du Japon (1926 – 1989).

LES HOMMES POLITIQUES

Oliver Cromwell

1599 – 1658

Parlementaire qui s'oppose au pouvoir despotique de Charles Ier (p. 16), Cromwell mène son parti à la victoire dans la guerre civile anglaise (1642 – 1651). Il est chargé de réorganiser l'armée et insuffle une ardeur nouvelle à cette « nouvelle armée modèle ». Stratège militaire hors pair, il ne perd jamais une bataille. Après l'exécution de Charles Ier en 1649, Cromwell proclame l'Angleterre Commonwealth (république) et, en 1653, il en devient lord-protecteur. Son règne, considéré comme dur, augmente le prestige de l'Angleterre au-delà de ses frontières.

Lord-protecteur d'Angleterre (1653 – 1658).

George Washington

1732 – 1799

En 1774, Washington devient membre du Congrès continental des États-Unis qui s'oppose à la politique coloniale britannique. Durant les hostilités contre l'Angleterre (1775 – 1783), il commande les forces qui remporteront la bataille de Yorktown (1781). Élu président en 1789, il signe la Constitution fédérale en 1791 ; il est réélu pour un second mandat en 1792.

Il participa à la rédaction de la Constitution des États-Unis en 1787 ; président des États-Unis (1789 – 1797).

Abraham Lincoln

1809 – 1865

Le parcours de Lincoln, depuis ses modestes débuts jusqu'aux plus hautes responsabilités de l'État, est considéré comme un exemple du pouvoir de la démocratie.

En 1847, Lincoln est élu à la Chambre des représentants des États-Unis. Il se retire de la politique à la fin de son mandat, mais y revient en 1854. En 1856, il rejoint le Parti républicain antiesclavagiste et en 1860 il est élu président. Après son élection, les États esclavagistes du Sud se retirent de l'Union pour former une confédération sudiste. D'abord opposé au conflit, Lincoln finira par soutenir la guerre civile américaine (1861 – 1865) pour sauvegarder l'Union, mais le véritable enjeu sera plus tard l'esclavage. En 1863, il proclame l'émancipation immédiate de tous les esclaves noirs des États rebelles. Il est assassiné par un esclavagiste, John Wilkes Booth (p. 239), en 1865.

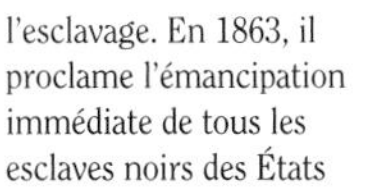

Premier président républicain (1860 – 1865) ; il libère les esclaves américains en 1863.

► Lincoln inspecte les troupes lors de la Guerre civile.

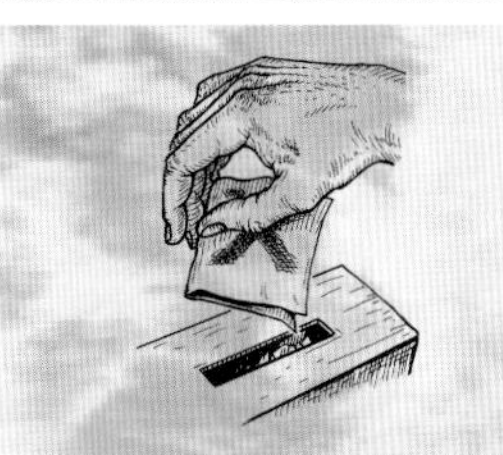

CARDINAL DE RICHELIEU
1585 – 1642
Armand Jean du Plessis, cardinal duc de Richelieu, est ministre du roi de France Louis XIII, de 1624 jusqu'à sa mort. Le dessein de Richelieu est d'instaurer une monarchie absolue et d'augmenter le pouvoir de la France en Europe en attaquant l'Empire autrichien des Habsbourg. Il mate les rébellions intérieures mais appauvrit la France en l'entraînant dans la guerre de Trente Ans contre les Habsbourg. Il est le fondateur de l'Académie française en 1635.

THOMAS JEFFERSON
1743 – 1826
Thomas Jefferson, collègue et ami de George Washington (voir plus haut, à gauche), devient membre du premier Congrès continental en 1774. Il est chargé de rédiger la Déclaration d'indépendance en 1776 et, entre 1785 et 1801, il occupe les postes d'ambassadeur des États-Unis à Paris, de secrétaire d'État et de vice-président. Il est le troisième président des États-Unis de 1801 à 1809.

OTTO VON BISMARCK 1815 – 1898
Ce prince et homme d'État prussien unifie l'Allemagne. Il est élu président du Conseil en 1862 et crée un empire allemand en alliant force militaire, diplomatie et savoir-faire. Il remporte trois guerres contre le Danemark, l'Autriche et la France. Après la dernière victoire, Bismarck, alors connu sous le nom de « chancelier de fer » scelle la Triple-Alliance avec l'Autriche et l'Italie, et signe un traité de paix avec la Russie.

SUN YAT-SEN 1866 – 1925
Chef révolutionnaire chinois, il fonde le Parti nationaliste en 1894. Après des années d'exil, il revient en Chine en 1911 pour rejoindre la révolution qui destituera la dynastie mandchoue. Il devient le président provisoire de la République de Chine la même année. En 1921, il fonde une république indépendante à Canton, au sud de la Chine.

Le Mahatma Gandhi

1869 – 1948

Gandhi devient le chef du parti indien du Congrès. Il lutte pour l'autonomie (*swaraj*) et l'indépendance face à l'Angleterre.

Né en Inde, Gandhi fait ses études de droit en Angleterre et travaille en Afrique du Sud entre 1893 et 1914. Puis il retourne en Inde et mène deux campagnes non violentes contre l'autorité britannique, ce qui lui vaut la prison pour conspiration. Une fois libéré de prison en 1931, Gandhi participe à des pourparlers à Londres qui aboutissent à l'indépendance de l'Inde, proclamée en 1947. Gandhi est assassiné en 1948.

Il mène deux campagnes contre l'autorité de l'Angleterre en Inde (1919 – 1920) ; il est emprisonné par les Anglais (1922 – 1924 et 1930 – 1931) ; il fonde l'État indien en 1947.

Le mahatma Gandhi prône la non-violence et organise deux campagnes de désobéissance civile contre les Anglais. Cependant, des centaines de ses disciples sont tués par les soldats britanniques.

Vladimir Lénine

1870 – 1924

Vladimir Ilitch Oulianov est juriste à Saint-Pétersbourg, en Russie, jusqu'en 1895, date à laquelle il est emprisonné pour ses idées révolutionnaires. Il est exilé en Sibérie jusqu'en 1900 et y étudie la doctrine de Karl Marx (p. 111). En 1903, les idées de Lénine entraînent la division du parti social-démocrate russe en deux groupes : les bolcheviques, qui s'attachent aux idéaux marxistes, et les mencheviques, plus modérés. Lénine est bolchevik. Il se trouve en Suisse quand la révolution éclate en 1917 et il regagne aussitôt la Russie pour diriger les bolcheviques. La révolution est un succès et Lénine prend la tête du premier gouvernement des soviets.

Révolutionnaire russe (1900 – 1917) ; premier chef communiste de la nouvelle URSS (1917 – 1924).

Winston Churchill

1874 – 1965

À partir de 1900, Churchill occupe la scène politique par intermittence. Il appartient d'abord au Parti libéral puis au Parti conservateur où il occupe de nombreux postes importants. De 1940 à 1945, durant la Seconde Guerre mondiale, il est élu à la présidence du gouvernement de coalition. Ses discours de l'époque aident le peuple britannique à résister aux bombardements allemands.

Premier lord de l'Amirauté (1911 – 1915) ; Premier ministre de la Grande-Bretagne durant la Seconde Guerre mondiale ; Premier ministre à nouveau après la victoire des conservateurs (1951 – 1955).

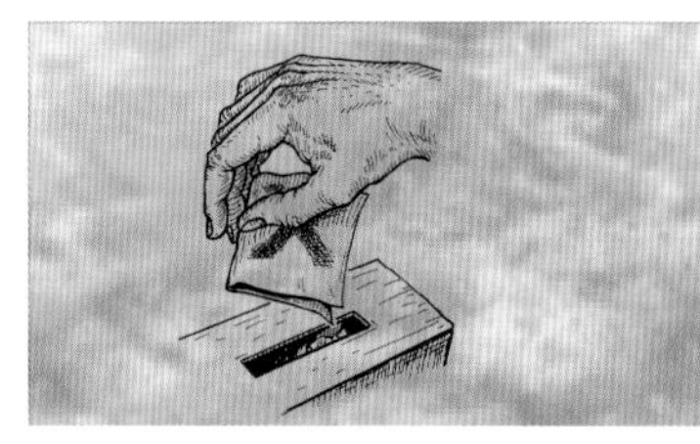

LOUIS-JOSEPH PAPINEAU 1786 – 1871
Homme politique canadien, Papineau intervient à Londres, en 1823, pour forcer l'abandon du projet d'union des deux Canadas visant à l'assimilation des francophones de la vallée du Saint-Laurent. L'intransigeance de Londres face aux demandes et aux griefs du Parti patriote pour corriger des injustices provoque l'insurrection des Patriotes en 1837 et 1838 alors que Papineau est au pouvoir.

KONRAD ADENAUER 1876 – 1967
Premier chancelier d'Allemagne de l'Ouest en 1949, Adenauer est le chef du Parti chrétien démocrate. Hitler l'emprisonne en 1933 en raison de son opposition au régime nazi. Il s'oppose également au communisme. Après la Seconde Guerre mondiale, Adenauer s'implique dans la reconstruction de son pays et travaille à instaurer de bonnes relations avec la France.

Joseph Staline

1879 – 1953

Staline était destiné à devenir prêtre, mais il est renvoyé du séminaire en raison de ses activités révolutionnaires. Il devient bolchevique et membre du comité révolutionnaire d'octobre 1917. Après la mort de Lénine, Staline et Trotski (p. 30) se trouvent en rivalité, mais Staline l'emporte. En 1928, il lance le premier plan quinquennal pour encourager l'industrie et l'agriculture. Cependant, des millions d'hommes vont mourir de faim. Staline ordonne des purges pour museler l'opposition – ceux qui s'opposent à lui sont envoyés en prison ou exécutés. Après l'invasion allemande en 1941, l'URSS rejoint les Alliés et Staline acquiert un statut de dirigeant mondial.

Secrétaire général du Parti communiste de l'URSS (1922 – 1953) ; dictateur communiste de l'URSS (1924 – 1953).

En 1945, Winston Churchill, Franklin D. Roosevelt et Joseph Staline se rencontrent à Yalta pour décider du sort de l'Europe après la Seconde Guerre mondiale.

F. D. Roosevelt

1882 – 1945

Le démocrate Franklin Delano Roosevelt dirige les États-Unis durant les années terribles de la Dépression et de la Seconde Guerre mondiale. Quand il arrive au pouvoir en 1933, un quart de la population se trouve au chômage, les banques sont en faillite et les gens meurent de faim. Il soutient les chômeurs, les agriculteurs, les entreprises et les banques. Quand la Seconde Guerre mondiale éclate en Europe en 1939, Roosevelt fait voter la loi « prêt-bail » pour coopérer avec les Alliés. En décembre 1941, après l'attaque japonaise à Pearl Harbor, il entraîne son pays dans la guerre.

32e président des États-Unis (1933 - 1945) ; instigateur du programme économique nommé New Deal.

Mao Tsé-Toung

1893 – 1976

Mao va suivre les théories de Marx (p. 111) et adapte le communisme à la Chine. En 1931, il fonde une République socialiste chinoise dans les territoires du Hunan et du Jiangxi. Attaqué par les forces nationalistes en 1934, il mène son armée dans la Longue Marche (près de 12 000 km) jusqu'au Chen-si. Mao prend alors la tête du Parti communiste chinois et s'allie aux nationalistes jusqu'en 1945. Puis, après une terrible guerre civile remportée par les communistes, Mao fonde la République populaire de Chine en 1949.

Président du Parti communiste chinois (1935 – 1976) ; fondateur et président de la République populaire de Chine (1949 – 1959).

Mao lance la Révolution culturelle en 1966 contre les forces libérales à l'intérieur de la Chine.

MOUSTAFA KEMAL ATATÜRK 1881 – 1938

Fondateur et premier président de la République de Turquie en 1923, Atatürk va réformer politiquement et socialement son pays. Son ambition est de transformer celui-ci en une république européenne moderne. Ses réformes comprennent le vote des femmes, l'abolition de la polygamie et l'instruction pour tous.

EAMON DE VALERA 1882 – 1975

Né à New York, cet homme politique irlandais se bat pour l'indépendance et pour l'unité de l'Irlande. En 1926, il participe à l'organisation d'un nouveau parti politique, le Fianna Fail, pour concrétiser ses ambitions. De Valera va être à trois reprises Premier ministre entre 1932 et 1957, et président de l'Irlande de 1959 à 1973.

TCHANG KAÏ-CHEK 1887 – 1975

Tchang Kaï-chek, un des chefs du mouvement nationaliste chinois, participe à la révolution qui chasse la dynastie mandchoue en 1911. Il est deux fois président de la Chine entre 1928 et 1945. En 1948, les communistes le chassent de Chine et il s'installe à Formose (Taïwan) où, soutenu par les États-Unis, il établit un gouvernement de droite.

Adolf Hitler

1889 – 1945

Né en Autriche, Adolf Hitler, malgré des débuts médiocres dans la vie, est élu Führer («chef») du Parti nazi allemand.

Fondé sur le nationalisme et l'antisémitisme, le Parti nazi devient le plus grand parti du parlement allemand. En 1933, Hitler occupe le poste de chancelier d'Allemagne. Il fait du pays une dictature à parti unique, suspend la Constitution et supprime ses opposants. Désireux de repousser les frontières de l'Allemagne, il fait alliance avec l'Italie fasciste en 1936 et, en 1938, envahit l'Autriche et la Tchécoslovaquie. La Seconde Guerre mondiale est déclarée lorsqu'il pénètre en Pologne en 1939: l'Angleterre et la France entrent alors en guerre contre l'Allemagne. Hitler dirige personnellement la stratégie militaire et envahit la Belgique, les Pays-Bas, la France, le Danemark, la Norvège, la Roumanie, la Yougoslavie, la Grèce et l'Afrique du Nord. Ignorant le pacte signé avec l'URSS, il attaque ce pays en 1941. Hitler ordonne l'arrestation et le génocide d'environ 12 millions d'hommes – parmi lesquels des juifs, des homosexuels, des tziganes – qui sont exterminés dans les camps de concentration. En 1945, l'Allemagne perd la guerre, Hitler se suicide à Berlin.

Chancelier d'Allemagne (1933 – 1945); dictateur qui dirigea l'Allemagne durant la Seconde Guerre mondiale (1939 – 1945); il est l'instigateur de l'infâme «solution finale».

Hitler épousa sa maîtresse, Eva Braun, en 1945, quelques jours avant de se suicider.

Jomo Kenyatta

v. 1889 – 1978

Jomo Kenyatta (Kamau Ngengi) appartient à la tribu des Kikuyu du Kenya. Orphelin dès sa prime jeunesse, il s'intéresse très tôt à la politique anticolonialiste. En 1922, il rejoint l'organisation nationaliste appelée Kikuyu Central Association (KCA) et prend le poste de secrétaire général. Après de longs séjours en Grande-Bretagne et en URSS, il regagne son pays et devient président de la Kenya African Union (KAU) en 1947. Kenyatta travaille à l'indépendance de son pays, mais en 1952 il est emprisonné pendant sept ans à la suite de l'insurrection Mau-Mau. Après encore un an d'exil au nord du Kenya, Kenyatta revient dans son pays et devient membre du Parlement en 1961, puis Premier ministre et président du jeune Kenya indépendant en janvier 1964. Sous son autorité, le Kenya connaît une période de paix et de croissance économique.

Premier ministre du Kenya en 1963; premier président du Kenya indépendant (1964 – 1978).

Nikita Khrouchtchev

1894 – 1971

Après la mort de Staline, Khrouchtchev s'élève dans les rangs du Parti communiste de l'URSS et devient premier secrétaire du Parti en 1953. Il dénonce les crimes de Staline en 1956 et devient président du Conseil des ministres en 1958. Sous Khrouchtchev, l'URSS effectue ses premiers vols spatiaux (p. 55). Durant la crise des missiles de Cuba (1962), Khrouchtchev doit intervenir et retirer les missiles soviétiques de Cuba. En URSS, une mauvaise gestion de l'économie contraint Khrouchtchev à quitter la tête du Parti en 1964.

Premier secrétaire du Parti communiste d'URSS (1953 – 1964); il dénonce le stalinisme en 1956; président du Conseil des ministres de l'URSS (1958 – 1964).

Salvador Allende

1908 – 1973

Médecin, Salvador Allende est en 1933 l'un des fondateurs du Parti socialiste chilien. Il occupe différents postes politiques. À trois reprises, il échoue comme candidat de la gauche aux élections présidentielles. En 1970, il est finalement élu chef d'une coalition des partis de gauche et du Parti socialiste, coalition d'Union populaire. Allende instaure le socialisme et nationalise les mines de cuivre qui appartiennent à des compagnies américaines. Sous la présidence de Richard Nixon (à droite) les États-Unis refusent d'avoir à proximité un pays communiste. En 1973, ils soutiennent un coup d'État mené par le général Pinochet. Allende trouve la mort dans le palais présidentiel de la Moneda.

Sénateur (1945 – 1970) ;
président du Chili (1970 – 1973).

Richard Nixon

1913 – 1994

Richard Nixon, le 37e président des États-Unis, devient sénateur républicain en 1946 et vice-président de Dwight Eisenhower (p. 31). Il assume deux mandats de président (1969 – 1974). Nixon normalise les relations avec la Chine et l'URSS et, après des années de controverses, il met fin à la guerre du Viêt Nam en 1973. Il démissionne après le scandale du Watergate (juin 1972), rejeté par le peuple américain.

Vice-président des États-Unis (1953 – 1961) ;
président des États-Unis (1969 – 1974) ;
premier président américain à démissionner, en 1974.

John F. Kennedy

1917 – 1963

Après avoir été aux commandes d'un lance-torpilles durant la Seconde Guerre mondiale, Kennedy devient sénateur démocrate du Massachusetts en 1952. Il gagne les élections présidentielles en 1960, et devient le 35e président des États-Unis. Sa politique expose un programme de réforme des droits civiques, dont une réorganisation de l'éducation nationale : quelle que soit l'origine raciale, tout enfant peut fréquenter les mêmes écoles. En 1961, appuyée par les États-Unis, l'expédition contre-révolutionnaire entreprise par des exilés cubains opposés à Fidel Castro (p. 32) échoue dans la baie des Cochons. En 1962, Kennedy garde son sang-froid lors d'une confrontation avec l'URSS et persuade Khrouchtchev de retirer ses missiles de Cuba. En 1963, Kennedy est assassiné par Lee Harvey Oswald (p. 246).

Sénateur du Massachusetts (1952 – 1960) ; le premier président catholique des États-Unis (1960 – 1963).

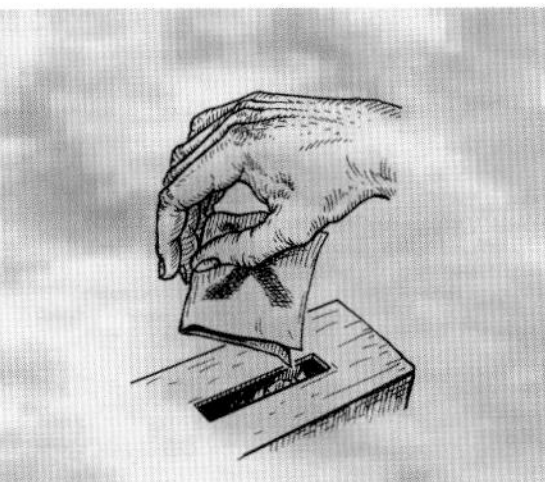

JAWAHARLAL NEHRU
1889 – 1964
Nehru devient et reste le premier Premier ministre de l'Inde, après la proclamation de l'indépendance en 1947, jusqu'à sa mort en 1964. Il est appelé Pandit Nehru, Pandit étant le nom de sa caste familiale et signifiant " savant ". Il occupe le poste de président du Congrès en 1929, soutient la politique de désobéissance civique de Gandhi. Il établit la démocratie dans son pays et maintient la neutralité de l'Inde.

GOLDA MEIR 1898 – 1978
Golda Meir (Golda Mabovitch), née à Kiev en Russie, immigre en Palestine en 1917 et prend alors une part active dans la vie politique. Lorsque Israël devient un État indépendant en 1948, elle occupe les fonctions d'ambassadeur en URSS (1948 – 1949), de ministre du Travail (1949 – 1956) et de ministre des Affaires étrangères (1956 – 1966). Golda Meir fonde le Parti travailliste unifié (1967) et devient la première femme Premier ministre d'Israël (1969-1974).

DENG XIAOPING 1904 – 1997
Chef du Parti communiste chinois de 1978 à 1987. La carrière politique de Deng Xiaoping est ponctuée de périodes d'entente et de mésentente avec Mao Tsé-toung (p. 21). Il participe à la Longue Marche de Mao (1934 – 1935), mais tombe, victime de la Révolution culturelle en 1966, accusé d'avoir des idées capitalistes. Après la mort de Mao en 1976, Deng reprend la conduite des affaires. Il fait de nombreuses réformes économiques, mais demeure politiquement trop inflexible.

RONALD REAGAN 1911-2004
Quarantième président des États-Unis, Reagan assume deux mandats de 1981 à 1989. Acteur hollywoodien entre 1937 et 1964, Reagan rejoint le Parti républicain en 1962 avec lequel il est élu gouverneur de Californie (1967 – 1974). Il diminue l'aide sociale ainsi que les taxes, et augmente le budget de la défense. Il échappe à une tentative d'assassinat en 1981. En 1983, il prend l'initiative de défense stratégique connue sous le nom de « guerre des étoiles ».

Gamal Abdel-Nasser

1918 – 1970

Nasser est le véritable organisateur du coup d'État qui provoque l'abdication du roi Farouk en 1952 et instaure la république en Égypte. Il devient Premier ministre en 1954 et est élu président de la République en 1956. La même année, il nationalise le canal de Suez, ce qui provoque une crise internationale. En 1958, Nasser devient président de la République arabe unie, union de l'Égypte et de la Syrie, mais trois ans plus tard, en 1961, la Syrie se retire. Nasser démissionne après la guerre des Six-Jours contre Israël en 1967, mais revient bientôt sur sa décision. Il meurt en 1970, juste après avoir signé un cessez-le-feu avec Israël.

Premier président d'Égypte (1956 – 1970) ; il nationalise le canal de Suez en 1956.

Anouar el-Sadate

1918 – 1981

Sadate fut deux fois vice-président d'Égypte. Après la mort de Nasser, il devient président. En 1977, il va à Jérusalem pour tenter d'instaurer la paix avec Israël. L'année suivante, le président des États-Unis, Jimmy Carter, invite Sadate et le 1er ministre israélien, Menahem Begin (1913 – 1992), à signer les accords de Camp David. Les deux protagonistes reçoivent le prix Nobel de la paix en 1978 ; le président Carter en 2002. Sadate est assassiné en 1981 par des musulmans intégristes.

Vice-président d'Égypte (1964 – 1970) ; président (1970 – 1981).

Nelson Mandela

né en 1918

Nelson Mandela consacre sa vie adulte à lutter contre le racisme et le non-respect des droits de l'homme en Afrique du Sud.

Mandela étudie le droit à Johannesburg, et en 1942, il adhère à l'African National Congress (ANC). Il parcourt le pays, organisant la résistance à la politique d'apartheid du gouvernement. Arrêté pour sa participation à une campagne de désobéissance civile, il reçoit une condamnation avec sursis. Durant les années 1950, il lutte contre la répression des Blancs ; il est exilé, arrêté et emprisonné à de nombreuses reprises. Après le massacre de Sharpeville en 1960, l'ANC est interdit, et Mandela organise une grève nationale de trois jours. Il quitte clandestinement son pays pour créer *Umkhonto we Sizwe* (« la lance de la nation »). Arrêté de nouveau en 1962, il est condamné à la prison à vie pour sabotage et trahison. Après des années de pression internationale, le président Frederik De Klerk ordonne sa mise en liberté en 1990. L'ANC est officiellement reconnu en 1991 et Mandela en devient le président la même année. En 1993, Mandela et De Klerk s'entendent pour former un gouvernement d'unité nationale et des élections libres ont lieu pour la première fois. Les deux hommes reçoivent le prix Nobel de la paix en 1993. Mandela est élu président de la République en 1994 et se retire en 1999.

Emprisonné (1964 – 1990) ; premier président noir d'Afrique du Sud (1994 – 1999).

SIRIMAVO BANDARANAIKE 1916 – 2000
Après l'assassinat de son mari en 1959, Mme Bandaranaike lui succède à la tête du Parti de la liberté du Sri Lanka. En 1960, première femme dans le monde à diriger un gouvernement, elle poursuit la politique socialiste de son mari. En 1980, le Parlement lui retire ses droits civiques pour abus de pouvoir.

INDIRA GANDHI 1917 – 1984
Première femme Premier ministre en Inde (1966 – 1977 et 1980 – 1984), elle est la fille de Jawaharlal Nehru. En 1975, elle est accusée de fraudes électorales et perd les élections de 1977. Avec l'aide de son fils Sanjay, elle revient aux affaires en 1980, mais est assassinée en 1984 par ses propres gardes du corps.

JULIUS NYERERE v. 1922 – 1999
Premier président de la Tanzanie de 1964 à 1985, Nyerere consacre sa vie politique à se battre pour l'indépendance africaine. En 1961, il mène le Tanganyika à l'indépendance et en devient président en 1962. De 1962 à 1963, il travaille au rapprochement du Tanganyika et de l'île de Zanzibar pour construire la République de Tanzanie.

Eva Perón

1919 – 1952

María Eva Duarte (Evita) Perón devient la seconde épouse du président argentin Juan Perón (1895 – 1974). Actrice d'origine modeste, elle est très ambitieuse et très douée pour la politique. Elle tient un grand rôle dans le succès politique de son mari. Adorée par le peuple, elle dirige les départements de la Santé et du Travail, elle obtient le droit de vote pour les femmes et met sur pied de nombreuses œuvres caritatives.

Première dame d'Argentine, très influente (1945 – 1952).

Kenneth Kaunda

né en 1924

Kenneth Kaunda lutte pour l'indépendance de la Rhodésie du Nord (la Zambie d'aujourd'hui). Après deux années passées en prison pour ses activités politiques, il devient chef de l'United National Independence Party (UNIP), parti qui remporte les élections de 1961, et il devient ministre du gouvernement local dans le premier gouvernement noir d'Afrique. Quand il est élu président, il fait de l'UNIP le seul parti politique. Le déclin économique et les troubles du pays le forcent à accepter une libéralisation politique. En 1991, l'UNIP est battu et Kaunda perd le pouvoir.

Il fonde le Congrès national africain de Zambie en 1958 ; premier président de la République de Zambie (1964 – 1991).

Yasser Arafat

1929-2004

Yasser Arafat a toujours souhaité un État palestinien indépendant. En 1956, il est cofondateur de l'organisation de libération palestinienne el-Fatah, qui deviendra plus tard l'OLP (Organisation de libération de la Palestine). Durant les années 1980, l'OLP se divise en différents groupes et Arafat en perd presque le contrôle. En 1990, l'OLP reconnaît l'État d'Israël, et en 1993 Arafat parvient à un accord avec le Premier ministre israélien Yitzhak Rabin (1922 – 1995). Conjointement avec Rabin et Shimon Peres (né en 1923), il reçoit le prix Nobel de la paix. Depuis, les combats incessants entre le gouvernement d'Israël et les partisans de la libération de la Palestine ont mené Arafat à l'érosion de son pouvoir jusqu'à sa mort, en 2004.

Chef de l'Organisation de libération de la Palestine de 1969 à 2004.

Mikhaïl Gorbatchev

né en 1931

À la tête de l'URSS de 1985 à 1991, Gorbatchev apporte des réformes qui mettent fin à la guerre froide entre son pays et l'Ouest et qui aboutissent à la division de l'Union soviétique en républiques indépendantes. La *perestroïka* (« restructuration ») abandonne le système de planification de Staline et touche surtout les domaines de l'économie et de l'industrie. La *glasnost* (« transparence ») offre plus de liberté personnelle au peuple russe. La censure est abolie, la tolérance religieuse encouragée et les dissidents libérés de prison. La liberté de la presse permet à l'information de mieux circuler, et les relations avec l'Ouest sont favorisées. Gorbatchev est reconnu à l'étranger pour sa politique, et il reçoit le prix Nobel de la paix en 1990. Devenu impopulaire à l'intérieur de son pays, il démissionne en 1991.

Secrétaire général du PCUS puis président de l'URSS (1985 – 1991) ; initiateur de la *perestroïka* et de la *glasnost*.

MARGARET THATCHER née en 1925
Première femme Premier ministre de Grande-Bretagne, Margaret Thatcher dirige le Parti conservateur à partir de 1975 et est nommée Premier ministre à trois reprises (1979 – 1990). Elle procède à des privatisations, brise le pouvoir des syndicats et réduit le pouvoir des gouvernements locaux. Elle est contrainte à démissionner en 1990.

CORY AQUINO née en 1933
Présidente des Philippines de 1986 à 1992, Corazón (Cory) Aquino est une opposante au régime de droite de Marcos. Soutenue par un mouvement populaire non violent, elle se présente contre Marcos aux élections de 1986. Ayant accusé ses adversaires de fraude électorale, elle remporte la présidence.

DALAÏ LAMA né en 1935
Pour les Tibétains, leur chef spirituel est réincarné à chaque génération. Choisi, en 1940, par des moines tibétains alors qu'il était jeune enfant, l'actuel dalaï-lama vit en exil, en Inde, depuis 1959, après l'invasion du Tibet par les Chinois. Il reçoit, en 1989, le prix Nobel de la paix.

LES CHEFS MILITAIRES

Le Cid

v. 1043 – 1099

Né près de Burgos, le Cid compte parmi les héros de son pays, l'Espagne. Son véritable nom est Rodrigo Diaz de Vivar. Le surnom sous lequel il est resté célèbre – et qui vient du mot arabe *szidi,* seigneur – lui est décerné en raison de son courage et de son habileté au combat. Cet aristocrate commande l'armée du roi Sanche II de Castille à l'âge de 22 ans. Plus tard, il se bat pour Alphonse, le frère de Sanche, et dirige de dangereux raids contre les Maures qui contrôlent une grande partie de l'Espagne. En 1081, Alphonse disgracie le Cid, celui-ci ayant lancé une attaque contre les Maures sans en avoir reçu l'autorisation. Il se met alors au service des princes maures de Saragosse. En 1084, il défait une puissante armée chrétienne et est généreusement récompensé par les musulmans. Il revient du côté d'Alphonse et, en 1095, il assiège et reprend Valence aux Maures. Il est le gouverneur de la ville jusqu'à sa mort.

Il mène l'armée royale espagnole contre les Maures (1065 – 1081); il passe du côté de l'armée arabe et bat les chrétiens en 1084; il gouverne Valence (1094 – 1099).

Le Cid, grand homme de guerre, sait mener une armée de courageux et de loyaux soldats.

Saladin

1138 – 1193

Étonnant conquérant musulman, Saladin (Sala al-Din en arabe) est d'origine kurde, né en Iraq moderne. En 1169, Saladin devient vizir d'Égypte, pays alors dirigé par la dynastie des Fatimides dont il se débarrasse pour devenir sultan.

Saladin étend les territoires musulmans à la Syrie et à une partie de l'Afrique du Nord. Il lance une armée de musulmans syriens et égyptiens dans une guerre sainte (*djihad*).

Il inflige une défaite aux chrétiens à Hattin (1187), annexe Acre et Jérusalem, et en chasse les croisés. En 1189, la troisième croisade est lancée en Europe, mais Saladin n'en est pas pour autant battu. Finalement, Richard Ier (ci-dessous) accepte de signer un traité de paix garantissant le contrôle des musulmans sur presque toute la région.

Chef d'une grande sagesse et homme cultivé, Saladin unifie le Moyen-Orient musulman, mettant ainsi un terme aux espérances des croisés en Terre sainte.

Sultan d'Égypte (1171 – 1174); Sultan d'Égypte et de Syrie (1174 – 1193); il bat les chrétiens à Hattin en 1187; traité de paix avec Richard Ier d'Angleterre en 1192.

À la bataille de Hattin, en 1187, Saladin contraint les croisés à se réfugier sur une colline, en pleine chaleur. Suffoquant sous leurs lourdes armures, les chrétiens sont encerclés et battus par Saladin.

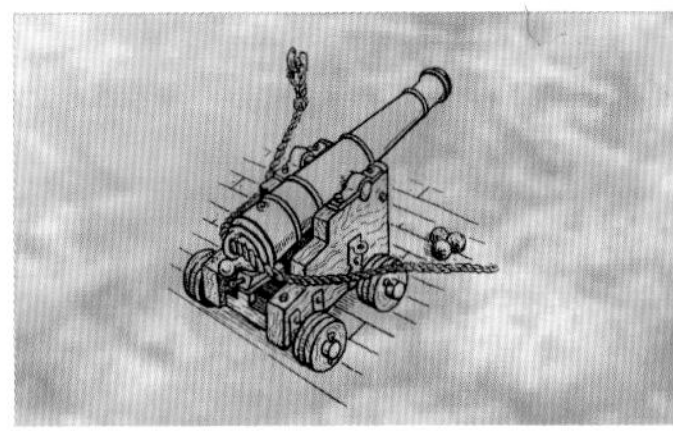

MINAMOTO NO YORITOMO 1147 – 1199
Yoritomo est un seigneur de guerre japonais, chef du clan Minamoto. Lors d'un conflit opposant différents clans japonais, il prend le pouvoir sur l'est du Japon. En 1185, il remporte la victoire navale de Dan no Ura sur le clan des Taïra et instaure un gouvernement militaire. En 1192, il fonde le régime du shogunat et reçoit le titre de shogun (commandant en chef).

RICHARD Ier 1157 – 1199
Richard Ier (connu sous le nom de Richard Cœur de Lion) est roi d'Angleterre de 1189 à 1199. En 1190, il entreprend la troisième croisade contre les musulmans et signe une trêve de trois ans avec Saladin. Il est fait prisonnier, en 1192, par Henri VI, empereur du Saint-Empire romain, qui demande une forte rançon pour le libérer, en 1194. Richard trouve la mort en se battant en France.

Genghis Khan

v. 1162 – 1227

Témüdjin, dit Gengis Khan (roi universel), est le fils d'un chef de clan mongol. Il a 12 ans lorsque son père meurt. Il devient un habile guerrier qui sait rassembler de nombreux partisans. Il s'unit au peuple de l'est de la Mongolie et participe à la défense des frontières chinoises contre les Tatars. Sa renommée ne cesse de croître : vers 1196, ses partisans le proclament *khan* (seigneur ou roi) et il choisit le nom de Gengis. Il devient vite le maître de la Mongolie de l'Est. Excellent général, il conquiert également l'ouest de la Mongolie ; il devient khan suprême des Mongols vers 1206. Sous son commandement, ses armées conquièrent le nord de la Chine, l'Afghanistan, l'Asie centrale et une grande partie de la Perse (Iran moderne). Son empire est l'un des plus vastes de toute l'Histoire.

Les armées de Gengis Khan balayent tout sur leur passage.

Créateur et chef de l'Empire mongol (1196 – 1227).

Simon Bolivar

1783 – 1830

Né à Caracas, Simon Bolivar est un chef révolutionnaire qui a libéré une grande partie de l'Amérique du Sud de la colonisation espagnole. En 1810, Bolivar rejoint la révolution vénézuélienne contre l'Espagne. Il réunit une armée mais, en 1812, ses forces sont battues. En 1815, il doit se réfugier à la Jamaïque puis à Haïti. En 1817, il revient au Venezuela à la tête des forces rebelles. Usant des tactiques de la guérilla, il se rend maître de la région de l'Orénoque. En 1819, il franchit les Andes, surprend les Espagnols de Colombie et leur inflige la défaite de Boyaca. Puis il remporte d'autres victoires sur les Espagnols et annexe Caracas en 1821. Il chasse, en 1824, les Espagnols de l'Équateur, du Chili, du Pérou et de la Colombie.

Il conduit l'armée sud-américaine à la victoire contre les Espagnols (1817 – 1824). Président de la nouvelle république de Colombie (1819 – 1830).

Tamerlan

1336 – 1405

Timur Leng (Timur le Boiteux), dit communément Tamerlan, est un chef guerrier mongol. Il est né près de Samarkand en Asie centrale et descend de Gengis Khan (ci-dessus). Il devient chef de l'Empire mongol et son armée, composée de Turcs et de Mongols, soumet la Perse, la Géorgie et l'Empire tatar. Il conquiert également l'Inde, Damas et la Syrie avant de battre les Turcs à Ankara. Tamerlan meurt juste avant d'entreprendre une campagne contre la Chine.

Chef de l'Empire mongol (1370 – 1405) ; il bat les Turcs ottomans à Ankara en 1402.

Jeanne d'Arc

v. 1412 – 1431

Jeanne pense que Dieu l'a choisie pour sauver son pays et rendre son trône au roi de France. À la tête de son armée, elle délivre Orléans des Anglais et fait sacrer Charles VII roi de France en 1429. Faite prisonnière par les Anglais, elle est reconnue coupable d'hérésie et de sorcellerie et condamnée au bûcher. Elle est réhabilitée en 1456 et canonisée en 1920.

Elle bat les Anglais à Orléans en 1429 ; elle est brûlée par les Anglais le 30 mai 1431, à Rouen.

Jeanne d'Arc au bûcher, le 30 mai 1431, à Rouen.

HORATIO NELSON 1758 – 1805
L'amiral anglais Nelson devient un héros après ses victoires navales dans les guerres napoléoniennes contre la France. Il bat la flotte française à Aboukir en 1798 et, en 1805, vainc les navires français et espagnols à la bataille de Trafalgar. Mortellement blessé au cours du combat, il meurt trois heures plus tard sur son bateau amiral, le « Victory ».

SAM HOUSTON 1793 – 1863
En 1836, un an après la proclamation de l'indépendance du Texas autrefois rattaché au Mexique, une armée mexicaine assiège Alamo, tuant 200 Texans. Deux mois plus tard, Houston, chef des forces texanes, bat les Mexicains à San Jacinto. Il devient président du Texas indépendant. La ville de Houston prend son nom, en son honneur.

GEORGE CUSTER 1839 – 1876
En 1866, le général américain George Custer commande le 7e régiment de cavalerie contre les Indiens des plaines. Au cours de son dernier combat à la bataille de Little Big Horn, en 1876, des forces unies de Cheyennes et de Sioux, sous le commandement de leurs chefs respectifs Sitting Bull (1834 – 1890) et Crazy Horse (mort en 1877), anéantissent son régiment et tous ses hommes.

Napoléon Bonaparte

1769 – 1821

Napoléon Bonaparte est l'un des plus grands génies militaires du monde. Né en Corse, il fréquente les écoles militaires de Brienne et de Paris, et devient un excellent général. Au début du XIXe siècle, il devient maître de presque toute l'Europe. En 1792, la France révolutionnaire est en guerre contre l'Angleterre, l'Autriche, la Russie et la Prusse. Le Directoire, gouvernement fragile, est formé en 1795. Le jeune général Bonaparte mène de glorieuses campagnes et annexe le nord de l'Italie en 1797. Devenu populaire et puissant, le Directoire lui demande d'envahir l'Angleterre, mais Bonaparte, plus judicieusement, s'attaque aux routes commerciales anglaises de l'Inde. Il entreprend donc la campagne d'Égypte, en 1798, année où l'amiral Nelson (p. 27) défait la flotte française à Aboukir.

Napoléon regagne son pays en 1799, abolit le Directoire et s'empare du pouvoir. Il se proclame Premier consul et dirige la France durant les 15 années suivantes. En 1804, il se couronne empereur, entreprend de nombreuses réformes, promulgue de nouvelles lois, réorganise l'éducation et le gouvernement. La Grande Armée de Napoléon (près de 2 750 000 hommes en 1815) lui permet de dominer toute l'Europe. Grâce à elle, Napoléon bat l'Autriche et la Russie à Austerlitz en 1805, la Prusse à Iéna en 1806, et à nouveau la Russie à Friedland en 1807. L'Angleterre évite l'invasion grâce à la défaite que Nelson inflige à la flotte française à Trafalgar en 1805.

En 1808, les forces françaises envahissent l'Espagne, mais en 1813, elles sont repoussées par les Anglais. En 1812, Napoléon, qui exige trop de ses armées, échoue lors de la désastreuse campagne de Russie, avec 500 000 morts dans les rangs français. En 1813, il est battu à Leipzig, la « bataille des nations ». La France est envahie et Napoléon est exilé à l'île d'Elbe en 1814. Il s'en échappe, mais il est à nouveau vaincu par le général anglais Arthur Wellesley, duc de Wellington (1769 – 1852) et le général prussien Gebhard von Blücher (1742 – 1819) lors de la bataille de Waterloo, en Belgique. Napoléon meurt en exil à Sainte-Hélène.

Premier consul (1799 – 1804) ;
empereur des Français (1804 – 1814) ;
bataille d'Austerlitz (1805) ;
bataille de Trafalgar (1805) ;
bataille de Waterloo (1815).

Le jeune général Napoléon Bonaparte, peint par Jacques Louis David (1748 – 1825), franchit le col du Saint-Bernard, dans les Alpes, pour envahir l'Italie.

Napoléon vainc les Autrichiens et les Russes en 1805, à Austerlitz, l'une de ses plus grandes victoires militaires. Grand stratège et chef puissant, Napoléon sait galvaniser ses troupes. Il modernise l'art militaire, se servant de canons et de la Grande Armée.

Giuseppe Garibaldi

1807 – 1882

Au milieu du XIXe siècle, l'Italie est composée de différents royaumes dont certains sont sous la domination de l'Autriche et de la France. À partir de 1848, Garibaldi – né en France a combattu en Amérique du Sud – dirige un mouvement de libération de l'Italie. Il se bat pour le roi de Sardaigne contre les Autrichiens et aide Rome à combattre les Français. Sa petite armée de volontaires conquiert la Sicile et Naples, en 1860. En 1861, la plus grande partie de l'Italie est unifiée autour du roi Victor-Emmanuel II (1820 – 1878).

Il dirige l'armée de libération italienne (1848 – 1860) ; il libère la Sicile et le sud de l'Italie en 1860.

▲ En 1860, Garibaldi rassemble une armée de 1 000 volontaires appelés les Chemises rouges.

Général Ulysses Grant

1822 – 1885

Au début de la guerre de Sécession, en 1861, Ulysses S. Grant est nommé général. En 1862, il se distingue par la prise de Fort Henry et de Fort Donelson au Tennessee. L'année suivante, il bat les forces confédérées à Vicksburg et Chattanooga. Devenu général en chef, il reçoit la capitulation du général Lee (1807 – 1870). Il est élu président en 1869, mais sa présidence est corrompue et connaît une mauvaise gestion.

Commandant des forces de l'Union durant la guerre de Sécession (1864 – 1865) ; dix-huitième président des États-Unis (1869 – 1877).

Geronimo

1829 – 1909

Geronimo est un chef apache chiricahua de l'Arizona. En 1858, des brigands mexicains massacrent toute sa famille, sa mère, sa femme et ses enfants. En 1876, le gouvernement américain décide de déplacer les Apaches dans une réserve, mais Geronimo s'échappe. Fait prisonnier et enchaîné, il parcourt 660 km jusqu'à la réserve San Carlos en Arizona. S'étant encore échappé, il mène plusieurs attaques pour essayer de libérer son peuple. En 1883, les forces américaines le contraignent à se rendre mais, en 1885, il pousse 134 guerriers à s'évader une dernière fois. Il est finalement emprisonné et déporté en Oklahoma.

Pour protéger ses terres tribales, le chef apache chiricahua lutta contre le gouvernement et les colons (1875 – 1886).

LE COMTE DE FRONTENAC
1622 – 1698

Gouverneur de la Nouvelle-France de 1672 à 1682, puis de 1689 jusqu'à sa mort, en 1698, il encourage la présence française en Amérique et résiste à l'invasion britannique en déclarant à l'amiral William Phips : « Je n'ai point de réponse à vous faire que par la bouche de mes canons et de mes fusils. »

PAUL VON HINDENBURG
1847 – 1934

Le maréchal allemand von Hindenburg participe à la Première Guerre mondiale (1914 – 1918). On lui confie les forces allemandes de l'Est et, à partir de 1916, il dirige toute l'armée allemande. Il défait l'offensive russe par sa victoire de Tannenberg (1914) et arrête les Alliés vers l'ouest le long de la ligne qui porte son nom. En 1918, il lance de grandes offensives contre les Alliés qui tournent à l'échec et l'Allemagne est vaincue. Hindenburg est élu deuxième président de la République allemande de 1925 à 1934.

MIGUEL PRIMO DE RIVERA
1870 – 1930

Général espagnol, Miguel Primo de Rivera sert à Cuba en 1898 et au Maroc entre 1909 et 1913. En 1923, il mène un coup d'État militaire contre le gouvernement, prend le pouvoir et dirige l'Espagne jusqu'en 1930, date à laquelle il se retire après l'échec de la révolution nationale. En 1933, son fils José Antonio (1903 – 1936) fonde le mouvement fasciste espagnol de la Phalange, mais il est rapidement jugé et fusillé par les républicains espagnols.

Léon Trotsky

1879 – 1940

Révolutionnaire russe, Léon Trotski est un disciple de Karl Marx (p. 111). Déporté en Sibérie en 1900, il parvient à s'évader et à rejoindre Londres où il rencontre Lénine (p. 20). Trotski participe à la révolution russe de 1905, est à nouveau arrêté et parvient encore à s'échapper. De retour en Russie en 1917, il joue un rôle prépondérant dans la révolution bolchevique qui porte Lénine au pouvoir. Durant la guerre civile qui s'ensuit, Trotski occupe le poste de commissaire du peuple à la Guerre et mène l'Armée rouge à la victoire. Après la mort de Lénine en 1924, Joseph Staline (p. 21) et Trotski se battent pour obtenir le pouvoir. Staline l'emporte et fait déporter Trotski, qui sera assassiné plus tard à Mexico.

L'un des chefs de la révolution russe de 1917; il fonde l'Armée rouge en 1918.

Trotski commande l'Armée rouge, avec un effectif de 7 000 à 5 millions d'hommes.

Pour recréer la puissance de la Rome antique, Mussolini autorise ses partisans – les Chemises noires – à terroriser le peuple italien.

Benito Mussolini

1883 – 1945

En 1922, les partisans de l'Italie fasciste marchent sur Rome et leur chef, Benito Mussolini, devient Premier ministre. Mussolini, qui se proclame lui-même *Il Duce* (le chef), instaure un régime fasciste dont il est le dictateur. Ses armées conquièrent l'Éthiopie (1935) et l'Albanie (1939). Il s'allie à l'Allemagne et, en 1940, déclare la guerre à la France et à la Grande-Bretagne. Ses campagnes militaires sont désastreuses et beaucoup d'Italiens se révoltent contre lui. Les Allemands le protègent mais, en 1945, Mussolini est arrêté puis exécuté par des combattants de la résistance italienne.

Il fonde le parti fasciste italien en 1919; dictateur fasciste de l'Italie (1925 – 1945).

Bernard Montgomery

1887 – 1976

Bernard Montgomery est à la tête de la 8e armée britannique durant la Seconde Guerre mondiale. Sous son commandement, son armée vainc les forces allemandes menées par Rommel (ci-dessous) à la bataille de El-Alamein, en Afrique du Nord. Après d'autres victoires, il chasse les Allemands d'Afrique. En 1944, Mongomery est placé à la direction suprême des forces terrestres pour le débarquement allié en Normandie. Ses talents de tacticien permettent aux forces anglo-américaines de libérer la France et la Belgique. Après la défaite allemande, il commande les forces britanniques à Berlin.

Bataille de El-Alamein (1942); Il dirige les forces terrestres alliées pour le débarquement de 1944.

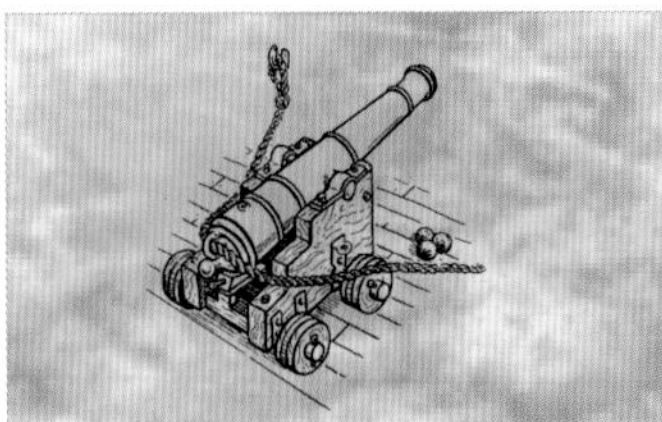

ERWIN ROMMEL 1891 – 1944

Rommel compte parmi les plus grands généraux de la Seconde Guerre mondiale. Il commande l'Afrikakorps en Afrique du Nord, mais il est finalement battu par les forces britanniques du maréchal Montgomery (ci-dessus) à El-Alamein, en 1942. En 1944, il participe à un complot contre Hitler. Lorsque celui-ci échoue, il s'empoisonne à la demande du Führer.

MENAHEM BEGIN 1913 – 1992

Né en Pologne, Begin est partisan d'un État juif en Palestine. À partir de 1942, il dirige l'Irgoun, organisation militaire clandestine qui combat les Britanniques. Il devient Premier ministre d'Israël en 1977 et partage le prix Nobel de la paix avec Sadate, le président de l'Égypte, en 1978. En 1982, il lance une vaste offensive contre le Liban pour détruire les bases palestiniennes.

Le général Dwight D. Eisenhower parlant au troupes durant l'invasion alliée de l'Europe en 1944.

Dwight D. Eisenhower

1890 – 1969

Diplômé de l'Académie militaire de West Point en 1915, Eisenhower, surnommé « Ike », est un excellent organisateur qui s'illustre durant la Seconde Guerre mondiale (1939 – 1945). Devenu commandant en chef des forces alliées en Europe en 1944, il assume la responsabilité du débarquement en Normandie. Ses succès en font un héros national, et sa grande popularité lui vaut une victoire incontestable aux élections présidentielles de 1953. Il est réélu pour un second mandat en 1956.

Commandant des forces alliées pour le débarquement de 1944 ; trente-quatrième président des États-Unis (1953 – 1960).

Hô Chi Minh

1890 – 1969

Hô Chi Minh est né au Viêt Nam, alors en Indochine française. Après avoir participé à la fondation du Parti communiste français, il retourne au Viêt Nam en 1941 et dirige un mouvement de libération qui bat la France en 1954. Le Viêt Nam est alors divisé en deux, et Hô Chi Minh devient le président de la République démocratique du Viêt Nam. Au Sud Viêt Nam, les communistes (Viêt-cong) se soulèvent. Le gouvernement en place appelle les forces américaines en 1961. C'est le début de la guerre du Viêt Nam (1963 – 1975). Hô Chi Minh combat le Sud Viêt Nam. Six ans après sa mort, le Viêt Nam est enfin réunifié.

Président du Nord Viêt Nam (1954 – 1960).

Charles de Gaulle

1890 – 1970

Après l'invasion de la France par les Allemands, en 1940, Charles de Gaulle se réfugie en Angleterre. Il y fonde le Comité de la France libre et dirige à partir de Londres la résistance contre l'Allemagne. En 1944, il retourne à Paris en héros et prend la tête du gouvernement provisoire français. Il devient président de la République en 1958 et redonne à la France son statut de grande puissance.

Chef de la France libre (1940 – 1944) ; président de la République (1958 – 1969) ; il accorda l'indépendance aux colonies françaises d'Afrique (1959 – 1960).

POL POT v. 1926 – 1998
Durant les années 60 et 70, Pol Pot dirige la guérilla des Khmers rouges communistes contre le gouvernement du Cambodge. En 1976, il devient Premier ministre du pays. Il instaure un régime de terreur et commet toutes sortes d'atrocités contre les civils, faisant au moins 3 millions de morts. Pol Pot est renversé en 1979.

SADDAM HUSSEIN né en 1937
Président de la République d'Irak depuis 1979, Saddam Hussein a fait de son pays une grande puissance militaire. De 1980 à 1988, il attaque l'Iran puis, en 1990, il envahit le Koweït, mais il est battu par les armées alliées qui lui imposent des sanctions. Lors de l'invasion de l'Irak par l'armée américaine en 2003, Hussein est fait prisonnier et accusé de crimes contre l'humanité.

MUAMMAR AL-KADHAFI né en 1942
En 1969, officier de l'armée libyenne, Kadhafi dirige le coup d'État qui renverse le roi Idris Ier. Une fois à la tête du pays, il chasse tous les étrangers, ferme les bases militaires anglaises et américaines, et encourage l'islam fondamentaliste. Il se proclame président en 1977 et soutient depuis le terrorisme international.

Josip Tito

1892 – 1980

Josip Broz est né en Croatie. Fait prisonnier par les Russes durant la Première Guerre mondiale, et devenu communiste, il se joint aux bolcheviques et lutte avec l'Armée rouge pendant la guerre civile (1918 – 1920). Il regagne la Yougoslavie comme agent communiste et prend le nom de Tito. Il dirige la résistance contre l'occupation allemande pendant la Seconde Guerre mondiale. En 1945, il fait abdiquer le roi Pierre II de Yougoslavie (1923 – 1970) et, avec l'aide des Soviétiques, transforme son pays en un nouvel État communiste. Il rompt avec l'URSS en 1948 et fait de la Yougoslavie l'une des nations communistes les plus libérales d'Europe.

Il dirigea la résistance yougoslave contre les Allemands (1941 – 1945) ; président de la Yougoslavie (1953 – 1980).

Che Guevara

1928 – 1967

L'Argentin Ernesto « Che » Guevara est un homme politique et un révolutionnaire. Il fait des études de médecine et quitte l'Argentine en 1953 pour des raisons politiques. Au Mexique, il fait la connaissance du révolutionnaire cubain Fidel Castro (ci-dessous) et se joint à lui lors de l'invasion de Cuba en 1956. Après son succès de 1959, Guevara travaille avec lui. Il est élu président de la Banque nationale et organise de nombreuses réformes. En 1965, Guevara se rend au Congo, en Afrique, où il se bat contre des mercenaires blancs. Puis il va en Bolivie pour y diriger un mouvement de guérilla. Il est tué par des soldats boliviens.

L'un des chefs de la révolution cubaine (1956 – 1959) ; il dirige la guérilla sud-américaine (1965 – 1967).

Coiffé de son célèbre béret, Che Guevara devient le héros de nombreux jeunes activistes politiques.

Fidel Castro

né en 1927

En 1953, le juriste cubain Fidel Castro dirige une insurrection, qui échoue, contre le dictateur en place, Fulgencio Batista y Zalvidar (1901 – 1973), homme de droite corrompu. Castro se réfugie alors au Mexique d'où il lance un mouvement révolutionnaire cubain. En 1956, il débarque à Cuba avec un petit groupe de combattants, mais doit prendre le maquis dans la Sierra Madre avec 12 de ses compagnons survivants. De là, il organise une guérilla qui va aboutir à la fuite de Batista en 1959. Premier ministre de Cuba, seul État communiste des Caraïbes, et soutenu par les Soviétiques, Castro procède à des réformes qui améliorent le niveau de vie des Cubains. En 1961, les États-Unis tentent en vain de le renverser. En 1962, l'Union soviétique installe des missiles nucléaires dans l'île, ce qui provoque une crise internationale. Cuba, financée presque totalement par les Soviétiques, connaît d'énormes problèmes lorsque l'URSS s'effondre.

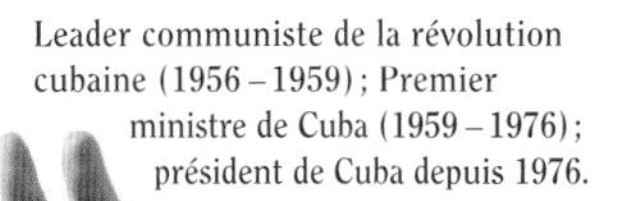

Leader communiste de la révolution cubaine (1956 – 1959) ; Premier ministre de Cuba (1959 – 1976) ; président de Cuba depuis 1976.

Lorsque Castro prend le pouvoir en 1959, il nationalise les compagnies américaines situées sur le territoire cubain. Les États-Unis ripostent en cessant tout commerce avec Cuba.

CHAPITRE DEUX

LES EXPLORATEURS

Les explorateurs avant l'an 1000

Pour beaucoup de peuples de l'Antiquité, l'exploration est une façon de vivre. À l'origine, les premiers chasseurs, à la recherche de leur nourriture, doivent souvent parcourir des terres nouvelles à la poursuite de leurs proies. Plus tard, la nécessité de trouver de nouveaux sites à coloniser, le besoin de gagner de nouvelles terres à cultiver, la recherche de richesses à négocier et le désir de conquête poussent les peuples à explorer des terres et des mers inconnues.

Un bateau marchand grec aborde la côte africaine. Une fois les contacts pris avec l'Afrique, celle-ci devient pour les Grecs une source importante d'approvisionnement en grains. Bientôt, des bateaux chargés de colons viennent implanter des établissements sur les côtes de l'Afrique du Nord.

LES PRÉCURSEURS ÉGYPTIENS

Vers 2000 av. J.-C., l'ancienne Égypte présente une civilisation avancée qui a déjà commencé depuis longtemps à explorer des territoires inconnus. Vers 4000 av. J.-C., les Égyptiens disposent de bateaux qui leur permettent de descendre le long des côtes de la mer Rouge. Ils rencontrent ainsi des peuples des rivages africains. À l'époque de la grande reine **Hatshepsout** (vers 1500 av. J.-C.), ils organisent de véritables expéditions. L'une d'elles, envoyée par la reine, explore le pays de Pount. On ne connaît pas exactement aujourd'hui l'emplacement de ce territoire, mais on pense que ce devait être le nom d'une partie de l'Afrique de l'Est, peut-être quelque part en Somalie. La reine appréciait particulièrement les navigateurs qui lui rapportaient de Pount toutes sortes de marchandises précieuses, comme l'ivoire, l'ébène et l'or qu'accompagnaient des animaux exotiques comme les singes et les chiens.

LES VOYAGEURS PHÉNICIENS

Les Phéniciens figurent parmi les plus célèbres des premiers navigateurs. Ils forment une population côtière réunie autour des villes de Sidon et de Tyr sur la côte est de la Méditerranée. Habiles constructeurs de navires, ils envoient leurs vaisseaux marchands à travers toute la Méditerranée. Vers 600 av. J.-C., ils fondent des colonies sur tout le littoral et l'une d'entre elles, Carthage, en Afrique du Nord, devient le port d'attache du plus grand explorateur phénicien, **Hannon**. Ce dernier descend le long des côtes de l'Afrique de l'Ouest vers 450 av. J.-C. Il atteint le Sénégal et, à son retour, affirme avoir vu des hippopotames et des «gens couverts de poils» qui devaient être des singes. D'autres explorateurs phéniciens faisant voile vers le Nord atteignent le Portugal et peut-être même la Grande-Bretagne.

LES GRECS ET LES ROMAINS DE L'ANTIQUITÉ

Vers 300 av. J.-C., les Grecs, qui ont également établi des colonies tout autour de la Méditerranée, commencent l'exploration de l'arrière-pays. Leur plus grand explorateur, **Pythéas**, est né à Marseille, aujourd'hui en France, mais qui est à l'époque une colonie grecque. Devenu commerçant, il espère s'attribuer une

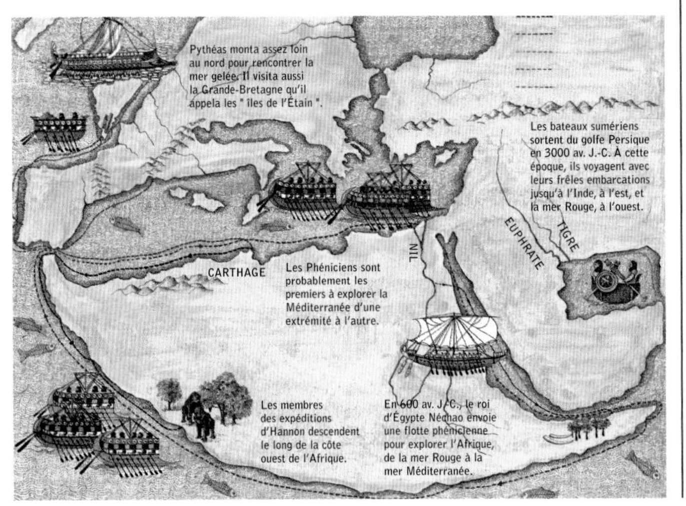

Les explorateurs phéniciens comptent parmi les plus grands navigateurs de l'Antiquité. Leurs bateaux étroits et robustes, construits en bois de cèdre du Liban, peuvent naviguer avec des avirons et avec des voiles. À partir de leurs bases situées à l'est de la Méditerranée et en Afrique du Nord, comme Carthage, les marins phéniciens descendent le long de la côte de l'Afrique de l'Ouest. Cette carte ancienne montre l'Afrique comme les anciens géographes la voient. Elle indique des voyages que les Phéniciens auraient faits tout autour du continent, bien qu'il soit improbable qu'ils soient allés réellement aussi loin.

partie des affaires lancées par les Phéniciens. Remontant le long des côtes atlantiques de l'Europe de l'Ouest vers 325 av. J.-C., Pythéas débarque en Grande-Bretagne dont il fait le tour. Il rencontre quelques populations du pays et remarque les mines d'étain exploitées en Cornouailles. Il espère établir des liens commerciaux avec les habitants de cette région, mais décide de poursuivre son exploration par mer, vers le nord. Il arrive finalement en un lieu qu'il appelle Thulé, mais ses descriptions ne permettent pas de le situer avec précision. Pythéas rapporte que le soleil ne s'y couche jamais, comme c'est le cas en été au-delà du cercle polaire arctique. On pense qu'il a peut-être atteint l'Islande ou le nord de la Norvège. Les Romains, dont la puissance atteint son apogée au Ier siècle après J.-C., bénéficient des connaissances géographiques de Pythéas. Ils envoient leurs bateaux marchands le long des routes ouvertes par les navires grecs. En établissant leur empire, les Romains conquièrent leurs voisins et pénètrent jusqu'au cœur de l'Europe. Au cours de leurs voyages, ils rapportent les premières descriptions des pays traversés.

LES EXPLORATEURS CHINOIS

Les anciens Chinois sont aussi de remarquables explorateurs. Certains ont entrepris les voyages les plus longs et les plus extraordinaires de l'Antiquité. Les premières explorations résultent des guerres qu'ils devaient mener. Vers 150 av. J.-C., l'empereur **Wudi** décide de protéger ses frontières contre les attaques des Huns, des groupes de nomades venant du Nord. En 138 av. J.-C., il envoie un de ses hommes, **Chang Ch'ien** loin vers l'ouest pour trouver des alliés. La mission de ce dernier ne connaît pas un grand succès, personne n'acceptant de se battre pour la Chine lointaine. Cependant, il continue son extraordinaire voyage à travers les terres, parcourant ainsi des milliers de kilomètres. Il finit par atteindre la Bactriane (aujourd'hui une partie de l'Afghanistan) avant de rebrousser chemin et de regagner son pays en traversant une nouvelle fois l'Asie centrale. Son voyage dure 20 ans, dont une période de 10 ans pendant laquelle il est prisonnier des Huns. Plus tard, les explorateurs chinois entreprendront leurs voyages pour diverses raisons. Deux des plus célèbres le feront dans un but religieux. **Fa-Hien** est un moine bouddhiste vivant au début du Ve siècle de notre ère. Il part vers l'ouest, à travers l'Asie centrale, puis se dirige vers le sud pour finalement atteindre l'Inde et Calcutta. Il continue son voyage vers le sud, cette fois par la mer, jusqu'au Sri Lanka, avant de revenir en Chine, toujours par la mer. Pendant les 15 années que dure son périple, il recueille de nombreuses reliques du bouddhisme et apporte de grandes connaissances de l'Inde en Chine. Un autre grand voyageur bouddhiste, **Xuan Zang** (VIIe siècle) est inspiré par les récits de Fa-Hien. Il part lui aussi en Asie centrale avant de gagner l'Inde dont il fait le tour, visitant des villes comme Allahabad, Calcutta ou Poona. Il rapporte en Chine environ 700 ouvrages et reliques.

LES NAVIGATEURS POLYNÉSIENS

Les premiers occupants des îles de Polynésie, en plein cœur de l'océan Pacifique, ont dû parcourir des milliers de kilomètres avant de s'y établir. Personne ne connaît leur origine, mais l'hypothèse la plus vraisemblable est qu'ils vivaient en Asie du Sud-Est depuis plus de 3000 ans. Voyageant dans de grandes pirogues, ils ont commencé par coloniser les îles de l'Ouest, comme le Vanuatu et la Nouvelle-Calédonie, avant de se lancer plus à l'est, vers les îles Fidji, Tonga et au-delà. À mesure qu'ils progressent, ils améliorent leurs méthodes de navigation, utilisant la position des étoiles pour déterminer leur latitude. Plus tard, ils fabriqueront des cartes marines en liant des fines tiges de bambou sous forme de cadres et en y insérant des coquillages qui indiqueront la position des îles. Nous ne connaissons pas les noms de ces premiers navigateurs ni les routes qu'ils ont suivies car ils étaient analphabètes et n'ont donc laissé aucun récit de leurs voyages.

▼ Les explorateurs polynésiens utilisent de grandes pirogues doubles pour traverser l'océan Pacifique.

SUR TERRE

Marco Polo est considéré par l'empereur mongol Kubilay Khan comme un employé de son gouvernement. Il est envoyé en mission diplomatique en Chine et en Birmanie. Après son retour à Venise en 1295, Marco Polo remet un important rapport sur l'empire mongol.

Marco Polo

1254 – 1324

Né à Venise, en Italie, dans une famille de riches marchands, Marco Polo entreprend en 1271 un voyage en Chine accompagné de son père et de son oncle. La traversée de l'Asie centrale dure quatre ans. En Chine, il rencontre Kubilay Khan, l'empereur mongol, qui confie à Marco Polo un rôle de gouverneur régional et d'ambassadeur. Après 17 années de voyages dans la région, Marco Polo regagne Venise avec son père et son oncle. Il rapporte avec lui une fortune en bijoux précieux et devient marchand à Venise, où il passe les 30 années suivantes.

Il voyage à travers l'Asie centrale et la Chine de 1271 à 1295.

Ibn Battuta

1304 – v. 1368

Né au Maroc, Ibn Battuta est un fervent musulman. Âgé seulement de 21 ans, il entreprend un pèlerinage à La Mecque qui se transforme en voyage extraordinaire. Il parcourt aussi des régions du monde que personne d'autre à son époque ne connaît. Son périple le conduit dans tous les pays musulmans et en Extrême-Orient: La Mecque, la Mésopotamie, l'Asie mineure, l'Inde, la Chine, Sumatra, l'Espagne et Tombouctou. De retour dans son pays en 1354, il écrit un journal de route, le *Rilhah*, un des livres de voyage les plus célèbres de l'Histoire.

Il parcourt plus de 120 000 km au Moyen-Orient, en Extrême-Orient et en Afrique.

Francisco Pizarro

v. 1478 - 1541

Soldat espagnol, Pizarro sert sous les ordres de Vasco de Balboa (1475 – 1517) lorsqu'il découvre l'océan Pacifique, en 1511. En 1526, il arrive par mer au Pérou avec Diego de Almagro qui recherche les Incas. Les ayant trouvés, Pizarro reçoit l'autorisation du roi Charles Quint de conquérir leur pays. Débarquée au Pérou en 1531, la petite expédition de Pizarro, qui ne compte que 159 hommes, s'engage dans les terres vers Cajamarca où, en 1532, elle capture l'empereur inca Atahualpa (v. 1502 – 1533). Après avoir reçu une énorme rançon pour le libérer, Pizarro le fait exécuter. Il est lui aussi assassiné quelques années plus tard par un de ses anciens compagnons de voyage, l'Espagnol Diego de Almagro.

Il découvrit la civilisation inca en 1532.

L'empereur inca Atahualpa fut exécuté par Pizarro.

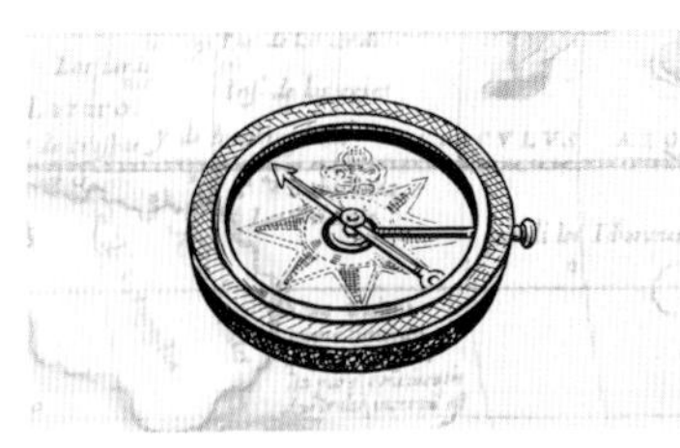

HERNANDO DE SOTO v. 1500 – 1542
L'Espagnol de Soto accompagne Pizarro dans sa conquête de l'empire des Incas. Il est nommé gouverneur de Cuba et de la Floride par le roi d'Espagne Charles Quint en 1536. À la recherche d'or, il explore une grande partie du sud des États-Unis actuels. En 1541, il est le premier Européen à atteindre le Mississippi, mais il meurt de fièvres un an plus tard.

FRANCISCO CORONADO 1510 –v. 1554
Né à Salamanque, en Espagne, Coronado dirige une expédition qui, partant du golfe de Californie, atteint le Nouveau-Mexique en 1540. Sa troupe parcourt ensuite l'Arizona à la recherche d'or, traverse le Grand Canyon, le Texas, l'Oklahoma et le Kansas. Elle se heurte à des indigènes américains hostiles et doit se battre pour regagner le Mexique sans avoir découvert le moindre gramme d'or.

L'empereur Aztèque Montezuma II accueille Cortés et sa petite armée.

Hernán Cortés

1485 – 1547

Après avoir étudié le droit en Espagne, Cortés se joint à l'expédition de Diego Velásquez de Cuellar (1465 – 1524) à Cuba en 1511. En 1518, Cortés conduit une expédition au Mexique et débarque au Yucatán. À San Juan de Ulua, il a un premier contact avec l'empereur aztèque Montezuma II (p. 14). Après avoir fondé Vera Cruz, il part pour Tiaxcala où il soumet les habitants qui, changeant de camp, deviennent bientôt ses alliés. En 1519, l'armée de Cortés et de ses nouveaux alliés atteint la capitale des Aztèques, Tenochtitlán, où elle fait prisonnier Montezuma II. Le traitement infligé aux Aztèques est d'une telle cruauté qu'ils se révoltent contre les Espagnols. Au cours d'une des batailles, Montezuma est tué. Cortés se retire alors de la capitale en 1520, mais y revient accompagné d'une armée plus puissante pour la détruire. Les Aztèques sont alors anéantis par les armes plus modernes des Européens mais aussi par leurs maladies. Cortés rentre en Espagne pour des raisons de santé.

Il explore l'Amérique centrale de 1518 à 1540 et découvre la civilisation aztèque en 1518.

Jacques Cartier

v. 1491 – 1557

Navigateur expérimenté, Cartier est mandaté par le roi de France François Ier (1494 – 1547) pour trouver de l'or dans le Nouveau Monde. En 1534, Cartier et son équipage, principalement des Bretons, débarquent à Terre-Neuve. Après en avoir exploré les côtes, il gagne la Gaspésie, à l'embouchure du Saint-Laurent, et revendique ce territoire au nom du roi de France. Cependant, de forts courants contraires l'empêchent d'aller plus loin et il doit revenir en France. En 1535, accompagné de deux Indiens hurons, il réussit, cette fois, à remonter le fleuve. Il va le baptiser le Saint-Laurent. Puis il rencontre une île qu'il appelle île d'Orléans. Avec son équipage, il gagne à l'aviron Stadacona qui deviendra plus tard la ville de Québec, puis remonte jusqu'à Hochelaga, le Montréal d'aujourd'hui. Peu après, porté par le courant, il retourne à Québec où il passe l'hiver. Il ne revient en France qu'en mai 1536. Son troisième voyage, en 1541, se solde par un échec. Il se retire alors à Saint-Malo.

Il explore le Saint-Laurent et annexe le Canada pour la France.

Samuel de Champlain

v. 1567 – 1635

Samuel de Champlain est un navigateur français qui, en 1603, est l'envoyé du roi Henri IV pour explorer le Saint-Laurent au Canada. Au cours de son voyage, il se retrouve devant les chutes Saint-Louis mais, ne pouvant en franchir les rapides, il revient en France. Il entreprend deux nouveaux voyages au Canada, en 1604 et 1605, pour explorer la bande côtière et y établir de petites colonies françaises. En 1608, il quitte encore une fois la France pour les rives du Saint-Laurent. Il établit une petite colonie, là où le fleuve est le plus étroit. Ce site, Québec, deviendra un centre actif du commerce de la fourrure. Il s'allie aux Hurons et organise avec eux des incursions dans les territoires des Indiens iroquois. Au cours d'une bataille devant Syracuse, place forte des Iroquois, Champlain est blessé. En 1628, une flotte anglaise assiège Québec, capturant Champlain qui est déporté dans les prisons anglaises. Il est finalement libéré en 1633 et retourne alors au Canada.

Il réalise des voyages d'exploration au Canada en 1603, 1604, 1605, 1608 et fonde Québec en 1608.

JACQUES MARQUETTE 1637 – 1675
Marquette est envoyé en Amérique du Nord en 1666 en tant que missionnaire jésuite. Il convertit au catholicisme des Indiens qui vivent sur les rives du lac Supérieur et apprend leurs langues. En 1673, il se joint à l'expédition de Louis Jolliet pour démontrer que le Mississippi se jette bien dans le golfe du Mexique et non pas dans l'océan Pacifique.

RENÉ CAVELIER DE LA SALLE 1643 – 1687
Né à Rouen, en France, René La Salle se rend au Canada où il devient négociant à Montréal. En 1681, il part vers le sud, suivant le cours du Mississipi en annexant les terres qu'il traverse pour le roi de France Louis XIV (p. 16). Il atteint finalement le golfe du Mexique où il fonde une colonie française. Il est assassiné par des membres de son expédition lors d'une mutinerie.

LOUIS JOLLIET 1645 – 1700
Jolliet est un explorateur français qui, accompagné de Jacques Marquette, descend en canoë une partie du Mississippi qui, pensait-on à l'époque, se jetait dans l'océan Pacifique. Écoutant les Indiens qui connaissaient bien ce fleuve, ils découvrent que ce fleuve se jette dans le golfe du Mexique et ils regagnent le lac Michigan par la rivière Illinois.

Sieur de La Vérendrye

1685 – 1749

Pierre Gaultier de Varennes et de La Vérendrye est l'un des premiers explorateurs canadiens à être né en Amérique du Nord. Militaire, il participe à des campagnes en Nouvelle-Angleterre, à Terre-Neuve et en France. En 1717, il commence à faire la traite des fourrures sur la rivière Saint-Maurice, près de Trois-Rivières, puis au lac Nipigon, au nord-ouest du lac Supérieur. Convaincu que la découverte de la « mer de l'Ouest » passe par l'exploration du lac Winnipeg, il y étend ses activités commerciales avec ses trois fils et son neveu. De 1732 à 1739, il établit huit postes de traite entre le lac Supérieur et l'actuel Manitoba.

Il explore l'Ouest canadien et fonde plusieurs postes commerciaux.

Alexander von Humboldt

1769 – 1859

Explorateur et savant allemand, Alexander von Humboldt, accompagné du Français Aimé Bonpland (1773 – 1858) arrive en Amérique du Sud en 1799. Ils abordent à Cumana, au nord-est du Venezuela actuel et, pendant cinq ans, explorent les fleuves Amazone et Orénoque, réunissant beaucoup d'informations scientifiques sur les forêts tropicales. Après avoir traversé les Andes, Humboldt s'intéresse aux courants marins de la côte péruvienne, laissant son nom à celui qui longe la côte est de l'Amérique du Sud. Humboldt regagne l'Europe avec des milliers de spécimens botaniques et géologiques. En 1829, il fait un voyage d'exploration en Sibérie avec le naturaliste Christian Ehrenberg et le minéralogiste Gustav Rose.

Il explore l'Amazone et l'Orénoque de 1799 à 1804 et la Sibérie en 1829.

ALEXANDER VON HUMBOLDT

Mungo Park

1771 – 1806

L'explorateur écossais Mungo Park a étudié la médecine à l'université d'Édimbourg. En 1795, il est envoyé par l'African Association pour explorer le Niger. Remontant la Gambie en bateau, il parvient à Ségou en juin 1795, où il atteint le Niger. Manquant de vivres, il doit revenir en Grande-Bretagne où il commence une carrière de médecin. Park retourne en Gambie en 1805 et entreprend l'exploration du Niger avec une troupe d'hommes pauvrement équipés, dont beaucoup meurent au cours de l'expédition. Affrontant de multiples dangers, Park et les survivants remontent le fleuve à la rame sur 1 600 km jusqu'à Bussa où ils meurent noyés ou tués par des tribus locales.

Il explore le Niger en 1796 et 1805.

◀ Les explorations du Niger de Mungo Park sont mal préparées et mal équipées.

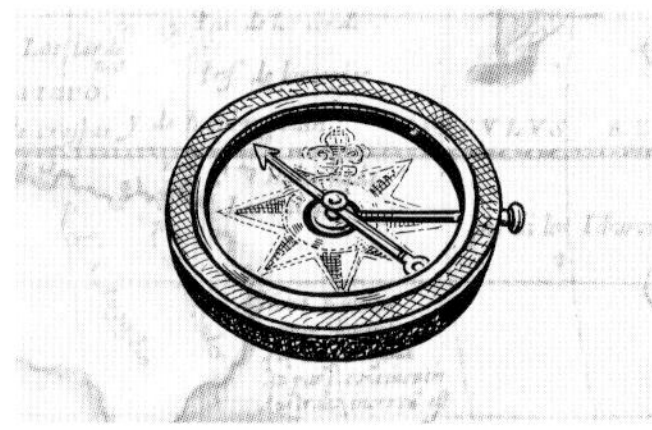

JOSEPH BANKS 1744 – 1820

Né à Londres, en Angleterre, Joseph Banks suit des études de botanique. En 1768, il participe à l'expédition de James Cook autour du monde (p. 49) sur l'*Endeavour*, rapportant de nombreux spécimens de plantes. Il est élu président de la *Royal Society*, fonde l'*African Association* et établit la colonie australienne de la Nouvelle-Galles du Sud.

ZEBULON PIKE 1779 – 1813

Zebulon Pike organise en 1805 une expédition infructueuse pour découvrir les sources du Mississippi. En 1806, il explore la rivière Arkansas et les montagnes Rocheuses mais il échoue dans l'escalade de la montagne qui porte aujourd'hui son nom, le pic Pike. Les comptes rendus de ses voyages dans le Sud-Ouest ont encouragé les Américains à s'y établir. Il est tué pendant la guerre contre les Britanniques en 1812.

Lewis et Clark

William Clark 1770 – 1838
Meriwether Lewis 1774 – 1809

Meriwether Lewis, sergent de l'armée américaine, est le secrétaire particulier du président Thomas Jefferson (p. 19). Lewis et son ami, le lieutenant William Clark, sont choisis pour explorer la rivière Missouri, traverser les montagnes Rocheuses et trouver ainsi une voie terrestre pour atteindre l'océan Pacifique. Lewis, Clark et un petit groupe de soldats quittent Saint-Louis en 1804. Après avoir remonté le Missouri en bateau et en canoë, ils franchissent les montagnes Rocheuses avec l'aide des Indiens de la région. Ils atteignent enfin l'océan Pacifique en novembre 1805. Les connaissances acquises lors de cet extraordinaire voyage vont encourager le mouvement des pionniers de l'ouest dans les années qui suivirent.

Premiers pionniers à traverser l'Amérique du Nord d'est en ouest (1804 – 1805) et à atteindre l'océan Pacifique.

Lewis et Clark ont vécu d'innombrables aventures lorsqu'ils ont traversé les montagnes Rocheuses pour atteindre l'océan Pacifique en 1805.

George Everest

1790 – 1866

Né au pays de Galles, en Grande-Bretagne, le jeune George Everest devient ingénieur militaire aux Indes pour le compte de l'armée britannique. Il est nommé géomètre général de l'Inde et, avec un petit groupe d'assistants, achève la triangulation du sous-continent en onze ans. Il calcule avec une grande précision l'altitude des sommets de l'Himalaya, dont celle du mont Everest qui porte son nom.

Géomètre général de l'Inde (1830 – 1841).

Richard Lander

1804 – 1834

Né en Cornouailles, en Angleterre, Lander accompagne, en 1825, l'explorateur Hug Clapperton en Afrique le long du Niger jusqu'à Sokoto, où ce dernier trouve la mort. En 1830, Lander est envoyé de nouveau en Afrique avec son frère par le Bureau colonial britannique avec pour mission de descendre le Niger. Ils atteignent la mer dans le golfe du Bénin et tracent le cours du fleuve. Lander meurt lors de sa troisième expédition le long du Niger.

Il explore le Niger en 1825, en 1830 et en 1834.

HUGH CLAPPERTON 1788 – 1827

En 1821, l'explorateur écossais Hugh Clapperton est chargé par le Bureau colonial britannique de découvrir la source du Niger. Il traverse le désert du Sahara de Tripoli au lac Tchad, mais ne réussit pas à trouver l'origine du fleuve. Il repart en 1825 avec Richard Lander depuis le Bénin pour tenter une nouvelle fois de localiser la source, mais il meurt avant d'avoir atteint son but.

CHARLES STURT 1795 – 1869

Sturt est un soldat britannique envoyé en Australie pour garder des bagnards. Entre 1828 et 1830, il traverse les Blue Mountains et explore les rivières Darling et Murrumbidgee. Ayant perdu la vue, il regagne l'Angleterre. Son épopée apporte une contribution majeure à l'exploration du sud-ouest de l'Australie.

RENÉ CAILLIÉ 1799 – 1838

En 1827, l'explorateur français René Caillié quitte la côte ouest de l'Afrique en direction de Tombouctou. Après avoir parcouru à pied 1600 km, il arrive à sa destination et regagne Tanger avec une caravane de chameaux en traversant le désert du Sahara. Caillié est récompensé pour son exploit d'une somme de 10000 F attribuée par la Société de géographie de Paris.

Friedrich Leichhardt

1813 – 1848

Né en Prusse, Leichhardt émigre en Australie en 1841. En 1844, il part de Brisbane accompagné de guides aborigènes pour gagner la terre d'Arhnem, au nord-ouest du continent. Il met plus d'un an pour atteindre le golfe de Carpentarie. Après son retour à Sydney en 1846, il tente de traverser le nord de l'Australie, mais doit rebrousser chemin. En 1848, il part pour une troisième expédition et disparaît sans laisser de traces.

Expédition en terre d'Arhnem en 1844 – 1846; échec de sa tentative de traverser le nord de l'Australie d'est en ouest; disparition lors de son expédition transaustralienne de 1848.

Peter Warburton

1813 – 1889

Warburton, né en Angleterre, s'établit en Australie en 1853 où il devient policier en chef. Avec son fils, il décide en 1873 de partir de la côte sud pour atteindre Alice Springs, au nord, après avoir traversé le Grand Désert de Sable qui longe la côte ouest. Ils réussissent leur expédition après avoir parcouru 3200 km à travers une des régions les plus inhospitalières du monde.

Premier homme à avoir traversé l'Australie du sud à la côte ouest en 1873.

John Frémont

1813 – 1890

En 1842, le géomètre américain John Frémont est chargé par son pays d'explorer et de cartographier les routes traversant les montagnes Rocheuses. Il organisera encore quatre autres expéditions dans l'ouest. Les cartes dont il est l'auteur ont servi aux constructeurs des premiers chemins de fer. Plus tard, il se présente aux élections présidentielles des États-Unis et devient gouverneur de l'Arizona.

Expéditions: montagnes Rocheuses 1842; Grand Lac Salé 1843; cours supérieur du Rio Grande 1848.

Quand Henry Morton Stanley retrouve David Livinsgtone à Ujiji, le 10 novembre 1871, il le salue de cette phrase mémorable : « Docteur Livingstone, je présume. »

David Livingstone

1813 – 1873

Né en Écosse, Livingstone quitte son travail dans une usine de coton à l'âge de 24 ans pour étudier la médecine à Londres, en Angleterre. En 1840, la London Missionary Society l'envoie en Afrique. Livingstone débarque au Cap en 1841 et parcourt 1600 km pour arriver à la mission de Robert Moffat, aujourd'hui le Botswana. Il épouse la fille de Moffat en 1844. Il lance sa première expédition en 1853 à la recherche de routes commerciales utilisables à travers l'Afrique. Livingstone part de la côte atlantique, se dirige vers l'est et marche jusqu'à l'océan Indien. Cette expédition lui permet de découvrir les chutes Victoria et fait de lui le premier Européen à traverser l'Afrique de la côte ouest à la côte est. En 1856, Livingstone, de retour en Grande-Bretagne, est accueilli en héros. Il écrit un livre, *Voyages et recherches d'un missionnaire dans l'Afrique méridionale*, où il raconte ses découvertes. La seconde expédition de Livingstone, en 1858, consistant à remonter le Zambèze en bateau à vapeur, est un échec. Les autorités portugaises restreignent ses mouvements et son épouse, Marie, meurt des fièvres. Sa troisième expédition, destinée à explorer la ligne de partage des eaux en Afrique centrale et à trouver les sources du Nil, est financée par la Royal Geographical Society en 1866. Il ne réussit pas à découvrir le Nil, tombe malade et disparaît. Un journaliste américain d'origine galloise, Henry Morton Stanley (1841 – 1904), est envoyé à sa recherche par le *NewYork Herald Tribune*. En novembre 1871, Stanley retrouve Livingstone à Ujiji, sur le lac Tanganyika.

Livingstone entreprend alors une seconde expédition pour trouver les sources du Nil en 1872, mais il meurt l'année suivante sans avoir atteint son but. Il laisse des cartes et des rapports détaillés de tous ses voyages, augmentant ainsi considérablement les connaissances des Européens sur l'intérieur de l'Afrique.

Premier Européen à traverser l'Afrique d'ouest en est (1852 – 1856); il découvre les chutes Victoria en 1853; il conduit une expédition sur le Zambèze et au lac Nyassa (1858 – 1863); il mène deux expéditions à la recherche des sources du Nil en 1866 – 1871 et 1872 – 1873.

Burke et Wills

Robert O'Hara Burke 1820 – 1861
William Wills 1834 – 1861

Originaire de Galway en Irlande, Robert O'Hara Burke, après avoir servi dans l'armée autrichienne et dans la police irlandaise, émigre en Australie où il devient inspecteur de police. On lui demande alors de prendre le commandement d'une expédition qui doit traverser le continent du sud au nord.

William Wills, né dans le Devon en Angleterre, est géomètre. En 1852, il s'installe en Australie et rejoint l'expédition de Burke. Ils quittent Melbourne en 1860 avec deux compagnons et atteignent une station d'approvisionnement située à mi-chemin, Coopers Creek, aujourd'hui dans le Queensland. Burke et Wills reprennent la route avec John King (1838 – 1872) et finissent par atteindre l'embouchure de la rivière Flinders dans le golfe de Carpentarie. Ils sont les premiers colons européens à traverser l'Australie du sud au nord. Leurs vivres étant épuisées, ils meurent de faim sur le chemin du retour.

Premiers colons européens à traverser l'Australie du sud au nord en 1860.

Le retour de Burke et Wills se termina par un désastre. Leur compagnon, John King, fut le seul survivant, grâce à l'aide des Aborigènes qui le gardèrent en vie jusqu'à ce qu'on le retrouve en 1862.

Richard Burton

1821 – 1890

Né à Torquay, en Angleterre, Richard Burton apprend à parler de nombreuses langues, dont l'arabe. En 1842, il rejoint l'armée des Indes et prend goût aux voyages. Il fait un pèlerinage à la cité sainte de La Mecque en 1853, déguisé en Arabe. En 1856, la British Royal Geographical Society invite Burton et un de ses compagnons officiers, John Hanning Speke (1827 – 1864), à prendre la tête d'une expédition en Afrique à la recherche des sources du Nil. Ils découvrent le lac Tanganyika en 1857, mais tombent tous deux malades. Un fois guéri, Speke reprend son voyage et découvre un grand lac qu'il baptise lac Victoria, affirmant qu'il recèle les sources tant recherchées. Pendant ce temps, Burton déclare que ces sources se trouvent dans le lac Tanganyika. Il s'ensuit une brouille spectaculaire entre les deux hommes. Burton continue de voyager en Amérique du Sud avant d'entrer au Foreign Office. Entre 1861 et 1872, il occupe le poste de consul au Brésil, en Syrie et en Italie. Il écrit également de nombreux livres de voyage, mais son œuvre la plus connue est sa traduction des *Mille et Une Nuits*.

Pour pénétrer dans La Mecque, Richard Burton se déguise en Arabe.

Il visite La Mecque en 1853; expédition pour trouver les sources du Nil (1856 – 1857); il découvre le lac Tanganyika en 1858.

Isabella Bird

1832 – 1904

Souffrant de la colonne vertébrale, Isabella Bird est envoyée en 1854 en convalescence sur un navire qui la conduit d'Angleterre jusqu'en Amérique du Nord. Cette traversée lui donne le goût des voyages, mais il lui faut attendre encore 20 ans avant de pouvoir repartir. En 1872, elle visite l'Australie, la Nouvelle-Zélande, Hawaï et les montagnes Rocheuses, et en 1877 elle parcourt le Japon et la Malaisie. En 1889, elle suit un enseignement intensif d'infirmière et part pour l'Inde et le Tibet. Au cours des années suivantes, elle poursuit ses voyages, se rendant en Perse, au Kurdistan et en Arménie. Isabella Bird retourne en Extrême-Orient en 1894. Elle parcourt 13 000 km en Chine, y établit des hôpitaux ainsi qu'en Corée, et crée un orphelinat au Japon.

Voyages: Australie, Nouvelle-Zélande, Hawaï et États-Unis (1872 – 1873); Japon et Malaisie (1877 – 1879); Inde, Tibet, Perse, Kurdistan et Arménie (1889 – 1890); Chine, Corée et Japon (1894 – 1897).

Ernest Giles

1835 – 1897

Né en Angleterre, Giles émigre en Australie en 1850. En 1872, il explore le continent à l'ouest de la ligne télégraphique transcontinentale pour atteindre la rivière Murchison à 1600 km de là. Il échoue, mais découvre le lac Amedeus. En 1874, il part avec Albert Gibson mais se perd dans le désert de Gibson, qui porte le nom de son compagnon mort pendant l'expédition. Giles tente l'aventure une troisième fois en 1875 et, en cinq mois, parcourt 4000 km de Port Augusta à Perth. Son voyage s'achève en 1876 lorsqu'il revient par une route différente.

Premier homme à traverser l'Australie dans les deux sens (1875 – 1876).

Robert Peary

1856 – 1920

Capitaine de la marine américaine, Robert Peary dirige de nombreuses expéditions dans l'Arctique entre 1886 et 1909, prouvant au passage que le Groenland est une île. Son ambition est de devenir le premier homme à atteindre le pôle Nord. Le 6 avril 1909, accompagné par des Inuits, Peary atteint la région du pôle, mais beaucoup refusent de reconnaître son exploit. L'explorateur américain Frederick Cook (1865 – 1940) déclare être arrivé au pôle le premier, en 1908. Mais l'opinion scientifique de l'époque appuie Peary.

Il affirme être le premier homme à avoir atteint le pôle Nord en 1909.

Mary Kingsley

1862 – 1900

Née à Londres, Marie Kingsley passe sa jeunesse à lire dans la bibliothèque scientifique de son père. Après la mort de ses parents en 1893, elle voyage en Afrique de l'Ouest, vivant avec des indigènes. Revenue en Angleterre, elle a d'importantes informations sur leurs cultures. De retour en Afrique en 1895, elle explore la partie inconnue du Congo en canoë. Elle est aussi consultée par des administrateurs britanniques pour sa connaissance des Africains de l'Ouest. Marie Kingsley participe comme infirmière à la guerre des Boers pendant laquelle elle meurt de la fièvre typhoïde.

Elle voyage en Afrique de l'Ouest en 1893 ; elle explore le fleuve Congo en 1895.

Fridtjof Nansen

1861 – 1930

L'explorateur norvégien Fridtjof Nansen embarque à bord du *Viking* en 1882 pour explorer les régions arctiques. En 1888, à la tête d'une équipe de six hommes, il est le premier homme à traverser le Groenland. Cinq ans après, Nansen équipe le *Fram*, spécialement adapté à ces latitudes, avec pour objectif de parvenir au pôle Nord. Il se laisse prendre par les glaces et dérive avec elles depuis les îles de la Nouvelle-Sibérie. En 1895, il décide de gagner le pôle à pied avec un attelage de huskies et des traîneaux. En avril de la même année, il se trouve à la latitude la plus septentrionale jamais atteinte par l'homme, mais il renonce à son objectif. Il devient ensuite professeur de zoologie et d'océanographie, et est le premier ambassadeur norvégien à Londres. En 1922, le prix Nobel de la paix lui est attribué pour son travail avec la Société des nations en faveur des réfugiés russes de la révolution de 1917.

Dans sa tentative d'atteindre le pôle Nord, Nansen quitte son bateau pris par les glaces et continue à pied sur la banquise.

Auteur de la première traversée du Groenland en 1888 ; il arrive à la plus haute latitude jamais atteinte en 1895 (86° 14' N).

Les explorateurs de l'Antarctique

Amundsen dresse le drapeau norvégien au pôle Sud le 14 décembre 1911.

En 1773, le **capitaine James Cook** (p. 49) est le premier à franchir le cercle polaire antarctique, mais il faudra attendre 1820 pour que les chasseurs de phoques américains et britanniques rencontrent les limites actuelles du continent gelé, l'Antarctique. Entre 1837 et 1843, trois expéditions tentent de cartographier les côtes de ce continent : celle du Français **Jules Dumont d'Urville** (1790 – 1842), celle de l'Américain **Charles Wilkes** (1798 – 1877) et celle du Britannique **James Clark Ross** (1800 – 1862).

LA COURSE POUR LE PÔLE SUD

Le premier objectif des explorateurs est le pôle Sud. En 1910, **Robert Falcon Scott** (1868 – 1912) quitte l'Angleterre sur le *Terra Nova* pour atteindre le détroit de McMurdo au début de 1911. Sept jours plus tard, l'explorateur norvégien **Roald Amundsen** (1872 – 1928) aborde à la baie des Baleines et gagne le pôle Sud qu'il atteint le 14 décembre 1911. Scott et ses hommes commencent par déposer des vivres le long de leur route et quittent leur base le 1er novembre. Arrivés au pôle le 18 janvier 1912, ils ne peuvent que constater qu'ils y ont été précédés en y trouvant la petite tente surmontée du drapeau norvégien laissée par Amundsen. L'expédition de Scott se termine en tragédie, tous ses participants ayant trouvé la mort sur le chemin du retour.

ENVERS ET CONTRE TOUT

Deux hommes, l'Irlandais **Ernest Shackleton** (1874 – 1922) et l'Australien **Douglas Mawson** (1882 – 1958), font figure de véritables survivants dans le terrible climat antarctique. Mawson fait partie de l'équipe scientifique de l'expédition de Shackleton en 1907 qui découvre le pôle Sud magnétique. Pendant une expédition en 1914, Shackleton voit son bateau, l'*Endurance*, écrasé par les glaces. Malgré tout, il sauve son équipage en parcourant 1 280 km sur la banquise. Aujourd'hui, l'Antarctique accueille des bases scientifiques permanentes, reste le lieu privilégié de quelques expéditions, comme par exemple sa traversée d'est en ouest à pied avec des chiens et des traîneaux en 1990.

En 1993, Liv Arnesen et Anne Bancroft (p. 44) sont les premières femmes à traverser l'Antarctique à ski.

Tenzing Norgay

1914 – 1986

D'origine népalaise, Tenzing Norgay est sherpa. C'est à ce titre qu'il escalade pour la première fois le mont Everest en 1935. En 1953, il participe à l'expédition britannique sur l'Everest conduite par John Hunt (né en 1910). Tenzing et Edmund Hillary (à droite) sont les premiers à atteindre le sommet tant convoité (8 848 mètres).

Expéditions sur l'Everest en 1938 et 1952; il est un des premiers hommes à avoir atteint son sommet en 1953.

Edmund Hillary

né en 1919

Le Néo-Zélandais Edmund Hillary est apiculteur de profession, mais sa première passion est l'escalade. En 1953, il se joint à l'expédition britannique de l'Everest conduite par John Hunt. Le 29 mai, Hillary et Tenzing deviennent les deux premiers hommes à fouler le sommet de la plus haute montagne du monde. En 1957, Hillary est l'adjoint de Vivian Fuchs (1908 – 1999), chef d'une expédition britannique en Antarctique. Ils sont les premiers à atteindre le pôle Sud en véhicules à moteur. Hillary continue à participer à des expéditions en montagne. En 1967, il atteint pour la première fois le mont Herschel (3 335 m), lors d'une expédition en Antarctique.

Un des premiers à atteindre le sommet de l'Everest en 1953 et le premier à escalader le mont Herschel en 1967.

En 1953, Hillary et Tenzing Norday sont les premiers à vaincre l'Everest.

Ranulph Fiennes

né en 1945

Entre 1971 et 1978, l'explorateur anglais Ranulph Fiennes sert dans l'armée britannique et dirige plusieurs missions en Arctique. Entre 1979 et 1982, il dirige l'expédition Transglobe le long du méridien de Greenwich, du pôle Nord au pôle Sud. Il a depuis fait plusieurs tentatives pour atteindre le pôle Nord à pied sans assistance. En 1993, Fiennes et son compagnon, Michael Stroud, traversent sans assistance le continent antarctique.

Premier homme à atteindre le pôle Sud deux fois, en 1980 et 1993, et l'un des premiers à traverser l'Antarctique sans assistance.

Ann Bancroft

née en 1955

Native du Minnesota, Ann Bancroft a, dès son plus jeune âge, le goût de l'aventure et des grands espaces. Elle suit des études d'éducation physique à l'université d'Oregon. En 1986, elle est la seule femme à participer à l'expédition polaire internationale de William Steger où elle parcourt 1 600 km en traîneau à chiens depuis les Territoires du Nord-Ouest au Canada jusqu'au pôle Nord. En 1993, elle dirige une expédition féminine américaine au pôle Sud qui, en 67 jours, parcourt 1 050 km à ski à travers l'Antarctique.

Première femme à avoir atteint le pôle Nord en 1986 et le pôle Sud en 1993.

OTTO NORDENSKJÖLD 1869 – 1928
Nordenskjöld dirige l'expédition suédoise en Antarctique de 1903-1904. Son exploration de la terre de Graham apporte de nombreuses connaissances sur cette région. Écrasé par les glaces, son bateau, l'*Antarctique*, coule. L'équipe se divise en trois, et chacun rejoint par une route différente l'île de Snow Hill. Ils sont récupérés un an plus tard par un bateau argentin.

WALLY HERBERT né en 1934
L'explorateur britannique Wally Herbert participe à l'expédition antarctique néo-zélandaise de 1960. En 1968-1969, il est le premier à traverser l'océan Arctique gelé en passant par le pôle Nord, un voyage de 6 000 km qui lui prend 464 jours. C'est le plus long voyage en traîneau jamais réalisé.

SUR MER

Henri le Navigateur

1394 – 1460

Fils du roi du Portugal Jean Ier (1357 – 1433), Henri joue un rôle important dans la prise de Ceuta, en Afrique du Nord, en 1415. Nommé gouverneur de l'Algarve, une province du Portugal, il y construit un observatoire, une école de navigation et un chantier naval. Henri arme des navires et finance secrètement des voyages de découverte. Il développe la caravelle, un navire à voile bien adapté à l'exploration. Les marins d'Henri découvrent les îles Madère, les Açores, les îles du Cap-Vert, puis descendent le long de la côte africaine jusqu'à la Sierra Leone et remontent le fleuve Gambie. En 1441, un de ses bateaux revient avec les premiers esclaves africains.

Il finance des voyages de découverte sur la côte ouest de l'Afrique (1418 – 1460).

▲ Henri fait collaborer des navigateurs et des architectes navals dans toute l'Europe pour l'aider à réaliser ses projets d'exploration.

Zheng He

actif de 1405 – 1433

En 1405, l'empereur Ming Yongle (1359 – 1424) demande à l'amiral chinois Zheng He d'entreprendre des voyages maritimes pour développer le commerce et les relations diplomatiques avec les autres nations. Sur une période de 28 ans, sa grande flotte parcourt l'Extrême-Orient, l'Inde, la côte est de l'Afrique et la mer Rouge. La dernière expédition a lieu en 1433, date à laquelle les Chinois décident d'arrêter de commercer avec les autres pays.

Navigations : Indochine, Java, Ceylan (1405 – 1407) ; Siam, Cochin, côte ouest de l'Inde (1407 – 1409) ; Zanzibar, côte est de l'Afrique (1421 – 1422) ; mer Rouge (1431 – 1433).

Zheng He revient en Chine avec une girafe.

Jean Cabot

v. 1450 – 1498

Giovanni Caboto, ou Jean Cabot, est un navigateur italien né à Gênes. Il gagne l'Angleterre vers 1490 et s'installe à Bristol. En 1497, il est chargé par le roi Henri VII (1457 – 1509) d'un voyage de découverte à travers l'océan Atlantique. Cabot, ses trois fils et 18 hommes d'équipage seulement quittent Bristol sur un minuscule navire, le *Matthew*. Après 54 jours de mer, ils aperçoivent une terre qu'ils prennent pour l'Asie ; en fait, il s'agit de l'Amérique du Nord. Cabot et son équipage sont ainsi les premiers Européens à toucher le continent nord-américain. Il entreprend un autre voyage pour trouver vers l'ouest une route pour les Indes, mais disparaît corps et biens.

Premier Européen à atteindre le continent nord-américain en 1497 ; expédition pour trouver un passage au nord-ouest vers l'Inde.

PEDRO ALVARES CABRAL 1467 – 1520

En 1500, le navigateur portugais Pedro Cabral quitte Lisbonne et part vers l'ouest à la recherche des Indes. Sa flotte de 13 navires aborde finalement au Brésil que Cabral annexe pour le Portugal. Il repart pour les Indes mais perd la moitié de ses bateaux, et s'arrête finalement au Mozambique. De là, il gagne Calicut, sur la côte ouest de l'Inde.

AMERIGO VESPUCCI 1451 – 1512

Né à Florence, en Italie, Amerigo Vespucci ravitaille les bateaux de Christophe Colomb. Entre 1499 et 1502, il fait plusieurs voyages sur les côtes d'Amérique du Sud. Mais il n'a laissé que si peu de récits de ses découvertes, ou des documents très altérés, que ses voyages restent douteux pour certains. Il a cependant donné son nom à l'Amérique.

Christophe Colomb

1451 – 1506

Né à Gênes, en Italie, Colomb est un navigateur expérimenté. En 1477, il a sans doute touché l'Islande au nord et la Sierra Leone au sud. Pensant que la Terre est ronde, il recherche des soutiens pour organiser un voyage vers les Indes par l'ouest.

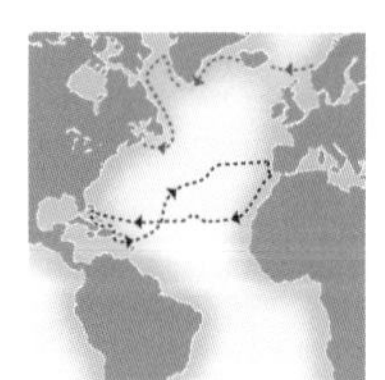

Route de Christophe Colomb en 1492.

Le roi Ferdinand et la reine Isabelle d'Espagne acceptent de commanditer cette expédition et Colomb part de Palos en août 1492 sur la *Santa Maria*, accompagné de deux caravelles et de 120 hommes d'équipage. En octobre, il parvient en vue d'une terre qu'il prend pour la côte des Indes. En fait, c'est une des îles des Bahamas. Il continue vers Cuba et Hispaniola (Haïti), où la *Santa Maria* fait naufrage.

LA SANTA MARIA

Après avoir fondé une petite colonie sur l'île, il revient en Espagne où il est accueilli en héros. En septembre 1493, il reprend la mer à la tête d'une flotte de 20 bateaux pour gagner les Indes occidentales. Après avoir visité la Dominique et la Jamaïque, il revient à Hispaniola où il tombe malade. Il regagne l'Espagne en 1496. Entre 1498 et 1504, Colomb fait encore deux voyages à la Trinité et sur le continent sud-américain, puis dans le golfe du Mexique et au Honduras.

Il découvre Hispaniola en 1492 ; la Dominique et la Jamaïque en 1493 ; la Trinité en 1498 ; le Honduras en 1503.

Lorsque Christophe Colomb et son équipage abordent à Guanahani, aux Bahamas, il l'annexe pour l'Espagne.

JUAN PONCE DE LEÓN 1460 – 1521

L'explorateur espagnol Juan Ponce de León participe au deuxième voyage de Christophe Colomb vers le Nouveau Monde en 1493. Il devient gouverneur d'Hispaniola et, en 1510, gouverneur de Porto Rico. En 1512, il gagne la Floride dont il devient le gouverneur. Il ne réussit pas à soumettre la population locale et se retire à Cuba où il meurt.

SEBASTIAN CABOT v. 1474 – 1557

Né à Venise, en Italie, et fils de Jean Cabot (p. 45), Sébastien est cartographe. En 1526, Charles Quint, empereur du Saint-Empire, l'envoie explorer la côte du Brésil, mais sa tentative de colonisation échoue. En 1544, Cabot publie une célèbre carte du monde. En 1548, il s'établit en Angleterre où il est nommé inspecteur de la marine britannique.

Vasco da Gama

v. 1469 – 1525

Après que Christophe Colomb ait échoué dans ses tentatives d'atteindre les Indes par l'ouest, le roi du Portugal demande à l'un de ses sujets, Vasco de Gama, de trouver une route par le cap de Bonne-Espérance. Son bateau quitte Lisbonne en 1497 et atteint Malindi en Afrique de l'Est. Avec l'aide d'un pilote indien, Gama traverse l'océan Indien et aborde à Calicut en mai 1498. Il regagne Lisbonne en 1499. En 1502, il repart aux Indes où il établit des colonies portugaises.

Premier Européen à passer le cap de Bonne-Espérance en se dirigeant vers l'Inde en 1497.

Martin Frobisher

1535 – 1594

En 1576, le navigateur anglais Martin Frobisher prend la mer avec deux bateaux pour le Groenland, dans l'intention de découvrir un passage par le nord-ouest vers l'océan Pacifique. Il perd un de ses bateaux mais continue le long des côtes du Labrador et de la terre de Baffin. Les Inuits lui remettent ce qu'il pense être de l'or mais qui, en fait, n'était que de la pyrite (l'or des fous). Entre 1577 et 1578, il retourne deux fois dans cette région, revenant en Angleterre avec des tonnes de ce qu'il supposait faussement être du minerai aurifère. En 1585, il part avec Drake pour les Indes occidentales et commande le *Triumph* contre l'Invincible Armada en 1588.

Il tente le passage du Nord-Ouest de 1576 à 1578; découvre la terre de Baffin en 1576.

Francis Drake

1543 – 1596

Après plusieurs expéditions aux Indes occidentales, le capitaine de la marine anglaise Francis Drake reçoit pour mission de la reine Elisabeth Ire (p. 15) d'attaquer les intérêts espagnols en Amérique centrale. De retour à Plymouth en 1573, il est un véritable héros. En 1577, Drake part de Plymouth pour entreprendre un tour du monde. Son expédition rencontre des tempêtes où il va perdre des bateaux et des hommes; il doit aussi affronter une mutinerie, mais il revient en Angleterre avec un gros butin. Drake a joué également un grand rôle dans la destruction de l'Invincible Armada en 1588.

Expéditions en Amérique centrale en 1567 et en 1572; premier Anglais à réaliser le tour du monde (1577 – 1580).

Ferdinand Magellan

v. 1480 – 1521

Dans sa jeunesse, le navigateur portugais Fernand de Magellan est allé aux Indes avec des marchands en contournant l'Afrique. Convaincu qu'on peut atteindre ces régions par l'ouest, et avec le soutien de Charles Quint, roi d'Espagne, il part de Séville, en Espagne, à la tête d'une flotte de cinq navires en 1519. Il descend le long de la côte est de l'Amérique du Sud jusqu'à ce qu'il découvre le détroit qui porte son nom et qui le mène à l'océan Pacifique, et, de là, aux Philippines. Il est assassiné par une tribu indigène mais son bateau, le *Victoria*, et son équipage terminent leur voyage autour du monde en regagnant l'Espagne en 1522.

Il organise la première circumnavigation (1519 – 1522).

▼ Magellan essuie de terribles tempêtes quand il traverse le détroit qui porte son nom.

WILLEM BARENTS v. 1550 – 1597
Barents est un navigateur hollandais qui conduit plusieurs expéditions à la recherche du passage du Nord-Est le long des côtes nord de la Russie. La mer de Barents porte son nom. Il meurt en 1597 au cours d'un voyage près de l'île de la Nouvelle-Zemble au large de la côte sibérienne. Ses souvenirs, cachés dans une hutte au cap Novaya, ne seront découverts qu'en 1875.

HUGH WILLOUGHBY mort en 1554
En 1533, Willoughby appareille de Londres pour découvrir un passage vers la Chine par le Nord-Est. Au cours d'une tempête, les bâtiments de la flotte de Willoughby se trouvent séparés, mais il se réfugie sur la côte de la presqu'île de Kola. L'année suivante, des pêcheurs russes trouvent son bateau pris dans les glaces. Personne à bord n'avait survécu au froid ni au scorbut.

HENRY HUDSON 1550 – 1611
L'Anglais Henry Hudson est engagé par la Compagnie de Moscovie pour trouver le passage du Nord-Est. En 1610, il mène une expédition pour trouver le passage du Nord-Ouest. Son bateau est pris par les glaces dans la baie qui porte son nom, la baie d'Hudson. Lorsque son équipage se mutine, il disparaît avec son fils et sept de ses hommes dans une petite embarcation.

Walter Raleigh

v. 1552 – 1618

En 1569, alors qu'il étudie à l'université d'Oxford, l'Anglais Walter Raleigh, soldat, navigateur et courtisan, se porte volontaire pour aller combattre aux côtés des huguenots en France. En 1580, il est envoyé en Irlande pour mater une rébellion, et devient bientôt un personnage célèbre de la cour de la reine Elisabeth Ire (p. 15). Entre 1584 et 1589, il envoie trois flottes explorer la côte est de l'Amérique du Nord. Il prend possession de la partie nord de la Floride qu'Elisabeth nomme Virginie. Ses tentatives pour y implanter des colons anglais échouent mais il revient en Angleterre avec ses bateaux chargés de tabac et de pommes de terre. En 1597, disgracié, il est emprisonné dans la Tour de Londres pour avoir eu une liaison avec une de ses servantes. Libéré, il conduit une expédition à La Trinité et au Venezuela, et participe à des attaques contre les Espagnols. Quand Jacques Ier monte sur le trône d'Angleterre en 1603, Raleigh est de nouveau emprisonné à la Tour de Londres. Il est relâché sur parole en 1616 pour mener une expédition qui doit rechercher de l'or en Amérique du Sud. Il échoue et, malgré les ordres reçus, détruit une colonie espagnole. À la suite de ce forfait, le roi ordonne son exécution à son retour en 1618.

Il organise des expéditions sur la côte est de l'Amérique du Nord (1584 – 1589) ; à La Trinité et au Venezuela 1595 ; sur le fleuve Orénoque 1616 – 1618.

En 1584, Walter Raleigh est anobli par la reine Elisabeth Ire.

George Bass

1771 – v. 1812

En 1792, l'Anglais George Bass, chirurgien de marine, rallie Port Jackson en Australie sur le *Reliance* en compagnie de Matthew Flinders (ci-dessous). En 1795, les deux hommes commencent à explorer la côte sud-est de l'Australie à bord d'un petit bateau appelé le *Tom Thumb*. En 1798, ils font le tour de la Tasmanie, démontrant ainsi qu'il s'agit d'une île. Le bras de mer qui la sépare de l'Australie porte le nom de détroit de Bass. On n'en sait pas plus sur sa vie et on pense qu'il est mort en Amérique du Sud.

Il découvre le détroit de Bass entre l'Australie et la Tasmanie en 1798.

Matthew Flinders

1774 – 1814

Officier et cartographe dans la marine anglaise, Matthew Flinders gagne l'Australie en compagnie de George Bass (ci-dessus) en 1792. Après leur découverte du détroit de Bass en 1798, Flinders retourne en Angleterre. Soutenu par sir Joseph Banks (p. 38), il entreprend le tour de l'Australie. Entre 1801 et 1803, il explore des côtes inconnues avec son navire, l'*Investigator* qui est bientôt hors d'état de naviguer. Il décide de revenir en Angleterre sur le *Porpoise*, mais ce navire fait naufrage sur la Grande Barrière de corail. Il embarque ensuite sur le *Cumberland* qui est saisi par les Français à l'île Maurice où Flinders reste prisonnier six ans. Il regagne enfin l'Angleterre en 1810.

Il explora la côte d'Australie (1801 – 1803).

ABEL TASMAN 1603 – v. 1659

Le navigateur hollandais Abel Tasman est envoyé par Anthony Van Diemen (1593 – 1645) pour explorer la « Grande Terre du Sud », aujourd'hui l'Australie. En 1642, il traverse le sud de l'océan Indien et aborde en Tasmanie qu'il baptise terre de Van Diemen. Il retourne dans la région en 1644 pour découvrir le golfe de Carpentarie et explorer la côte nord de l'Australie.

VITUS BERING 1681 – 1741

Le Danois Vitus Bering est envoyé par Pierre le Grand, tsar de Russie, pour voir si la Russie et l'Amérique du Nord sont reliées par un isthme. Ses voyages, en 1728 et 1733, sont un échec. En 1741, il prend la mer à Okhotsk, cap à l'est, et atteint les côtes américaines. Il remonte vers le nord jusqu'au détroit de Béring. Il meurt du scorbut sur l'île d'Avatcha.

JEAN LA PÉROUSE 1741 – 1788

Le Français Jean François de La Pérouse est envoyé par le roi Louis XVI pour explorer le Pacifique. Il passe le cap Horn et remonte jusqu'à la côte ouest de l'Amérique du Nord. Il traverse le Pacifique jusqu'à l'île de Sakhaline, descend vers les Philippines, pour atteindre l'Australie en 1788. Son bateau fait naufrage sur les récifs de Vanikoro près des îles Salomon.

James Cook

1728 – 1779

Né dans le Yorshire, en Angleterre, James Cook est d'abord apprenti dans un chantier naval. En 1755, il s'engage dans la marine britannique et est bientôt nommé capitaine. En tant que lieutenant, il avait été envoyé au Canada pour étudier le Saint-Laurent et Terre-Neuve en 1768.

La même année, à la demande de la British Royal Society, il entreprend un voyage scientifique vers Tahiti pour y observer le passage de Vénus devant le Soleil. Il continue sa route secrètement vers l'Australie et la Nouvelle-Zélande. Avec son bateau, l'*Endeavour*, Cook fait le tour des deux îles qui la constituent et en dresse la carte. Il se rend ensuite à Botany Bay, en Australie, revendiquant le pays pour la Grande-Bretagne. Lors de son deuxième voyage dans le Pacifique (1772 – 1775), il est le premier explorateur à s'approcher de l'Antarctique, mais, arrêté par les glaces, il ne peut en observer les côtes. Cook découvre l'importance des fruits et des légumes dans le régime de ses équipages pour éviter le scorbut (provoqué par un manque de vitamine C). Il se fait aussi accompagner par d'excellents artistes car il pense que toutes ses découvertes doivent être minutieusement décrites. Lors de son troisième voyage dans le Pacifique (1776 – 1779), Cook cartographie la côte ouest de l'Amérique du Nord jusqu'à l'Alaska. Il est tué par des indigènes des îles Hawaï alors qu'il venait récupérer une chaloupe qu'ils avaient volée.

Voyages d'exploration dans le Pacifique: 1768 – 1771, 1772 – 1775, 1776 – 1779.

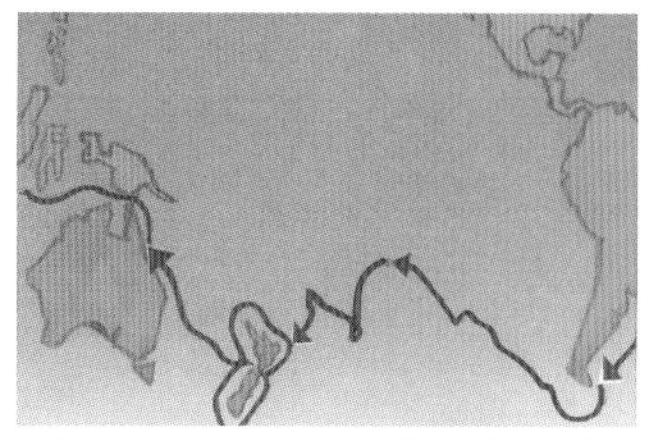

▲ Carte montrant la route de Cook lors de son premier voyage (1768 – 1771).

▼ Lorsque Cook arrive en Nouvelle-Zélande, il est accueilli par des pirogues maories richement décorées.

JOHN ROSS 1777 – 1856
Officier de marine écossais, John Ross sert durant les guerres napoléoniennes et, à partir de 1812, conduit des expéditions en Arctique. En 1818, avec son neveu James Ross (p. 50), il mène une expédition pour trouver le passage du Nord-Ouest. Entre 1829 et 1833, il dirige une expédition privée et découvre des terres dans la région arctique du nord du Canada.

FABIAN BELLINGSHAUSEN 1778 – 1852
En 1819, l'officier de marine russe Fabian Bellingshausen est envoyé explorer le Pacifique Sud et l'Antarctique par le tsar Alexandre Ier. Le point le plus au sud qu'il atteint s'appelle depuis lors mer de Bellingshausen. En 1821, il est le premier homme à découvrir une terre au-delà du cercle polaire antarctique.

JAMES WEDDELL 1787 – 1834
Capitaine d'un navire chasseur de phoques, l'Anglais James Weddell recherche en 1822 de nouveaux terrains de chasse au sud des îles Sandwich du Sud. Aidé par d'excellentes conditions météorologiques, il va descendre au-delà du cercle polaire antarctique pour atteindre une mer inconnue qu'il baptise du nom du roi George IV. En 1900, elle est rebaptisée mer de Weddell.

James Ross

1800 – 1862

Officier de marine, James Ross était le neveu de John Ross (p. 49). Très jeune, il accompagne son oncle dans deux expéditions dans l'Arctique. Entre ces voyages, il navigue sous les ordres de sir William Parry (1790 – 1855) à la recherche du passage du Nord-Ouest et, en 1831, il est le premier à découvrir la position du pôle Nord magnétique. En 1839, le gouvernement britannique le choisit pour diriger une expédition en Antarctique dans le but de déterminer la position du pôle Sud magnétique. L'Amirauté lui fournit deux navires, l'*Erebus* et le *Terror*. En 1841, ses bâtiments sont les premiers à s'aventurer à travers une ceinture de glace dans un lieu qui va porter bientôt son nom, la mer de Ross. Il découve le mont Erebus et la banquise de Ross.

Découvertes : le pôle Nord magnétique en 1831 ; la mer de Ross, la banquise de Ross, le mont Erebus et le mont Terror en 1841.

Thor Heyerdahl

1914 – 2002

Le chercheur norvégien Thor Heyerdahl pense que la population des îles de Polynésie est originaire d'Amérique du Sud. Pour démontrer son hypothèse, Heyerdahl construit un radeau en balsa, le *Kon Tiki*, et, en 1947, traverse le Pacifique du Pérou à une île des Tuamotu en Polynésie française. En 1970, pour prouver que les anciens peuples d'Afrique du Nord avaient atteint l'Amérique centrale, il traverse l'Atlantique du Maroc aux Caraïbes à bord du *Ra*, un radeau construit avec des tiges de papyrus.

Expédition du *Kon Tiki* à travers le Pacifique en 1947 ; expédition du *Ra* à travers l'Atlantique en 1970.

Le radeau de balsa d'Heyerdahl, le *Kon Tiki*, démontre avec succès la théorie selon laquelle la Polynésie a été peuplée par des hommes venant d'Amérique du Sud.

Jacques-Yves Cousteau

1910 – 1997

Alors qu'il est officier dans la marine française, Jacques-Yves Cousteau invente le scaphandre autonome avec l'ingénieur Émile Gagnan, en 1942. Cet appareil aura une importance considérable dans le développement de l'exploration sous-marine. Cousteau prend le commandement du bateau de recherche océanographique la *Calypso* en 1950. Il le transforme en laboratoire flottant avec un équipement moderne et des caméras de télévision sous-marines. Avec ce bateau, il tourne le premier film sous-marin en couleurs en mer Rouge en 1952. En 1962, pour encourager la recherche sur la vie sous-marine, Cousteau lance son projet de « maisons sous la mer » dans lesquelles les hommes vivent et travaillent pendant des semaines. Parmi ses nombreux exploits, on peut noter la première prospection de pétrole sous-marine effectuée par des plongeurs. Dans ses dernières années, son activité se tourne principalement vers la défense de l'environnement.

Scaphandre autonome en 1942 ; premier film sous-marin en couleurs en 1952 ; projets de maisons sous-marines (1962 – 1965).

▼ Cousteau (à droite) avec son fils Jean-Michel. Jacques-Yves Cousteau tourne de nombreux films sur la vie sous-marine dont le célèbre *Monde du silence* (1955). Sa série la plus connue reste cependant *Le Monde sous-marin de Jacques Cousteau* (1968-1976).

DANS LES AIRS

Lincoln Ellsworth

1880 – 1951

Né à Chicago dans une famille très fortunée, Lincoln Ellsworth est géomètre, ingénieur des chemins de fer, prospecteur et ingénieur des mines. En 1925, Ellsworth finance et prend part à une tentative infructueuse d'atteindre le pôle Nord en avion avec Roald Amundsen (p. 43). L'année suivante, Ellsworth et Amundsen avec le pilote italien Umberto Nobile (ci-dessous), partent du Spitzberg à bord du dirigeable *Norge*, survolent le pôle et se posent en Alaska. En 1931, Ellsworth apporte son soutien financier à George Wilkins (ci-dessous) qui tente sans succès d'atteindre le pôle à bord du sous-marin *Nautilus*. Il réussit en 1935 à traverser l'Antarctique à bord de son monoplan, le *Polar Star*, de la mer de Weddell à la mer de Ross. Au cours de ce vol, puis d'un autre effectué en 1939, il revendique les terres qu'il survole pour les États-Unis. La terre d'Ellsworth porte son nom.

Premier homme à survoler les deux pôles: le pôle Nord en 1926, le pôle Sud en 1935; il explore l'Antarctique en 1935 et 1939.

Le *Polar Star* de Lincoln Ellsworth.

En se posant en Irlande, l'avion d'Alcock et Brown s'écrase dans les marais, sans blessure pour ses passagers.

Alcock and Brown

Arthur Brown 1886 – 1948
John Alcock 1892 – 1919

À la fin de la Première Guerre mondiale, la compagnie aéronautique britannique Vickers recrute John Alcock et Arthur Brown pour effectuer, sur un de ses appareils, une traversée de l'Atlantique sans escale.

Arthur Whitten Brown est né en Écosse de parents américains. Il a fait la Première Guerre mondiale comme ingénieur dans l'aviation britannique. John William Alcock, lui, est né en Angleterre et a étudié la mécanique. Le courage dont il fait preuve dans les forces aéronavales pendant la guerre lui vaut d'être décoré. À la fin du conflit, il est nommé pilote d'essai en chef pour Vickers. Cette compagnie souhaite être la première à faire voler un de ses appareils sans escale au-dessus de l'Atlantique et, pour ce faire, choisit Alcock comme pilote et Brown comme navigateur. Le 14 juin 1919, un bombardier Vickers Vimy spécialement équipé décolle de Saint-Jean à Terre-Neuve. Juste après le décollage, une bourrasque met leur radio hors d'usage puis ils rencontrent une zone d'épais brouillard, et leur appareil se met en vrille. Alcock réussit à éviter le désastre en redressant l'avion quelques mètres seulement au-dessus de l'eau. Au cours du vol, Brown doit sortir sur les ailes pour les dégager de la glace qui s'y forme et qui alourdit dangereusement leur machine. Avec l'aide d'une instrumentation de navigation rudimentaire, Alcock réussit à atteindre l'Irlande et se pose dans un marais près de Galway. Ils ont parcouru une distance de 3 032 km en un peu plus de 16 heures, soit une vitesse moyenne de 306 km/h. Les deux hommes sont anoblis par la reine d'Angleterre et partagent la forte récompense qu'un journal anglais avait promise aux premiers hommes qui traverseraient l'Atlantique sans escale. Six mois après leur exploit, Alcock se tue dans un accident d'avion. Brown devient un des dirigeants de la compagnie Vickers.

Premiers hommes à traverser l'Atlantique sans escale en 1919.

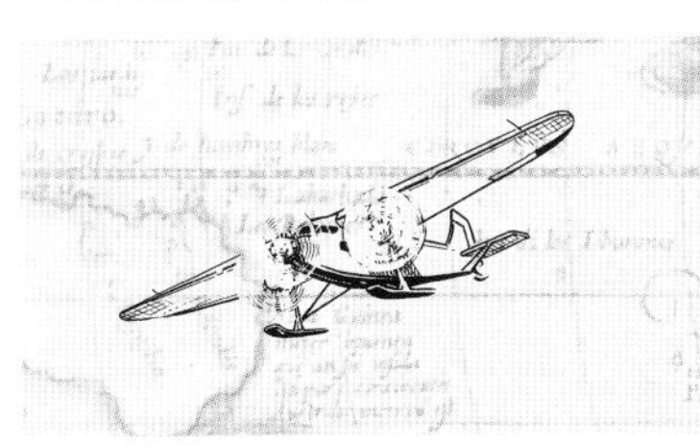

UMBERTO NOBILE 1885 – 1978
L'Italien Umberto Nobile, qui a fait des études d'ingénieur aéronautique, s'engage dans l'aviation militaire italienne. Avec son dirigeable *Norge*, il survole le pôle Nord en compagnie de Roald Amundsen (p. 43) et de Lincoln Ellsworth (ci-dessus) en 1926. Son dirigeable *Italia* s'écrase au retour de son second vol vers le pôle en 1928.

GEORGE WILKINS 1888 – 1958
L'Australien George Wilkins se rend en Arctique en 1913, puis, en 1919, il effectue un vol de l'Angleterre jusqu'en Australie. En 1928, il est un des premiers à voler au-dessus de l'Arctique et de l'Antarctique. En 1931, il dirige l'expédition financée par Ellsworth pour atteindre le pôle Nord en sous-marin sous la glace, mais il échoue.

Richard Byrd

1888 – 1957

Amiral de la marine américaine et explorateur, Richard Byrd rejoint l'aéronavale en 1912. En 1925, au cours d'une expédition en Arctique, il survole plusieurs fois l'île d'Ellesmere et le Groenland. En 1926, accompagné de Floyd Bennett (1890 – 1928), il atteint le pôle Nord après être parti du Spitzberg. En 1928, Byrd dirige la première expédition américaine en Antarctique depuis 1840. Il établit son camp de base, Little America, près de la baie des Baleines sur la banquise de Ross. Byrd et son équipe explorent la zone située à l'est de la terre d'Édouard VII à l'aide de traîneaux et d'avions et ils la nomment la terre Mary-Byrd. En 1929, il est le premier à survoler le pôle Sud. L'expédition scientifique de Byrd utilise les transmissions par radio et la photo aérienne. Entre 1933 et 1956, il mène quatre nouvelles explorations en Antarctique. En 1933, Byrd manque mourir empoisonné à la suite d'une obstruction de la cheminée de sa hutte.

Un des premiers hommes à survoler le pôle Nord en 1926 et le pôle Sud en 1928.

Charles Kingsford Smith

1897 – 1935

Le pilote australien Kingsford Smith, installé en Angleterre, participe en tant qu'aviateur à la Première Guerre mondiale. En 1927, il fait équipe avec un autre pilote australien, Charles Ulm (1898 – 1934). En 1930, il effectue la première traversée du Pacifique, des États-Unis à l'Australie, puis rejoint Londres de Sydney en 13 jours. En 1933, il améliore son record en gagnant l'Australie de l'Angleterre en sept jours et quatre heures. Un an plus tard, il effectue la première traversée de l'océan Pacifique dans le sens ouest-est, rejoignant les États-Unis après être parti d'Australie. En 1935, il décolle d'Angleterre dans son avion *Lady Southern Cross* pour tenter d'améliorer le record entre l'Angleterre et l'Australie. Entre l'Inde et Singapour, son appareil disparaît corps et biens au-dessus du golfe du Bengale.

Première traversée du Pacifique en 1928; premier vol autour du monde (1929 – 1930); il améliore le record entre l'Angleterre et l'Australie en 1933; première traversée ouest-est du Pacifique en 1934.

Amelia Earhart

1898 – 1937

En 1932, la pilote américaine Amelia Earhart est la première femme à effectuer seule la traversée de l'Atlantique sur un Lokheed Vega, entre Terre-Neuve et le pays de Galles. Trois ans après, elle traverse seule le Pacifique d'Honolulu, à Hawaï, à Oakland, en Californie, en 18 heures. En 1937, lors de sa tentative pour effectuer le premier vol autour du monde féminin, son avion se perd dans le Pacifique. Malgré de nombreuses recherches, elle ne sera jamais retrouvée.

Première femme à traverser seule les océans Atlantique en 1932 et Pacifique en 1935.

Amelia Earhart en 1932, après sa traversée de l'Atlantique.

Charles Lindbergh

1902 – 1974

Né à Detroit, Lindbergh commence sa vie de pilote comme cascadeur avant d'entrer dans une école de pilotes militaires au Texas. Puis il est chargé d'acheminer le courrier par avion entre Saint-Louis et Chicago.

En 1926, un prix de 25 000 $ est offert au premier aviateur qui rejoindra sans escale la ville de Paris depuis New York. Un groupe d'hommes d'affaires de Saint-Louis accepte de soutenir sa tentative et, le 20 mai 1927, il décolle du Roosevelt Field à New York dans son avion, le *Spirit of Saint Louis*. Il survole Terre-Neuve, l'Irlande et l'Angleterre avant de se poser sur l'aéroport du Bourget à Paris. Il a parcouru une distance de 5 809 km en 33 heures et demie. Il est accueilli en héros à son retour aux États-Unis et reçoit la médaille d'honneur du Congrès. En 1932, son fils est enlevé et assassiné, et pour échapper à la presse, il va s'installer en Europe. Son autobiographie, *The Spirit of Saint Louis* reçoit le prix Pulitzer en 1954.

Premier homme à avoir traversé l'Atlantique en solitaire, en 1927.

L'appareil utilisé par Lindbergh pour son exploit est un monoplan monomoteur Ryan.

Amy Johnson

1903 – 1941

Aviatrice anglaise, Amy Johnson se destine au métier d'ingénieur au sol chargé d'entretenir les appareils et n'obtient son brevet de pilote qu'en 1923. Dans son avion, le Gipsy Moth *Jason*, elle rejoint seule l'Australie au départ de l'Angleterre. Elle remporte ainsi une prime de 6000 $ offerte par un journal anglais, mais ne réussit pas à battre le record établi sur ce parcours par James Mollison (1905 – 1959), qu'elle épouse par la suite. En 1931, elle fait un aller-retour à Tokyo et, en 1932, elle bat le record du vol en solo aller-retour vers Le Cap, en Afrique du Sud. En 1933, elle bat un nouveau record avec son mari en traversant l'océan Atlantique en 39 heures. En 1934, elle gagne l'Inde en seulement 22 heures et, en 1936, elle bat de nouveau le record Londres-Le Cap. Elle trouve la mort pendant La Seconde Guerre mondiale, son avion s'étant écrasé dans la Tamise.

Première femme à avoir effectué en solitaire le vol d'Angleterre en Australie en 1930; Japon en 1931; Le Cap en 1932. Records battus avec son mari: Atlantique 1933; Inde 1934.

Amy Johnson obtient son brevet de pilote en 1923 et devient membre du London Airplane Club.

Jean Batten

1909 – 1982

Née en Nouvelle-Zélande, Jean Batten est d'abord musicienne mais, elle décide en 1929 d'apprendre à piloter en Angleterre. Elle obtient son brevet de pilote et d'ingénieur au sol en 1930. Excellente pilote, elle souhaite voler en solo et battre les records existants. Elle trouve des soutiens qui lui permettent, en 1934, de battre Amy Johnson en reliant Londres à l'Australie en cinq jours. En 1935, elle remporte un nouveau record de vitesse en joignant, seule, l'Angleterre au Brésil, et devient la première femme à traverser l'Atlantique Sud. Au cours des années suivantes, elle ajoute d'autres records, entre l'Angleterre, la Nouvelle-Zélande et l'Australie ce qui lui vaut le titre de première pilote femme d'Angleterre. Elle cesse de voler au début de la Seconde Guerre mondiale en 1939.

Elle cumule les records de vitesse en solo pour une femme: Angleterre-Australie en 1934; Angleterre-Brésil en 1935; Angleterre-Nouvelle-Zélande en 1936; Australie-Angleterre en 1937.

Ballons

Auguste Piccard 1884 – 1962

Le physicien suisse Auguste Piccard est une des autorités en Europe dans le domaine des rayons cosmiques. Pour augmenter ses connaissances, il projette de faire des observations à partir d'un ballon qui s'élèverait jusqu'à la stratosphère terrestre. Son appareil, constitué d'une enveloppe de 14160 m^3 soutenant une nacelle pressurisée, est lancé d'Augsbourg, en Allemagne, en 1931. Respirant de l'air purifié, Piccard et son assistant, Paul Kipfer, atteignent l'altitude de 15780 m.

Record d'altitude en ballon en 1931.

Steve Fossett né en 1944

En 1995, l'Américain Steve Fosset est le premier à traverser l'océan Pacifique seul en ballon. Sa tentative d'un tour du monde sans escale avec Richard Branson (p. 236) échoue.

Premier vol transpacifique en solo en 1995.

Bertrand Piccard né en 1958

Petit-fils d'Auguste Piccard (à gauche), le psychiatre Bertrand Piccard et son co-pilote anglais Brian Jones (né en 1947), sont les premiers à effectuer sans escale le tour du monde en ballon à air chaud. Ayant quitté la Suisse le 1er mars 1999, leur ballon, le *Breitling Orbiter 3*, parcourt 45755 km avant de se poser en Égypte 19 jours, 21 heures et 47 minutes plus tard.

Premier tour du monde en ballon en 1999.

Pour la première fois, Bertrand Piccard et Brian Jones effectuent le tour du monde dans un ballon à air chaud en 1999.

DANS L'ESPACE

John Glenn

né en 1921

Né dans l'Ohio, John Glenn est en 1943 pilote de chasse. Il sert dans le Pacifique pendant la Seconde Guerre mondiale puis en Corée, recevant de nombreuses médailles et de nombreux honneurs. Alors qu'il dirige le projet F8U de l'avion à réaction Crusader en 1957, il bat un record de vitesse supersonique entre Los Angeles et New York. Glenn rejoint la NASA en 1959 et est affecté à un service qui travaille sur les engins spatiaux. Le 20 février 1962, Glenn pilote la capsule Mercury lancée par une fusée Atlas 6 et baptisée *Friendship 7*, premier vaisseau spatial habité mis sur orbite par les Américains. En 1974, il devient sénateur démocrate de l'Ohio. Il est retourné dans l'espace en 1998 à bord de la navette spatiale.

Première traversée supersonique des États-Unis en 1957 ; premier Américain sur orbite terrestre en 1962.

En 1962, John Glenn s'installe dans la capsule *Frienship 7* pour le premier vol orbital habité américain.

Ed White

1930 – 1967

Ed White, du Texas, sert en Allemagne comme pilote de chasse dans l'armée de l'air américaine. De retour aux États-Unis, il devient pilote d'essai. En 1962, il est choisi par la NASA pour devenir astronaute. Avec John McDivitt (né en 1929) comme commandant, White participe en tant que pilote à la mission Gemini IV lancée le 3 juin 1965. Le premier jour, il sort pendant 21 minutes dans l'espace, en se déplaçant à l'aide de jets d'air comprimé et équipé d'une combinaison spéciale. White et ses camarades astronautes, Virgil Grissom (1926 – 1967) et Roger Chaffee (1936 – 1967) seront tous les trois victimes de l'incendie de la capsule Apollo 1 survenu lors d'un essai sur le pas de lancement le 27 janvier 1967.

Premier Américain à sortir dans l'espace en 1965 ; il meurt dans l'incendie de la capsule Apollo 1 en 1967.

◀ Ed White est le premier Américain à quitter sa capsule pour évoluer dans l'espace.

Alan Shepard

1923 – 1998

Alan Shepard, diplômé de l'Académie navale américaine en 1944, sert à bord de destroyers dans le Pacifique. En 1947, il devient pilote d'essai de la marine américaine. En 1959, il est sélectionné par la NASA pour être l'un des sept premiers astronautes américains. Le 5 mai 1961, il est le premier Américain envoyé dans l'espace pour un vol suborbital de 15 minutes dans la capsule Freedom 7, vol qu'il pilote entièrement manuellement. En raison de problèmes médicaux à une oreille, Shepard est écarté des vols spatiaux pendant 10 ans. Mais, en 1971, on lui confie le commandement de la mission Apollo 14 sur la Lune. Avec Ed Mitchell (né en 1930), il pose son module sur des hauteurs lunaires à partir desquelles ils font deux expéditions scientifiques. Shepard quitte la NASA et la marine en 1974.

Premier Américain dans l'espace en 1961 ; cinquième homme à marcher sur la Lune 1971.

« Buzz » Aldrin

né en 1930

Né dans le New Jersey, Edwin Eugene Aldrin est pilote dans l'aviation américaine pendant la guerre de Corée. Il développe au MIT (Massachusetts Institute of Technology) les techniques de rendez-vous pour les vaisseaux spatiaux. Ses compétences font que la NASA le retient pour toutes les missions comportant des rendez-vous. Il devient astronaute en 1963. Lors de sa première mission, à bord de la capsule Gemini 12 en 1966, Aldrin bat le record de sortie dans l'espace en restant 5 heures 30 minutes hors du vaisseau. Le 20 juillet 1969, Aldrin et Neil Armstrong (p. 55) posent le module d'Apollo 11 sur la Lune, au milieu de la mer de la Tranquillité. Ils sont les premiers hommes à marcher sur la Lune. Après deux heures sur le sol lunaire, ils rejoignent Michael Collins resté en orbite dans le module de commande et regagnent la Terre sains et saufs.

Il développe les techniques de rendez-vous spatial en 1963 ; il bat le record de durée de sortie dans l'espace en 1966 ; deuxième homme à marcher sur la Lune en 1969.

En 1969, " Buzz " Aldrin (ci-dessus) et Neil Armstrong sont les premiers hommes à marcher sur la Lune.

Neil Armstrong

né en 1930

Originaire de l'Ohio, Neil Armstrong entre dans la marine américaine et devient pilote de chasse en 1949. Il est ensuite pilote d'essai civil pour la NASA, volant sur l'avion-fusée X-15. Il est sélectionné pour devenir astronaute en 1962 et, en juillet 1966, commande la mission Gemini 8 et réalise le premier arrimage dans l'espace avec une fusée Agena satellisée servant de cible. En juillet 1969, accompagné de « Buzz » Aldrin et de Michael Collins, il participe à la mission Apollo 11 dont l'objectif est de déposer un homme sur la Lune. Le 21 juillet 1969, il est le premier homme à marcher sur notre satellite. Ses paroles : « C'est un petit pas pour l'homme, mais un pas de géant pour l'humanité » font écho dans le monde entier. Il quitte la NASA en 1971 pour un poste de professeur d'ingénierie aéronautique à l'université de Cincinnati.

Premier arrimage dans l'espace en 1966 ; premier homme à marcher sur la Lune en 1969.

Michael Collins

né en 1930

Né en Italie, Michael Collins sert comme officier d'essai en vol dans le centre d'essai de l'aviation américaine en Californie. Il entre à la NASA en tant qu'astronaute en 1963. Il est le pilote de la mission Gemini 10 en juillet 1966, au cours de laquelle, avec le commandant John Young, il s'arrime avec succès à un satellite Agena. Pendant ce vol, Collins fait une sortie dans l'espace pour récupérer un instrument scientifique fixé sur le satellite. Pendant le vol historique d'Apollo 11 en juillet 1969, Collins reste dans l'orbiteur lunaire tandis qu'Armstrong (à gauche) et Aldrin (à gauche) se posent sur la Lune. Collins quitte la NASA en 1970 et devient le premier directeur du musée national de l'Air et de l'Espace de l'Institut Smithsonian.

Pilote de Gemini 10, il s'arrime à un satellite en 1966 ; troisième membre de l'équipage de la mission Apollo 11 sur la Lune en 1969.

Iouri Gagarine

1934 – 1968

Le cosmonaute russe Iouri Gagarine entre dans l'aviation soviétique en 1955 et est choisi comme cosmonaute en 1959. Le 12 avril 1961, il devient le premier homme placé sur orbite autour de la Terre dans le vaisseau Vostok 1. Le vol dure 108 minutes, la capsule se déplaçant à la vitesse de 27 400 km/h. Après sa rentrée dans l'atmosphère terrestre, Gagarine s'éjecte du Vostok et se pose en parachute. Il perd la vie en 1968 lors d'un accident d'avion en Union soviétique.

Premier homme dans l'espace en 1961.

Le cosmonaute Iouri Gagarine dans le vaisseau Vostok 1 avant son lancement dans l'espace.

Valentina Terechkova

née en 1937

La cosmonaute russe Valentina Terechkova s'intéresse très jeune au parachutisme et passe son brevet. En 1962, elle est intégrée comme cosmonaute au programme spatial soviétique. Elle effectue son premier et unique vol à bord du vaisseau Vostok 6 en 1963, devenant ainsi la première femme dans l'espace. Pendant les trois jours du vol, Vostok 6 fait 48 fois le tour de la Terre. Un des cratères de la face cachée de la Lune porte son nom.

Première femme dans l'espace en 1963.

Claude Nicollier

né en 1944

Né en Suisse, Claude Nicollier entre dans l'aviation helvétique et obtient son brevet de pilote en 1966. En 1978, il est sélectionné comme membre de la première équipe d'astronautes européens. Il entre à la NASA en 1980 et est envoyé à Houston pour s'entraîner comme spécialiste des techniques de réparation pour les systèmes de satellites d'approvisionnement et la Station spatiale internationale. Nicollier participe ainsi à quatre vols de la navette spatiale. En 1980, il entre au corps des astronautes européens en Allemagne. Au cours d'une mission de la navette *Discovery*, en 1999, il réalise sa première sortie dans l'espace pour installer un nouvel ordinateur et un capteur de guidage sur le télescope spatial Hubble, devenant ainsi le premier Européen à être qualifié pour les activités extravéhiculaires pour les vols de navette.

Il participe à quatre vols de navette en 1992, 1993, 1996 et 1999; premier Européen à «marcher» dans l'espace en 1999.

Eileen Collins

née en 1956

Eileen Collins obtient son diplôme de pilote instructeur dans l'aviation américaine en 1979. Entre 1986 et 1989, elle est affectée à l'école de l'Air américaine et choisie par la NASA comme astronaute en 1990. Collins remplit de nombreuses fonctions au centre de commande des missions à Houston et, en février 1995, elle effectue son premier vol dans l'espace pour le programme spatial commun russo-américain. Elle pilote la navette, déploie et répare un satellite, fait une sortie dans l'espace et assure un rendez-vous avec la station spatiale russe Mir. Lors de son troisième vol, en 1999, elle déploie l'observatoire à rayons X Chandra, et devient la première femme à commander une mission sur une navette.

Première femme à piloter une navette spatiale en 1995; première femme à commander une navette spatiale en 1999.

Eileen Collins et l'équipage de la navette spatiale Columbia au retour de leur mission en 1999.

Sally Ride

née en 1951

Après des études à l'université de Stanford, en Californie, Sally Ride s'intéresse au programme spatial américain. Elle achève son entraînement à la NASA en 1979 et effectue son premier vol dans l'espace le 18 juin 1983 avec la navette *Challenger*. En tant que spécialiste, elle participe à la mise sur orbite de deux satellites de télécommunication et au lancement et à la récupération d'un satellite test. Elle est ainsi la première Américaine en orbite terrestre. Sally Ride effectue un second vol en navette en 1984. Elle quitte le corps des astronautes de la NASA en 1987 pour devenir directrice de l'Institut spatial de Californie à San Diego.

Première mission sur la navette en 1983; première américaine en orbite terrestre en 1983; participation à un vol de la navette en 1984.

Sally Ride est la première Américaine à voler en orbite autour de la Terre.

Julie Payette

née en 1963

Née à Montréal, elle y étudie d'abord en génie électrique à l'Université McGill, et poursuit des études supérieures en génie informatique à l'Université de Toronto. En 1992, elle est sélectionnée par l'Agence spatiale canadienne. Elle s'intéresse à la robotique ainsi qu'au traitement de la parole et à la reconnaissance vocale, et joint un comité d'étude en la matière au sein de l'OTAN. Après un entraînement de trois ans à la NASA, Julie Payette participe, en 1999, à la mission STS-96 à bord de la navette spatiale *Discovery*. Elle manipule le bras robotique Canadarm et équipe la station des appareils électroniques et de communication qui permettront d'y vivre.

Première Canadienne à monter à bord de la Station spatiale internationale et à participer à une mission d'assemblage en 1999.

CHAPITRE TROIS

LES SCIENTIFIQUES

Les scientifiques avant l'an 1000

La science est le résultat des connaissances réunies sur le monde depuis leur découverte et qui ont été acquises grâce à l'observation, à la réflexion, à l'élaboration d'hypothèses sur le fonctionnement de l'Univers. Cet héritage scientifique provient des écrits, des peintures et des objets que les premiers scientifiques nous ont laissés.

Utilisant les anciens principes scientifiques des leviers, les Égyptiens de l'Antiquité utilisaient le chadouf pour irriguer leurs cultures.

LES ORIGINES DE LA SCIENCE

La science est l'étude systématique du monde vivant qui nous entoure. Les scientifiques observent, mesurent les phénomènes et essaient d'en trouver la cause. La science d'aujourd'hui est divisée en plusieurs branches spécifiques, ou disciplines: la géophysique, la biochimie, l'océanographie, etc. Dans les temps anciens, la science faisait partie de la vie quotidienne et se trouvait souvent associée à la religion et à la magie.

On considère en général que la première discipline a été l'astronomie. Il y a environ 9000 ans, sont apparus la culture vivrière, l'élevage des animaux et la sédentarisation. Il devient alors nécessaire d'étudier la nature et les saisons pour s'assurer du bon développement des récoltes. Les précurseurs scientifiques ont donc observé le mouvement des étoiles, de la Lune et du Soleil pour établir des calendriers précis du passage du temps.

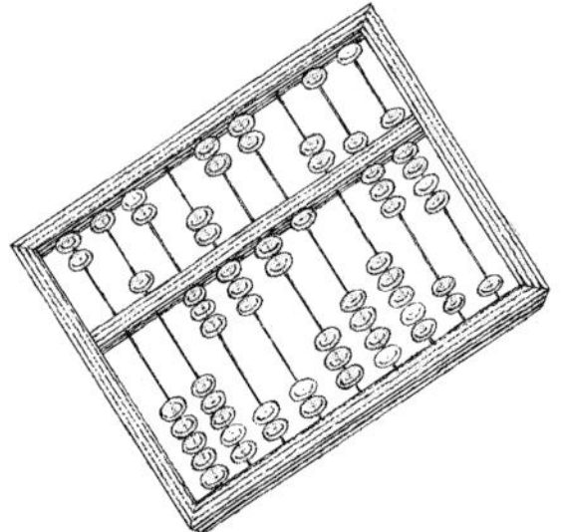

▲ Le boulier est une forme primitive de calculateur. Il est inventé en Chine vers 5000 av. J.-C.

Il y a environ 4500 ans, apparaissent les premiers observatoires astronomiques de Stonehenge en Angleterre. Ils sont constitués de pierres soigneusement disposées pour marquer la position du Soleil et de la Lune à certaines époques de l'année et à certains moments du jour. Les astronomes de l'Antiquité apprennent ainsi que la position des étoiles change régulièrement selon les saisons. Le plus grand astronome grec de l'Antiquité, **Hipparque** (v. 190 – 120 av. J.-C.) a établi un catalogue de 1025 étoiles classées suivant leur éclat ou magnitude, et effectue des mesures extrêmement précises de ses observations faites à l'œil nu.

LES GRECS DE L'ANTIQUITÉ

La civilisation grecque atteint son apogée il y a environ 2600 ans avec l'étude des phénomènes naturels et leur explication. Les Grecs pensaient que leurs dieux suivaient une logique propre et qu'ils n'étaient pas toujours responsables de ce qui se passait dans la nature. Cet esprit libre les a conduits à étudier la philosophie naturelle, qui aboutira aux sciences modernes.

Le philosophe le plus connu est **Thalès de Milet** (624 – v. 520 av. J.-C.) à qui on attribue la prédiction d'une éclipse du Soleil en 585 av. J.-C.; il est aussi l'un des précurseurs de la géométrie, qui est l'étude des formes. Pour Thalès, l'Univers est ordonné car chacune de ses parties dépend des autres, et chaque phénomène résulte d'une cause naturelle et répétitive. Cette idée demeure le fondement de toute observation scientifique. Thalès n'a laissé aucun écrit, et tout ce que nous savons de lui provient d'autres Grecs, en particulier d'**Aristote** (382 – 324 av. J.-C.).

Fils d'un médecin, Aristote se pose des questions sur le monde qui l'entoure, les phénomènes qu'il observe et leurs causes. Aristote et ses disciples laissent d'abondants écrits où sont abordés en détail un grand nombre de sujets, la physique, la biologie, la médecine et les sciences de la Terre. Bien que beaucoup de ses affirmations, telle celle de la fixité des espèces, se soient révélées fausses, Aristote et son école influenceront considérablement l'approche scientifique dans les siècles qui suivirent.

Pythagore de Samos (v. 569 – 475 av. J.-C.) est souvent présenté comme le premier mathématicien pur; il s'est servi de la raison pour démontrer les principes mathématiques. Aujourd'hui, chacun connaît son théorème selon lequel le carré de l'hypoténuse d'un triangle rectangle est égal à la somme des carrés des deux autres côtés. Mais Pythagore a aussi découvert que la note émise par une corde pincée dépendait de sa longueur, faisant de lui le premier à utiliser les mathématiques pour décrire un phénomène naturel.

Au cours des siècles, les cadrans solaires indiquaient l'heure. On les déplaçait en suivant le soleil durant la journée.

BOUCLIER ET ÉPÉE CELTES EN BRONZE.

Le bronze est un alliage de cuivre et d'étain. Il est apparu en 3200 av. J.-C. environ, en Mésopotamie.

Archimède (v. 287 – 212 av. J.-C.), le génie mathématique grec, est né à Syracuse, sur la côte est de la Sicile. Parmi ses découvertes les plus importantes, on relève la méthode de calcul des volumes des sphères et des cylindres, une valeur approximative de π (pi), le principe de fonctionnement des leviers. Archimède a utilisé les mathématiques pour résoudre des problèmes pratiques, la raison pour laquelle les objets flottent dans l'eau, par exemple, et il a construit de nombreuses machines de guerre pour protéger sa ville natale contre les invasions des Romains. Il est tué lorsque Syracuse tombe entre leurs mains.

LA SCIENCE EN ASIE

La science s'est aussi développée dans d'autres grandes civilisations. Nous tenons les symboles 0, 1, 2, 3, 4, 5, 6, 7, 8 et 9 des mathématiciens indiens qui les ont inventés il y a environ 1500 ans. Les anciens Égyptiens, eux, divisaient la semaine en sept jours et les Mésopotamiens l'heure en 60 minutes et la minute en 60 secondes. Les Mayas, en Amérique centrale, organisaient leur vie suivant un calendrier complexe mais précis, fondé sur des observations astronomiques. Les anciens Chinois pensaient que l'Univers était un immense système vivant dans lequel toutes choses étaient reliées entre elles. Leur étude de la nature a fait progresser la chimie, la médecine, la géologie, la géographie et la technologie.

ZHANG HENG (78 – 139 apr. J.-C.)

Né à Nan-yang en Chine, Zhang Heng est mathématicien, astronome et géographe, ce qui lui permet de devenir le premier astrologue de l'empereur de Chine Ant'i. Heng corrige le calendrier chinois pour l'accorder au rythme des saisons et affirme que, contrairement aux croyances de l'époque, la Terre est ronde et non pas plate. Il invente également le sismographe, appareil qui mesure les mouvements et les tremblements de la Terre.

LA SCIENCE À TRAVERS LES ÂGES

Lorsque les Romains conquièrent la Grèce il y a 2100 ans environ, ils se servent de la science pour résoudre des problèmes pratiques dans les domaines de la médecine et de l'ingénierie. Après la chute de l'Empire romain, dans les années 400 apr. J.-C., les écrits d'Aristote et d'autres anciens Grecs sont préservés et copiés par les moines des monastères chrétiens. Les érudits musulmans participent aussi aux grandes découvertes en chimie et en astronomie, et inventent l'algèbre à partir d'éléments mathématiques venant de l'Inde. Ces connaissances serviront de fondement à la science européenne après l'an 1000.

Le physicien grec Hippocrate (v. 460 – 377 av. J.-C.) enseigne une médecine du diagnostic fondée sur l'observation.

PLINE L'ANCIEN

Pline l'Ancien (23 – 79 apr. J.-C.) est un érudit romain qui a servi dans l'armée pendant 12 ans. Il publie son œuvre la plus célèbre, *Historia naturalis*, en 77 apr. J.-C. Elle est constituée de 37 volumes indépendants dans lesquels sont rapportées toutes les connaissances des Romains sur les sciences et le monde naturel. Elle est considérée comme la première véritable encyclopédie scientifique.

► Archimède, absorbé dans ses calculs mathématiques, n'entend pas le soldat romain qui va le tuer.

LES PENSEURS ET LES MATHÉMATICIENS

Roger Bacon

v. 1214 – 1292

Érudit anglais féru de science, Roger Bacon entre chez les moines franciscains en 1247. Il pratique des expériences en alchimie, astronomie et optique, utilisant des miroirs et des lentilles, et il est le premier Européen à décrire comment fabriquer de la poudre à canon. Bacon a écrit trois ouvrages : *Opus majus*, *Opus minus* et *Opus tertium*, dans lesquels il affirme que la science est fondée sur la méthode expérimentale et non sur la scolastique. Son ordre religieux lui interdisant de les publier, il est emprisonné en 1277.

Œuvre principale : premier Européen à avoir insisté sur la nécessité de l'approche scientifique dans la réflexion (1266 – 1267).

Dans ses écrits, Bacon a préfiguré les lunettes, les machines volantes et les transports motorisés.

John Locke

1632 – 1704

Issu d'une famille d'un puritanisme strict qui le destinait au ministère religieux, le philosophe anglais John Locke préfère étudier la médecine à l'université d'Oxford, et devient le secrétaire et le médecin particulier du comte de Shaftesbury. Locke s'intéresse principalement à la philosophie et particulièrement à l'empirisme qui affirme que la plupart de nos connaissances reposent sur l'expérience. Ses idées sont à l'origine de la recherche scientifique moderne.

Œuvre principale : il développe la philosophie de l'empirisme (1670 – 1690).

René Descartes

1596 – 1650

Né en Touraine, Descartes reçoit le prénom de René, qui signifie « né une seconde fois », après avoir difficilement survécu à une épidémie de tuberculose qui emporta sa mère. Il travaille comme avocat et sert dans plusieurs armées. De 1620 à 1628, il voyage à travers l'Europe avant de s'établir aux Pays-Bas. Bien qu'il ait inventé les coordonnées cartésiennes, une méthode pour mesurer la position d'un point dans un plan ou dans l'espace, et effectué des recherches sur l'inertie, il est plus connu pour ses ouvrages de philosophie. Descartes, auteur de la phrase célèbre « Je pense donc je suis », a commencé par douter de tout. Il presse ses contemporains d'utiliser leurs propres sens pour tenter de comprendre le monde qui les entoure et de ne pas se remettre simplement aux enseignements du passé. Ce changement de mode de pensée radical ouvre une période connue sous le nom de siècle des Lumières, pendant laquelle les sciences se développent considérablement. Descartes s'installe en Suède en 1649 et y meurt un an plus tard.

Œuvre principale : il développe la philosophie moderne au XVIIe siècle.

Blaise Pascal

1623 – 1662

À l'âge de 16 ans, le mathématicien français Blaise Pascal fait de nouvelles découvertes en géométrie, connues aujourd'hui sous le nom de théorème de Pascal. Il développera plus tard la loi de Pascal selon laquelle les fluides transmettent une pression égale dans toutes les directions. Ce travail entraîne une avancée considérable dans la compréhension de la pression atmosphérique, ainsi que l'invention de la presse hydraulique et de la seringue. À 21 ans, il développe la théorie des probabilités avec le mathématicien Pierre de Fermat (1601 – 1665), théorie toujours en usage aujourd'hui dans des domaines aussi divers que la génétique ou l'assurance.

Œuvre principale : il participe au développement de la théorie des probabilités en 1654.

Blaise Pascal invente la première machine à calculer mécanique pour aider son père dans sa profession de percepteur.

Isaac Newton

1642 – 1727

On doit à Isaac Newton des idées fondamentales dans le domaine des mathématiques, de la mécanique et de l'optique. Son œuvre forme le fondement de la plupart des théories scientifiques jusqu'au début du XXe siècle.

Né en Angleterre, Newton étudie puis enseigne à l'université de Cambridge. En 1664, lorsque l'université ferme en raison de la Grande Peste, il se retire dans sa maison du Lincolnshire où il commence ses travaux les plus importants. Newton invente le télescope à réflexion en 1668. Environ 30 ans plus tard, il procède, à l'aide d'un prisme, à des expériences de décomposition de la lumière en un spectre de couleurs. Mais entre ces deux périodes, Newton développe son travail le plus fondamental consacré à la gravité et aux trois lois de la mécanique qui décrivent les effets des forces sur les objets. Il retarde l'annonce de ses découvertes jusqu'en 1687, date à laquelle son livre *Principia Mathematica* est publié. Son travail révolutionne la physique de l'époque en rendant possible, par exemple, de prévoir avec précision les mouvements des planètes, de la Lune et des comètes. Malgré sa grande renommée, Newton vit modestement. Il est enterré avec tous les honneurs à l'abbaye de Westminster à Londres.

Œuvres principales: il développe la loi de la gravitation universelle et les trois lois de la mécanique (1684 – 1687).

GOTTFRIED LEIBNIZ 1646 – 1716

Mathématicien et philosophe allemand, Gottfried Leibniz s'intéresse à de multiples disciplines. Il écrit sur de nombreux sujets dont la philosophie, le droit international, la psychologie, les langues et la géologie. Leibniz est surtout connu pour son œuvre mathématique. Il développe une nouvelle forme de calcul, le calcul infinitésimal, qui est encore utilisé dans tous les domaines scientifiques.

LEONHARD EULER 1707 – 1783

Mathématicien et physicien suisse, Leonhard Euler travaille à l'Académie de Saint-Pétersbourg, en Russie, et à l'Académie des sciences de Berlin, en Allemagne. En 1734, il épouse Katharina Gsell dont il a 13 enfants. Euler écrit le premier traité complet de logique qui apporte les fondements des mathématiques pures modernes. Il laisse environ 800 documents et livres, presque la moitié d'entre eux ayant été dictés après 1766, année où il devient aveugle.

CARL GAUSS 1777 – 1855

Mathématicien allemand, Carl Gauss est un enfant prodige, apprenant à lire seul et relevant les erreurs commises par son père dans le calcul du salaire de ses employés. Il applique l'analyse mathématique à de nombreux domaines de la science, en algèbre, à la théorie des nombres, la théorie des erreurs et à une méthode générale pour la résolution des équations binômes, en géométrie et aux probabilités. On lui doit également des travaux fondamentaux en électricité, en magnétisme et en astronomie.

GEORGE BOOLE 1815 – 1864

Né en Angleterre, Boole est nommé professeur de mathématiques au Queen's College de Cork, en Irlande, en 1849. Il y restera jusqu'à la fin de sa vie, épousant en 1855 Mary Everest qui lui donnera cinq filles. Boole développe des calculs logiques et crée ce que l'on appelle l'algèbre de Boole, ou « treillis distributif », utilisant des opérateurs spéciaux (T, L, V) aussi importants que le + et le – de l'arithmétique classique. Elle est aujourd'hui universellement utilisée dans tous les systèmes numériques, tels les ordinateurs.

James Clerk Maxwell

1831 – 1879

Le physicien écossais James Clerk Maxwell enseigne, au cours de sa vie, dans plusieurs universités britanniques. Il effectue également des recherches en électricité et en magnétisme. C'est lui qui introduit la notion de champ magnétique et démontre que la lumière est une radiation électromagnétique. Il étudie aussi les anneaux de Saturne et émet l'hypothèse qu'ils sont formés de millions de petites particules, hypothèse qui sera confirmée par la mission spatiale *Voyager* en 1970.

Œuvre principale: il développe les équations prévoyant l'existence des radiations électromagnétiques vers 1870.

JAMES CLERK MAXWELL

Max Planck

1858 – 1947

On doit au physicien allemand Max Planck la théorie des quanta qui explique que les radiations, telles les ondes lumineuses, sont constituées de «paquets» d'énergie qu'il nomme «quanta». Cette théorie est un des fondements de la physique moderne. Planck enseigne à l'université de Berlin et survit à sa première femme et à leurs quatre enfants. Son fils aîné meurt pendant la Première Guerre mondiale, le plus jeune est exécuté après avoir participé à un complot contre Hitler (p. 22) et ses deux filles meurent en bas âge.

Œuvre principale: il développe la théorie des quanta vers 1900.

Albert Einstein

1879 – 1955

Considéré par beaucoup comme le plus grand physicien du XXe siècle, Albert Einstein grandit à Munich, en Allemagne. Passant son temps à jouer du violon, il trouve l'école ennuyeuse et apprend seul la physique.

En 1905, alors qu'il travaille à l'office suisse des brevets, il bouleverse le monde scientifique en publiant quatre articles révolutionnaires. Il y explique que la lumière est constituée d'un faisceau de particules (ce qui lui vaudra le prix Nobel de physique en 1921) et avance sa théorie de la relativité restreinte, qui permettra plus tard aux chercheurs de domestiquer l'énergie nucléaire. En 1916, il publie sa théorie de la relativité générale qui apporte une nouvelle approche de la gravitation et décrit comment des objets massifs peuvent courber l'espace et le temps. Ceci entraînera des avancées considérables dans le domaine de l'astronomie, dont la découverte des trous noirs. Il émigre aux États-Unis en 1933, s'oppose fermement à la guerre et fait campagne pour le désarmement international. Partisan passionné du retour des juifs en Israël, il refuse cependant d'en prendre la présidence en 1952.

Œuvres principales: il développe les théories de la relativité restreinte et de la relativité générale (1905 – 1916).

Niels Bohr

1885 – 1962

D'origine danoise, Niels Bohr est un étudiant prometteur, excellent footballeur avec son plus jeune frère Harald. Après avoir suivi l'enseignement d'Ernest Rutherford (p. 69) à Manchester, en Grande-Bretagne, Bohr donne la première description moderne de la structure de l'atome en 1913. Ses recherches sur l'atome d'hydrogène montrent comment les électrons acquièrent et émettent de l'énergie. Elles permettront ensuite de comprendre que les propriétés chimiques d'un atome dépendent du nombre d'électrons qu'il possède sur sa couche extérieure. En raison d'ascendances juives du côté de sa mère, il ne peut rester au Danemark sous l'occupation nazie pendant la Seconde Guerre mondiale, et gagne la Suède sur un bateau de pêche en 1943. Il travaille au projet de bombe atomique en Grande-Bretagne et aux États-Unis avec son fils, physicien et lui aussi prénommé Niels (né en 1922). Sérieusement alarmé par les dangers des armes nucléaires, il milite dans des mouvements de coopération pacifique internationale.

► Niels Bohr suggère que les atomes sont formés sur le modèle du Soleil et de ses planètes dans le système solaire : de minuscules électrons tournant autour d'un noyau central.

Œuvre principale : première description moderne du modèle d'un atome en 1913.

NIELS BOHR

Timothy Berners-Lee

né en 1955

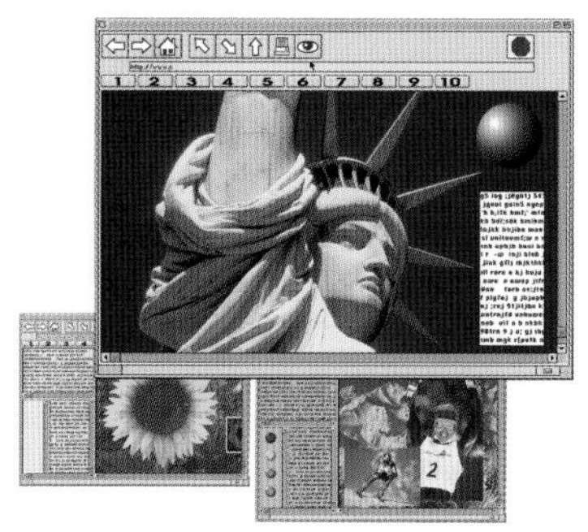

En 2000, plus d'un milliard de pages ont été échangées sur le net autour du monde.

Le Britannique Berners-Lee obtient son diplôme de l'université d'Oxford en 1976. Il entre au Centre d'études et de recherches nucléaires (CERN) à Genève, en Suisse, au laboratoire de physique des particules. Là, il conçoit, pour ses propres besoins, le programme Enquire, dont le but est de stocker des informations au moyen de liens particuliers appelés hypertextes. À la fin des années 1980, il développe un système de liaison globale, appelé aujourd'hui World Wide Web, la Toile, permettant à chacun d'échanger des connaissances par l'intermédiaire de ce réseau, Internet.

Œuvre principale : il invente le World Wide Web (1989 – 1990).

WERNER HEISENBERG 1901 – 1976

Philosophe et physicien allemand, Werner Heisenberg a une vie marquée par les deux guerres mondiales. Pendant la première, il doit abandonner ses études pour cultiver la terre en Bavière, pendant la seconde, il dirige la recherche des scientifiques allemands sur l'arme nucléaire. Entre les deux guerres, Heisenberg apporte des contributions majeures à la physique atomique en développant notamment ses théories dans le domaine de la mécanique quantique. On lui doit aussi son fameux « principe d'incertitude » qui affirme qu'on ne peut connaître en même temps la vitesse et la position d'une particule.

ALAN TURING 1912 – 1954

Fils d'un employé de maison britannique, Alan Turing est considéré comme le fondateur du calcul moderne. Ses travaux portent sur le principe de l'intelligence artificielle et sur la structure des ordinateurs. Pendant la Seconde Guerre mondiale, il prend une part importante au décryptage du code Enigma utilisé par les Allemands pour transmettre leurs messages. Après la guerre, il travaille au développement des premiers ordinateurs. En 1952, Turing est condamné pour avoir eu des relations homosexuelles, ce qui était alors considéré comme un crime en Grande-Bretagne. En 1954, il se suicide, sans doute en s'empoisonnant au cyanure.

BENOIT MANDELBROT né en 1924

Né à Varsovie, en Pologne, Mandelbrot est initié aux mathématiques dès son plus jeune âge par ses deux oncles et étudie dans des universités françaises et américaines. Il apporte une contribution majeure à la théorie du chaos, une branche des mathématiques qui décrit des systèmes particulièrement compliqués, comme la météorologie, qui n'obéissent à aucune loi physique ou mécanique habituelle. La théorie du chaos s'applique à de nombreuses disciplines scientifiques, et la carrière d'enseignant de Mandelbrot en est le reflet. Il enseigne l'économie à Harvard, l'ingénierie à Yale, la physiologie dans un collège de médecine et les mathématiques à Paris et à Genève.

LES ASTRONOMES

Nicolas Copernic

1473 – 1543

Fils de marchands polonais, Copernic étudie le droit, l'art et la médecine avant d'entrer au couvent. À cette époque, selon la théorie géocentrique héritée des anciens Grecs, on croit que le Soleil et les planètes tournent autour de la Terre. Copernic remet cette idée en cause et, en 1530, achève son œuvre principale, *De Revolutionnibus*, où il explique que la Terre tourne autour de son axe en 24 heures et autour du Soleil en une année. Cette théorie, totalement nouvelle, est considérée comme dangereuse par l'Église et le livre de Copernic ne sera publié qu'après sa mort, mais les autorités ecclésiastiques le rejetèrent pendant plus de trois siècles.

Œuvre principale : premier à avoir donné une description moderne du système solaire.

Tycho Brahe

1546 – 1601

L'astronome danois a eu une vie animée. Il perd une partie de son nez lors d'un duel et le reconstitue avec de l'or, de l'argent et de la cire. Brahe étudie le droit et la philosophie aux universités de Copenhague et de Leipzig, en Allemagne. Après avoir observé en 1560 une éclipse du Soleil, il décide de se consacrer à l'étude du ciel nocturne. En 1576, avec le soutien du roi du Danemark, il construit un observatoire sur une île, non loin de Copenhague, et pendant 20 ans d'observation, note les positions de plus de 700 étoiles. Sans l'aide de télescope, il met au point des instruments astronomiques et observe le passage d'une comète en 1577, démontrant que son orbite est centrée autour du Soleil.

Œuvre principale : il procède aux premières mesures précises d'étoiles (1576 – 1596).

Galileo Galilei dit Galilée

1564 – 1642

Fils d'un musicien italien, Galilée commence par étudier la médecine à l'université de Pise avant de devenir professeur de mathématiques à l'université de Padoue en 1592. À cette époque, il a déjà publié d'importants travaux en physique, notamment sur le pendule. Il a aussi inventé, en 1585 – 1586, une balance hydrostatique qui pèse les objets dans l'eau.

Galilée et sa lunette.

En 1609, après avoir eu connaissance de l'invention du télescope par réfraction en Hollande, Galilée construit son propre appareil qui grossit les objets observés environ 20 fois. Cela lui permet d'étudier la Lune, d'observer l'explosion d'une étoile, une supernova, et de découvrir les taches solaires et les quatre satellites de Jupiter. Les découvertes de Galilée vont dans le sens des théories de Copernic sur le mouvement des planètes autour du Soleil et non autour de la Terre. Elles entraînent donc un conflit avec l'Église et, en 1624, on lui impose de dénoncer les idées de Copernic. En 1633, Galilée publie un ouvrage défendant les théories coperniciennes, ce qui entraîne sa condamnation pour hérésie. Il passe les dernières années de sa vie emprisonné dans sa propre maison. Galilée ne se marie pas, malgré sa liaison avec Marina Gamba avec qui il aura deux filles et un fils.

Œuvre principale : premier astronome à observer le Soleil, la Lune et les planètes à l'aide d'un télescope en 1609.

▼ Galilée a aussi démontré que les objets tombent à la même vitesse quel que soit leur poids.

Johannes Kepler

1571 – 1630

Issu d'une famille pauvre, Kepler est forcé de déménager plusieurs fois au cours de sa vie d'adulte lors de la guerre de Trente Ans en Europe. C'est ainsi qu'il doit quitter son poste pour retourner chez lui, en Allemagne, afin de défendre sa mère contre une accusation de sorcellerie. À la mort de Tycho Brahe (p. 64), Kepler, qui était alors son assistant, hérite de ses documents. À partir de ceux-ci et en s'appuyant sur ses propres observations, il établit les lois mathématiques représentant le mouvement des planètes en orbite autour du Soleil. Il est aussi le premier à expliquer le fonctionnement d'un télescope et celui de l'œil.

Œuvre principale : premier à formuler les lois des mouvements des planètes en 1619.

Edmond Halley

1656 – 1742

Né à Londres, Halley est attiré par l'astronomie dès son plus jeune âge. Il est le premier à construire un observatoire dans l'hémisphère sud, sur l'île de Sainte-Hélène. Étudiant une comète en 1682, Halley compare sa trajectoire avec les observations d'objets célestes analogues faites en 1531 et 1607. Il en déduit qu'il s'agit du même astre, en orbite autour du Soleil, et prédit avec précision son retour en 1758.

Œuvre principale : premier à calculer l'orbite d'une comète en 1682.

La comète de Halley retourne tous les 76 ans.

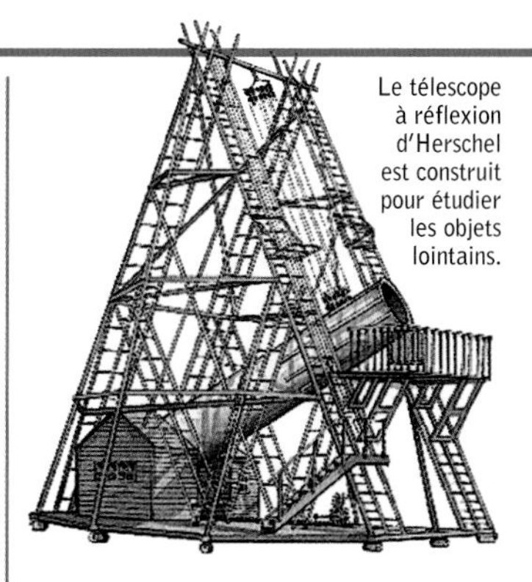

Le télescope à réflexion d'Herschel est construit pour étudier les objets lointains.

William Herschel

1738 – 1822

En 1757, il quitte l'Allemagne, son pays natal, pour s'installer en Angleterre comme professeur de musique et organiste. Il consacre son temps libre à l'astronomie et, en 1781, il découvre avec sa sœur, Caroline (1750 – 1848), une nouvelle planète. Il la nomme *Georgium Sidus* en l'honneur du roi George III (1738 – 1820), mais elle porte aujourd'hui le nom d'Uranus. Herschel devient astronome auprès du roi et découvre de nombreux satellites autour d'Uranus et de Saturne. Il est aussi le premier à suggérer que la Voie lactée est constituée de myriades d'étoiles.

Œuvre principale : premier à découvrir une planète, Uranus, grâce à un télescope en 1781.

George Ellery Hale

1868 – 1938

L'Américain Hale invente le spectrohéliographe qui lui permet de découvrir les champs magnétiques régnant dans les taches solaires. Malgré des périodes de maladie, Hale réussit à réunir suffisamment de fonds de la part des magnats et des grandes entreprises pour construire plusieurs observatoires dont ceux de Yerkes, du mont Wilson et du mont Palomar.

Œuvres principales : Spectrohéliographe en 1890 ; il fonde l'observatoire du mont Wilson en 1904.

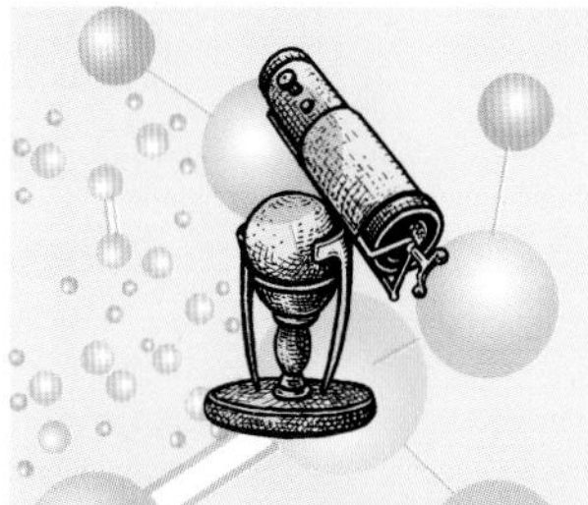

PIERRE LAPLACE 1749 – 1827
Né en France dans une famille d'agriculteurs, Laplace étudie la théologie à l'université de Caen avant de porter un grand intérêt, et de montrer de grandes capacités, pour les mathématiques et l'astronomie. S'appuyant sur les théories de Newton sur la gravitation, il donne une explication du fonctionnement de l'attraction existant entre le Soleil et les planètes. Laplace occupe de nombreuses fonctions officielles au cours de sa carrière, et fait partie de multiples commissions gouvernementales ou scientifiques. En 1784, il est nommé contrôleur du corps de l'Artillerie royale où, l'année suivante, il voit passer un jeune cadet de 16 ans, Napoléon Bonaparte (p. 28).

URBAIN LE VERRIER 1811 – 1877
Né en France, Le Verrier commence par enseigner la chimie jusqu'à ce qu'il soit nommé directeur de l'observatoire de Paris, en 1854. Au cours des années 1840, il s'intéresse à la façon dont la gravité des planètes agit pour modifier légèrement l'orbite des planètes voisines. En 1845, il applique les mathématiques à l'étude de la trajectoire d'Uranus et les résultats de ses calculs lui permettent de prédire la position d'une nouvelle planète encore inconnue. L'année suivante marque la découverte de Neptune faite par l'astronome allemand Johann Galle (1812 – 1910), exactement là où Le Verrier l'avait prédit.

ARTHUR EDDINGTON 1882 – 1944
Né au nord de l'Angleterre, Arthur Eddington est parmi les premiers astronomes à indiquer que les étoiles produisent leur énergie en détruisant leur propre matière. Il commence à travailler à l'observatoire de Greenwich, en Angleterre, avant de devenir directeur de l'observatoire de l'université de Cambridge, poste qu'il occupera pendant 31 ans. Eddington produit des modèles du fonctionnement interne des étoiles et étudie leur cycle de vie. Il publie ses recherches en 1926. Excellent écrivain, ses ouvrages, *Stars and Atoms* (1927) et *The Nature of the Physical World* (1928), ont une diffusion considérable et aident à populariser la science.

Edwin Hubble utilise ce télescope équipé d'un miroir de 2,4 m pour mettre au point sa théorie de l'expansion de l'Univers.

Edwin Hubble

1889 – 1953

Lorsqu'il est encore au collège, l'astronome américain Edwin Hubble se distingue par ses qualités d'athlète, mais il préfère se tourner vers l'astronomie. Il découvre que la Voie lactée est une galaxie parmi d'autres, chacune contenant des millions d'étoiles, et que ces galaxies s'éloignent rapidement les unes des autres. À l'époque, ces observations remettent fondamentalement en cause la définition de la structure de l'Univers.

Œuvre principale: il démontre que l'Univers est en expansion.

Georges Lemaître

1894 – 1966

L'astronome belge Georges Lemaître est ordonné prêtre en 1923. Son intérêt pour l'astronomie le conduit à étudier à l'université de Cambridge et au Massachusetts Institute of Technology (MIT) dans les années 1930. Il avance alors l'idée que tout l'Univers a été créé par une gigantesque explosion, le Big Bang, ainsi qu'elle a été appelée par les astronomes qui ont depuis développé ses idées.

Œuvre principale: il décrit les éléments de la théorie du Big Bang.

Stephen Hawking

né en 1942

D'origine anglaise, Stephen Hawking est frappé par une maladie neuronale au début des années 1960, qui ne lui laisse que quelques mois à vivre. Ne quittant pas son fauteuil de handicapé et ne pouvant communiquer que par l'intermédiaire d'ordinateurs et de la synthèse de la parole, il continue à étudier la physique théorique. Ses travaux les plus connus concernent la théorie des quanta et l'explication du fonctionnement des trous noirs.

Œuvre principale: le best-seller *Brève histoire du temps*, 1988.

Stephen Hawkins est l'expert le plus célèbre en matière de trous noirs.

CLYDE TOMBAUGH 1906 – 1997
L'astronome américain Clyde Tombaugh grandit dans la ferme de ses parents. À 19 ans, il construit son premier télescope à réflexion avec des pièces détachées d'automobiles. Embauché à l'observatoire Lowell en 1929, Tombaugh entreprend une étude approfondie sur la neuvième planète du système solaire. En février 1930, il découvre une planète dont l'orbite est située au-delà de celle de Neptune et il la nomme Pluton. En 1946, il avait catalogué 29548 galaxies, 3969 astéroïdes et deux comètes.

FRED HOYLE 1915 – 2001
Né en Angleterre dans une famille de commerçants en laine, Hoyle fait ses études à l'université de Cambridge où il rencontre sa femme, Barbara Clark. Après avoir travaillé sur le radar pendant la guerre, Hoyle revient à Cambridge où il étudie la façon dont les éléments se forment à l'intérieur des étoiles, et développe la théorie d'un Univers stable par laquelle il affirme que l'expansion se fait uniquement par le biais de création de matière et non d'éloignement des galaxies. Il laisse également 14 romans de science-fiction qui ont connu un bon succès populaire.

MARTIN RYLE 1918 – 1984
Fils d'un médecin anglais, Martin Ryle travaille sur des systèmes de radio et de radar pour le compte du gouvernement anglais pendant la Seconde Guerre mondiale. Deux ans après la fin de la guerre, il épouse Rowena Palmer, avec laquelle il a trois enfants et il devient professeur à l'université de Cambridge. Il fait progresser la radioastronomie en construisant des radiotélescopes plus sensibles et plus précis grâce auxquels il découvre des quasars.

JOCELYN BELL née en 1943
Fille d'un architecte, Jocelyn Bell est née à Belfast, en Irlande du Nord. Elle part étudier la physique à l'université de Glasgow avant de travailler dans le domaine de la radioastronomie à l'université de Cambridge. En 1967, elle découvre un signal radio inhabituel venant de l'espace dont l'amplitude varie à des intervalles réguliers. Ces signaux en provenance d'étoiles massives effondrées sur elles-mêmes sont appelés pulsars.

LES PHYSICIENS

William Gilbert

1544 – 1603

Alors qu'il exerce la médecine à Londres, William Gilbert se livre à de nombreuses expériences scientifiques. En 1600, après des années de travail, il publie son ouvrage *De Magnete* dans lequel il avance que l'aiguille de la boussole se dirige selon une ligne nord-sud parce que la Terre se comporte comme un gigantesque aimant. Il est le premier à parler de pôles magnétiques, de force électrique, d'attraction électrique. En 1601, Gilbert devient le médecin de la reine Elisabeth Ire (p. 15), mais il meurt de la peste deux ans plus tard.

Œuvre principale: précurseur des recherches systématiques sur le magnétisme.

Anders Celsius

1701 – 1744

Entre 1732 et 1736, cet astronome suédois visite tous les grands observatoires d'Europe et mène une expédition en Laponie dont l'objet est de montrer que la Terre est aplatie aux pôles. En 1742, il définit une échelle de température, l'échelle Celsius, dans laquelle l'eau bout à 100 °C et gèle à 0 °C.

Œuvre principale: il invente l'échelle de température Celsius en 1742.

Thomas Young

1773 – 1829

L'Anglais Thomas Young est un enfant précoce qui apprend à lire à deux ans. Adulte, il pratique la médecine, effectue des recherches en physique et aide à déchiffrer les hiéroglyphes de l'ancienne Égypte. En physique, Young étudie l'élasticité et démontre, en 1800, que la lumière est constituée d'ondes énergétiques. En 1801, il montre que toutes les couleurs que nous observons comportent seulement du rouge, du vert et du bleu.

Œuvre principale: il montre que la lumière possède les propriétés des ondes énergétiques en 1800.

Benjamin Franklin

1706 – 1790

À 10 ans, le jeune Américain Benjamin Franklin quitte l'école pour entrer dans l'imprimerie. Brillant journaliste et homme d'affaires, il fait aussi de nombreuses découvertes qui vont accélérer le développement de la science au XVIIIe siècle.

En 1726, il lance une affaire de publications puis, en 1737, devient receveur des Postes à Philadelphie. En 1744, il tourne sa curiosité insatiable vers la science. Sa première invention, le four de Franklin, connaît un grand succès, ce qui l'encourage à continuer ses recherches. Recevant d'Angleterre quelques appareils électriques en 1747, Franklin explique comment un dispositif appelé bouteille de Leyde peut accumuler de l'électricité. Il lance aussi l'idée que l'électricité est un flux de particules portant des charges positives ou négatives. Mais il est surtout connu pour ses travaux sur la foudre. Il démontre que celle-ci est en fait une forme de décharge électrique. En 1752, il fait voler un cerf-volant tenu par un fil métallique pendant un orage, ce qui produit des étincelles entre le fil et ses doigts. Cette expérience le mène à l'invention du paratonnerre. Pendant les années qui suivent, il se tournera vers la politique et, en 1787, participera à la rédaction de la Déclaration d'indépendance et de la Constitution des États-Unis.

Œuvre principale: il démontre la nature électrique de la foudre.

◄ En 1752, le scientifique et homme d'État américain Benjamin Franklin risque sa vie en faisant voler pendant un orage un cerf-volant accroché à un fil métallique.

Michael Faraday

1791 – 1867

Fils d'un forgeron anglais, Michael Faraday est d'abord garçon de courses chez un relieur alors qu'il n'a que 13 ans, ce qui lui permet de lire de nombreux livres sur son lieu de travail.

À 21 ans, il assiste à un exposé du chimiste Humphrey Davy (p. 72) qui le prend comme assistant après avoir lu les notes que le jeune homme lui a envoyées. Faraday découvre le benzène en 1825, puis il consacre ses recherches à l'électricité et au magnétisme. En 1831, il conçoit un moteur électrique simple et découvre qu'en déplaçant un aimant au cœur d'une bobine de fil, celle-ci est parcourue par un courant. Ce phénomène, connu sous le nom d'induction, est le principe fondamental sur lequel repose le fonctionnement des transformateurs et des générateurs d'électricité. Il publie les lois de l'électrolyse dans les années 1830 et montre en 1845 comment les champs magnétiques puissants peuvent affecter la lumière.

Œuvres principales : l'induction électromagnétique en 1831 ; le principe de l'électrolyse en 1834.

Michael Faraday démontrant les principes de l'électricité à la Royale Institution de Londres.

James Joule

1818 – 1889

Enfant, l'Anglais James Joule est trop chétif pour aller à l'école. Il est donc élevé chez ses parents avant d'entrer dans la brasserie familiale. Ayant construit un laboratoire, il se livre à des recherches personnelles. Joule fait de nombreuses découvertes dont celles des principes sur lesquels repose la loi de conservation de l'énergie : l'énergie ne peut être ni créée ni détruite, mais seulement transformée d'une forme en une autre. Joule travaille avec William Thomson (à droite) et découvre que la température des gaz comprimés s'abaisse lorsqu'on les détend. Joule invente également une première forme de soudure à l'arc, mais la maladie l'oblige à arrêter ses travaux.

Œuvres principales : recherches sur la thermodynamique ; théorie de l'énergie (1843 – 1878) ; premier physicien à mesurer la vitesse des molécules gazeuses.

William Thomson

1824 – 1907

Le médecin britannique William Thomson entre à l'université de Glasgow à l'âge de seulement 10 ans et publie la première de ses 661 communications scientifiques alors qu'il a tout juste 16 ans. Thomson fait faire d'importants progrès à la thermodynamique et à l'étude de la chaleur, et explique comment le déplacement de cette dernière ne peut se faire que d'une source chaude à une source froide. Il invente de nombreux appareils, dont un destiné à prévoir les marées, une sonde marine et une nouvelle forme de compas nautique. En 1866, il dirige avec succès la pose du premier câble transatlantique.

Œuvres principales : il fait avancer la thermodynamique dans les années 1840 ; il développe l'échelle de température absolue ou échelle Kelvin à la même époque.

Joseph Thomson

1856 – 1940

D'origine anglaise, Joseph Thomson fait ses études à l'université de Cambridge où il devient un professeur influent et populaire. En 1897, alors qu'il poursuit des expériences sur les rayons cathodiques, Thomson est le premier à identifier l'existence de particules subatomiques. Il découvre que ces dernières sont environ 2 000 fois plus petites que le plus petit des atomes. Il les appelle d'abord corpuscules mais elles prennent bientôt le nom d'électrons. Récompensé en 1906 du prix Nobel de physique, Thomson vit suffisamment longtemps pour se réjouir de la remise de ce prix à son fils Georges (1892 – 1975) ainsi qu'à sept de ses assistants, dont Ernest Rutherford (p. 69).

Œuvre principale : les particules subatomiques (les électrons) en 1897.

Heinrich Hertz

1857 – 1894

Né à Hambourg dans une famille de juristes, l'Allemand Henrich Hertz, après des études à Berlin, accepte, en 1883, un poste de professeur de mathématiques et de physique. En 1886, il épouse la fille d'un collègue et l'année suivante, il invente un émetteur radio rudimentaire qui produit des étincelles entre les extrémités d'un morceau de fil de fer recourbé. Hertz démontre que les ondes radio sont de même nature que le rayonnement lumineux et que le rayonnement thermique est une forme de l'énergie électromagnétique. Homme modeste, Hertz n'exploite pas vraiment sa découverte. Il meurt à l'âge de 37 ans.

Œuvre principale : premier à transmettre et à recevoir des ondes radio.

Ernest Rutherford

1871 – 1937

Néo-Zélandais, Ernest Rutherford poursuit ses études dans son pays natal et en Angleterre. En 1898, il accepte un poste au Canada. Il découvre que le rayonnement nucléaire se présente sous trois formes qu'il nomme alpha, bêta et gamma. Il est le premier à décrire la constitution d'un atome formé d'un noyau central dense entouré d'électrons. En 1919, Rutherford réussit à bombarder des noyaux d'azote par des rayons alpha et produit ainsi la première réaction nucléaire déclenchée par l'homme.

Œuvre principale : il développe la théorie moderne de la structure de l'atome entre 1895 et 1930.

Marie Curie

1867 – 1934

Cinquième et plus jeune fille d'un professeur de physique, Maria Sklodowska fait d'excellentes études et quitte, en 1891, sa Pologne natale pour la France. En 1895, elle épouse Pierre Curie (1859 – 1906), professeur de physique lui aussi, et entreprend avec lui des recherches sur la radioactivité. Ils découvrent deux éléments, le radium et le polonium, découverte qui leur fait attribuer le prix Nobel de physique en 1903 avec le physicien français Henri Becquerel (1852 – 1908). En 1906, Pierre Curie meurt dans un accident de la circulation, mais Marie continue ses recherches sur la chimie des substances radioactives et leur utilisation en médecine.

Œuvre principale : elle découvre avec son mari les éléments radioactifs radium et polonium en 1898.

▼ Marie Curie dans son laboratoire.

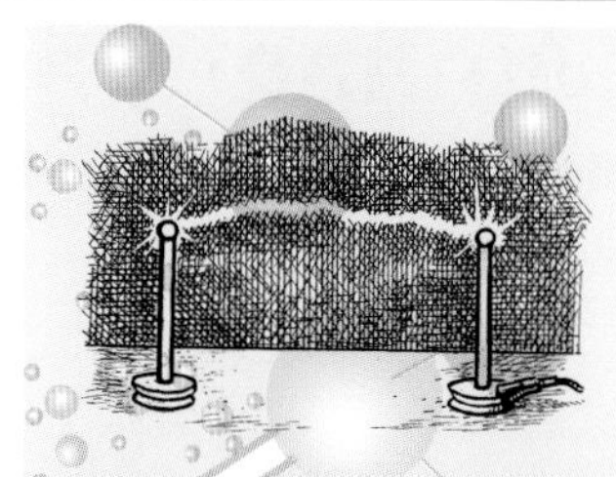

ANDRÉ AMPÈRE 1775 – 1836

Précurseur du champ électromagnétique, André Ampère voit son père guillotiné pendant la Révolution française, et perd sa sœur et sa femme de maladie, toutes deux prématurément. Il démontre que les courants électriques produisent des champs magnétiques dont la direction dépend du sens du courant. L'unité de mesure de l'intensité d'un courant électrique porte son nom, l'ampère.

WILHELM RÖNTGEN 1845 – 1923

Wilhelm Röntgen est le seul enfant d'une riche famille de commerçants de Lennep, en Prusse. Il enseigne la chimie dans une école technique et étudie à l'université de Zurich. Il épouse Anna Ludwig en 1872. Après plusieurs années d'expériences, il découvre les rayons x en 1895. Faisant passer de l'électricité à travers des gaz dans un tube en verre, il remarque que ce dernier émet un rayonnement invisible qu'il nomme rayon x. Röntgen démontre que ce rayonnement peut traverser la peau ou certains métaux, et laisse une image sur un film photographique. Cette découverte, qui aura un impact considérable sur la médecine moderne, le rend célèbre, mais il reste réservé et modeste, préférant les excursions dans les Alpes aux honneurs publics.

LISE MEITNER 1878 – 1968

Lise Meitner est une juive autrichienne qui a dû surmonter de nombreux obstacles avant d'être reconnue comme une physicienne de premier plan. Son statut de femme l'empêche de terminer ses études et elle doit attendre la fin des restrictions sur les étudiantes pour pouvoir entrer à l'université de Vienne en 1901. Elle travaille avec le chimiste allemand Otto Hahn (1879 – 1968) à la découverte de l'élément protactinium en 1918 et aux recherches concernant le mécanisme de la fission nucléaire, connaissance capitale pour la maîtrise de l'énergie atomique. Ayant dû quitter l'Allemagne nazie, elle s'installe en 1938 dans un laboratoire de recherche suédois avant de se retirer en Angleterre en 1958.

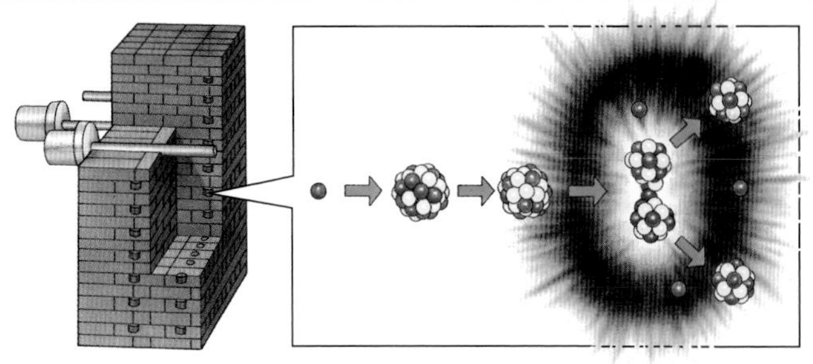

Une incroyable énergie fut relâchée lors des travaux d'Enrico Fermi sur la fission nucléaire en 1934.

John Cockcroft

1897 – 1967

Pendant la Première Guerre mondiale, l'Anglais John Cockroft est artilleur. Puis il suit des études d'ingénieur électricien à l'université de Manchester et s'installe à Cambridge en 1924. Cockroft et l'Irlandais Ernest Walton (1903 – 1995), deviennent mondialement célèbres en 1932 quand ils mettent au point un appareil capable de briser les liaisons atomiques. Ils ouvrent ainsi un nouveau champ à la physique, la physique nucléaire, dont l'objectif est l'étude de la structure des noyaux atomiques.

Œuvre principale: il met au point le premier appareil à briser les liaisons atomiques en 1932.

Enrico Fermi

1901 – 1954

Le physicien nucléaire américain d'origine italienne Enrico Fermi se consacre à la physique théorique. Il épouse en 1929 une femme juive et, craignant les représailles du gouvernement fasciste de Mussolini (p. 30), émigre aux États-Unis en 1938. En 1942, Fermi et son équipe produisent la première réaction nucléaire en chaîne contrôlée, une étape fondamentale dans la mise au point de l'utilisation de l'énergie nucléaire et des armes atomiques. Fermi travaille au projet américain de bombe A, avant de s'opposer plus tard à son développement.

Œuvre principale : première réaction nucléaire contrôlée en 1942.

EDWARD TELLER

Edward Teller

né en 1908

Issu d'une famille juive hongroise, Teller ne parle qu'à l'âge de trois ans, laissant penser à ses parents qu'il est attardé mental. Il poursuit cependant d'excellentes études, se rendant en Allemagne pour étudier d'abord le génie chimique puis la physique. En 1928, il perd un pied dans un accident de la route, et la montée du nazisme le force à s'exiler aux États-Unis en 1934. Il prend alors une part prépondérante dans le développement des bombes atomiques et des bombes à hydrogène. Contrairement à la plupart des scientifiques qui travaillent dans ce domaine, il reste toujours fermement convaincu de la nécessité des armes nucléaires.

Œuvre principale : il développe la bombe à hydrogène en 1952

LOUIS DE BROGLIE 1892 – 1987
Issu d'une vieille famille de la noblesse française, Louis de Broglie étudie l'histoire à la Sorbonne, à Paris. Mais bientôt il se tourne vers la science et particulièrement la physique théorique. Pendant la Première Guerre mondiale, il sert dans l'armée française comme opérateur radio à la tour Eiffel. En 1924, il utilise les mathématiques pour démontrer que les particules de la matière ont un comportement identique à celui de la lumière et des autres rayonnements électromagnétiques, un principe important en physique. Louis de Broglie reçoit le prix Nobel de physique en 1929 et enseigne à la Sorbonne et à l'École supérieure d'électricité de 1932 à 1962.

KARL JANSKY 1905 – 1950
Le scientifique américain Karl Jansky étudie à l'université du Wisconsin où il devient la star de l'équipe de hockey. En tant qu'ingénieur à la compagnie de téléphone Bell, il est chargé de détecter les sources de rayonnement radio parasite qui brouillent les communications téléphoniques. En 1931-1932, il découvre que ces dernières ne proviennent pas toutes de la Terre, certaines étant émises par les étoiles. Négligée à l'époque, sa découverte ne sera exploitée qu'après la Seconde Guerre mondiale, permettant le développement de la radioastronomie.

RICHARD FEYNMAN 1918 – 1988
Fils d'un commerçant new-yorkais, Richard Feynman ouvre de nombreuses voies de recherches en physique théorique et reçoit le prix Nobel de physique en 1965 pour ses travaux sur la théorie quantique des champs. Il établit des courbes simples, les diagrammes de Feynman, pour expliquer le fonctionnement de mathématiques complexes. Il travaille sur un des premiers ordinateurs et, à la fin des années 1980, il résout le mystère de l'explosion de la navette Challenger survenue en 1986. Feynman, qui trouve la physique distrayante, est en outre un pédagogue de génie qui publie plusieurs best-sellers.

THEODORE MAIMAN né en 1927
Fils d'un ingénieur électricien qui avait inventé une version primitive du stéthoscope électrique, Theodore Maiman est né à Los Angeles. Pendant son adolescence, il travaille pour se payer ses études en réparant des radios et d'autres appareils électriques. Il entre au Hughes Electronics Rechearch Laboratories en 1955. À la fin des années 1950, un concours est organisé pour l'élaboration de divers projets scientifiques dont le premier laser optique, un faisceau concentré d'énergie lumineuse. En 1960, Maiman est le premier à proposer un appareil fiable ; les lasers sont aujourd'hui universellement utilisés aussi bien en médecine que dans l'industrie.

LES CHIMISTES

Hennig Brand

XVIIe siècle

On connaît peu de choses sur la vie de cet alchimiste allemand, si ce n'est qu'il a travaillé dans la ville de Hambourg et qu'il a été le premier à annoncer la découverte d'un élément. En essayant de créer de l'or à partir d'urine, Brand réussit à isoler un élément qu'il baptise phosphore, d'après le mot grec signifiant «porteur de lumière». Le phosphore est réactif et rayonne dans l'obscurité. Il est utilisé dans l'industrie et dans la confection d'engrais.

Œuvre principale: il découvre le phosphore vers 1670.

Joseph Priestley

1733 – 1804

Pasteur, l'Anglais Joseph Priestley ne montre que peu d'intérêt pour les sciences jusqu'à sa rencontre avec Benjamin Franklin (p. 67) en 1766. Sous son inspiration, Priestley fait sa première découverte en montrant que le graphite conduit l'électricité. Puis il découvre et décrit les propriétés de nombreux gaz dont l'oxygène, l'oxyde d'azote et le dioxyde de carbone. Il montre l'importance de l'oxygène pour la vie animale et signale que les plantes en produisent sous l'action de la lumière solaire. Priestley soutient la Révolution française et la guerre d'Indépendance américaine. En 1791, son église et sa maison sont incendiées et, en 1794, il doit s'enfuir en Amérique pour échapper aux persécutions.

Œuvre principale: il découvre l'oxygène en 1774.

Luigi Galvani

1737 – 1798

Né à Bologne, en Italie, Luigi Galvani étudie la littérature et la philosophie avant de se lancer dans une carrière médicale. En 1762, il épouse Lucia Galleazzi, la fille d'un professeur de sciences bolonais, puis fait de nouvelles études et devient professeur d'anatomie à l'université de Bologne, où il y restera presque toute sa vie. À partir de 1780, il effectue des expériences sur l'électricité statique qui montrent que le système nerveux des grenouilles et celui d'autres animaux utilisent une forme de pulsion électrique pour commander la contraction des muscles. Ses travaux poussèrent des chercheurs comme Alexandro Volta (p. 86) à rechercher des liens entre la chimie, la biologie et l'électricité. La dernière décennie de la vie de Galvani est marquée par le malheur. Sa femme meurt en 1790, le laissant sans enfant, et les armées napoléoniennes occupent sa maison de Bologne en 1796. Lorsque Galvani refuse de se plier aux exigences des envahisseurs, il est démis de ses fonctions à l'université et meurt peu après. Le galvanomètre, utilisé pour mesurer les courants électriques, porte son nom.

Œuvres principales: il découvre les propriétés électriques de la cellule en 1780; il établit le lien entre l'électricité et le système nerveux.

JOSEPH PRIESTLEY

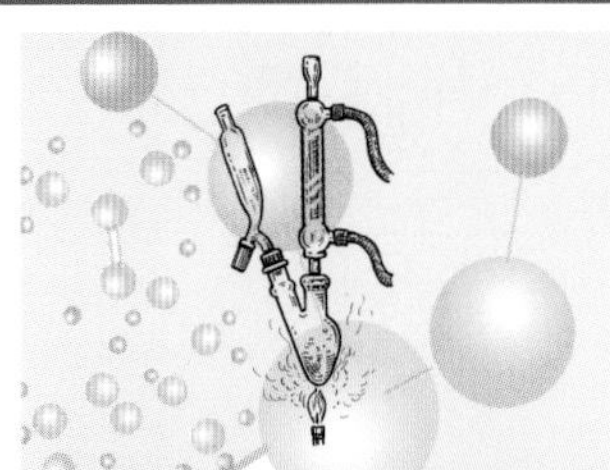

ROBERT BOYLE 1627 – 1691
L'Écossais Robert Boyle, plus jeune fils du premier comte de Cork, a eu une éducation privilégiée. En 1649, il installe un laboratoire chez lui dans le Dorset, en Angleterre, et, peu après, il invente la pompe à air. Ses expériences lui permettent de découvrir les propriétés physiques de l'air nécessaires à la combustion, à la respiration et à la transmission des sons. Il établit aussi une loi sur la pression des gaz, dite loi de Boyle.

CARL SCHEELE 1742 – 1786
Né dans une famille suédoise pauvre, Scheele ne reçoit qu'une éducation rudimentaire. Il acquiert ses connaissances en chimie par des expériences pratiques, exécutées le plus souvent dans sa propre pharmacie située dans sa maison de Koping. Ayant le premier découvert l'oxygène en 1774, Scheele ne publie pas ses résultats, et cette découverte est ainsi attribuée à Joseph Priestley (à gauche). Scheele découvre aussi le chlore, un gaz toxique, utilisé pour fabriquer des matières plastiques et désinfecter l'eau.

ANTOINE LAVOISIER 1743 – 1794
Considéré comme le fondateur de la chimie moderne, le scientifique français Antoine de Lavoisier invente un nouveau système pour nommer les produits chimiques, établit le nombre d'éléments qui ne peuvent être décomposés sans perdre leurs propriétés et découvre que l'oxygène de l'air est nécessaire à la combustion. En charge d'un poste administratif, Lavoisier tente de réformer le système des impôts en France mais échoue. Il est exécuté pendant la Révolution française.

JOHN DALTON 1766 – 1844
Fils d'un tisserand du nord-est de l'Angleterre, John Dalton est responsable d'une école quaker à l'âge de 12 ans et travaille la plus grande partie de sa vie comme enseignant. Il échafaude une théorie atomique d'après laquelle la matière est constituée de minuscules particules qu'il nomme atomes. Dalton établit ensuite un système de symboles chimiques et, en 1803, les range dans un tableau selon leur poids relatif. Il établit également des tables météorologiques détaillées qui, à sa mort, contiennent 200 000 entrées.

Humphry Davy

1778 – 1829

Originaire de Cornouailles, en Angleterre, Humphry Davy commence par faire des études de chirurgie à l'âge de 16 ans, après la mort de son père. Il fait de nombreuses expériences sur les gaz et découvre comment l'oxyde d'azote (le gaz hilarant) peut être utilisé comme anesthésique. Davy découvre également que les diamants sont constitués de carbone. Travaillant à la Royal Institution en Angleterre et inspiré par Volta (p. 86), il construit ses propres batteries et devient un pionnier dans le domaine de l'électrolyse, ce qui lui permet de découvrir des métaux nouveaux dont le sodium, le baryum et le magnésium. En 1813, il entreprend un tour d'Europe qui dure trois ans. À son retour, il invente une lampe de sécurité pour les mineurs.

Œuvre principale: premier à utiliser l'électricité pour découvrir de nouveaux éléments (1807 – 1808).

Julius von Meyer

1830 – 1895

Le scientifique allemand Julius von Meyer obtient ses diplômes de physicien en 1854. Mais il préfère se tourner vers la chimie, publiant un important manuel en 1864 et devenant professeur de chimie à l'université de Karlsruhe quatre ans plus tard. Au milieu des années 1860, Meyer remarque que les propriétés des différents éléments chimiques semblent liées à leur poids atomique. Il développe une table périodique des éléments, mais ne la publie qu'en 1870, un an après que Mendeleïev (ci-dessus à droite) ait diffusé sa version. En 1876, Meyer devient le premier professeur de chimie de l'université de Tübingen.

Œuvre principale: il découvre un modèle pour classer les éléments selon leurs propriétés en 1868.

Dmitri Mendeleïev

1834 – 1907

Issu d'une famille de 14 enfants, Mendeleïev est entièrement éduqué par sa mère avec laquelle il parcourt à pied les 1 600 km séparant sa Sibérie natale de Moscou puis de Saint-Pétersbourg, où il est admis à l'université à l'âge de 16 ans. En 1869, il classe les 62 éléments connus à son époque selon une table périodique rangée en fonction de leurs propriétés et de leurs poids atomiques croissants. Il laisse des emplacements vides dans ce tableau, là où il pense que doivent exister des éléments encore inconnus. Il devient célèbre dans le monde entier lorsque l'on découvre trois de ceux-ci, le gallium, le germanium et le scandium.

Œuvre principale: inventeur de la table périodique des éléments (1868 – 1871).

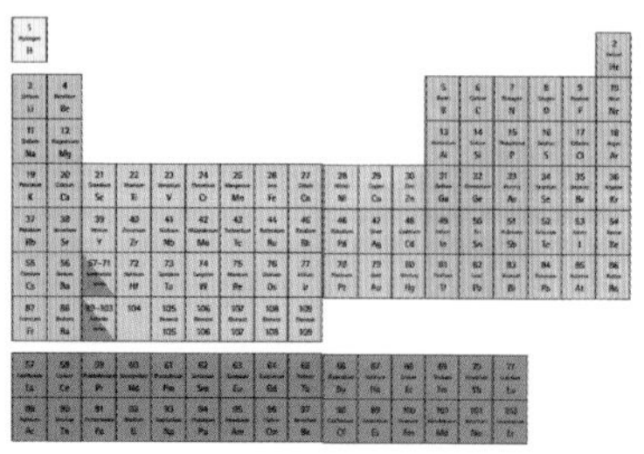

▲ La table périodique de Mendeleïev.

Mendeleïev a écrit environ 250 articles scientifiques et a publié deux manuels de chimie importants qui furent largement utilisés.

James Dewar

1842 – 1923

Né en Écosse, James Dewar devient orphelin à 15 ans. Il consacre sa vie à l'étude des substances à très basses températures et est le premier à liquéfier l'hydrogène. En 1891, il invente une machine qui produit de grandes quantités d'oxygène liquide. En 1892, il crée un récipient constitué d'une double paroi de verre argenté séparée par du vide, pour stocker l'oxygène liquide. En 1904, ce récipient est commercialisé en Allemagne sous le nom de «bouteille Thermos». En 1905, Dewar découvre qu'en refroidissant du charbon de bois on produit du vide, technique qui s'avérera importante dans le domaine des expériences de physique atomique.

Œuvres principales: inventeur de la bouteille Thermos en 1892; premier à liquéfier de l'hydrogène en 1898.

Fritz Haber

1868 – 1934

Bien qu'il ait fait faire de grands progrès à la chimie, notamment dans le domaine de la mesure de l'acidité et du développement des piles à combustible, Fritz Haber est surtout connu pour sa méthode de production de l'ammoniac, matière première indispensable à la fabrication de produits tels que teintures, engrais et explosifs. En 1908, il invente un procédé qui produit de l'ammoniac directement à partir d'hydrogène et d'azote. En 1915, lors de la Première Guerre mondiale, il organise et dirige la première attaque au chlore, un gaz toxique, à Ypres, en France. L'utilisation de cette arme chimique ne change pas le cours de la guerre, mais isole Haber du monde des scientifiques qui, dans leur majorité, le désapprouvent. Il consacre ses dernières années à tenter, en vain, d'extraire de l'or de l'eau de mer.

► En 1918, Haber reçoit le prix Nobel de chimie.

Œuvre principale : il invente un procédé moderne pour la synthèse de l'ammoniac.

Linus Pauling

1901 – 1994

L'Américain Linus Pauling paie ses études en enseignant les cours qu'il avait suivis l'année précédente. Pendant plus de 70 ans, il concentre ses recherches sur les techniques de cristallographie par rayons X, pour comprendre la structure des éléments chimiques et leurs liaisons. Il observe la structure de protéines complexes et découvre que l'anémie à hématie falciforme vient d'un défaut génétique. Il reçoit le prix Nobel de chimie en 1954 et le prix Nobel de la paix en 1962 pour son opposition à l'armement nucléaire.

Œuvres principales : théorie des liaisons chimiques en 1939 ; la cause de l'anémie à hématie falciforme en 1948.

Dorothy Hodgkin

1910 – 1994

Pour son seizième anniversaire, l'Anglaise Dorothy Hodgkin reçoit un ouvrage qui va changer sa vie. Il s'agit d'un livre qui traite de l'usage des rayons X pour analyser les cristaux dus à William Bragg (1862 – 1942), lauréat du prix Nobel de physique en 1915. Bien qu'atteinte de polyarthrite à l'âge de 24 ans, Dorothy Hodgkin devient une cristallographe renommée. Elle utilise la technique des rayons X pour décrire la structure de nombreuses molécules complexes dont la vitamine B12, la pénicilline et l'insuline. En 1964, elle devient la troisième femme à recevoir le prix Nobel de chimie.

Œuvre principale : elle découvre les structures de molécules complexes (1942 – 1964).

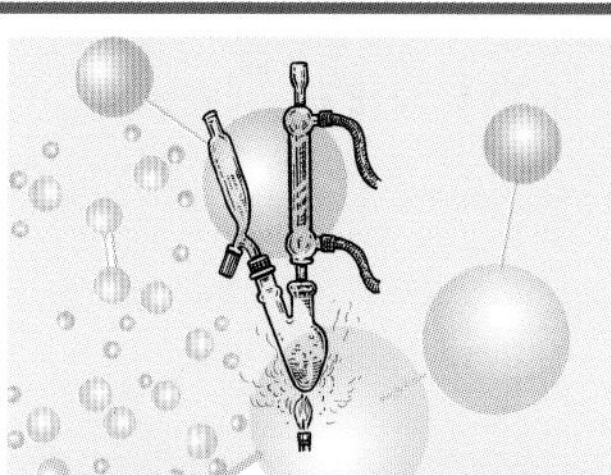

WILLIAM PERKIN 1838 – 1907

Alors qu'il étudie au Royal College de chimie en Angleterre, l'Anglais William Perkin fait une découverte surprenante et accidentelle pendant ses vacances de printemps. Âgé de 18 ans, il essaie de produire de la quinine, seul médicament connu à l'époque contre la malaria. Mais il obtient la première teinture synthétique du monde. Perkin installe une usine près de Londres en 1857 pour produire des teintures artificielles. En 1874, ayant fait fortune, il vend son usine, se retire et consacre le reste de sa vie à la recherche scientifique, découvrant des méthodes pour produire des parfums et des arômes artificiels.

JOSIAH GIBBS 1839 – 1903

Le père de Josiah Gibbs, un professeur américain, est devenu célèbre en aidant les mutins du navire d'esclaves *Amistad* à raconter leur histoire. Josiah Gibbs, qui souffre de cette réputation dans sa carrière scientifique, ne se mariera jamais et ne publie ses travaux que dans d'obscures revues. Il faudra longtemps avant que les résultats de ses recherches en chimie, physique et mathématiques soient enfin reconnus. Il donne de nombreuses explications sur le mode de fonctionnement des réactions chimiques, sur la thermodynamique, et fait avancer la cristallographie. Il devient le premier professeur de mathématique physique à l'université de Yale et y enseigne bénévolement pendant neuf ans.

ERNST CHAIN 1906 – 1979

Ernst Chain est né en Allemagne d'un père russe et d'une mère allemande. Il se destinait à une carrière de pianiste quand il est attiré par la chimie. Il s'installe en Angleterre en 1933, et travaille avec le pathologiste britannique Howard Florey (1898 – 1968). Chain réussit à isoler et à purifier la pénicilline et l'utilise comme antibiotique pour des maladies causées par des bactéries. Les deux chercheurs reçoivent le prix Nobel de médecine en 1945. Trois ans plus tard, Chain s'installe en Italie avec sa femme, la biochimiste Anne Beloff, et y prend la direction du premier centre dédié à l'étude des antibiotiques.

LES BIOLOGISTES

William Harvey

1578 – 1657

Fils aîné d'une famille de sept enfants, William Harvey fait ses études à l'université de Cambridge, en Angleterre. En 1597, il se rend à la célèbre école de médecine de Padoue, en Italie, pour améliorer ses connaissances. De retour en Angleterre en 1602, Harvey épouse Elizabeth Browne, la fille d'un des physiciens de la reine Elisabeth Ire (p. 15). En 1618, Harvey devint physicien de Jean Ier (1566 – 1625) et, plus tard, de Charles Ier (p. 16). Il étudie la circulation du sang chez les animaux et chez les humains, et est le premier à expliquer le fonctionnement du cœur et à décrire le système circulatoire. Il fait également une description correcte de la façon dont se reproduisent l'homme et les autres mammifères par la fécondation d'un œuf par un spermatozoïde.

Œuvre principale: il découvre la circulation du sang en 1628.

Marcello Malpighi

1628 – 1694

Né dans une famille italienne qui possède un domaine près de Bologne, Malpighi est un pionnier dans l'usage scientifique du microscope. Il démontre que la théorie d'Harvey (ci-dessus) sur la circulation du sang est correcte, observe et décrit la structure de la peau, des poumons, des reins, des nerfs et des papilles gustatives de la langue. Les découvertes de Malpighi sont rejetées par beaucoup de scientifiques de son époque, ce qui l'entraîne dans de nombreuses et difficiles controverses. Malgré tout, il est nommé physicien en chef du pape Innocent XII (1615 – 1700) en 1691. Il laisse son nom à de nombreuses parties du corps, parmi lesquelles une couche de la peau.

Œuvre principale: premier à avoir utilisé le microscope pour étudier systématiquement les choses vivantes en 1600.

Antoni van Leeuwenhoek

1632 – 1723

À une époque où la plupart des scientifiques sont riches, érudits et savent lire le latin, langue dans laquelle sont publiés tous les articles scientifiques, être fils d'un fabricant de panier hollandais ne présente que des inconvénients. Van Leeuwenhoek ne sait pas lire le latin, il n'a pas d'éducation et exerce un travail de gardien d'échoppe, mais il n'en révolutionnera pas moins la biologie. Il taille lui-même des lentilles de haute qualité pour construire ses propres microscopes (il en reste encore 10 aujourd'hui) et les utilise pour découvrir les bactéries et les protozoaires dans de l'eau stagnante et de la salive humaine. Alors que beaucoup pensent que les petits insectes proviennent des grains de blé et du sable, Van Leeuwenhoek réussit à prouver qu'ils naissent d'œufs minuscules. Il décrit également le cycle de vie des fourmis, l'œuf, la pupe, et les différents stades de la vie larvaire.

▼ Avec de simples microscopes, Antoni van Leeuwenhoek observe de petits objets.

Œuvre principale: premier à observer des organismes microscopiques.

Carl von Linné

1707 – 1778

Fils d'un pasteur suédois, Carl von Linné organise en 1731 les premières expéditions destinées à étudier et à recueillir de nombreuses plantes. Il est nommé professeur à l'université d'Uppsala, en Suède, en 1741. Dans les années 1730, Linné s'attaque à établir un système simple de classification et d'appellation des êtres vivants. Au fil des ans, son ouvrage, *Systeman Naturae*, se transforme de la simple brochure à une œuvre magistrale comportant de multiples volumes, œuvre qui fait de lui le fondateur de la classification biologique moderne.

Œuvre principale: il publie le premier système moderne pour classer et nommer les organismes vivants en 1735.

Charles Darwin

1809 – 1892

Issu d'une riche famille anglaise, Charles Darwin étudie la médecine puis la théologie. Il s'intéresse ensuite à la géologie, et se lance dans l'étude de la faune marine. À l'âge de 22 ans, il obtient un poste non rémunéré de naturaliste à bord du *Beagle*, un bateau chargé de cartographier les côtes de l'Amérique du Sud.

De retour en Grande-Bretagne en 1836, Darwin épouse, en 1839, sa cousine Emma Wedgwood. Il s'installe dans le Kent. Il publie alors le compte rendu de son long voyage et d'autres travaux sur les plantes et les animaux. Son œuvre principale, *L'Origine des espèces par voie de sélection naturelle*, publiée en janvier 1859, est un apport majeur à la théorie de l'évolution. Darwin pense que les espèces ne se sont pas créées isolément, mais qu'elles résultent d'une évolution à partir d'autres espèces sur de très longues périodes de temps, la lutte pour la survie éliminant les plus faibles et ne laissant derrière elle que les mieux adaptées.

Œuvres principales: la théorie de l'évolution des espèces par la sélection naturelle en 1837; il publie *La Descendance de l'homme et la sélection sexuelle* en 1871.

▼ La publication en 1859 de l'ouvrage de Charles Darwin, *L'Origine des espèces par voie de sélection naturelle*, entraîne une grande controverse car sa théorie est considérée comme contraire à la doctrine de l'Église.

Theodor Schwann

1810 – 1882

Né en Allemagne, où il fréquente les universités de Bonn, Würzburg et Berlin, Theodor Schwann fait des études de médecine et se spécialise dans les problèmes digestifs. En 1836, il analyse les acides contenus dans l'estomac et isole une substance, qu'il appelle la pepsine, qui aide à digérer les protéines des aliments. Schwann a ainsi découvert le premier enzyme digestif. De 1838 à 1848, il est professeur d'anatomie à l'université de Louvain, en Belgique. Il démontre que la levure est composée de minuscules organismes semblables à des plantes, et développe l'idée que la vie animale a débutée par une simple cellule.

Œuvre principale: il impose l'idée que la cellule est la plus petite fraction des organismes vivants en 1839.

Gregor Mendel

1822 – 1884

Né en Autriche, Johann Mendel prend le nom de Gregor lorsque, en 1843, il entre au couvent à Brünn, aujourd'hui Brno en République tchèque. En 1850, il échoue à un examen pour devenir professeur, il poursuit cependant des études à l'université de Vienne. En 1854, Mendel revient au monastère de Brünn, où il restera toute sa vie, devenant même son abbé supérieur en 1868. De 1856 à 1863, il fait des expériences sur quelque 28 000 plants de petits pois. À partir de ses observations, il formule une œuvre sur les grandes lois de l'hérédité, notamment celle qui indique que les déterminants génétiques provenant des deux parents ne se mélangent pas chez les descendants. Mendel est le père fondateur des sciences liées à la génétique.

Œuvre principale: il découvre les lois de l'hérédité en 1866.

Louis Pasteur

1822 – 1895

Chimiste et microbiologiste français, Louis Pasteur fait des études moyennes, préférant la pêche et le dessin aux disciplines académiques. Mais bientôt apparaît son génie pour la recherche.

Les découvertes majeures de Pasteur voient le jour dans les années 1850 alors qu'il travaille à l'université de Lille. Il établit que des organismes microscopiques, les germes, sont causes de décompositions, d'acidifications et d'infections. En faisant bouillir ou en refroidissant les liquides comme le vin ou le lait, Pasteur invente la pasteurisation, une façon d'éliminer les germes. Il montre également comment ces germes sont à l'origine de nombreuses maladies infectieuses et, en les isolant, il réussit à développer des vaccins susceptibles de sauver des vies. Malgré une santé fragile, Pasteur, marié et père de cinq enfants, crée des vaccins contre la varicelle, le charbon et la rage.

Œuvres principales : il prouve que des micro-organismes sont la cause de nombreuses maladies en 1865 ; il produit un vaccin contre la rage.

Louis Pasteur démontre que des organismes microscopiques appelés bactéries peuvent transmettre des maladies d'un individu à un autre.

Joseph Lister

1827 – 1912

Le médecin anglais Joseph Lister est un excellent chirurgien dès le début de sa carrière. Il devient l'assistant du grand chirurgien, James Syme (1799 – 1870), et épouse sa fille en 1856. À l'époque, environ la moitié des opérations entraînaient la mort du patient, en général à cause de l'infection qui s'ensuivait. Pour éradiquer cela, Lister s'appuie sur les théories de la transmission des maladies par les germes de Pasteur et décide alors de les éliminer par une barrière chimique en protégeant l'opéré, les mains du chirurgien et ses instruments. Dans les mois qui suivent, les décès chez les patients diminuent de deux tiers grâce à ces précautions.

Œuvre principale : il impose des conditions antiseptiques contre les germes pendant les opérations chirurgicales en 1865.

Robert Koch

1843 – 1910

À l'âge de cinq ans, Robert Koch stupéfie ses parents en leur annonçant qu'il a appris à lire tout seul avec des magazines. Fils d'un ingénieur des mines allemand, Koch fait des études médicales brillantes et commence à exercer à l'hôpital général de Hambourg avant d'ouvrir son propre cabinet. Il réussit à identifier de nombreux organismes microscopiques, des bactéries, qui sont à l'origine de diverses maladies. En 1870, il isole la bactérie responsable de l'anthrax. Pendant six ans, il cultive l'anthrax avec succès, et, plus tard, produira d'autres bactéries sur des corps d'animaux pour pouvoir les étudier plus facilement.

Œuvres principales : il identifie et cultive des bactéries sur des corps d'animaux en 1870 ; il isole la bactérie responsable de la tuberculose en 1881.

Frederick Hopkins

1861 – 1947

Fils d'un libraire londonien, Frederick Hopkins est un pionnier de la biochimie. Il étudie la façon dont certaines substances chimiques permettent aux fibres musculaires de se contracter lorsqu'elles travaillent. Après de très longues expériences sur le régime des rats, il comprend que les animaux ont besoin non seulement d'hydrates de carbone, mais de protéines et de graisses pour vivre. Il appelle ces substances additionnelles nécessaires à la bonne santé les « facteurs alimentaires accessoires », connus aujourd'hui sous le nom de vitamines. Il reçoit le prix Nobel de médecine en 1929.

Œuvre principale : il découvre l'importance des vitamines en 1906.

Alexander Fleming

1881 – 1955

L'Écossais Alexander Fleming est médecin à Londres et travaille à l'hôpital Saint-Mary. Les recherches de Fleming consistent à combattre les bactéries, et c'est dans son laboratoire peu ordonné qu'il a la chance, en 1928, de découvrir une moisissure contenant une substance antibiotique qui tue les bactéries. Fleming la nomme pénicilline, mais ce n'est qu'en 1941, à la suite des travaux d'Ernst Chain (p. 73) et de quelques autres chercheurs, que le nouveau médicament peut enfin être produit en quantité suffisante.

Œuvre principale : il découvre les effets antibiotiques de la pénicilline en 1928.

Frederick Grant Banting

1891 – 1941

Originaire de l'Ontario, Frederick Grant Banting, après ses études de médecine, travaille comme chercheur avec le physiologiste Charles Herbert Best lorsqu'il émet l'idée, en 1921, que des sécrétions pancréatiques pourraient servir à traiter le diabète. Cette idée convainc le Dr John James Richard Macleod et le biochimiste James Bertram Collip de participer à la recherche. Banting et son équipe annoncent la découverte de l'insuline en 1922 et reçoivent le prix Nobel de médecine en 1923.

Œuvre principale : découverte de l'insuline avec le Dr Charles Herbert Best en 1922.

Christiaan Barnard

1922 – 2001

Le Sud-Africain Christiaan Barnard suit des études de chirurgie cardiaque aux États-Unis avant de retourner dans son pays natal. En 1967, il transplante le cœur d'une victime accidentée chez un malade mourant d'une crise cardiaque. L'opération est un succès, mais le malade meurt 18 jours plus tard d'une pneumonie. Une deuxième opération est pratiquée en 1968 et, cette fois, le patient survit 563 jours. Dans les années 1970, on découvre des médicaments qui évitent le rejet de la greffe et préviennent l'infection, assurant le succès des transplantations cardiaques.

Œuvre principale : première transplantation cardiaque chez l'homme en 1967.

LA DÉCOUVERTE DE L'ADN

Francis Crick né en 1916
Rosalind Franklin 1920 – 1958
James Watson né en 1928

L'ADN – acide désoxyribonucléique – est la substance qui commande le comportement des cellules vivantes et transmet des informations d'une génération à la suivante. Les travaux de Crick, Watson et Franklin ont permis à d'autres chercheurs de savoir comment opère l'ADN.

L'Américain **John Watson** n'a que 23 ans quand il rencontre l'Anglais **Francis Crick** à l'université de Cambridge. En 1951, les deux chercheurs s'attaquent à l'ADN, en construisant un modèle physique pour tenter de découvrir sa structure. L'Anglaise **Rosalind Franklin** travaille aussi sur le même sujet à l'université de Cambridge, utilisant la technique de la cristallographie par rayons X. Les découvertes et les données de Rosalind Franklin sont mises à la disposition de Crick et Watson avant qu'ils publient eux-mêmes les résultats de leurs recherches en 1953. Ils expliquent que l'ADN est constitué d'une double hélice semblable à deux longs ressorts enroulés l'un sur l'autre.

Rosalind Franklin ne reçoit que peu de crédits pour ses recherches et meurt d'un cancer à l'âge de 37 ans. Cinq ans plus tard, en 1962, Crick, Watson et **Maurice Wilkins** (né en 1916) reçoivent le prix Nobel de physiologie et de médecine.

Œuvre principale : ils découvrent la structure de l'ADN en 1953.

◄ Chaque cellule vivante comporte un noyau central qui contient des gènes, formés eux-mêmes de molécules d'ADN extrêmement longues.

LES EXPERTS DES SCIENCES DE LA TERRE

Georg Agricola

1494 – 1555

Le minéralogiste allemand Georg Agricola poursuit ses études de médecine en Italie. Il devient le docteur des villes minières de Joachimsthal et, en 1534, de Chemitz en Allemagne. Il étudie et classe de très nombreux minéraux et roches, et devient ainsi le fondateur de la minéralogie. Agricola a publié sept ouvrages sur la géologie, les mines et la meilleure façon de découvrir des minerais. Son livre le plus célèbre, *De Re Metallica*, fait la synthèse des connaissances minéralogiques et des techniques minières de son époque. Il a été traduit en anglais, 350 ans après sa publication, par le président des États-Unis Herbert Hoover (1874 - 1964).

Œuvre principale : il fonde la minéralogie au XVIe siècle.

Gerard Mercator

1512 – 1594

Le cartographe flamand Mercator fait de nombreux voyages avant de devenir graveur et fabricant d'instruments. À partir de 1535, il commence à produire des cartes de divers pays, et, en 1538, établit une carte du monde. En 1544, les autorités de l'Église l'accusent d'hérésie, et il passe sept mois en prison avant de s'installer à Duisburg, en Allemagne. C'est là qu'il met au point une nouvelle méthode plus précise pour dessiner les cartes, appelée par la suite projection de Mercator. Publiées pour la première fois en 1569, ses cartes permettent aux navigateurs de traverser les océans dans de meilleures conditions.

Œuvre principale : il invente en cartographie la projection dite de Mercator (1569).

Charles Lyell

1797 – 1875

L'Écossais Charles Lyell exerce le métier de juriste avant de s'adonner à la géologie. Il voyage à pied à travers la Grande-Bretagne et l'Europe, prenant des notes minutieuses sur les types de roches qu'il voit et la forme de leurs couches. À partir de ses observations, Lyell explique que le monde est très ancien, qu'il s'est formé grâce à un lent processus d'érosion appliqué à des couches sédimentaires. Son ouvrage, *Principe de géologie* (1830), a une grande influence sur Darwin. Lyell cherche également des fossiles et avance l'idée que ceux-ci peuvent apporter certaines indications sur les périodes géologiques.

Œuvre principale : il introduit, au début du XIXe siècle, l'idée que de lents changements géologiques ont modelé la surface de la Terre.

En 1585, Gerard Mercator publie la première partie d'un atlas du monde. Il est complété par son fils qui y inclut cette carte des deux Amériques.

Mary Anning

1799 – 1847

Mary et Joseph sont les deux seuls à atteindre l'âge adulte parmi les 10 enfants de la famille Anning. Ils vivent à Lyme Regis, sur la côte sud de l'Angleterre, dans une région riche en fossiles du Jurassique.

Leur père, ébéniste, consacre ses temps libres à la chasse aux fossiles, qu'il vend ensuite. À sa mort en 1810, sa famille continue à vivre de ce commerce. À l'âge de 12 ans, Mary découvre le squelette d'un dinosaure marin, l'ichtyosaure. Chasseresse enthousiaste, elle fait de nombreuses autres découvertes, mais seule la protection d'un collectionneur professionnel de fossiles, Thomas Birch, évite à la famille de sombrer dans la misère. Le travail de Mary sera très mal reconnu durant sa vie.

Œuvre principale : elle trouve le premier squelette fossile d'ichtyosaure en 1811 ; de plésiosaure en 1821 ; de ptérodactyle en 1828.

Edwin Drake

1819 – 1880

L'Américain Edwin Drake est conducteur de locomotive avant de devenir un pionnier des forages pétroliers. Au milieu du XIXe siècle, le pétrole est recueilli quand il suinte à la surface. Après de nombreuses tentatives avortées pour creuser des puits, Drake a l'idée d'accompagner le forage d'un tuyau en fonte d'acier afin de garder le puits ouvert. En 1859, à Oil Creek, en Pennsylvanie, il utilise une ancienne machine à vapeur pour creuser un trou à travers 20 m de roche, et a bientôt la surprise de voir jaillir le liquide convoité au rythme de 4 000 litres par jour. Malheureusement, Drake ne dépose pas le brevet de son système qui est immédiatement adopté par d'autres. Il meurt dans la pauvreté.

Œuvre principale : il fore le premier puits de pétrole commercial en 1859.

Vilhelm Bjerknes

1862 – 1951

Fils d'un professeur de mathématiques norvégien, Bjerknes fait ses études en Allemagne avec le professeur Henrich Hertz (p. 69) avant de retourner en Norvège en 1892. L'année suivante, il obtient un poste de professeur à l'université de Stockholm, en Suède. Là, il utilise les mathématiques pour étudier les mouvements de l'atmosphère. Bjerknes montre comment les zones de basse pression, appelées dépressions, se forment au point de rencontre des masses d'air chaud et des masses d'air froid. Il montre également comment les vents cycloniques présents à l'intérieur des dépressions affectent le temps.

Œuvre principale : fondateur de la météorologie.

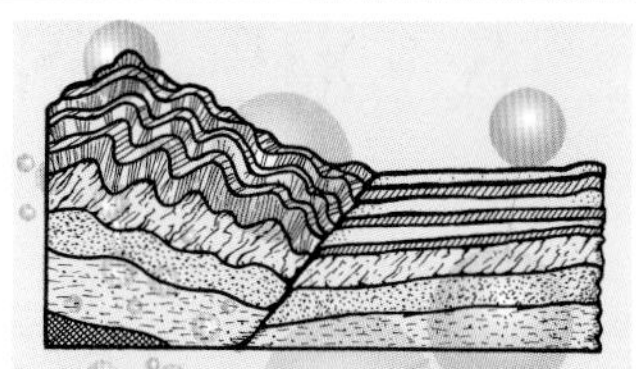

WILLIAM SMITH 1769 – 1839
Né dans une petite ferme de l'Oxfordshire, en Angleterre, Smith passe la plus grande partie de son enfance à ramasser des fossiles. Alors qu'il travaille comme assistant géomètre à un projet de construction d'un canal à travers l'Angleterre, il examine les fossiles qu'il a trouvés dans les strates rocheuses du terrain. En 1815, il publie la première carte géologique d'Angleterre qui montre comment les couches des différentes roches se situent les unes par rapport aux autres, en surface comme en sous-sol.

MATTHEW MAURY 1806 – 1873
Entre 1825 et 1834, l'officier de marine américain Matthew Maury fait trois grands voyages, en Europe, sur la côte pacifique de l'Amérique du Sud et autour du monde. Un grave accident de diligence l'écarte du service actif en 1839, et il se tourne alors vers l'hydrographie, cartographiant la partie de la surface de la Terre couverte par la mer. Maury publie de nombreuses cartes montrant les vents dominants qui aident les bateaux à voile à trouver les routes les plus rapides. Il cartographie également le fond de l'océan Atlantique, montrant qu'il est possible de relier l'Ancien et le Nouveau Monde par un câble télégraphique sous-marin.

LOUIS AGASSIZ 1807 – 1873
Fils d'un ministre suisse, Agassiz étudie la zoologie en Allemagne et en Suisse. En 1846, il effectue un voyage d'étude aux États-Unis, où il s'installe. En tant que naturaliste, Agassiz fait avancer l'étude des poissons vivants et celle des espèces éteintes. Comme géologue, il avance l'hypothèse d'un âge glaciaire qui aurait régné un temps sur la Terre, et révolutionne l'étude des glaciers et de leurs mouvements. Il devient membre fondateur de l'Académie nationale des sciences américaine, et est un ardent promoteur de la collecte de fonds destinés à la recherche scientifique.

RICHARD OLDHAM 1858 – 1936
Alors qu'il travaille au Service géologique des Indes, en 1897, le géologue irlandais Richard Oldham est le témoin d'un violent tremblement de terre. Il montre que ce phénomène est le résultat de trois sortes d'ondes sismiques différentes. S'appuyant sur les résultats de ses recherches faites en Indes, Oldham démontre en 1906 que la Terre possède un centre dense.

Charles Richter

1900 – 1985

Né dans l'Ohio, Charles Richter poursuit des études de physique à Los Angeles en 1916. En 1935, il crée une échelle en 10 points pour mesurer l'énergie dégagée par les séismes. Dans cette échelle, deux points correspondent à un simple frémissement alors que huit points signalent un séisme catastrophique et destructeur. Richter passe sa vie en Californie et cartographie les régions des États-Unis susceptibles d'être touchées par les tremblements de terre.

Œuvre principale : il établit l'échelle de Richter pour mesurer la puissance des séismes en 1935.

Tuzo Wilson

1908 – 1993

Fils d'un ingénieur écossais émigré au Canada, Tuzo Wilson sert dans l'armée canadienne pendant sept ans. Alors qu'il occupe, dans les années 1950 et 1960, un poste de professeur à l'université de Toronto, il s'intéresse à la théorie de la dérive des continents. Il montre que la croûte terrestre est constituée de plaques qui flottent sur un magma fondu, ces plaques se déplaçant lentement et dérivant de quelques centimètres chaque année. Les zones sismiques et volcaniques correspondent aux endroits où les plaques se rencontrent, s'écartent ou se superposent.

Œuvre principale : il explique la théorie de la dérive des continents par la tectonique des plaques en 1963.

John Edmond

1944 – 2001

Né en Écosse, Edmond fait ses études à Glasgow et en Californie avant de rejoindre le Massachusetts Institute of Technology (MIT) en 1970. Spécialiste de la chimie océanographique, il étudie les cycles chimiques à l'œuvre dans les rivières et les océans du monde entier. En 1977, Edmond dirige une équipe qui découvre les sources hydrothermales agissant sur le fond des océans et extrayant des minéraux qui se retrouvent ainsi dans l'eau de mer. Au cours de cette expédition, il découvre un type de vie marine unique et inconnue qui se développe autour de ces sources.

Œuvre principale : il découvre de nouvelles formes de vie totalement inconnues autour des sources hydrothermales du fond des océans.

La famille Leakey

Louis Leakey 1903 – 1972
Mary Leakey 1913 – 1996
Richard Leakey né en 1944

La famille Leakey a découvert des fossiles en Afrique de l'Est qui permirent de reconstituer l'évolution de l'homme moderne à partir de ses ancêtres ressemblant à des singes, les hominidés.

Né au Kenya dans une famille de missionnaires, Louis Leakey commence à travailler comme archéologue en 1931 en Tanzanie. Il épouse une Anglaise Mary Nicol en 1936. En 1963, en fouillant dans les gorges d'Olduvai, en Tanzanie, Louis découvre les fossiles d'un *Homo habilis* qu'il présente comme notre premier ancêtre. Datant d'environ 1,5 million d'années, on pense que cet *Homo habilis* a évolué vers l'*Homo erectus*, ancêtre à son tour de deux espèces dont l'*Homo sapiens*, le premier homme moderne. En 1978, Mary Leakey découvre des empreintes fossiles à Laetoli, en Tanzanie datant de 3,5 millions d'années, prouvant qu'à cette époque l'homme était déjà bipède.

Le fils des Leakey, Richard, trouve à 6 ans son premier fossile, une partie d'un cochon géant disparu. Au cours des années 1970, alors qu'il fouille au nord du Kenya, il trouve des fossiles de 230 hominidés avec des outils de pierre, démontrant que ces créatures étaient plus intelligentes que ce que l'on pensait jusqu'alors. Ces découvertes établissent que les ancêtres de l'homme vivaient en Afrique il y a plus de 3 millions d'années.

Œuvre principale : ils découvrent les fossiles des plus vieux ancêtres de l'homme connus (1959 – 1978).

▼ Louis Leakey dégageant des outils humains fossiles en Californie.

CHAPITRE QUATRE

LES INGÉNIEURS ET LES INVENTEURS

Les ingénieurs et les inventeurs avant l'an 1000

Depuis que sont apparus les premières armes et les premiers outils il y a des milliers d'années, les inventions des hommes n'ont cessé de faire avancer l'humanité dans le domaine des matériaux, des outils, des constructions et du transport avant l'an 1000.

▲ Aux environs de 3000 av. J.-C., les Sumériens sont les premiers à utiliser la roue. Ce chariot à quatre roues est tiré par un bœuf ou par un onagre, une sorte d'âne sauvage.

La curiosité pour le monde et apprendre à le modifier pour mieux vivre poussent les hommes, depuis toujours, à devenir inventeurs et ingénieurs. Les plus anciennes inventions, comme l'arc et la flèche (il y a quelque 30 000 ans), furent utilisées pour survivre; d'autres, comme l'aiguille à coudre (il y a 22 000 ans), étaient destinées à améliorer la vie quotidienne, à faciliter et accélérer le travail.

LES PREMIERS INVENTEURS ET INGÉNIEURS

Il y a environ 9 000 ans, alors que les populations se sédentarisent et cultivent la terre, elles commencent à explorer les ressources naturelles et apprennent ainsi à brasser de la bière (dès 6000 av. J.-C.), à utiliser les métiers à tisser (4400 ans av. J.-C.), et à produire du savon (2000 ans av. J.-C.). En s'agrandissant, ces sociétés primitives deviennent des villes et des cités, et les hommes se mettent à construire des habitations plus grandes et plus complexes. Dans l'Antiquité, le premier architecte est l'Égyptien **Imhothep** (vers 2600 av. J.-C.) à qui l'on doit la pyramide de Saqqarah, puis le Grec **Sostrate de Cnide** (vers 200 av. -J.-C.), construit le magnifique grand phare de Pharos, à Alexandrie. Achevé en 280 av. J.-C., ce phare gigantesque domine la mer de 130 m et couvre 300 m à sa base. Les Romains ont eux aussi bâti, à travers leur empire, un immense réseau routier, et ont développé des machines et des systèmes de construction très avancés, le treuil et la grue, décrits dans l'ouvrage *De Architectura*, grâce à un architecte romain nommé **Vitruve** (v. 90 – 20 av. J.-C.).

Les Romains construisent de solides chaussées à travers tout leur empire.

LA GUERRE ET LA TECHNIQUE

Les conflits poussent souvent les inventeurs et les ingénieurs à inventer des armes encore plus puissantes. Le fer permet ainsi la fabrication d'épées, de haches et de dagues; l'évolution des transports incite les Égyptiens et les Assyriens à utiliser des chars tirés par des chevaux sur les champs de bataille. De leur côté, les architectes élaborent des remparts pour protéger les villes, ce qui conduit leurs assaillants à imaginer des armes de siège, pour détruire ou pour franchir ces murailles, les tours de siège. En 306 av. J.-C., **Démétrios Poliorcète** (v. 337 – 283 av. J.-C.) met au point plusieurs engins très avancés en vue d'assiéger Rhodes. Il y a entre autres des catapultes projetant des rochers de plus de 80 kg et des tarières portatives de 25 m pour percer les murs. **Callinicus d'Héliopolis** (v. 600 apr. J.-C.), un réfugié syrien installé à Constantinople, invente la première arme chimique. Appelée feu grégeois, elle est composée d'un liquide très inflammable qui est catapulté sur les bateaux ennemis à partir de tubes. Les feux grégeois ont été utilisés de 673 à 1453, date de la chute de l'Empire byzantin.

LES MACHINES ET LES OUTILS

Les peuples préhistoriques utilisaient des outils simples comme une branche d'arbre pour soulever de gros blocs de pierre, ou des pierres taillées pour gratter et nettoyer la peau d'un animal. C'est ainsi que plusieurs machines sont conçues à partir de ces cinq éléments : les leviers, les poulies, les coins, les roues et les vis. Les coins et les leviers étaient connus depuis la préhistoire, mais les premières roues ne sont apparues en Mésopotamie (aujourd'hui l'Irak) il y a seulement 5 000 ans. **Archytas de Tarente** (v. 430 – 350 av. J.-C.) était un mathématicien installé en Italie qui a inventé la poulie. On ignore le nom de l'inventeur de la vis, mais on sait que le savant grec **Archimède** (v. 287 – 212 av. J.-C.) en a construit une immense pour faire monter de l'eau.

La vis d'Archimède, mue à la main, puise de l'eau dans les rivières pour alimenter des systèmes d'irrigation. L'eau est en quelque sorte aspirée par la vis.

LES MACHINES ET LA PUISSANCE

Avant l'an 1000, les machines étaient mues par des hommes ou des animaux. L'utilisation de l'énergie des chutes d'eau pour entraîner des roues et des moulins à eau n'apparaît que vers 100 apr. J.-C. L'énergie du vent est utilisée très tôt pour propulser les navires, mais ce n'est qu'en 650 apr. J.-C. que les premiers moulins à vent apparaissent en Irak. Des ingénieurs comme **Ctesibios** (250 apr. J.-C.) et **Philon de Byzance** (v. 260 – 180 av. J.-C.) ont cherché à récupérer l'énergie de l'eau et de l'air. Philon invente une pompe à air et un lanceur de projectiles mû par air comprimé. Toutefois, on ne connaît qu'un seul appareil utilisant l'énergie de l'air datant d'avant l'an 1000, celui de l'inventeur égyptien **Héron d'Alexandrie** (v. 20 apr. J.-C. – 62). Son éolipile ou « boule de vent » est constitué d'une sphère creuse munie de deux tubes recourbés, mobile autour d'un de ses diamètres. En chauffant l'eau introduite dans la sphère, la vapeur s'échappe par les tubes et fait tourner l'ensemble.

Vers 100 apr. J.-C., les Chinois fabriquent du papier avec des fibres pressées sur des tamis et séchées au soleil.

LES NOUVEAUX MATÉRIAUX

Les inventions dépendent des matériaux disponibles de l'époque. Pendant la préhistoire, on n'utilise que des matières naturelles : les pierres, le bois et les fibres végétales ou animales. Au fil du temps, on découvre comment créer, transformer et utiliser divers matériaux qui rendent possibles de nouvelles inventions. Le premier verre est d'abord utilisé au Moyen-Orient (v. 2000 av. J.-C.) sous forme de perles, puis, en 1500 av. J.-C., les Égyptiens commencent à fabriquer des vases et des bouteilles. Extraire des métaux à partir de minerais rocheux apparaît avec le cuivre en 4500 av. J.-C. environ. L'usage du bronze (3000 av. J.-C.) et du fer (v. 1500 av. J.-C.) est décisif pour le développement des constructions, des machines et des armes. Les anciens Chinois produisent du fer vers 600 av. J.-C., et, en 450 av. J.-C., ils fabriquent de la fonte avec du charbon ajouté au fer en fusion. Ils inventent aussi le papier. En 105 apr. J.-C., l'inventeur **Cai Lun** (v. 66 apr. J.-C. – 125) présente à l'empereur Ho-Ti, les Han orientaux, des papiers composés d'écorce d'arbre, de chiffons, de morceaux de corde et de filets de pêche usés.

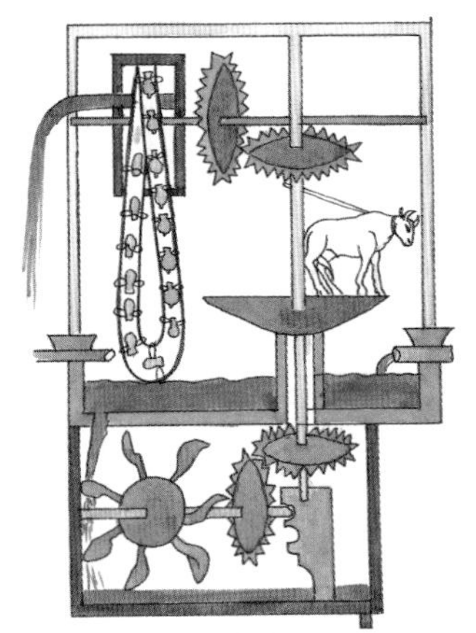

Ce dessin, tracé il y a 1 500 ans, montre une machine arabe pour élever l'eau.

LES INGÉNIEURS

Les constructions

James Brindley

1716 – 1762

Natif du Derbyshire, en Angleterre, James Brindley est un autodidacte. Il construit ses canaux sans plans ni calculs écrits. Il est engagé en 1759 par le duc de Bridgewater pour construire un canal de 16 km afin d'apporter le charbon des puits d'extraction jusqu'à Manchester. On doit à Brindley 580 km de canaux.

Œuvre principale : il construit le canal de Bridgewater en Angleterre (1765).

John McAdam

1756 – 1836

L'Écossais John McAdam s'installe à New York à l'âge de 16 ans et fait fortune comme « agent des prises », négociant des marchandises volées ou saisies au cours de combats. Il retourne en Écosse en 1783, achète un domaine et, pour réparer sa voirie, il invente de nouvelles méthodes de construction des routes qui sont adoptées rapidement, se montrant plus économiques et plus fiables que celles utilisées jusqu'alors.

Œuvre principale : il développe une méthode moderne pour la construction des routes.

Thomas Telford

1757 – 1834

Fils d'un berger écossais qui meurt alors qu'il n'a qu'un an, Telford devient apprenti chez un maçon et apprend seul l'architecture. Il construit plus de 1450 km de routes et, en 1826, le premier grand pont suspendu en acier reliant l'île d'Anglesey au pays de Galles. Il construit aussi des canaux en Grande-Bretagne et en Suède.

Œuvres principales : canal Calédonien en 1822 ; pont sur le détroit de Menai en 1826.

Joseph Paxton

1801 – 1865

Fils d'un fermier anglais, Joseph Paxton commence à travailler comme jardinier à l'âge de 15 ans. En 1826, il est nommé jardinier en chef à Chatsworth House dans le Derbyshire, en Angleterre, où il construit de grandes serres et la plus puissante fontaine du monde. Paxton dessine aussi le Crystal Palace (palais de cristal), une construction géante composée de fer et de verre pour la grande exposition de 1851 à Londres. Son système de construction prévoyait que le bâtiment pouvait être démonté et déplacé.

Œuvre principale : le Crystal Palace en 1851.

Isambard Kingdom Brunel

1806 – 1859

Né à Portsmouth, fils unique d'un ingénieur civil français, Marc Brunel (p. 85), Isambard Kingdom Brunel devient un des plus célèbres ingénieurs anglais de son époque.

Passionnément intéressé par le chemin de fer, Brunel construit environ 1 600 km de voies ferrées en Grande-Bretagne et en Italie ; il apporte aussi ses conseils en Australie et en Inde. Il dessine de nombreux ponts précurseurs pour l'époque, dont le pont suspendu de Clifton (achevé en 1864) et le pont Royal Albert (achevé en 1859). En 1838, il conçoit le *Great Western*, le premier train à vapeur à assurer un service transatlantique régulier, et, en 1858, le *Great Eastern*, alors le plus grand bateau du monde. Bien qu'adorant la musique et pratiquant la magie, Brunel est un travailleur infatigable qui ne craint pas des journées de travail de 18 heures.

Œuvres principales : le pont suspendu de Clifton, Bristol (1829 – 1864) ; le *Great Western* en 1838 ; ligne de chemin de fer à voie large de Londres à Bristol, la Great Western Railway, en 1841 ; le *Great Eastern* en 1858.

Gustave Eiffel

1832 – 1923

Le Français Gustave Eiffel commence par étudier la chimie avant de devenir un constructeur célèbre et renommé pour ses ponts d'acier, élancés et résistants, tel le viaduc de Garabit dans le sud de la France. La Compagnie Eiffel, créée en 1866, assure la fonte de la statue de la Liberté en 1884, conçoit le plan du cadre intérieur et en assure la réalisation. Lorsque sa femme meurt d'une pneumonie en 1887, Eiffel est sur le point de présenter un projet pour célébrer l'Exposition universelle à Paris; son pylône gigantesque est retenu parmi les 700 autres projets. Achevée en 1889, la tour Eiffel sera le plus haut édifice du monde pendant 40 ans. Après avoir participé à la tentative française avortée de construire le canal de Panama, Eiffel se tourne vers la science et, dans les années 1890, installe un laboratoire d'aérodynamique et un système de télégraphe en haut de sa tour.

Œuvres principales: statue de la Liberté (1875 – 1885); tour Eiffel (1887 – 1889).

► Malgré les critiques, la tour Eiffel est un énorme succès lors de l'Exposition universelle de 1889 à Paris.

◄ La gare de Paddington, terminus à Londres de la Great Western Railway de Brunel.

William Le Baron Jenney

1832 – 1907

Issu d'une famille d'armateurs américains, Jenney participe à la guerre de Sécession (1861 – 1865) avant d'ouvrir un cabinet d'architecture à Chicago en 1868. Il propose de nouvelles techniques pour construire des bâtiments de très grande hauteur: les gratte-ciel. Jenney est l'initiateur d'une structure centrale en acier, les murs extérieurs étant montés en brique ou en pierre. Ses constructions ont l'avantage d'être plus légères et plus solides que celles réalisées en pierre.

Œuvres principales: premier gratte-ciel moderne en 1885; premier bâtiment de 16 étages, le Manhattan Building (1891).

JOHN SMEATON 1724 – 1794
Né dans le Yorkshire, l'Anglais John Smeaton commence par fabriquer des instruments scientifiques avant de se lancer dans de grandes réalisations, dont un canal (1790) reliant les rivières Forth et Clyde en Écosse. Smeaton invente un ciment hydraulique qui est utilisé pour construire le quatrième phare d'Eddystone (1756 – 1759), en Manche, qui fonctionnera pendant 127 ans.

WILLIAM JESSOP 1745 – 1814
Né en Angleterre dans le Devon, William Jessop commence à travailler avec John Smeaton (ci-dessus) dont il est l'assistant jusqu'en 1772. En 1790, Jessop crée la Butterley Iron Works, dans le Derbyshire, qui produit des rails en fonte pour équiper les voies ferrées. Ayant construit un canal et un bassin, Jessop travaille avec Telford (p. 84) et est nommé ingénieur en chef sur le chantier du Grand Union Canal qui relie Londres aux Midlands.

JOHN RENNIE 1761 – 1821
L'ingénieur écossais John Rennie commence à travailler à l'âge de 12 ans dans des usines d'engrenages et d'équipements pour moulins à eau et à coton. Après avoir poursuivi ses études à l'université d'Édimbourg, Rennie lance à Londres, en 1791, une affaire d'ingénierie civile qui est chargée de construire trois ponts sur la Tamise, les ponts de Waterloo, de New London et de Southwark.

MARC BRUNEL 1769 – 1849
Fils d'un exploitant agricole français prospère, Brunel passe six ans dans la marine de son pays. Pour échapper à la Révolution, il part en Amérique en 1793 où il devient ingénieur en chef de la ville de New York. Brunel s'installe en Angleterre au début du XIXe siècle et résout de nombreux problèmes posés par la construction des tunnels sous les rivières. En 1843, il dirige la construction d'un tunnel sous la Tamise qui sera emprunté par un million de piétons dans les quatre premiers mois de son exploitation.

FERDINAND DE LESSEPS 1805 – 1894
L'ingénieur français Ferdinand de Lesseps commence par étudier le droit avant de se tourner vers la diplomatie. Après avoir été ambassadeur de France en Espagne, il est nommé en Égypte, où il dirige la construction du canal de Suez (1860 – 1869). En 1880, il se lance dans un nouveau grand projet, creuser le canal de Panama. Malheureusement, les travaux sont abandonnés en 1888 et le canal ne sera achevé qu'en 1914 par les Américains.

Benjamin Baker

1840 – 1907

Né dans le Somerset, l'Anglais Baker travaille dans une fonderie du sud du pays de Galles avant de devenir, en 1861, l'assistant de l'ingénieur anglais John Fowler (1817–1898). En 1875, Baker devient l'associé de Fowler à la suite de la construction du premier réseau de métro londonien. On lui doit aussi le pont de chemin de fer sur la Forth, long de 518 m, le plus long du monde à l'époque. Il mène également plusieurs projets en Égypte, le plus connu étant le premier barrage d'Assouan.

Œuvres principales : le pont de chemin de fer sur la Forth en 1890 ; le premier barrage d'Assouan en 1902.

George Goethals

1858 – 1928

Issu d'une famille belge émigrée aux États-Unis, George Goethals fait d'excellentes études à West Point. Ses responsabilités s'amplifient rapidement et, en 1907, il est nommé ingénieur en chef sur le chantier du canal de Panama par le président Theodore Roosevelt (1858–1919). Homme timide mais déterminé, Goethals doit surmonter d'énormes difficultés et résoudre des problèmes techniques et humains considérables avant l'ouverture du canal, en 1914. Il est nommé gouverneur de la zone du canal de 1914 à 1916. À la fin de la Première Guerre mondiale, il devient consultant en ingénierie à New York.

Œuvre principale : la construction du canal de Panama (1907–1914).

L'*Ancon* est le premier bateau à traverser le canal de Panama en 1914.

Électricité

Alessandro Volta

1745 – 1827

Volta, un noble italien, résiste aux pressions de sa famille, qui le destine à la prêtrise, pour se tourner vers l'étude de la chimie et de la physique. Il est très vite passionné par le phénomène de l'électricité et, en 1775, met au point un électrophore, une machine destinée à produire de l'électricité statique. En 1778, il est le premier à isoler le méthane, un composant important du gaz naturel. Volta enseigne la physique à l'université de Pavie, en Italie, durant 25 ans. En 1800, il met au point la première pile électrique capable de fournir du courant. Cette pile est constituée d'un empilement de rondelles de zinc, d'argent et de carton plongées dans de l'eau salée. En 1801, il fait une démonstration de sa pile devant Napoléon (p. 28) qui le récompense en le nommant comte et sénateur du royaume d'Italie.

Inventions principales : l'électrophore (1778) ; la pile électrique (1800).

Samuel Morse

1791 – 1872

Né dans le Massachusetts, Morse était artiste avant de devenir inventeur. Il étudie l'art en Europe, où il acquiert une bonne réputation de portraitiste. En 1832, il commence à s'intéresser au télégraphe électrique. C'est en utilisant des électroaimants, qu'il enclenche et déclenche, qu'il développe un système pratique de télégraphe capable d'envoyer des messages sous forme de signaux électriques transmis par des fils. Le système de Morse contribue à l'explosion des communications aux États-Unis, ce qui fera de lui un homme riche. Morse est également le premier président de la National Academy of Design, mais il ne réussit pas à se faire élire au Congrès ou à la mairie de New York.

Inventions principales : télégraphe électrique en 1835 ; alphabet Morse en 1838 ; première ligne de télégraphe entre deux villes (1844).

Avant l'apparition du téléphone, l'alphabet Morse est le principal moyen de communication à travers le monde.

Alexander Graham Bell

1847 – 1922

Ingénieur électricien né en Écosse, Graham Bell devient, comme son père, éducateur pour les personnes atteintes de surdité.

Bell émigre au Canada en 1870 puis va aux États-Unis, où il travaille à l'université de Boston. Il se spécialise dans la recherche de transmission de la parole par les lignes téléphoniques et, en 1876, il prononce sa première phrase sur son prototype de téléphone. Devenu riche, Bell crée la National Geographic Society et la revue *Science*. Il invente aussi le photophone qui conduit la voix par l'intermédiaire de rayons lumineux.

Inventions principales : le téléphone en 1875 ; le photophone en 1880.

► Alexander Graham Bell utilisant un de ses premiers téléphones.

Thomas Edison

1847 – 1931

À 10 ans Edison installe son premier laboratoire chez lui à Milan, Ohio. Ingénieur autodidacte, il fait fortune en améliorant le système du télégraphe et en inventant un téléimprimeur pour transmettre les cours de la Bourse à travers les États-Unis. En 1876, il ouvre un centre de recherche dans lequel il met au point la première ampoule électrique, un phonographe pour enregistrer et reproduire des sons, et un microphone constitué de carbone pour améliorer le téléphone de Bell. Il est aussi, avec son kinétoscope, un des grands précurseurs de l'invention du cinématographe. Au cours de sa vie, il dépose près de 1 000 brevets d'inventions.

Inventions principales : télescripteur en 1876 ; ampoule électrique en 1879 ; phonographe en 1877 ; première centrale électrique commerciale en 1882.

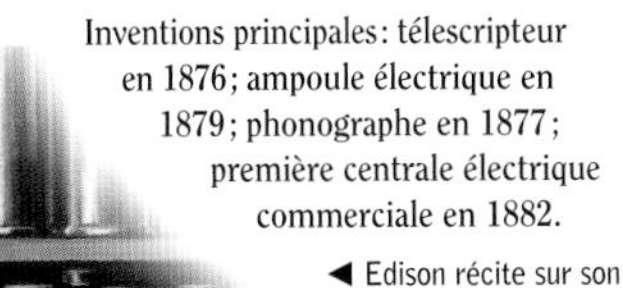

◄ Edison récite sur son premier phonographe une comptine.

CHARLES WHEATSTONE
1802 – 1875

L'Anglais Charles Wheatstone reprend le magasin d'instruments de musique de son oncle, à Londres, à l'âge de 21 ans. À 16 ans, il a déjà inventé la flûte harmonique, un instrument à vent muni de touches. En 1837, il invente un télégraphe électrique rudimentaire et, en 1843, le pont de Wheatstone, un circuit permettant de mesurer les résistances électriques.

ERNST VON SIEMENS 1816 – 1892

À l'âge de 17 ans, Werner von Siemens s'engage dans l'artillerie prussienne, ce qui lui permet de suivre des études d'ingénieur. À cette époque, il effectue une courte peine de prison pour avoir participé à un duel entre officiers. Au cours des années 1840, il améliore le télégraphe de Wheatstone (ci-dessus) et commence à poser des câbles électriques aériens et sous-terrains pour le télégraphe à travers toute l'Allemagne. En 1890, il construit à Berlin le premier chemin de fer électrique opérationnel d'Allemagne.

JOHN FLEMING 1849 – 1945

Physicien et ingénieur électricien anglais, John Fleming travaille comme maître d'école, professeur et consultant pour les sociétés créées conjointement par Edison (à gauche) et Marconi (p. 88). En 1885, il est le premier professeur d'ingénierie électrique à l'University College de Londres, où il exercera plus de 40 ans. En 1904, Fleming invente le tube thermoïonique ou diode, un composant fondamental de l'électronique qui permettra, entre autres, le développement des émetteurs et des récepteurs radios.

JOHN BARDEEN 1908 – 1991

L'ingénieur électricien John Bardeen faisait partie de l'équipe des Laboratoires Bell qui découvrit le transistor en 1947. À la fin des années 1960, il participe aux travaux sur la supraconductivité, un phénomène qui permet à certains matériaux, portés à très basse température, de conduire l'électricité sans perte d'énergie. Bardeen est le premier Américain à recevoir deux prix Nobel dans la même discipline, la physique, en 1956 puis en 1972.

Sebastian de Ferranti

1864 – 1930

À 13 ans, Ferranti invente un dispositif pour éclairer les rues avec des arcs électriques. Quatre ans plus tard, il est embauché par la filiale londonienne de la compagnie allemande Siemens. Il crée sa propre société en 1882 et propose un système de réseau pour fournir et distribuer l'énergie électrique, système à la fois plus simple et plus sûr à utiliser. Entre 1888 et 1891, il travaille sur le générateur de la centrale électrique de Deptford, à Londres, à l'époque le plus puissant du monde.

Invention principale : création d'un réseau national de distribution d'électricité en 1887.

Lee De Forest

1873 – 1961

Après avoir conçu les plans de nombreux émetteurs et télégraphes, l'Américain Lee De Forest améliore la diode inventée par John Fleming (p. 87). En 1907, il crée une troisième électrode, la grille, qui commande le flux d'électrons entre les deux électrodes de la diode, l'anode et la cathode, et l'amplifie. La triode est née. Son invention devient le composant fondamental de tous les appareils électroniques, radios, radars, télévision, ordinateurs, et ce jusqu'à l'arrivée du transistor en 1950. Il est le premier à réaliser des récepteurs radio pour le public. À la fin de sa vie à Hollywood, il invente le procédé *Phonofilm* pour synchroniser le son et l'image sur la pellicule cinématographique (1923).

Invention principale : la triode en 1907.

John Logie Baird

1888 – 1946

De santé fragile, l'Écossais John Logie Baird doit quitter son poste d'ingénieur électricien à l'âge de 34 ans. Pendant sa « retraite », Baird commence à travailler sur le prototype du premier système de télévision susceptible d'être commercialisé. Les images, tremblotantes et en noir et blanc, ne comportent que 30 lignes, alors qu'une télévision moderne en présente au moins 625. En 1930, la BBC (British Broadcasting Corporation) utilise le système de Baird pour la première émission de télévision du monde.

Inventions principales : première télévision en 1926 ; première émission de télévision en 1930.

Guglielmo Marconi

1874 – 1937

Issu d'une riche famille italienne, Guglielmo Marconi est fasciné par l'électricité dès son plus jeune âge. Il construit un laboratoire dans la propriété de son père près de Bologne, en Italie, et y commence ses expériences.

En 1895, il réussit à transmettre un signal électrique sans fil sur une distance de 2,5 km, première expérience du genre. En 1899, Marconi établit une liaison sans fil entre la France et l'Angleterre.

► Guglielmo Marconi devant son premier émetteur radio.

En 1901, il envoie un signal en morse au-dessus de l'océan Atlantique entre la Cornouaille et Terre-Neuve, au Canada. Cette expérience montre que les ondes radio ne sont pas affectées par la courbure de la Terre, elle est aussi le point de départ de la mise en place d'un réseau de communication global. Lauréat du prix Nobel de physique en 1909, Marconi sert comme officier dans la marine italienne pendant la Première Guerre mondiale. Dans les années 1920-1930, il poursuit des expériences sur le radar et les micro-ondes, démontrant qu'elles peuvent parcourir de grandes distances.

Inventions principales : premier signal radio à travers la Manche en 1898 ; premier signal radio à travers l'Atlantique en 1901.

Vladimir Zworykin

1889 – 1982

Le Russe Vladimir Zworykin débute sa « carrière » d'ingénieur électricien à 9 ans, en réparant l'équipement des péniches de son père. En 1919, il émigre aux États-Unis où il invente l'iconoscope, le tube capteur d'images dont sont équipées toutes les caméras de TV et le kinescope, première version d'un tube de télévision récepteur d'images.

Inventions principales : caméra de télévision électronique en 1923 ; tube récepteur d'images de télévision en 1924.

Walter Brattain

1902 – 1987

À sa naissance, les parents de l'Américain Walter Brattain enseignent les mathématiques et les sciences en Chine. Brattain entre aux Laboratoires Bell en 1929 et, hormis une brève période pendant la Seconde Guerre mondiale, il consacre sa vie à mettre au point de nouvelles méthodes de détection des sous-marins. En 1947, avec Bardeen et Schockley (à droite), il invente le transistor, un composant plus sûr, plus rapide et beaucoup plus petit que les tubes à vide, diodes et triodes utilisés jusqu'alors dans les appareils électroniques.

Invention principale : le transistor en 1947.

► Soldat utilisant une version mobile moderne du radar de Watson-Watt.

Robert Watson-Watt

1892 – 1973

Descendant direct de James Watt (p. 90), l'Écossais Robert Watson-Watt travaille comme météorologue pendant la Première Guerre mondiale, utilisant les ondes radio pour localiser les orages et avertir les pilotes. Dans les années 1930, il développe son propre système pour créer un appareil de radiodétection à distance, un radar capable de fournir aux forces alliées des informations préventives sur les attaques aériennes des Allemands.

Invention principale : le radar en 1935.

Clive Sinclair

né en 1940

L'inventeur anglais Clive Sinclair quitte l'école à l'âge de 17 ans pour devenir éditeur dans une revue d'électronique. En 1958, il crée une société spécialisée dans la production d'appareils électroniques bon marché de petites dimensions, constitués de composants à bas prix et vendus par correspondance. Parmi ses succès figurent des calculettes de poche, des télévisions miniatures et des ordinateurs personnels.

Invention principale : calculettes de poche en 1972 ; ordinateurs personnels (1979 – 1988) ; un tricycle électrique en 1985.

WILLIAM SHOCKLEY 1910 – 1989
William Shockley est né en Angleterre de parents américains travaillant dans l'industrie minière. De retour aux États-Unis en 1913, Shockley fait ses études au Massachusetts Institute of Technology (MIT) avant d'entrer aux Laboratoires Bell en 1936. Il dirige l'équipe qui découvre le transistor en 1947 ; Shockley comprend très vite l'énorme impact qu'aura cette découverte et crée sa propre entreprise de fabrication de transistors à la fin des années 1950.

JAY FORRESTER né en 1918
Originaire du Nebraska, Jay Forrester est encore au collège quand il construit un générateur électrique mû par le vent pour le ranch de ses parents. Pendant la Seconde Guerre mondiale, il fait partie de l'équipe qui développe les simulateurs de vol pour entraîner les pilotes. Ses travaux le mènent au projet Whirlwind qui, dans les années 1940 et 1950, permet de construire le plus grand calculateur digital de l'époque. Tandis qu'il travaille à cette réalisation, il invente un précurseur des RAM, les mémoires vives que l'on trouve aujourd'hui gravées sur de petites puces électroniques dans tous les ordinateurs.

JOHN ALEXANDER HOPPS 1919 – 1998
Ingénieur électricien du Centre national de recherches du Canada détaché à l'Université de Toronto, Hopps annonce en 1950 la découverte du stimulateur cardiaque, destiné à régulariser le rythme cardiaque. Ce n'est qu'en 1958 que l'appareil est suffisamment petit et perfectionné pour être implanté dans un corps humain. Le pionnier en bio-ingénierie reçoit en 1986 la distinction d'Officier de l'Ordre du Canada.

DOUGLAS ENGLEBART né en 1925
Ingénieur électricien, Douglas Englebart entre à l'Institut de recherche de l'université de Stanford dans les années 1950. Il travaille à rendre l'utilisation des ordinateurs plus efficace et plus facile. Dans les années 1960, il invente un système commandé par un pointeur qui utilise des dessins, des icônes et des fenêtres de tailles différentes sur l'écran. C'est le premier ordinateur à souris.

Les machines

Thomas Newcomen

1663 – 1729

L'Anglais Thomas Newcomen est métallurgiste dans le sud-ouest de l'Angleterre. En exerçant son métier, il est frappé par le coût et le temps perdu à pomper l'eau qui envahit les mines. Pendant 10 ans, il tente de résoudre ce problème avec des pompes entraînées par des machines à vapeur avant d'aboutir à un résultat satisfaisant. Les machines de Newcomen sont d'abord exportées en Europe avant de gagner, en 1755, les États-Unis où elles sont utilisées dans les mines et pour remplir des réservoirs desservant des turbines hydrauliques.

Invention principale: développe la première pompe entraînée par une machine à vapeur.

Joseph Marie Jacquard

1752 – 1834

Fils d'un tisserand français, Jacquard hérite un métier à main au décès de son père. Alors qu'il tente d'améliorer cette machine, ses efforts sont interrompus par la Révolution en 1790. Onze ans plus tard, Jacquard présente son métier à tisser automatique à Paris. Il utilise des cartes percées de trous pour commander les mouvements du métier et tisser ainsi des motifs différents. La machine de Jacquard attire l'attention des autorités et, en 1806, son métier est déclaré d'intérêt public, signifiant que Jacquard percevra désormais une rémunération pour chaque machine fabriquée. En 1812, plus de 10 000 machines sont en usage.

Invention principale: le métier à tisser automatique en 1801.

Samuel Crompton

1753 – 1827

Fils d'un fermier anglais du Lancashire, Samuel Crompton combine les machines à filer de James Hargreaves (p. 91) et de Richard Arkwright (p. 91) pour créer la *mule-jenny*, ou métier à renvider, en 1779. Cette machine, qui travaille à grande vitesse des fils de coton de meilleure qualité, connaît un énorme succès. Mais Crompton, trop pauvre pour déposer son brevet, le vend pour une somme modique. En 1812, alors que son invention est utilisée par toute l'industrie du textile britannique, le Premier ministre Robert Peel (1788 – 1850) demande au gouvernement d'accorder un prix de 5 000 £ (environ 8 000 €) à Crompton en récompense de son invention.

Invention principale: le renvideur en 1779.

James Watt

1736 – 1819

Fils d'un charpentier écossais, Watt est un enfant brillant mais fragile, souvent malade. Dès son adolescence, il exerce son habileté à réaliser des instruments scientifiques puis trouve un travail à l'université de Glasgow.

En 1763, on lui demande de réparer une pompe à vapeur de Newcomen (ci-dessus). Watt la répare et, en deux ans, il fait faire de grands progrès aux machines à vapeur, diminuant les coûts d'exploitation de 75 %. Entre 1766 et 1774, Watt travaille comme géomètre et ingénieur civil avant de s'associer à Matthew Boulton (p. 91). Watt continue à améliorer sa machine à vapeur et invente un modèle encore plus efficace, la machine à double effet, en 1782. Il invente aussi le régulateur à boule qui contrôle automatiquement la vitesse de rotation de l'axe de la machine à vapeur, présentant ainsi le premier automate industriel.

Inventions principales: le condenseur pour machine à vapeur en 1765; la machine à double effet en 1782; le régulateur à boule en 1788.

▼ L'ingénieur écossais James Watt avec sa première femme, Margaret, et son fils James.

Eli Whitney

1765 – 1825

En 1793, l'inventeur Eli Whitney invente une machine pour égrener le coton, capable d'en produire 23 kg par jour. En 1798, le gouvernement des États-Unis lui demande de fabriquer des mousquets, et Whitney crée un système standardisé de pièces pour les fusils, la première production de masse.

Inventions principales: égreneuse à coton en 1793; production de masse en 1801.

Joseph Henry

1797 – 1878

Apprenti horloger américain, Joseph Henry réalise des expériences d'électromagnétisme dès son plus jeune âge. En 1829, il construit des électroaimants susceptibles de soulever des charges de 1000 kg. Au même moment, il met au point le premier moteur électrique industriel et aide Samuel Morse (p. 86) à développer son système de télégraphe. Henry utilise celui-ci pour diffuser des informations météorologiques à travers une grande partie des États-Unis.

Invention principale: premier moteur électrique industriel en 1829.

▲ Cette moissonneuse révolutionnaire réduit le nombre d'heures de travail manuel.

Cyrus McCormick

1809 – 1884

Le père de McCormick (1771 – 1831), agriculteur, avait essayé sans succès de construire une moissonneuse mécanique pour faire ses récoltes. Cyrus reprend le travail de son père et, à la fin de 1831, réussit la mise au point de la machine; il en vend un grand nombre, notamment après s'être installé à Chicago en 1847 dans le but de proposer son invention aux fermiers des Grandes Plaines.

Invention principale: moissonneuse en 1831.

Joseph-Armand Bombardier

1907 – 1964

Mécanicien déterminé à faciliter le transport sur la neige, le Québécois Joseph-Armand Bombardier met au point en 1937 le véhicule à chenilles à sept passagers, utilisé pour le transport scolaire, le service postal et de taxi. Son évolution en motoneige «Ski-Doo», en 1959, donne naissance à un nouveau sport et génère, au Canada et aux États-Unis, des ventes de 10 millions de dollars en 1964.

Invention principale: la motoneige en 1959.

JAMES HARGREAVES
v. 1720 – 1778

Né dans le Lancashire, l'Anglais James Hargreaves n'a jamais appris à lire ni à écrire, mais il s'intéressera à la mécanique tout au long de sa vie. À la fin des années 1750, il invente un appareil appelé *spinning-jenny* pour accélérer la production des fils de coton. Le succès qu'il remporte avec sa machine provoque crainte et jalousie chez certains habitants du Lancashire et, en 1768, un groupe de voisins détruit 20 machines dans sa grange. Hargreaves s'installe alors à Nottingham et reprend son activité. Mais d'autres ayant déjà développé et amélioré son appareil, il meurt dans la pauvreté, recueilli par un hospice.

MATTHEW BOULTON
1728 – 1809

Fils d'un métallurgiste anglais, Matthew Boulton achète un morceau de terrain stérile près de Birmingham, en Angleterre, et y installe en 1762 une usine destinée à produire de petits objets métalliques, comme les boucles et les boutons. Intéressé par l'usage de la machine à vapeur pour faire tourner ses machines, Boulton se rapproche de James Watt (p. 90). Le sens des affaires de Boulton allié à l'ingéniosité de Watt donne naissance à une grande et très rentable entreprise spécialisée dans le domaine des machines à vapeur, les engins de Watt étant construits dans l'usine de Boulton. En 1786, Boulton installe des machines à vapeur pour entraîner les machines qui frappent la monnaie du gouvernement britannique et de la Compagnie des Indes orientales.

RICHARD ARKWRIGHT
1732 – 1792

Richard Arkwright, benjamin de 13 enfants d'une famille pauvre du Lancashire, apprend à lire et à écrire grâce aux leçons de son cousin. Devenu apprenti barbier, il crée bientôt une entreprise destinée à fabriquer des perruques avant d'inventer la machine à filer en continu entraînée par l'énergie hydraulique appelée *water frame*. Très ambitieux, Arkwright construit des usines pour produire du coton en utilisant ses machines. Deux tiers de ses ouvriers sont des enfants dont certains n'ont que six ans.

Elisha Otis

1811 – 1861

En 1854, Elisha Otis, debout sur un monte-charge à ciel ouvert en plein cœur de New York devant une foule réunie à ses pieds, demande que l'on coupe les câbles qui retiennent sa plate-forme. L'ascenseur descend de quelques centimètres avant de s'immobiliser sous l'action de l'invention d'Otis, un frein de sûreté automatique. L'association d'un homme de spectacle et de son invention propulse ainsi l'industrie des ascenseurs et permet de construire de hauts bâtiments. Otis, plus jeune des six enfants d'un fermier américain, connaît bien les usines de fabrication des monte-charges puisqu'il y a travaillé comme mécanicien. Sa société construit des milliers d'ascenseurs et ses fils continueront à la développer après sa mort.

Invention principale : frein de sécurité pour les ascenseurs en 1853.

Otis et son système de sécurité pour les ascenseurs en 1854.

Nikolaus Otto

1832 – 1891

L'ingénieur allemand Nikolaus Otto quitte l'école à l'âge de 16 ans pour travailler dans une épicerie avant de devenir représentant de commerce. Au cours de ses voyages, il s'intéresse aux moteurs fonctionnant au gaz mis au point par Jean Lenoir (p. 93). Otto pense les faire fonctionner avec un carburant liquide et, à partir de 1861, il commence à travailler à la réalisation d'un moteur à essence. Il crée une société, la N. A. Otto & Cie, avec l'industriel allemand Eugen Langen (1833 – 1895) qui est la première à fabriquer des moteurs à combustion interne. En 1876, Otto apporte une amélioration considérable à ses moteurs en imaginant de les faire fonctionner à quatre temps au lieu de deux comme c'était l'usage jusqu'alors. Il en vend plus de 30 000 en 10 ans. Cependant, le brevet déposé pour son moteur est annulé en 1886 lorsque l'on apprend qu'Alphonse Beau de Rochas (1815 – 1893) en avait décrit le principe et déposé le brevet en 1862.

Invention principale : premier moteur fonctionnant à l'essence en 1876.

Gottlieb Daimler

1834 – 1900

L'Allemand Gottlieb Daimler débute comme armurier avant de travailler en tant qu'ingénieur en Grande-Bretagne, en France et en Belgique. Au cours des années 1870, il assiste Nikolaus Otto (à gauche) en l'aidant à améliorer son moteur à combustion interne. Daimler est un perfectionniste de caractère difficile. Il quitte Otto après une querelle et fonde sa propre entreprise en 1882 avec Willhelm Maybach (1846 – 1929). Ensemble, ils mettent au point des moteurs légers et rapides adaptés aux engins de transport et, en 1885, créent la première motocyclette. Quatre ans plus tard, Daimler produit un véhicule motorisé à quatre roues et ses voitures deviennent bientôt célèbres pour leur fiabilité. En 1894, sur les 102 automobiles prenant le départ de la course Paris – Rouen, 15 seulement passent la ligne d'arrivée, toutes les 15 équipées d'un moteur Daimler.

Inventions principales : bougie en 1883 ; moteur à combustion interne à haute vitesse en 1885 ; premier véhicule motorisé à quatre roues en 1889.

Rudolf Diesel

1858 – 1913

L'inventeur du moteur utilisé dans les sous-marins, les bateaux, les trains, les centrales électriques, les camions et les automobiles, naît à Paris de parents allemands. Dans sa jeunesse, Diesel consacre son temps à dessiner et à étudier les machines exposées au musée des Arts et Métiers à Paris. Poursuivant des études à l'école Polytechnique de Munich, en Allemagne, il devient ingénieur spécialisé dans le traitement du froid. Diesel passe 10 ans à travailler sur divers types de systèmes d'énergie, dont un moteur à énergie solaire, avant de publier une communication sur son nouveau moteur, appelé le diesel, en 1897. Dans ce moteur, on comprime l'air à l'intérieur d'un cylindre, ce qui élève fortement sa température, avant d'y injecter le carburant. Les premières versions industrielles du moteur Diesel sont commercialisées en 1897 et consomment moins que les moteurs à essence. En deux ans, Diesel fait fortune. Il meurt dans des circonstances mystérieuses, disparaissant pendant une traversée de la Manche effectuée de nuit sur le vapeur *Dresden*.

Invention principale : moteur Diesel en 1897.

Rudolf Diesel (à droite) travaille avec un de ses ingénieurs sur un prototype de moteur.

Robert Goddard

1882 – 1945

Seul enfant de sa famille à avoir atteint l'âge adulte, Goddard survit à une grave tuberculose avant de devenir physicien, un des pionniers de la technologie des fusées. En 1926, Goddard lance son premier engin qui atterrit 56 m plus loin dans un carré de choux. Ce minuscule voyage est cependant un événement majeur dans le domaine des fusées, ayant été le premier réalisé avec un engin propulsé par un carburant liquide. Quatre ans plus tard, Goddard lance une nouvelle fusée qui, cette fois, atteint une altitude de 700 m et une vitesse de 800 km/h. Il est également le premier à placer dans ses engins des instruments comme des baromètres ou des appareils de photo. Ses expériences le conduisent à développer plusieurs appareils encore en service dans les fusées spatiales modernes, les pompes de carburant à haute pression, les stabilisateurs et les systèmes de guidage notamment.

Invention principale : première fusée à combustible liquide en 1926.

Robert Goddard au pied de sa première fusée à carburant liquide en 1926.

Frank Whittle

1907 – 1996

Fils d'un ingénieur anglais, Frank Whittle s'engage dans la Royal Air Force pour aider à construire des avions en 1923. Après avoir suivi des études dans les universités de Cranwell et de Cambridge, il est choisi pour apprendre à piloter, et est affecté à une escadrille de chasse en 1928 avant de devenir pilote d'essai en 1931. Whittle émet l'idée d'un moteur à réaction pour les avions à la fin des années 1920, mais les autorités britanniques n'en voient pas l'intérêt. Il poursuit ses recherches et quitte l'armée en 1936. L'année suivante, Whittle essaie avec succès le premier moteur à réaction du monde et, en mai 1941, un de ses moteurs équipe le premier avion à réaction britannique, le Gloster E28/39.

Invention principale : premier moteur à réaction en 1937.

Frank Whittle explique les particularités du moteur à réaction en utilisant une maquette de son turboréacteur.

JEAN LENOIR 1822 – 1900

Né au Luxembourg de parents belges, Jean Lenoir s'installe en France à l'âge de 16 ans. Ingénieur autodidacte, il invente, en 1855, un frein électrique pour les chemins de fer. L'intérêt de Lenoir pour les technologies liées à l'énergie lui permet de réaliser le premier moteur à combustion interne utilisable, qu'il brevète en 1860. Son moteur, solide et fiable, est vendu par centaines d'exemplaires, mais il est dépassé par d'autres modèles plus efficaces. En 1883, Lenoir met au point un moteur à quatre temps, analogue à celui de Nikolaus Otto (p. 92). C'est un échec et Lenoir meurt dans la pauvreté.

CHARLES PARSONS 1854 – 1931

Dernier fils d'un comte britannique, Charles Parsons fait ses études à l'université de Cambridge avant de devenir élève ingénieur. En 1884, il invente la première turbine à vapeur. Pour faire connaître son invention, il construit une vedette de 30 m, la *Turbinia*, propulsée par son engin et qui peut atteindre 64 km/h, ce qui en fait l'embarcation la plus rapide de l'époque. Il la présente même à la reine Victoria (p. 18) en 1897. Deux ans plus tard, sera construit le premier bateau de la marine anglaise équipé du moteur de Parsons, qui sera suivi de beaucoup d'autres.

FELIX WANKEL 1902 – 1988

Né en Allemagne, Felix Wankel travaille pour un éditeur d'ouvrages scientifiques tout en passant son temps libre à bricoler des machines. Dès 1924, il conçoit l'idée d'un moteur à combustion interne différent de ceux d'alors, mais il ne réalisera son rêve que 30 ans plus tard. Emprisonné dans les années 1930 par les nazis, il doit fabriquer des soupapes pour l'industrie aéronautique militaire allemande. Son atelier est ensuite détruit par l'armée française et il est de nouveau emprisonné. En 1957, il développe le premier moteur Wankel, qui ne présente que peu de pièces en mouvement et est plus petit qu'un moteur traditionnel de même puissance. Ce moteur équipa la Ro 88 de NSU entre 1968 et 1977.

J. C. BAMFORD 1916 – 2001

J. C. Bamford, ingénieur britannique, crée sa propre entreprise d'ingénierie dans un garage loué. En 1954, il invente ses premiers véhicules de terrassement et de travaux publics frappés de ses initiales, JCB. À la mort de son fondateur, JCB est une des plus grandes sociétés privées de Grande-Bretagne, produisant 30 000 véhicules chaque année.

Sur Terre

John Dunlop

1840 – 1921

L'Écossais John Dunlop a son diplôme de vétérinaire à 19 ans. Dix ans plus tard, il vit en Irlande où il crée un dispositif destiné à rendre les bicyclettes plus confortables grâce à des tubes de caoutchouc remplis d'air et montés sur les roues. En 1888, il brevète sa bicyclette montée sur pneumatiques, et crée une société avec W. H. Du Cros (1846 – 1918) pour fabriquer des pneus pour bicyclette et, à partir de 1906, pour l'industrie automobile naissante.

Invention principale: pneus pour bicyclette en 1888 et pour voiture en 1906.

Louis Renault

1877 – 1944

Industriel français, il fonde en 1899 à Billancourt, près de Paris, une usine d'automobiles avec ses deux frères. Pendant la Première Guerre mondiale, il construit le char Renault FT pour les pays alliés. Entre 1940 et 1944, il garde ses usines en pleine activité et, suspecté de collaboration, il est incarcéré en 1944. Il meurt peu après. Sa société sera nationalisée en 1945 sous le nom de Régie nationale des usines Renault.

Invention principale: premier constructeur français d'automobiles entre 1899 et 1930.

André Citroën

1878 – 1935

Issu d'un milieu très aisé, ses parents étaient des diamantaires hollandais, André, benjamin d'une famille de cinq enfants, suit ses études à l'École polytechnique de Paris, en 1898. En Pologne, il achète le brevet des engrenages à dentures dits à chevrons. Pendant la guerre de 1914, son usine produit par jour 5000 à 10000 obus pour les troupes françaises. En 1919, converti à fabriquer des automobiles, il sort la première voiture Citroën. La société en plein essor produit aussi des autocars, des taxis, des voitures utilitaires de toute sorte. En 1934, la société Citroën est en crise et passe sous le contrôle de Michelin. André Citroën meurt un an plus tard.

Invention principale: la Traction en 1934.

George Stephenson

1781 – 1848

Après avoir travaillé comme bouvier, l'Anglais George Stephenson commence à se rendre à l'école du soir à l'âge de 18 ans, pour apprendre à lire et à écrire.

En 1812, il devient conducteur d'engin dans une mine de charbon située au nord-est de l'Angleterre où il apprend à connaître dans les moindres détails les machines à vapeur de Newcomen (p. 90) qui sont utilisées dans ce bassin houiller. Stephenson convainc ses employeurs de le laisser construire une locomotive et, en 1814, présente la *Blucher*, qui peut tirer 30 tonnes jusqu'au sommet d'une colline à 6 km/h. Au cours des six années qui suivent, il fabrique 16 locomotives à vapeur et installe 13 km de voies ferrées pour livrer des marchandises à Sunderland, en Angleterre. En 1825, il construit le premier chemin de fer commercial. En 1829, avec son fils Robert, il conçoit la fameuse *Rocket* pour la nouvelle ligne de chemin de fer entre Liverpool et Manchester.

Inventions principales: il construit la *Blucher* en 1814, le premier chemin de fer commercial en 1825, la *Rocket* en 1829.

La *Rocket* est conçue et construite en 1829 par George Stephenson et son fils Robert (1803 – 1859). Atteignant la vitesse de 47 km/h, elle ouvre la voie aux voyages ferroviaires.

Henry Ford pose dans une des premières Ford T.

Henry Ford

1863 – 1947

Né dans une famille d'émigrants irlandais, l'Américain Henry Ford montre un intérêt marqué pour les machines dès son plus jeune âge. Élevé dans la ferme de ses parents dans le Michigan, il répare les montres, construit des petits moulins à eau et bricole le matériel agricole de son père. Il s'installe à Detroit à l'âge de 16 ans pour devenir mécanicien puis ingénieur. En 1893, il est nommé ingénieur en chef de l'Edison Illuminating Company. Encouragé par le propriétaire de l'entreprise, Thomas Edison (p. 87), Ford conçoit sa première voiture, le *Quadricycle Runabout*, en 1896. En 1903, il est également le créateur des chaînes d'assemblage modernes où les véhicules en cours de montage se déplacent sur un tapis roulant, passant devant les ouvriers qui y fixent les pièces nécessaires. Ce système permet de produire les voitures plus rapidement et à un moindre coût. En 1908, Ford lance la célèbre Ford T. Disponible uniquement en noir, c'est une voiture rustique mais solide. Vendue au prix de 825 $, la Ford T est la première automobile abordable par un large public. Plus de 15 millions d'exemplaires sont produits aux États-Unis entre 1908 et 1927, faisant d'Henry Ford un multimillionnaire.

Invention principale : la Ford T en 1908.

Ferdinand Porsche

1875 – 1951

L'Allemand Ferdinand Porsche lance sa première voiture électrique, en 1900. Après avoir travaillé chez plusieurs fabricants d'avions et de voitures, il crée sa propre entreprise en 1931 et, avec son fils Ferry (1909 – 1998), il réalise la « voiture du peuple » d'Hitler, la Coccinelle Volkswagen, avec un moteur refroidi par air et placé à l'arrière du véhicule. Depuis 1934, environ 22 millions de Coccinelle ont été construites dans le monde. Ayant produit des véhicules militaires pour l'armée allemande pendant la Seconde Guerre mondiale, Ferdinand Porsche est incarcéré comme criminel de guerre, puis libéré en 1947.

▲ Des officiels nazis inspectent une *Coccinelle*.

Invention principale : la Volkswagen Coccinelle en 1934.

NICOLAS CUGNOT 1725 – 1804
L'ingénieur français Nicolas Cugnot sert dans l'armée austro-hongroise avant de regagner Paris en 1763. Il construit une machine à vapeur et, en 1769, l'utilise pour propulser le premier véhicule routier à moteur jamais construit. Le fardier de Cugnot, destiné à tirer des canons, est une lourde machine dont la vitesse ne dépasse pas 6 km/h. Sa deuxième machine, construite en 1771, est victime du premier accident de la route en percutant un mur.

GEORGE PULLMAN 1831 – 1897
Formé à l'ébénisterie, George Pullman devient le propriétaire d'un magasin à Chicago, dans l'Illinois, avant de créer la Pullman Palace Car Company en 1867. Il fabrique les premiers wagons-lits pour les lignes de voyageurs en 1865 et, en 1868, les premiers wagons-restaurants. Avec des inventions aussi populaires, sa compagnie prend rapidement de l'ampleur et, en 1880, il construit la ville de Pullman, près de la 11e Rue, pour loger ses employés. Malgré cela, c'est un patron particulièrement dur qui n'hésite pas à baisser les rémunérations et à licencier des ouvriers grévistes dans les années 1890.

HENRY ROYCE 1863 – 1933
CHARLES ROLLS 1877 – 1910
L'ingénieur anglais Henry Royce lance son entreprise en 1884 pour fabriquer des dynamos, des grues et des moteurs. En 1904, il construit trois voitures expérimentales. Leur haut niveau de qualité attire l'attention du fils d'un lord britannique, Charles Rolls, qui vend en Angleterre des voitures importées de France. La passion de Rolls pour la vitesse le mène à participer à des courses de bicyclettes, puis à devenir un pionnier des courses de voitures. L'association des deux hommes aboutit à la création, en 1906, de la marque d'automobiles la plus fameuse du monde pour le luxe de ses modèles, Rolls Royce. Charles Rolls est le premier aviateur à effectuer un aller-retour sans escale au-dessus de la Manche en 1910, quelque temps avant de se tuer dans un accident d'avion.

NILS BOHLIN né en 1920
Le Suédois Nils Bohlin, ingénieur au département aéronautique de la société SAAB, s'intéresse tout particulièrement à la conception de sièges éjectables avant de rejoindre le constructeur d'automobiles Volvo. En 1959, il invente la ceinture de sécurité à trois points, considérée comme un des accessoires de sécurité les plus importants et montée dans les voitures des constructeurs du monde entier.

Alec Issigonis

1906 – 1988

Né en Turquie, Alec Issigonis va poursuivre ses études en Angleterre en 1922. Il réussit péniblement dans quelques disciplines mais échoue trois fois en mathématiques. Il entre finalement comme ingénieur d'études chez le constructeur automobile Morris. Issigonis conçoit la Morris Minor en 1948, un modèle de voiture qui, durant plus de 23 ans, sera produit à plus de 1,5 million d'exemplaires. En 1959, est lancée la Mini, une petite voiture révolutionnaire à traction. En 2000, plus de 5 millions d'exemplaires avaient été vendus.

Inventions principales: Morris Minor en 1948; Austin Mini en 1959.

LA MINI

Mike Burrows

né en 1952

Dans les années 1980, l'Anglais Mike Burrows propose un concept entièrement nouveau pour les bicyclettes. Son modèle le plus célèbre est constitué d'un cadre d'une seule pièce réalisé en résine et en fibre de carbone à la place des tubes de métal traditionnels. Plus léger et plus aérodynamique que les bicyclettes de courses de l'époque, le modèle de Burrows est ignoré par les fabricants jusqu'à ce qu'un constructeur automobile, Lotus, s'y intéresse en 1990. En 1992, le cycliste anglais Chris Boardman gagne la médaille d'or du 4000 m aux Jeux olympiques et pulvérise le record de la poursuite de 5 km sur une Lotus *Superbyke* de Burrow.

Invention principale: Lotus *Superbyke* en 1992.

Par mer

Cornélis Drebbel

v. 1572 – 1633

Fils d'un fermier hollandais, Cornélis Drebbel se destine au métier de graveur mais préfère finalement celui d'alchimiste et d'ingénieur. Il découvre comment produire de l'oxygène à partir du salpêtre et crée une horloge qui fonctionne avec les variations de la pression atmosphérique. Drebbel construit le premier sous-marin susceptible d'embarquer des passagers dans les années 1620. Il est constitué d'un canot à avirons, enfermé dans une housse de cuir et muni de tubes pour aller chercher l'air à la surface. Il fait, dans cet engin, plusieurs plongées expérimentales dans la Tamise à Londres.

Invention principale: premier sous-marin habitable vers 1620.

John Hadley

1682 – 1744

Le mathématicien et inventeur anglais John Hadley est élu en 1716 membre de la Royal Society de Grande-Bretagne, une académie nationale des sciences indépendante. En 1731, il invente un appareil appelé l'octant qui permet de mesurer avec précision la hauteur du Soleil ou d'une étoile au-dessus de l'horizon, et aide ainsi les navigateurs à déterminer leur position en mer. L'octant d'Hadley est l'ancêtre du sextant qui est encore utilisé de nos jours. À partir de 1721, Hadley s'intéresse aussi à l'optique, construisant le plus puissant télescope réflecteur de son temps. En hommage à ses travaux dans le domaine de l'astronomie, une grande vallée lunaire porte son nom.

Invention principale: l'octant, utilisé pour connaître sa position en mer, en 1731.

William Symington

1763 – 1831

L'Écossais William Symington est destiné à devenir ministre mais il abandonne sa vocation pour devenir mécanicien dans une mine de plomb. En 1784, il a l'idée d'utiliser l'énergie de la vapeur pour tirer les chariots dans les mines, et il construit un modèle grandeur nature. De 1787 à 1789, il fabrique de petits bateaux mus par la vapeur, mais ce n'est qu'en 1801, après avoir développé un moteur et un système d'aubes plus efficaces, que ses inventions sont utilisées. Symington équipe de son engin le remorqueur de canal *Charlotte Dundas*, du nom de la fille du financier du projet, lord Dundas (1741 – 1820). Ce remorqueur peut tirer des barges de 70 tonnes.

Invention principale: premier bateau à vapeur en 1802.

Robert Fulton

1765 – 1815

L'ingénieur américain Robert Fulton commence à gagner sa vie à Philadelphie en réalisant des dessins techniques de machines ainsi qu'en peignant des paysages. Fulton vient en Angleterre en 1786 puis s'installe en France en 1797, gagnant toujours sa vie comme artiste, mais toujours aussi intéressé par les machines. Il travaille à la construction de canaux, conçoit une machine à découper le marbre, un métier à tisser le lin et une saupoudreuse mécanique. Devenu célèbre, il retourne aux États-Unis en 1806. L'année suivante, il lance son premier bateau à vapeur, le *Clermont*. Son voyage inaugural de New York à Albany dure trois fois moins de temps qu'avec un bateau à voile pour un même trajet. En 1812, Fulton dessine le premier navire de guerre à vapeur, le *Demologos*, porteur de 44 canons et long d'environ 100 m.

Inventions principales : premier vapeur commercial en 1807 ; il conçoit le premier navire de guerre à vapeur en 1812.

John Holland

1840 – 1914

John Holland, maître d'école en Irlande, s'intéresse aux sous-marins en lisant des documents sur la guerre de Sécession. Holland rejoint ses parents et son plus jeune frère aux États-Unis en 1874 et, trois ans plus tard, commence à construire son premier sous-marin d'essai dans une usine sidérurgique de New York. Il quitte l'enseignement et devient dessinateur industriel, construisant quatre autres sous-marins expérimentaux avant le *Holland VI*, lancé en 1897. Ce sous-marin en forme de cigare, de 16 m de long, peut embarquer un équipage de sept hommes et est armé de canons et de torpilles. Après plus de deux ans d'essais en mer, le sous-marin est acheté par la marine américaine qui le nomme *USS Holland* et le garde en service pendant 10 ans. Son inventeur, qui s'était marié en 1887 et avait eu sept enfants, meurt d'une pneumonie en 1914, sans connaître les premières attaques sous-marines de la Première Guerre mondiale.

Invention principale : premier sous-marin moderne en 1897.

John Holland présentant son sous-marin, le *Holland VI*. Tous les sous-marins actuels traditionnels sont fondés sur sa conception.

Le bateau de Fulton, le *Clermont*, lors du voyage pendant lequel il pulvérise le temps nécessaire pour gagner Albany à partir de New York en remontant l'Hudson.

Par air

Les frères Montgolfier

Joseph 1740 - 1810
Jacques 1745 - 1799

En 1783, devant le roi de France Louis XVI, un mouton, un canard et un coq sont les premiers passagers d'un ballon à air chaud. L'appareil a été construit par deux des frères Montgolfier, issus d'une famille de 16 enfants. Le premier vol piloté de leur ballon a lieu à Paris, en 1783, sur une distance de 9 km, conduit par François Pilâtre de Rozier (1754 – 1785) et François Laurent, marquis d'Arlandes (1842 – 1809).

Invention principale: premier ballon à air chaud avec des passagers en 1783.

Le premier vol à vide du ballon des frères Montgolfier le 4 juin 1783.

Ferdinand von Zeppelin

1838 - 1917

L'Allemand Zeppelin servit pendant 33 ans dans l'armée prussienne, où il s'intéresse aux aéronefs. Après l'armée, il construit en 1900 son premier appareil volant qui consiste en une structure rigide en acier contenant de grands ballons d'hydrogène sous laquelle est suspendue une nacelle pour les passagers. Les ballons dirigeables de Zeppelin sont un succès immédiat, servant au transport des passagers en temps de paix et au bombardement en temps de guerre. Le service de passagers sera interrompu le 6 mai 1937, après l'accident du *Hiddenburg* aux États-Unis, qui fait 36 victimes. Goering demandera la destruction des Zeppelins en avril 1940.

Inventions principales: premier ballon dirigeable en 1900; première ligne aérienne commerciale en 1910.

Otto Lilienthal

1849 – 1896

L'Allemand Otto Lilienthal et son frère, Gustav (1849 – 1900), font, dès leur plus jeune âge, des expériences avec des ailes constituées de plumes d'oiseau cousues ensemble. Plus tard, ils dessinent et construisent des planeurs avec lesquels Otto effectuera 2000 vols. En 1899, ils publient un livre sur l'aérodynamique qui influencera fortement les frères Wright (p. 99) et d'autres pionniers de l'aviation. Otto meurt près de Berlin à la suite de l'accident de son planeur.

Inventions principales: planeur avec les ailes incurvées en 1877; premier vol de planeur piloté en 1891.

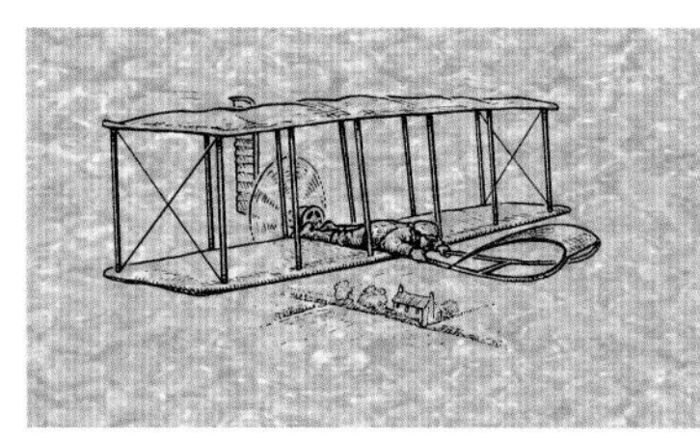

GEORGE CAYLEY 1773 – 1857
Né en Angleterre, George Cayley consacre sa vie à étudier le vol. Il est le premier à identifier les forces de portance et de traînée, et il construit des modèles pour vérifier ses hypothèses. En 1849, le fils d'un de ses domestiques, âgé de 10 ans, vole sur son premier planeur. Son cocher devient le premier adulte pilote de planeur en 1853.

JOHN STRINGFELLOW 1799 – 1883
L'inventeur anglais, John Stringfellow est d'abord dentellier avant de se tourner vers l'utilisation de la vapeur. Avec William Henson (1805 – 1888), il entreprend la construction d'un avion à vapeur. En 1848, un appareil dû à Stringfellow, de 3 m d'envergure et propulsé par un petit moteur à vapeur, effectue un vol d'environ 10 m, le premier vol jamais effectué par une machine plus lourde que l'air.

◀ Le dirigeable *Hiddenburg* est lancé en 1936. Long de 245 m, il effectue 10 traversées de l'Atlantique. Il prend feu le 6 mai 1937 alors qu'il se posait à Lakehurst, aux États-Unis, faisant 36 victimes. Soixante-deux passagers sont miraculeusement indemnes.

Louis Blériot

1872 – 1936

S'étant enrichi grâce aux phares pour automobiles, le Français Louis Blériot effectue son premier vol en 1907, et dessine plusieurs planeurs et avions à moteur. Le 25 juillet 1909, il traverse la Manche en 40 minutes sur un de ses appareils, un Modèle XI baptisé l'*Antoinette*. Il remporte ainsi le prix de 1 000 £ offert au premier qui accomplira cet exploit. Les commandes affluent, et Blériot construit 10 000 avions de chasse pendant la Première Guerre mondiale.

Invention principale : première traversée de la Manche en 1909.

Blériot traversant la Manche en 1909.

Les frères Wright

Wilbur Wright 1867 – 1912
Orville Wright 1871 – 1948

Le 17 décembre 1903, à Kitty Hawk, en Caroline du Nord, un voyage d'une grande portée est réalisé. Le court trajet de 40 m ne dure que 12 secondes, mais c'est le premier vol motorisé et piloté d'un appareil plus lourd que l'air.

Le pilote est Orville Wright, le plus jeune des deux frères, qui possèdent un magazine et ont ouvert une salle de vente et un atelier de réparation pour bicyclette en 1892. Orville et Wilbur Wright sont fascinés par les possibilités du vol motorisé et font des expériences dans ce domaine depuis les années 1890. En 1901, ils construisent leur première soufflerie pour tester le dessin des ailes et des planeurs, et ils accomplissent 1 000 vols de planeur piloté avant de réaliser leur premier avion à moteur. Entre 1908 et 1909, les frères Wright font le tour de l'Europe avec leur avion, inspirant d'autres constructeurs pour fabriquer des appareils plus pratiques.

Invention principale : premier vol motorisé en 1903.

▼ Le *Flyer* des frères Wright décolle pour la première fois en 1903 sous le regard de Wilbur, Orville étant aux commandes.

HENRI GIFFARD 1825 – 1882

En 1852, le Français Henri Giffard construit le premier ballon motorisé du monde. L'appareil, long de 43 m et rempli d'hydrogène, vole sur une distance de 27 km à la vitesse de 8 km/h, propulsé par un moteur à vapeur. Giffard construit des ballons géants, retenus par un câble. Près de 35 000 personnes reçoivent leur baptême de l'air à Paris en 1878.

GLEN CURTISS 1878 – 1930

Passionné de motocyclette, Glen Curtis bat le record mondial de vitesse en 1905, avant de se tourner vers l'aviation. Il construit son propre appareil et, en 1908, effectue le premier vol de 1 km aux États-Unis. En 1911, il conçoit le premier hydravion sans roues, uniquement muni de flotteurs. En 1912, il invente les bateaux volants.

WILLIAM BOEING 1881 – 1956

L'Américain William Boeing écrase son avion lors de son premier vol. N'arrivant pas à se procurer des pièces dans un délai raisonnable, il décide de construire son propre appareil. En 1917, la Boeing Airplane Company reçoit ses premières commandes militaires. Il construit le premier avion pressurisé, le *Stratoliner* (1938) et le plus grand avion de ligne, le 747 (1970).

Andrei Tupolev

1888 – 1972

Concepteur d'avions, Andrei Tupolev dessine la première soufflerie pour avions dans sa Russie natale et est le premier à construire des appareils entièrement métalliques. En 1937, il est arrêté, incarcéré et forcé de travailler pour l'aviation militaire jusqu'à sa libération, en 1943. Dans les années 1950, il construit le TU104, premier avion de ligne russe à réaction. On lui doit environ 90 types d'appareils et son fils Alexei (1926 – 2001) conçoit le premier avion de ligne supersonique à voler.

Invention principale : il construit le premier avion de ligne russe à réaction qui entre en service en 1955.

Igor Sikorsky

1889 – 1972

En 1910, la première tentative de l'ingénieur russe Igor Sikorsky pour faire voler un hélicoptère échoue. Il se tourne alors vers des appareils à ailes fixes, parmi lesquels le Grand (ou le *Bolche*), premier quadrimoteur du monde (1913). Fuyant la Russie, Sikorsky émigre aux États-Unis en 1919. Il travaille d'abord dans un cabinet d'études mais revient aux hélicoptères. En 1941, son modèle VS300 vole pendant plus d'1 heure. Sikorsky devient un des fournisseurs de l'armée américaine.

Inventions principales : il construit le premier quadrimoteur en 1913 et le premier hélicoptère moderne (1939 – 1941).

Igor Sikorsky volant sur un de ses premiers hélicoptères.

Christopher Cockerell

1910 – 1999

L'Anglais Christopher Cockerell dirige une affaire de location de bateaux dans l'est de l'Angleterre quand il conçoit et développe le premier véhicule sur coussin d'air, l'hovercraft, dans les années 1950. La première traversée commerciale de la Manche par un hovercraft a lieu en 1959. Cockerell, qui a travaillé comme ingénieur radio dans les années 1930 et 1940, meurt à la date du 40e anniversaire de son SNR1, le premier hovercraft à transporter des passagers.

Invention principale : l'hovercraft en 1955.

Thomas Sopwith

1888 – 1989

Concepteur d'avions, l'Anglais Thomas Sopwith apprend à piloter à l'âge de 22 ans et gagne un prix important pour le plus long vol effectué entre la Grande-Bretagne et l'Europe continentale. Son entreprise, fondée en 1912, produit environ 18 000 avions pendant la Première Guerre mondiale, dont le Sopwith Camel et le Sopwith Pup, premier avion à décoller d'un porte-avions. Sopwith, plaisancier reconnu, participe à la Coupe de l'America.

Invention principale : Sopwith Camel en 1917.

◄ Le Sopwith Camel, avion de chasse de la Première Guerre mondiale.

► L'hovercraft est inventé par Christopher Cockerell en 1959. Il découvre que la présence d'un coussin d'air sous le bateau soulève ce dernier au-dessus des vagues, augmentant ainsi fortement sa vitesse.

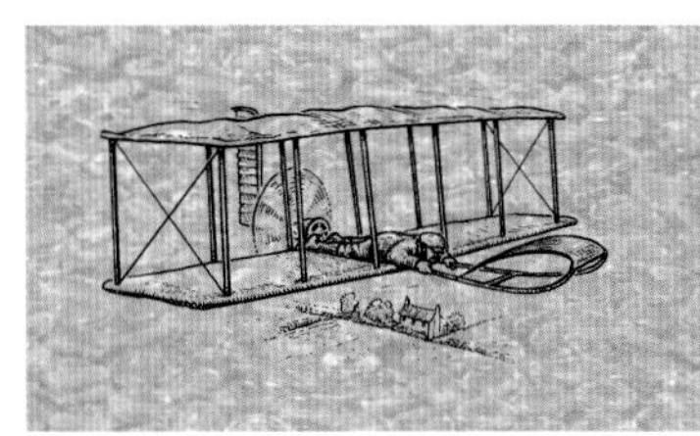

JUAN DE LA CIERVA 1895 – 1936
Entre 1912 et 1919, l'Espagnol Juan de la Cierva dessine des planeurs et des avions à moteur. En 1923, il invente l'autogire, un compromis entre l'avion et l'hélicoptère. Il devient populaire pendant les années 1920 et au début des années 1930. Il ouvre une usine en Angleterre et vend des licences pour son autogire en France, en Allemagne et aux États-Unis.

ELIZABETH MURIEL GREGORY MacGILL (ELSIE) 1905 – 1980
Première conceptrice d'aéronefs au monde, Elsie MacGill conçoit et teste à la Canadian Car and Foundry Company, en 1938, l'appareil d'entraînement des pilotes *Maple Leaf II Trainer*. Elle dirige également les travaux d'ingénierie sur les avions de combat *Hawker Hurricane*.

LES INVENTEURS

Johannes Gutenberg

1400 – 1468

On pense que Gutenberg est né à Mayence, en Allemagne. Il travaille d'abord comme orfèvre avant de s'installer à Strasbourg, en France, où il fait ses premières expériences d'imprimerie. En 1450, il revient à Mayence où il s'associe à un prêteur sur gage et construit la première presse à imprimer. Gutenberg révolutionne le monde de l'imprimerie en introduisant l'usage de caractères mobiles, gravés sur de petits blocs de métal que l'on peut réutiliser à sa guise pour imprimer des textes différents. Son invention permet de produire les livres rapidement et à moindre coût, augmentant ainsi leur diffusion.

Inventions principales: la presse à imprimer vers 1440; les caractères métalliques mobiles vers 1450.

▲ Apparue dans les années 1440, la presse à imprimer de Gutenberg aux caractères mobiles permet la diffusion des livres à travers toute l'Europe.

Hans Lippershey

v. 1570 – v. 1619

Né à Wesel en Allemagne, Hans Lippershey s'établit aux Pays-Bas, où il taille des verres de lunette. On lui attribue traditionnellement l'invention du télescope à réfraction, qu'il aurait découvert en plaçant deux lentilles aux extrémités d'un tube de métal. D'autres, cependant, ont également pu obtenir ce résultat à la même époque, mais Lippershey est le premier à décrire l'appareil et à lui donner un nom, le *kijker*, ou lunette, en 1608. Il offre son invention au gouvernement hollandais alors en guerre, et est récompensé par une rémunération. Mais le télescope, facile à fabriquer, est rapidement produit en France et en Italie.

Invention principale: premier à décrire un télescope en 1608.

Christiaan Huygens

1629 – 1695

Né aux Pays-Bas, Huygens, fils d'un diplomate, a fait progresser la géométrie, la mécanique et l'astronomie. Huygens invente une nouvelle méthode pour polir les lentilles des télescopes et c'est à l'aide d'un de ces instruments qu'il découvre un satellite de Saturne en 1655. L'année suivante, il invente l'horloge à balancier qui présente, à l'époque, la méthode la plus précise pour mesurer le temps. Bien que les montres aient été inventées au début du XIVe siècle, elles sont encore fragiles et trop grosses mais, en 1687, Huygens met au point une montre plus précise qu'il présente au roi de France Louis XIV (p. 16).

Invention principale: l'horloge à balancier en 1656.

John Harrison

1693 – 1776

Né en Angleterre, dans le Lincolnshire, John Harrison reçoit une éducation rudimentaire et devient charpentier comme son père. En 1713, il fabrique sa première horloge avec uniquement des pièces en bois. Harrison est bientôt reconnu pour la solidité et la précision de ses montres. En 1763, il crée le premier chronomètre suffisamment précis pour permettre aux bateaux de calculer leur longitude. Pour cette invention, il reçoit 20 000 £ du gouvernement britannique.

Invention principale: premier chronomètre de marine précis en 1763.

JOHN HARINGTON 1561 – 1612
Harrington, lord anglais, est le filleul de la reine Elisabeth Ire (p. 15). Il est considéré comme un poète accompli. Dans les années 1590, il invente les premières chasses d'eau pour les toilettes avec un dispositif qui libère l'eau dans la cuvette lorsqu'on le tire. On pense qu'il en a installé une à Richmond Palace, un palais d'Elisabeth.

ENVANGELISTA TORRICELLI 1608 – 1647
L'Italien Évangelista Torricelli fait ses études à Rome et, en 1641, il est nommé secrétaire de l'astronome Galilée (p. 64). À partir de 1642, il occupe le poste de mathématicien à la cour du grand-duc de Toscane. Torricelli est célèbre pour avoir inventé en 1644 le premier baromètre connu.

Charles Babbage

1791 – 1871

Charles Babbage, fils d'un banquier anglais, est fasciné par les nombres, les statistiques et les machines. Il invente la lumière clignotante pour les phares, le dynamomètre et les premiers timbres-poste adhésifs, mais il est surtout connu pour ses travaux sur le calcul mécanique.

Dans les années 1820, Babbage, subventionné par le gouvernement anglais, construit une machine, la *Difference Engine*, qui peut calculer au-delà de la vingtième décimale. Bien que ses principes soient précis, comme on l'a démontré en 1991, il ne put jamais achever son projet par manque de pièces. Babbage poursuit ses travaux, en 1830, sur une machine encore plus ambitieuse, l'*Analytical Engine*, commandée par des cartes perforées, laquelle ne verra jamais le jour faute d'argent. Il s'intéresse aussi à la fabrication en série et développe une méthode de recherche opérationnelle qu'il applique à la fabrication des épingles. Babbage, qui a anticipé de plus d'un siècle les calculateurs mécaniques modernes, ne sera pas reconnu à son époque.

Inventions principales: ***Difference Engine*** **en 1820; l'*Analytical Engine* en 1834.**

Charles Babbage devant le prototype de la *Difference Engine n° 1*.

William Talbot

1800 – 1877

En 1833, le mathématicien anglais William Talbot et sa femme Constance viennent passer leur lune de miel au bord du lac de Côme, en Italie. Talbot essaie sans succès de dessiner le paysage, et il rêve à une machine utilisant du papier sensible à la lumière pour fixer des images. En 1841, il invente un procédé, le calotype, qui donne une image négative à l'aide d'une chambre photographique. On pouvait ensuite utiliser ce «négatif» pour reproduire un nombre illimité de photographies positives.

Inventions principales: principe de la photographie moderne en 1841; photographie au flash en 1851.

Samuel Colt

1814 – 1862

Les armes à feu ont joué un rôle majeur dans l'histoire des États-Unis au XIXe siècle. Un homme cependant surpassera tous les autres en révolutionnant le type d'armes utilisé. Natif du Connecticut, Samuel Colt ouvre une usine en 1836 pour produire la première arme de poing susceptible de tirer plusieurs coups successifs sans être rechargée. Quand l'armée américaine commande ses revolvers, son entreprise prend un tel essor que Colt devient l'un des hommes les plus riches des États-Unis.

Invention principale: premier revolver en 1835.

NICOLAS APPERT 1749 – 1841

L'ingénieur français Nicolas Appert travaille comme pâtissier, chef puis boulanger. En 1795, le gouvernement français offre un prix à celui qui proposera une méthode pour conserver les vivres. Après 10 ans d'expérimentation, Appert gagne les 12000 F. Sa méthode consiste à placer les aliments dans des bocaux scellés passés ensuite l'eau bouillante pour être stérilisés.

JOSEPHINE COCHRANE 1839 – 1913

Femme d'un politicien américain, Josephine Cochrane est tellement exaspérée par ses domestiques qui cassent sans arrêt ses services de table du XVIIe siècle qu'elle finit par inventer la machine à laver la vaisselle. Développés en 1886 et en 1893, les lave-vaisselle de Cochrane intéressèrent les cantines et les restaurants mais ne se généraliseront qu'après 1950.

ÉMILE BERLINER 1851 – 1929

L'Allemand Émile Berliner émigre aux États-Unis en 1870. Huit ans plus tard, il gagne 50000 $ pour l'invention du microphone utilisé dans les premiers téléphones. Berliner développe un centre de recherche et, en 1888, dépose un brevet pour son gramophone qui enregistre et reproduit des sons. À la place des cylindres, il utilise des disques plats, ancêtres des disques modernes.

Elias Howe

1819 – 1867

Né dans le Massachusetts, Elias Howe travaille dans la ferme de ses parents avant d'entrer, à 16 ans, comme apprenti dans une usine de coton. En 1837, alors qu'il travaille dans un atelier d'horlogerie, Howe conçoit l'idée d'une machine qui pourrait remplacer la couture à la main. Neuf ans plus tard, il dépose son brevet. Avec une vitesse de 250 points par minute, sa machine est beaucoup plus rapide que la couture manuelle. Après s'être battu pour trouver des fonds aux États-Unis, Howe se rend en Angleterre où il rencontre un succès mitigé. À son retour, il trouve d'autres modèles de machines à coudre lancés sur le marché. Après une longue bataille devant les tribunaux, Howe gagne un droit sur chaque machine à coudre vendue. Il possédait 2 millions de dollars le jour de sa mort.

Invention principale : la machine à coudre (1837 – 1846).

Levi Strauss

v. 1829 – 1902

Originaire de Bavière, en Allemagne, Levi Strauss, orphelin à 16 ans, rejoint ses cinq frères et sœurs aux États-Unis. En 1853, Strauss gagne San Francisco pour vendre des vêtements à ceux qui participent à la Ruée vers l'Or. Ayant constaté que les mineurs ont besoin de pantalons particulièrement solides, Strauss commence à fabriquer des vêtements avec de la toile de tente puis dans une solide étoffe de coton appelée « serge de Nîmes », appelée aujourd'hui denim. En 1873, Strauss dépose le brevet de son jean avec des rivets de cuivre pour renforcer les poches et les coutures.

Invention principale : les jeans en denim dans les années 1850.

Alfred Nobel

1833 – 1896

Le Suédois Alfred Nobel passe son enfance en Russie, puis fait des études en France et aux États-Unis avant de revenir en Suède en 1859. Là, il ouvre un laboratoire avec son plus jeune frère, Émile (1843 – 1864) dans lequel ils travaillent à produire une forme sûre et utilisable d'un explosif, la nitroglycérine. Émile est tué par une explosion, mais Alfred poursuit ses travaux et, en 1867, crée la dynamite. Cet explosif intéresse très vite les industries des mines, du bâtiment et l'armée. Nobel, qui a aussi mis au point un caoutchouc synthétique, écrit par ailleurs des pièces de théâtre et des poèmes. Il consacrera la plus grande partie de sa fortune à instituer des prix annuels décernés en Suède et qui portent encore son nom.

Invention principale : la dynamite en 1867.

Les frères Lumière

Auguste Lumière 1862 – 1954
Louis Lumière 1865 – 1948

En 1895, quelques personnes installées au sous-sol du Grand-Café, à Paris, regardent avec enthousiasme le premier film animé du monde, montrant des ouvriers quittant leur usine. Les frères Lumière sont les fils d'un peintre d'enseignes qui s'est consacré à la photographie. La famille a créé une entreprise qui produit 15 millions de plaques photographiques par an. L'invention par les deux frères d'une caméra enregistrant 16 images par seconde permet de saisir le mouvement sur un film et de le reproduire sur un écran, pour la première fois au monde.

Invention principale : le cinématographe en 1895.

GEORGE EASTMAN 1854 – 1932

George Eastman travaille dans une banque comme caissier lorsqu'il commence ses premières expériences de photographie en 1877. Il produit le premier rouleau de film photographique en 1885 et, trois ans après, invente le premier appareil photographique dans sa nouvelle société, Kodak. Eastman, devenu très riche, distribue des millions de dollars à des œuvres de charité.

KING GILLETTE 1855 – 1932

Travaillant comme vendeur, l'Américain King Gillette apprend très vite que les objets jetables décuplent les ventes. En 1895, il a l'idée de lancer le premier rasoir de sécurité. Gillette découvre le moyen de fabriquer des lames d'acier aiguisées et bon marché susceptibles d'équiper un rasoir portable et, en 1903, il met son invention en vente. Gillette devient millionnaire.

REGINALD FESSENDEN 1866 – 1932

Le chercheur canadien invente la radio en transmettant, en 1900, le premier message vocal sans fil au monde, et réussit la première radiodiffusion publique de musique et de paroles en 1906. Les concepts qu'il utilise sont toujours à la base des techniques de télécommunications sans fil.

Clarence Birdseye

1886 – 1956

Après avoir fait des études de biologie, Clarence Birdseye se rend en Arctique pour travailler comme naturaliste de terrain pour le compte du gouvernement américain. Il remarque que congeler des produits de la mer aussitôt pêchés conserve bien leur goût et leur texture quand on les décongèle et qu'on les mange des semaines plus tard. Il lance sa première société à la criée de New York en 1922, développe des méthodes de congélation rapide et est le premier à mettre sur le marché des produits congelés à l'intention du grand public, en 1929-1930. Dans les années 1940, Birdseye développe des compartiments réfrigérés pour les magasins ainsi que des wagons frigorifiques pour distribuer ses produits.

Invention principale : premiers produits congelés pour le grand public en 1929.

George de Mestral

1907 – 1990

Le Suisse George de Mestral fait des études d'ingénieur électricien. En 1948, au retour d'une partie de chasse, il porte son attention sur la bardane, une plante dont les graines s'étaient collées à son pantalon. Les examinant au microscope, il observe qu'elles sont couvertes de centaines de petits crochets et il comprend que ce principe peut être appliqué à une nouvelle sorte de fermeture. En 1955, après des années d'essai, le ruban Velcro® de Mestral, une fermeture en nylon, est introduit sur le marché.

Invention principale : ruban Velcro® en nylon en 1955.

Lazlo Biro

1900 – 1985

Pendant la Seconde Guerre mondiale, le journaliste hongrois Lazlo Biro a dû fuir les nazis à deux reprises, d'abord de son pays natal pour se rendre à Paris, puis de Paris pour l'Argentine à l'arrivée des Allemands en 1940. Son frère George, chimiste, l'accompagne et, ensemble, ils développent l'idée que Lazlo a breveté deux ans auparavant, celle d'un stylo à bille utilisant une encre visqueuse laissant des traces sur le papier. Ce stylo est retenu par l'aviation anglaise pendant la Seconde Guerre mondiale car il ne coule pas, même à haute altitude. À partir des années 1950, il est fabriqué en masse pour tous les pays du monde à des prix extrêmement bon marché.

Invention principale : le stylo à bille en 1938.

Akio Morita

1921 – 1999

Natif de Nagoya, au Japon, Akio Morita devait travailler dans la brasserie qui appartenait à sa famille depuis 13 générations. Mais il préfère étudier la physique à Osaka et crée une société d'électronique en 1946. En prenant le nom de Sony en 1958, la compagnie de Morita ouvre la voie à de nombreux appareils utilisés aujourd'hui, dont les premières radios à transistor dans les années 1950, les premières télévisions entièrement transistorisées et les magnétoscopes couleur dans les années 1960. En 1979, Sony lance un appareil qui connaît un énorme succès, le Walkman, un lecteur de cassette portable puis, en 1991, le CD.

Inventions principales : radio portative à transistor en 1957 ; magnétoscope couleur en 1966 ; lecteur de cassette portatif Walkman en 1979.

Gunpei Yokoi

1941 – 1997

Fils du responsable d'une compagnie pharmaceutique japonaise, Gunpei Yokoi étudie l'électronique au collège. En 1970, il construit son premier jouet, un appareil extensible pour saisir des objets appelé Ultrahand. Dix ans plus tard, il produit une série populaire de jeux électroniques, les Game and Watch. En 1989, Yokoi dirige la compagnie japonaise Nitendo lorsqu'elle lance le jeu électronique portable Gameboy. Lorsque Yokoi quitte Nitendo en 1996 pour s'intéresser à d'autres inventions, plus de 60 millions d'exemplaires de Gameboy ont été vendus à travers le monde. Il meurt un an plus tard à la suite d'un accident de voiture.

Invention principale : première Gameboy en 1989.

Le Walkman d'Akio Morita permet à chacun d'écouter des cassettes partout.

OLE CHRISTIANSEN 1891 – 1958
Christiansen est un Danois qui fabrique des marches d'escalier, des planches à repasser et des jouets en bois. Ces derniers finissent par supplanter ses autres productions et, en 1934, il crée une compagnie appelée LEGO®, en danois « bien jouer ». Les premières briques en plastique sont vendues au Danemark en 1949 et, en 1958, naissent les briques LEGO® telles qu'on les connaît aujourd'hui.

EDWIN LAND 1909 – 1991
En 1947, l'Américain Edwin Land propose un procédé photographique qui permet de développer et de tirer les photos en moins de 60 secondes. Son premier appareil Polaroid est commercialisé en 1949, et une version en couleur sort en 1963. Dans les années 1950, Land conçoit des systèmes d'observation à haute altitude pour les avions et les satellites espions.

NOLAN BUSHNELL né en 1943
Programmeur d'ordinateur, l'Américain Nolan Buschnell produit son premier jeu d'arcade sur ordinateur en 1971, jeu qui ne suscite aucun intérêt. Mais en 1972, son nouveau jeu, le Pong, connaît, lui, un énorme succès dans les salles de jeu, comme sur les premières consoles. En 1972, Buschnell fonde la compagnie Atari et crée plusieurs jeux célèbres dont Pac-Man et Asteroïds.

CHAPITRE CINQ

LES ÉCRIVAINS ET LES RÉFORMATEURS

Les écrivains et les réformateurs avant l'an 1000

Le premier système d'écriture fut inventé voici près de 5000 ans en Égypte et à Sumer. Les Égyptiens et les Sumériens ont laissé quelques écrits intéressants, dont la première œuvre littéraire, l'épopée sumérienne de Gilgamesh. Nous ne savons que peu de chose sur les peuples qui ont écrit ces textes. Les premiers écrivains sur lesquels nous avons des renseignements précis viennent de la Grèce antique.

Les anciens Égyptiens utilisaient les hiéroglyphes, sorte d'écriture utilisant des pictogrammes.

Homère est le plus célèbre des poètes grecs. Il vécut sans doute dans les années 700 av. J.-C. On le dit l'auteur de deux grands poèmes épiques : *L'Iliade*, qui rapporte un épisode de la guerre de Troie, et *L'Odyssée*, qui raconte les aventures du héros grec Ulysse rentrant dans sa patrie après cette même guerre de Troie. Les spécialistes pensent qu'Homère a construit ces poèmes à partir d'histoires déjà existantes qui s'étaient transmises oralement à travers les âges. Citons encore, parmi les poètes grecs, **Sappho** (v. 610 – v. 580 av. J.-C.), première grande poétesse grecque, et **Pindare** (v. 518 – v. 438 av. J.-C.), célèbre auteur d'odes et de chants.

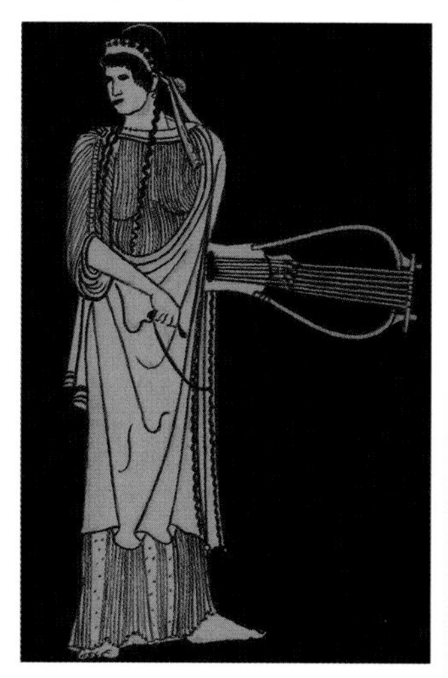

Sappho, la première femme poète, est née dans l'île grecque de Lesbos.

Les Grecs aimaient le théâtre, et certains de leurs auteurs dramatiques ont écrit des pièces qui sont encore jouées de nos jours. **Eschyle** (v. 525 – v. 456 av. J.-C.) et **Euripide** (v. 480 – 406 av. J.-C.) sont bien connus pour leurs tragédies qui mettent en scène des personnages de la mythologie grecque, alors qu'**Aristophane** (v. 448 – v. 385 av. J.-C.) écrivait des comédies qui distraient encore les spectateurs modernes.

Le premier des grands philosophes de l'Occident vivait aussi dans la Grèce ancienne. L'un des premiers philosophes grecs dont l'influence a été durable est **Socrate** (469 – 399 av. J.-C.). Il n'a pas écrit de livres mais il était célèbre pour ses talents lors de discussions et de débats. Son disciple **Platon** (v. 428 – 348 av. J.-C.) le rendit encore plus célèbre. Platon a écrit une série de livres, ou dialogues, sous forme de conversations entre des philosophes sur des sujets importants comme l'amour, le courage et la politique. **Aristote** (384 – 322 av. J.-C.), le troisième grand philosophe grec, a écrit sur toutes sortes de sujets, de la poésie à la politique, de la psychologie à la zoologie.

AUTEURS ROMAINS

Comme les Grecs, les anciens Romains comptent un grand nombre d'écrivains. Le poète **Virgile** (70 – 19 av. J.-C.) a écrit *L'Énéide*, épopée qui raconte l'histoire d'Énée, le fondateur légendaire de Rome.

Socrate était un grand débatteur et l'un des plus éminents philosophes grecs.

Pline l'Ancien est mort lorsqu'il s'est trop approché du Vésuve en éruption.

Ovide (43 av. J.-C. – 17 apr. J.-C.), autre poète, s'inspire de la mythologie. Son livre, *Les Métamorphoses*, est un ensemble d'histoires mythologiques qui comprennent toutes une transformation magique. **Juvénal** (v. 55 apr. J.-C. – vers 140) était un écrivain plus réaliste. Il a écrit une série de poèmes satiriques sur les habitudes et le mode de vie des Romains.

L'écrivain qui nous renseigne le plus sur le monde romain est sans doute **Pline l'Ancien** (23 – 79). Sa plus grande œuvre est son *Histoire naturelle* en 37 volumes. Ce travail recouvre tout ce que Pline avait observé – le réel comme l'imaginaire. En dépit de son titre, il renferme des informations sur les arts et les inventions, aussi bien que des descriptions de la nature.

LE HAUT MOYEN ÂGE

L'Empire romain s'effondra au Ve siècle apr. J.-C. Au cours des années qui suivirent – la période du Haut Moyen Âge, souvent taxée d'obscurantisme – beaucoup du savoir-faire et des connaissances des Romains se perdirent. Mais ce qualificatif est souvent incorrect car, de fait, de nombreuses réformes ont changé la culture européenne. L'un des réformateurs les plus influents est **saint Benoît** (v. 480 – v. 547). Benoît était un moine qui œuvra pour transformer la vie dans les monastères européens. Il constata que la discipline était trop relâchée dans de nombreuses abbayes ; il fonda donc un certain nombre de monastères très disciplinés, dont celui du mont Cassin en Italie. Il écrivit une nouvelle règle fixant un mode de vie plus strict, plus régulier qu'auparavant. Rapidement, des abbayes de toute l'Europe adoptèrent la nouvelle règle. On les appela les abbayes bénédictines, d'après le nom de Benoît.

Le travail de Benoît transforma les monastères en lieux de piété, de travail et d'érudition. Des érudits comme **Bède** (v. 673 – 735), un moine anglo-saxon, s'épanouirent dans ce milieu. Bède a écrit de nombreux livres sur des sujets religieux et historiques. Son œuvre la plus célèbre, *Histoire ecclésiastique de la nation anglaise*, date de 731. Les historiens modernes lisent encore ce livre, car il nous en apprend plus sur l'histoire ancienne de l'Angleterre que tous les autres ouvrages existant. Les auteurs européens de l'époque étaient en majorité des moines, car seuls les monastères offraient la possibilité de s'instruire. D'autres moines sont devenus célèbres dans d'autres régions également. **Alcuin** (v. 737 – 804), par exemple, moine né à York en Angleterre, devint abbé de Tours et en dirigea l'école. Il a écrit sur de nombreux sujets et a été aussi le conseiller de l'empereur **Charlemagne** (747 – 814).

Portrait de Bède exécuté par un autre moine pour un manuscrit enluminé.

ÉCRIVAINS ORIENTAUX

Kalidasa est le plus grand auteur de la littérature de l'Inde ancienne. Il a probablement vécu vers 450 apr. J.-C., mais la tradition le fait vivre au Ier siècle apr. J.-C. Il écrivit en sanscrit des poèmes, des drames et des comédies.

Les VIIIe et IXe siècles furent un véritable âge d'or pour les auteurs chinois. C'était l'époque de la dynastie T'ang, avec ses nombreux poètes et auteurs lyriques comme **Du Fu** (connu également sous le nom de Tu Fu, 712 – 770) et **Li Shangyin** (v. 812 – 858), le premier poète chinois à célébrer l'amour. Beaucoup considèrent **Li Po** (701 – 762) comme le plus grand d'entre eux. Il écrivit de très beaux petits poèmes sur l'amitié et sur la nature. On dit qu'il mourut noyé alors qu'il tentait de saisir le reflet de la lune dans les eaux d'un lac.

À la fin de cette époque, la littérature au Japon commence à s'épanouir. Vers l'an 1000, **Sei Shonagon**, dame d'honneur de la cour royale, écrivit *Le Livre de chevet*, une série de petites pièces en prose qui décrivent brillamment les gens et les manières de la haute société japonaise de l'époque. **Murasaki Shikibu** (973 – 1025), dame d'honneur et romancière, écrivit le *Genji monogatari* (*Le Roman de Genji*) à la même époque. Ce sont les aventures d'un prince japonais que beaucoup considèrent comme étant le premier roman jamais écrit.

Genji, le héros du *Genji monogatari*, le premier roman jamais écrit.

LES ÉCRIVAINS

Samuel Pepys

1633 – 1703

Samuel Pepys, écrivain anglais très érudit, est secrétaire de l'Amirauté (1672). Il est incarcéré pour une prétendue participation à un complot papiste (1679). En 1684, il devient président de la Royal Society. Cependant, il est surtout connu pour son *Journal*, qu'il tient entre 1660 et 1669. Il nous offre un panorama vivant de l'Angleterre de son temps, très détaillé sur trois grandes catastrophes de cette époque – la peste, l'incendie de Londres et la remontée de la Tamise par la flotte hollandaise. Écrit en caractères codés, son *Journal* ne sera déchiffré et publié qu'en 1825.

Œuvre principale : *Le Journal de Pepys* (1660 – 1669).

Voltaire

1694 – 1778

François Marie Arouet, dit Voltaire, célèbre écrivain et philosophe français, sera poursuivi pour ses idées. En 1717, il est emprisonné à la Bastille pour avoir écrit des vers irrévérencieux contre le régent. En prison, il prend le nom de Voltaire et entreprend la rédaction de sa tragédie *Œdipe*. En 1726, à la suite d'une altercation avec le chevalier de Rohan-Chabot, il est à nouveau emprisonné à la Bastille, puis libéré à condition de quitter la France. Il passe trois ans en Angleterre mais, à son retour, il s'en prend au gouvernement français, et il doit à nouveau quitter Paris. Il s'installe en Suisse où il écrit son œuvre la plus célèbre, *Candide*.

Principaux livres : *Lettres philosophiques* en 1734 ; *Zadig* en 1747 ; *Candide* en 1759.

Voltaire est emprisonné à la Bastille pour avoir critiqué la monarchie française et l'Église.

Jonathan Swift

1667 – 1745

Né en Irlande, Jonathan Swift entre dans le clergé anglican d'Irlande en 1695. Il est doyen de la cathédrale Saint-Patrick de Dublin durant 30 ans. C'est également un écrivain satirique et un poète. Il écrit pour le *Bickerstaff Papers* et pour *Tatler*, et est cofondateur du Scriblerus Club. Le livre le plus célèbre de Swift, *Les Voyages de Gulliver*, est une implacable satire des hommes politiques, de la religion, des inventeurs et de l'humanité en général.

Principaux livres : *La Conduite des alliés* en 1713 ; *Les Voyages de Gulliver* en 1726 ; *La Modeste proposition pour les enfants des pauvres* en 1729.

► Le héros du livre, *Les Voyages de Gulliver*, est ligoté par le petit peuple de Lilliput.

Johann Wolfgang von Goethe

1749 – 1832

À l'âge de 16 ans, le futur écrivain allemand Goethe fait des études de droit à Leipzig. Il est considéré comme l'une des plus grandes figures de la littérature allemande. Il est critique, dramaturge, romancier, poète, auteur de lieder et essayiste sur toutes sortes de sujets, allant de la politique à la religion. Il occupe également un poste officiel à la cour du duc de Weimar. Il est encore acteur et directeur de théâtre.

Principaux livres : *Les Souffrances du jeune Werther* en 1774 ; *Wilhelm Meister* (1796 – 1829). Principales pièces : *Faust* (1775 – 1832) ; *Egmont* en 1788.

ÉRASME (DESIDERIUS ERASMUS) v. 1466 – 1536
Humaniste hollandais qui voyage à travers l'Europe durant toute sa vie et enseigne dans les universités. Il est parfois hostile envers l'Église catholique et les réformateurs protestants comme Martin Luther. Il écrit de nombreux livres, dont l'*Éloge de la folie* (1509), et une nouvelle traduction du Nouveau Testament (1516).

MIGUEL DE CERVANTÈS 1547 – 1616
L'écrivain espagnol Miguel de Cervantès s'engage dans l'armée en 1570 et parcourt l'Italie. Il est fait prisonnier par les Turcs qui l'emmènent à Alger où il restera cinq ans. Racheté, il est libéré et regagne Madrid. Il connaît peu de succès en tant qu'écrivain jusqu'en 1605, date de la publication de la première partie de *Don Quichotte*, qui est un succès immédiat.

Mary Shelley

1797 – 1851

Mary Godwin, née à Londres, s'enfuit avec le poète et auteur anglais Percy Shelley (1792 – 1822) en 1814. Ils se marient en 1816 et vivent loin de leur pays natal. Lors d'un séjour au bord du lac de Genève, Mary commence à écrire ce qui sera son roman le plus célèbre, *Frankenstein ou le Prométhée moderne*. On raconte que lord Byron (p. 119), qui séjournait avec eux à cette époque, les avait défiés d'écrire une histoire de fantôme. Mary consacre deux ans à l'écriture de ce livre qui sera publié en 1818. Percy Sheley meurt en 1822. Mary regagne alors l'Angleterre avec son fils William. Son roman, *Le Dernier Homme* (1826), met en scène un monde ravagé par la maladie. Elle écrit également des livres de voyage dont *The Choice* est le plus connu.

Principaux livres : *Frankenstein ou le Prométhée moderne* en 1818 ; *Valperga* en 1823 ; *Lodore* en 1835 ; *Falkner* en 1837.

Mary Shelley, l'auteur de *Frankenstein*, et son mari, le poète et écrivain Percy Shelley.

Le célèbre roman d'Alexandre Dumas, *Les Trois Mousquetaires*, raconte les aventures de d'Artagnan et de ses amis sous le règne du roi de France Louis XIII.

Alexandre Pouchkine

1799 – 1837

L'écrivain russe Pouchkine devient fonctionnaire impérial à Moscou, mais ses poèmes politiques lui valent d'être exilé à Pskov en 1824. C'est l'époque où il travaille à son plus grand roman *Eugène Onéguine*. Il regagne Moscou lorsque Nicolas Ier monte sur le trône, en 1825. En 1832, Pouchkine épouse la belle Natalia Gontcharova. Mais le baron d'Anthès tombe amoureux d'elle et provoque Pouchkine en duel. Il est tué au cours du combat.

Principale pièce : *Boris Godounov* en 1825.
Principal roman : *Eugène Onéguine* en 1832.

Alexandre Dumas

1802 – 1870

Le Français Alexandre Dumas a été un écrivain prolifique qui a produit près de 300 ouvrages de fiction historique. Il se fait connaître en 1829 avec son drame romantique *Henri III et sa cour*. Alors qu'il se remet du choléra en Suisse en 1832, il écrit son premier récit de voyage, *Impressions de voyage*. Entre 1855 et 1864, il vit en exil en Belgique et en Italie.

Principaux romans : *Les Trois Mousquetaires* en 1844 ; *Le Comte de Monte-Cristo* en 1844 ; *Vingt Ans après* en 1845.

SAMUEL JOHNSON 1709 – 1784
En 1737, l'écrivain et moraliste anglais Samuel Johnson s'installe à Londres où il écrit pour *The Gentleman's Magazine*. Son œuvre la plus célèbre est *le Dictionnaire de la langue anglaise* (1747 – 1755). Après un séjour aux îles Hébrides en Écosse avec son biographe James Boswell (1740 – 1795), Johnson écrit *Voyage en Écosse* (1773) et *Voyage aux Hébrides* (1775).

JEAN-JACQUES ROUSSEAU 1712 – 1778
Écrivain et philosophe français, Jean-Jacques Rousseau travaille à Paris comme secrétaire lorsqu'il rencontre Voltaire (p. 108) et Diderot (1713 – 1784). Ses œuvres les plus célèbres sont *Discours sur l'origine et les fondements de l'inégalité* (1755) et *Du contrat social* (1762), et ses autobiographies, *Les Confessions* et *Les Rêveries* du promeneur solitaire, publiés après sa mort en 1782.

HONORÉ DE BALZAC 1799 – 1850
L'écrivain français Honoré de Balzac abandonne des études de droit pour se consacrer à l'écriture à Paris. Durant des années, il est criblé de dettes, mais il travaille beaucoup et publie 85 romans en 20 ans. Il est célèbre pour son étude de la société française qu'il représente dans *La Comédie humaine* (1842 – 1853), une fresque de son pays à la veille des temps modernes.

Les sœurs Brontë

Charlotte 1816 – 1855
Emily 1818 – 1848
Anne 1820 – 1849

Les sœurs Brontë sont nées dans le Yorkshire en Angleterre. Leur père est pasteur et, en 1820, la famille s'installe à Haworth où il occupe le poste de recteur.

Leur mère meurt en 1821 et les trois sœurs sont alors élevées par leur père et une tante. Les enfants Brontë – les trois filles et leur frère Branwell – ont une enfance solitaire et maladive. Après avoir été institutrices et gouvernantes, les jeunes filles se mettent à écrire. Elles publient des poèmes en 1846 sous des pseudonymes masculins : Currer Bell pour Charlotte, Ellis Bell pour Emily et Acton Bell pour Anne. Anne écrit deux romans, *Agnès Grey* et *Le Locataire de Wildfell Hall* (1848). Emily publie un roman qui remporte un grand succès, *Les Hauts de Hurlevent*. Le deuxième livre de Charlotte, *Jane Eyre*, devient aussi célèbre et la consacre comme auteur à part entière.

Principaux romans : *Agnès Grey* (Anne) en 1845 ; *Jane Eyre* (Charlotte) en 1847 ; *Les Hauts de Hurlevent* (Emily) en 1847.

Le seul portrait des sœurs Brontë que nous connaissons a été exécuté par leur frère Branwell, vers 1834.

Victor Hugo

1802 – 1885

Alors qu'il était encore adolescent, l'écrivain français Victor Hugo remporte de nombreux prix pour ses poèmes et ses pièces de théâtre. En 1830, *Hernani* en fait l'un des plus grands auteurs du mouvement romantique. *Notre-Dame de Paris* confirme sa réputation. En 1848, il est élu à la Chambre des députés mais exilé à Jersey puis à Guernesey (1852 – 1870) en raison de son opposition à Napoléon III. Il y écrira son chef-d'œuvre, *Les Misérables*.

Principaux romans : *Notre-Dame de Paris* en 1831 ; *Les Misérables* en 1862.

► Le roman de Victor Hugo *Notre-Dame de Paris* a été porté à l'écran à plusieurs reprises ; ici, sous le titre *Le Bossu de Notre-Dame*, une adaptation hollywoodienne de 1924.

Hans Christian Andersen

1805 – 1875

À l'âge de 14 ans, le conteur danois Hans Christian Andersen quitte sa maison natale d'Odense pour se rendre à Copenhague. Son talent pour la poésie lui vaut de poursuivre des études littéraires. En 1829, il écrit un récit satirique de ses voyages et, en 1833, il reçoit de l'argent du roi Frédérick VI pour voyager. Andersen visite de nombreux pays d'Europe, écrit des pièces de théâtre, des récits de voyage, des romans, de la poésie et surtout des contes de fées.

Histoires célèbres : *La Petite Sirène* en 1837 ; *Les Nouveaux Habits de l'empereur* en 1837 ; *Le Vilain Petit Canard* en 1843.

Charles Dickens, et une illustration de l'un de ses livres les plus célèbres, *David Copperfield.*

Charles Dickens

1812 – 1870

En 1828, après une enfance difficile, le romancier anglais Charles Dickens travaille au *Morning Chronicle* à Londres, comme rapporteur des débats à la Chambre des communes. En 1836, *Esquisses de Boz* paraît en feuilleton et est suivi par *Les Aventures de M. Pickwick* qui remportent un succès immédiat. Les histoires de Dickens sur les injustices sociales de l'Angleterre victorienne en feront l'auteur le plus populaire de son temps. Il voyage beaucoup en Europe et aux États-Unis.

Principaux livres: *Oliver Twist* en 1837 – 1839; *Nicolas Nickleby* en 1838 – 1839; *Contes de Noël* en 1843; *David Copperfield* (1849 – 1850); *Les Grandes Espérances* (1860 – 1861).

Karl Marx

1818 – 1883

Philosophe et homme politique allemand, Karl Marx est journaliste à Cologne en 1842. Puis il s'installe à Paris où il fait la connaissance du philosophe Friedrich Engels (1820 – 1895) qui restera son ami toute sa vie. Il devient communiste et est le premier à émettre l'idée que le peuple doit faire la révolution pour changer la société. En 1849, Marx et Engels partent pour Londres où ils poursuivent le développement de leurs idées communistes.

Principaux livres: *Le Manifeste du parti communiste* en 1848; *Le Capital* (tome I) en 1867.

Léon Tolstoï

1828 – 1910

Léon Tolstoï, aristocrate et romancier russe, participe à la guerre de Crimée et au siège de Sébastopol (1854 – 1855). La guerre lui inspire ses *Récits de Sébastopol* (1854 – 1855). Après la guerre, il rejoint le cercle littéraire de Saint-Pétersbourg. En 1862, il se marie et va vivre sur ses terres, près de la Volga. C'est là qu'il écrit son roman le plus célèbre, *Guerre et Paix*. Il y raconte la vie de deux familles sur une période de 12 ans, et décrit la vie domestique et la vie militaire durant la guerre napoléonienne. Son deuxième grand roman, *Anna Karénine*, est l'histoire de la liaison dramatique d'une femme mariée avec un officier. Aux environs de 1883, il est saisi d'une crise morale et religieuse; il distribue ses biens et vit comme un paysan.

Principaux romans: *Guerre et Paix* 1869; *Anna Karénine* (1875 – 1877).

À la fin de sa vie, Tolstoï rejette son travail prétextant qu'il ne vaut rien et mène une vie simple.

EDGAR ALLAN POE
1809 – 1849
Le poète et écrivain américain Edgar Poe est orphelin à 3 ans. Il part pour l'Angleterre avec ses parents adoptifs et est élevé à Londres. Il retourne aux États-Unis en 1826 et son premier recueil de poèmes y sera publié l'année suivante. Entre 1835 et 1847, il dirige différents magazines pour lesquels il écrit ses plus célèbres histoires, *La Chute de la maison Usher*, *Double Assassinat dans la rue Morgue*, ainsi que son fameux poème *Le Corbeau*.

FIODOR DOSTOÏEVSKI
1821 – 1881
Né à Moscou, Fiodor Dostoïevski est officier avant de devenir écrivain. Son premier roman publié, *Les Pauvres Gens*, connaît un succès immédiat. En 1849, il est arrêté pour sa participation à un complot socialiste. Il échappe à la peine de mort mais est déporté en Sibérie jusqu'en 1854. En 1860, il publie *Souvenirs de la maison des morts* qui s'inspire de son expérience de détenu. Comme Charles Dickens (à gauche), Dostoïevski traite dans ses romans des injustices sociales et de la pauvreté. Ses œuvres les plus célèbres sont *Crime et châtiment* (1866), *L'Idiot* (1868) et *Les Frères Karamazov* (1880).

JULES VERNE 1828 – 1905
L'écrivain français Jules Verne suit des études de droit et, de 1848 à 1862, il écrit des livrets d'opéras et d'opérettes. Il collabore aussi avec Alexandre Dumas fils (1824 – 1895) pour l'écriture de pièces de théâtre. En 1863, il publie un roman, *Cinq Semaines en ballon*, qui remporte un grand succès. Jules Verne confirme alors son véritable talent d'écrivain d'aventures futuristes. Parmi ses romans les plus connus, citons *Voyage au centre de la Terre* (1864), *De la Terre à la Lune* (1865), *Vingt Mille Lieues sous les mers* (1870) et *Le Tour du monde en quatre-vingts jours* (1873).

Louisa May Alcott

1832 – 1888

La romancière américaine Louisa May Alcott est née à Philadelphie. Elle est infirmière dans un hôpital de l'Union durant la guerre de Sécession (1861 – 1865). Elle commence par écrire des romans pour des magazines et son premier livre, *Fables de fleurs*, est publié en 1855. Son plus grand succès, *Les Quatre Filles du Docteur March*, est publié en 1868. Il sera suivi l'année d'après par *Les Filles du Docteur March se marient*. Ces deux livres racontent la vie de famille dans une ville de Nouvelle-Angleterre durant la guerre civile.

Principal livre : *Les Quatre Filles du Docteur March* en 1868.

Mark Twain

1835 – 1910

Mark Twain, Samuel Langhorne Clemens de son véritable nom, est pilote sur un bateau du Mississippi à 17 ans. Après de nombreux petits métiers, il devient journaliste. Son premier livre, *La Grenouille sauteuse de Calaveras* (1857), connaît tout de suite le succès. Puis il voyage en Europe pour réunir du matériel destiné à son roman, *Le Voyage des innocents* (1869). Bien que souvent endetté, Twain écrit de nombreux livres à succès : *Les Aventures de Tom Sawyer* et *Les Aventures de Huckleberry Finn*, qui s'inspirent tous deux de ses expériences d'enfant.

Principaux livres : *Les Aventures de Tom Sawyer* en 1876 ; *Les Aventures de Huckleberry Finn* en 1884 ; *Un Yankee à la cour du roi Arthur* en 1889.

MARK TWAIN

◄ Alice et le chat du Cheshire dans *Alice au pays des merveilles*.

Lewis Carroll

1832 – 1898

L'écrivain anglais Lewis Carroll – Charles Dodgson de son vrai nom – fait des études de mathématiques à l'université d'Oxford. Il devient professeur et écrit plusieurs ouvrages de mathématiques ainsi que des histoires humoristiques. Il est ordonné diacre dans l'Église anglicane en 1861 mais, en raison de sa timidité et de son bégaiement, il ne prêche que très rarement. Son premier livre pour enfants, *Alice au pays des merveilles*, remporte immédiatement un vif succès. *De l'autre côté du miroir* et toute une série de petits poèmes alambiqués connaissent également le succès et sont toujours lus et appréciés par des enfants et des adultes du monde entier.

Principaux livres : *Alice au pays des merveilles* en 1865 ; *De l'autre côté du miroir* en 1872.

Émile Zola

1840 – 1902

L'écrivain français Émile Zola débute dans une maison d'édition à Paris avant de devenir journaliste. Ses premières nouvelles, *Contes à Ninon*, sont publiées en 1864. Zola fonde avec d'autres écrivains qui partagent ses idées un groupe littéraire qui se réclame du naturalisme. Les romans de Zola témoignent avec une grande précision de la vie de ses contemporains. Son premier roman, *Thérèse Raquin*, est publié en 1867. Zola lutte contre l'injustice sociale. En 1898, il écrit son fameux « J'accuse », un article de presse où il prend la défense d'Alfred Dreyfus (1859 – 1935), officier injustement condamné pour espionnage. Zola fait de la prison mais il s'échappe et se réfugie en Angleterre pendant un an.

Principaux romans : *Nana* en 1880 ; *Germinal* en 1885 ; *La Terre* en 1887 ; *Le Rêve* en 1888 ; *La Bête humaine* en 1890.

Thomas Hardy

1840 – 1928

Romancier et poète anglais, Thomas Hardy travaille d'abord pour un architecte londonien durant cinq ans. Il est tellement déterminé à devenir écrivain qu'il retourne dans le Dorset, sa région natale, en 1867. Le quatrième roman de Hardy, *Loin de la foule insensée* (1874) est son premier grand succès. Il écrit de nombreux romans mais, en 1895, *Jude l'obscur* est violemment pris à parti par les critiques, et Hardy retourne à ses premières amours – la poésie. À sa mort, il a écrit près de 900 poèmes.

Principaux romans: *Le Retour au pays natal* en 1878; *Le Trompette-Major* en 1880; *Tess d'Urberville* en 1891.

Robert Louis Stevenson

1850 – 1894

L'écrivain écossais Robert Louis Stevenson devient juriste en 1875, mais il se met rapidement à l'écriture. Son premier livre, *Un voyage dans les terres* (1878), raconte un voyage en canoë à travers la Belgique. Mais c'est *L'Île au trésor* (1883) qui le consacre écrivain de romans d'aventure. Certains de ses meilleurs ouvrages sont de courtes histoires, des articles et des essais qui paraissent dans des magazines. Ses poèmes réunis dans *Jardin de poèmes pour enfants* sont des plus réussis. En 1891, il s'installe dans l'île de Samoa où il passe ses dernières années.

Principaux livres: *Voyage avec un âne à travers les Cévennes* en 1879; *Docteur Jekyll et M. Hyde* en 1886; *Le Maître de Ballantrae* en 1889.

Oscar Wilde

1854 – 1900

Né à Dublin, Oscar Wilde reçoit un prix en 1878 pour son poème *Ravenna*. En 1881, il publie un recueil de poèmes puis, en 1888, des contes pour enfants. Son roman *Le Portrait de Dorian Gray* est publié dans le *Lippincott's Magazine* et provoque un véritable scandale. Wilde est également un écrivain de théâtre à succès.

En 1895, Oscar Wilde est condamné pour homosexualité à deux ans de prison.

Roman célèbre: *Le Portrait de Dorian Gray* en 1891. Pièce célèbre: *De l'importance d'être constant* en 1895.

HENRY JAMES 1843 – 1916
Né à New York, Henry James collabore à l'*Atlantic Monthly* en écrivant des articles littéraires et des nouvelles alors qu'il n'a que 22 ans. En 1876, il s'installe définitivement en Angleterre. Il écrit une vingtaine de longs romans, dont beaucoup traitent des relations entre l'Amérique et l'Europe. Citons *Daisy Miller* (1879), *Les Bostoniennes* (1886) et *La Coupe d'or* (1904). James est également connu pour ses nouvelles. Son histoire de fantômes, *Le Tour d'écrou* (1898), le révèle comme un maître du surnaturel.

GUY DE MAUPASSANT 1850 – 1893
L'écrivain français Guy de Maupassant passe une grande partie de sa vie dans sa Normandie natale. Il occupe un poste de fonctionnaire mais est encouragé à écrire par le romancier Gustave Flaubert (1821 – 1880). Maupassant n'écrit que six romans, dont le premier, *Une vie*, est publié en 1883. Il est cependant plus connu pour ses nouvelles: il en a écrit près de 300. À partir de 1890, il est atteint de troubles nerveux. Sa nouvelle *Le Horla* annonçait sa propre folie.

EMILIA PARDO BAZÁN 1852 – 1921
Féministe, romancière et critique espagnole, Emilia Pardo Bazán écrit son premier roman, *Pascual Lopez*, en 1879. Ses œuvres les plus connues sont des romans réalistes dans le style français: *Le Château d'Ulloa* (1886) et *Mère Nature* (1887). Parmi ses derniers romans, plus modernes, citons *La Cheminée* (1905). Emilia Pardo Bazán écrira également près de 500 nouvelles, des critiques d'auteurs français et des poèmes. Elle ouvre aussi une bibliothèque pour les femmes.

ROGER LEMELIN 1919 – 1992
Après avoir mérité différentes distinctions pour ses romans *Au pied de la Pente douce* (1944) et *Pierre le magnifique* (1952), le romancier, dramaturge à la télévision et reporter-correspondant québécois Roger Lemelin reçoit pour sa série télévisée *La Famille Plouffe* (1953-1959) le Liberty Trophy, le décernant meilleur auteur pour la télévision. Il occupe la fonction de président et éditeur du journal La Presse de 1972 à 1981, puis revient à l'écriture d'essais, de contes et du scénario du film *Les Plouffe*, tiré de son roman *Le crime d'Ovide Plouffe*.

Arthur Conan Doyle

1859 – 1930

Né en Écosse de parents irlandais, Arthur Conan Doyle est médecin mais écrit pour compenser de maigres revenus. Sherlock Holmes, le détective de ses romans, et son fidèle assistant le Docteur Watson, font leur apparition en 1887 dans *Une étude en rouge*. D'abord publiées dans le *Strand Magazine* en épisodes, ses histoires deviennent très populaires. Publiées ensuite en livres, les aventures de Sherlock Holmes ont toujours de fervents partisans. Il publie également des romans de genre différent.

Principaux livres: *Le Signe des quatre* en 1890; *Rodney Stone* en 1896; *Le Chien des Baskerville* en 1902; *Le Monde perdu* en 1912.

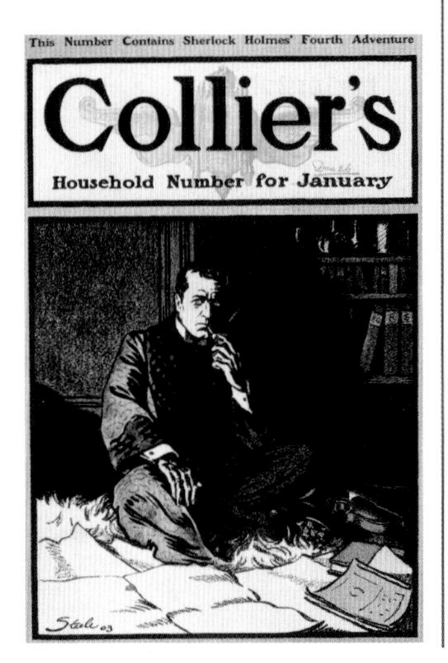

Beatrix Potter

1866 – 1943

Auteur et illustratrice de livres pour enfants, Beatrix Potter apprend seule le dessin et la peinture. Pour distraire de jeunes enfants, elle dessine des animaux habillés comme des humains. Elle travaille son style et écrit des histoires pour accompagner ses dessins. Elle envoie *L'Histoire de Pierre Lapin* au fils de l'une de ses gouvernantes en 1893, et la publie à ses frais en 1901.

Principaux livres: *Le Tailleur de Gloucester* en 1902; *Noisette l'écureuil* en 1903; *Jeannot Lapin* en 1904; *Jérémie Pêche-à-la-ligne* en 1906.

Marcel Proust

1871 – 1922

L'écrivain français Marcel Proust a souffert toute sa vie d'une mauvaise santé. À la mort de sa mère, en 1905, il mène une vie de reclus. Il publie son premier recueil d'esquisses et d'essais, *Les Plaisirs et les jours*, en 1896. Refusé par de nombreux éditeurs, Proust commence à publier à compte d'auteur, en 1913, le premier des 13 volumes de son grand ouvrage *À la recherche du temps perdu*. Son style est particulièrement détaillé – « six pages pour décrire le sourire d'une femme ». Ailleurs, il saisit l'essence d'une émotion en trois lignes. Quatre de ses livres seront publiés après sa mort.

Principaux romans: *Du côté de chez Swann* en 1913; *À l'ombre des jeunes filles en fleurs* en 1919; *Du côté de Guermantes* en 1920; *Sodome et Gomorrhe* en 1922; *La Prisonnière* en 1923; *Le Temps retrouvé* en 1927.

Colette

1873 – 1954

Les premiers livres de la romancière française Colette, les *Claudine*, sont publiés par son premier mari sous son propre nom de plume, Willy. Quand ils se séparent, elle écrit sous le nom de Colette Willy. Elle divorce en 1906 et gagne sa vie au music-hall en interprétant des numéros de mime et de danse. Son roman *L'Envers du music-hall* (1913) raconte cette époque de sa vie. Considérée comme un grand écrivain des années 1900, Colette publie plus de 50 livres. Le thème récurrent de son œuvre est la lutte des femmes pour leur indépendance. Le roman *Gigi* est resté très populaire grâce aux films et à la pièce qui en ont été tirés.

Principaux livres: *La Vagabonde* en 1910; *L'Envers du music-hall* en 1913; *Chéri* en 1920; *Sido* en 1929; *La Chatte* en 1933; *Gigi* en 1944.

RUDYARD KIPLING 1865 – 1936

Kipling est né aux Indes mais a passé une partie de son enfance en Angleterre. À 16 ans, il retourne aux Indes comme journaliste et se met à écrire des vers et des nouvelles sur la vie dans ce pays. En 1889, il regagne Londres où il publie de nombreux livres qui rencontrent le succès, dont *Le Livre de la jungle* (1894), *Kim* (1901) et *Histoires comme ça* (1902).

H. G. WELLS 1866 – 1946

Le romancier Herbert George Wells est professeur d'université, mais grâce au succès de ses nouvelles, il devient écrivain. En 1895, il écrit un roman de science-fiction qui devient très populaire, *La Machine à explorer le temps*. Puis il publie *L'Homme invisible* (1897) et *La Guerre des mondes* (1898). Son *Tentative d'autobiographie* (1934) remporte également un grand succès.

James Joyce

1882 – 1941

Né à Dublin, le grand écrivain irlandais James Joyce étudie d'abord les langues modernes. En 1902, il s'installe à Paris où il enseigne et écrit. C'est là qu'il publie son vaste recueil de nouvelles, *Gens de Dublin* (1914), puis *Dedalus, portrait de l'artiste par lui-même*, paru en épisodes dans le magazine *Egotist*. Son œuvre maîtresse, *Ulysse*, cause un scandale et sera interdite en Grande-Bretagne et aux États-Unis durant de nombreuses années en raison de ses descriptions réalistes de la sexualité.

Principaux livres : *Dedalus, portrait de l'artiste par lui-même* (1914 – 1915) ; *Ulysse* (1922) ; *Finnegans Wake* (1939).

J. R. R. Tolkien

1892 – 1973

Né en Afrique du Sud de parents anglais, le romancier Tolkien est professeur à l'université d'Oxford de 1925 à 1959. L'intérêt qu'il porte à l'histoire des langues et au folklore le conduit à écrire des histoires fantastiques pour les enfants. La première, *Bilbo le Hobbit*, connaît immédiatement le succès. *Le Seigneur des anneaux*, une suite de trois romans, lui demandera 12 ans de travail et a été récemment porté à l'écran.

Principaux livres : *Bilbo le Hobbit en* 1937 ; *Le Seigneur des anneaux* 1954 – 1955

Graham Greene

1904 – 1991

L'écrivain anglais Graham Greene grandit au Balliol College d'Oxford. Il se convertit au catholicisme romain à 22 ans et travaille comme journaliste pour le journal londonien *The Times*. Green ne rencontre le succès en tant qu'écrivain qu'à la parution de son quatrième roman, *L'Orient-Express*, en 1932. Il voyage beaucoup et nombre de ses romans se situent sous les tropiques. Les thèmes récurrents de ses romans sont la foi en Dieu, la lutte contre le mal, l'oppression et la corruption. Certains de ses romans ont été adaptés au cinéma avec succès, comme *Le Rocher de Brighton* ou *Le Troisième homme.*

Principaux livres : *Le Rocher de Brighton* en 1938 ; *La Puissance et la gloire* en 1940 ; *Le Troisième homme* en 1949 ; *Notre agent à La Havane* en 1958 ; *Le Consul honoraire* en 1973.

◀ *Bilbo le Hobbit*, de J.R.R. Tolkien, est une histoire fantastique pour les enfants qui se déroule dans un lieu appelé « la terre du milieu ». Cette édition assez ancienne était illustrée par l'auteur.

GERTRUDE STEIN 1874 – 1946
L'Américaine Gertrude Stein étudie la médecine et la psychologie puis vient s'installer à Paris. Elle s'intéresse à l'art abstrait et tente d'appliquer les mêmes théories à l'écriture. Son premier livre, *Trois Vies*, est publié en 1908. Elle écrit également deux opéras. Elle quitte Paris durant la Seconde Guerre mondiale pour vivre en Allemagne et écrit *Les Guerres que j'ai vues* (1945).

D. H. LAWRENCE 1885 – 1930
Durant sa courte vie, l'écrivain anglais David Herbert Lawrence a écrit un très grand nombre de romans, de nouvelles, de poèmes, de pièces de théâtre, d'essais et de récits de voyage. *Amants et fils* (1913) est son premier grand roman. *L'Amant de lady Chatterley* sera considéré comme obscène lors de sa publication à Florence en 1928, et sera interdit en Grande-Bretagne jusqu'en 1961.

JORGE LUIS BORGES 1899 – 1986
Poète et nouvelliste, l'écrivain argentin Jorge Luis Borges est élevé en Suisse et en Angleterre. Ses premiers ouvrages sont publiés en Espagne, dans des magazines d'avant-garde. Il regagne Buenos Aires en 1921, où il écrit plusieurs séries de nouvelles fantastiques. Les plus connues sont *Fictions* (1944) et *L'Aleph* (1949).

George Orwell

1903 – 1950

▼ *La Ferme des animaux,* satire du communisme et de la cupidité des hommes écrite par George Orwell, sera portée au cinéma.

George Orwell, de son véritable nom Eric Arthur Blair, est né aux Indes et a grandi en Angleterre. Il sert dans la police impériale birmane de 1922 à 1927 avant de regagner l'Europe, et travaille à Londres et à Paris dans une librairie ; il donne aussi parfois des cours privés. Son premier roman, *Dans la dèche à Paris et à Londres* (1933), témoigne de ses propres expériences durant cette période de sa vie.

Socialiste engagé, Orwell est blessé quand il se bat avec les Républicains durant la guerre civile d'Espagne (1936-1939). Puis il devient correspondant pour la BBC et le journal londonien *The Observer* pendant la Seconde Guerre mondiale. Après la guerre, Orwell publie *La Ferme des animaux*, une satire de la Révolution russe puis *1984*, un roman sur les dangers du totalitarisme. Ces deux romans lui valent une notoriété mondiale.

Principaux romans : *Et vive l'aspidistra* en 1936 ; *Un peu d'air, s'il vous plaît* en 1945 ; *La Ferme des animaux* en 1945 ; *1984* en 1948.

Roald Dahl

1916 – 1990

Né au pays de Galles de parents norvégiens, Roald Dahl est pilote dans la Royal Air Force durant la Seconde Guerre mondiale. Il sert en Afrique, au Moyen-Orient et aux États-Unis, et sera sérieusement blessé au cours d'une mission aérienne. Après la guerre, il se met à écrire des nouvelles pour les adultes, unanimement saluées par les critiques (*Someone Like You* en 1954 ; *Kiss, Kiss* en 1960). Cependant, c'est grâce à ses livres pour enfants qu'il connaît la célébrité. Le premier, *James et la grosse pêche*, paraît en 1961. Bien d'autres suivent, mais ils ne seront pas vraiment appréciés par les enseignants et les bibliothécaires qui les trouvent trop violents et trop cruels pour les enfants. En dépit – ou à cause – de cela, les livres de Roald Dahl se vendront à des millions d'exemplaires à travers le monde.

Principaux livres pour enfants : *Charlie et la chocolaterie* en 1964 ; *Sacrées sorcières* en 1983 ; *Sales Bêtes* en 1984.

Arthur C. Clarke

né en 1917

Arthur C. Clarke, photographié ici tenant son dernier livre, *3001 : Odyssée Quatre.*

Auteur de science-fiction anglais, Arthur C. Clarke est instructeur radar durant la Seconde Guerre mondiale. En 1945, il anticipe les communications à travers le monde entier grâce aux satellites. Sa première œuvre de science-fiction est *Prélude à l'espace* (1951). Clarke vise le réalisme technologique dans ses romans traitant de l'exploration de l'espace. Son roman le plus célèbre, *2001 : l'Odyssée de l'espace*, a été porté à l'écran par le réalisateur américain Stanley Kubrick (p. 151) en 1968. La série s'est poursuivie avec *2010 : Odyssée Deux* (1982), *2061 : Odyssée Trois* (1988), et *3001 : Odyssée Quatre* (2001).

Principaux livres : *La Fin de l'enfance* en 1953 ; *La Cité et les astres* en 1956 ; *2001 : l'Odyssée de l'espace* en 1968 ; *Rendez-vous avec Rama* en 1973 ; *Les Fontaines du paradis* en 1979.

Alexandre Soljenitsyne

né en 1918

En 1945, le Russe Alexandre Soljenitsyne est interné pendant huit ans pour avoir critiqué Staline (p. 21). Son premier roman, *Un jour dans la vie d'Ivan Denissovich* (1956), décrit les terribles conditions de vie dans les camps de prisonniers. Ses travaux suivants seront interdits et, en 1974, il est à nouveau arrêté, déchu de sa nationalité soviétique et expulsé. Après avoir vécu aux États-Unis, il regagne son pays natal en 1994. Il reçoit le prix Nobel de littérature en 1970.

Principaux livres: *Le Pavillon des cancéreux* en 1968; *L'Archipel du goulag* (1974 – 1978).

Anne Frank

1929 – 1945

Née en Allemagne, Anne Frank avait quatre ans quand son père, un banquier juif, s'installe avec sa famille aux Pays-Bas pour fuir les nazis. Lorsque les Allemands occupent les Pays-Bas durant la Seconde Guerre mondiale, Anne et sa famille se cachent dans le grenier du bâtiment qui abritait les bureaux du père. Ils vivent là de 1942 à 1944, période durant laquelle Anne tient un journal détaillé. La famille est dénoncée et déportée en camp de concentration. Anne meurt au camp de Bergen-Belsen. Seul Otto, le père, survivra au drame.

Livre célèbre: *Le Journal d'Anne Frank* en 1947.

Pendant deux ans, Anne Frank se cache des Allemands dans une petite pièce située dans les combles du bureau de son père, à Amsterdam. Au cours de cette période, elle tient un journal de sa vie.

Isaac Asimov

1920 – 1992

Le romancier Isaac Asimov, né en Russie, émigre avec sa famille aux États-Unis en 1923. Après des études de chimie, il devient un biochimiste assez connu. Il écrit aussi de nombreux romans de science-fiction. Sa série de nouvelles, *Les Robots*, introduit le terme de « robotique » dans le langage scientifique.

Principaux livres: *Les Robots* en 1950; *Fondation* en 1951; *Fondation et Empire* en 1952; *Seconde Fondation* en 1953; *Les Cavernes d'acier* en 1954; *Face aux feux du soleil* en 1957.

J. K. Rowling

née en 1965

Alors qu'elle est professeur d'anglais au Portugal, J. K. Rowling écrit une histoire de sorciers. Elle se rend en Écosse et, grâce à une subvention, termine son livre. Dès sa publication, *Harry Potter à l'école des sorciers* est un grand succès, rapidement suivi de trois autres tomes. Les films tirés des aventures de Harry Potter connaissent un succès foudroyant.

Principaux livres: *Harry Potter à l'école des sorciers* en 1997; *Harry Potter et la chambre des secrets* en 1998; *Harry Potter et le prisonnier d'Azkaban* en 1999; *Harry Potter et la coupe de feu* en 2000.

JEAN-PAUL SARTRE 1905 – 1980

L'écrivain et philosophe français Jean-Paul Sartre est né à Paris. Il fait ses études à la Sorbonne et à l'École normale supérieure, puis enseigne la philosophie. Il est fait prisonnier pendant la Seconde Guerre mondiale et, une fois libéré, il rejoint les rangs de la Résistance à Paris. En 1946, il fonde le mensuel *Les Temps modernes* avec sa compagne Simone de Beauvoir (ci-dessous). Il devient aussi l'un des fondateurs du mouvement existentialiste. Son livre, *L'Être et le Néant* (1943), développe la théorie que l'homme n'est rien sans décision consciente. Parmi ses œuvres, citons *La Nausée* (1938) et les *Chemins de la liberté* (1945 – 1948). Sartre a écrit également des pièces de théâtre dont *Les Mouches* (1943) et *Huis clos* (1944).

SIMONE DE BEAUVOIR 1908 – 1986

Née à Paris, Simone de Beauvoir est une féministe socialiste, surtout connue pour son ouvrage *Le Deuxième Sexe* (1949). Elle obtient le prix Goncourt en 1954 pour son roman autobiographique *Les Mandarins.* Durant presque toute sa vie, elle sera la partenaire et la compagne du philosophe et écrivain existentialiste Jean-Paul Sartre (ci-dessus).

J. D. SALINGER né en 1919

Né à New York, Jérome David Salinger brûlait du désir de devenir écrivain. Après avoir pris part à la Seconde Guerre mondiale, il travaille comme journaliste dans différents magazines, dont le *New Yorker.* Son premier roman, *L'Attrape-cœur* (1951), le rend immédiatement célèbre et devient un livre culte pour les jeunes; il se vend encore maintenant par milliers d'exemplaires chaque année. Salinger vit à présent retiré du monde dans le New Hampshire, évitant toute publicité.

BORIS VIAN 1920 – 1959

Écrivain, chanteur et musicien de jazz français. D'abord musicien, Boris Vian commence à écrire sous le pseudonyme de Vernon Sullivan. Son premier roman, *J'irai cracher sur vos tombes* (1946), connaît un succès de scandale car on lui reproche sa pornographie. Il écrit ensuite de nombreux romans dont *L'Écume des jours* (1947), *l'Arrache-cœur* (1953) et des pièces de théâtre. Il est aussi auteur-compositeur: *Le Déserteur* (1959), chanson contre la guerre d'Algérie, est restée célèbre. Il meurt à 39 ans d'une maladie de cœur sans avoir connu le succès, mais son œuvre obtiendra une audience considérable après sa mort.

LES POÈTES

Dante Alighieri

1265 – 1321

Né à Florence en Italie, Dante n'a que 9 ans quand il tombe amoureux d'une jeune fille, Béatrice Portinari. Cet amour aura une profonde influence sur son travail de poète. Dante raconte son histoire d'amour dans un recueil de sonnets, *La Vita nuova*. Béatrice meurt en 1290 et Dante s'engage alors dans la politique florentine, mais, en 1301, la victoire de ses adversaires le condamne au bannissement. Il finit par s'installer à Ravenne. Son œuvre maîtresse, *La Divine Comédie*, est un très long poème allégorique qui raconte son voyage à travers le monde surnaturel, guidé par son amour d'enfance, Béatrice.

Principaux ouvrages : *La Vita nuova* vers 1292 ; *La Divine Comédie* vers 1307 – 1320.

Geoffrey Chaucer

v. 1345 – 1400

L'auteur et poète anglais Geoffrey Chaucer servit durant la guerre de Cent ans qui opposa l'Angleterre à la France. Fait prisonnier en 1359, il est libéré grâce à une rançon payée par le roi Edward III. Chaucer devient alors valet de chambre du roi, puis contrôleur des douanes du port de Londres. Son œuvre la plus célèbre, *Les Contes de Cantorbéry* (Canterbury), est écrite en vers et en prose : elle contient des histoires racontées par un groupe de pèlerins voyageant de Londres à Cantorbéry, en Angleterre.

Principaux livres : *Les Contes de Cantorbéry* vers 1387 – 1400.

William Blake

1757 – 1827

Né à Londres, en Angleterre, William Blake est d'abord apprenti graveur puis il devient un élève de la « Royal Academy ». Il écrit des poèmes qu'il illustre lui-même de gravures. Il crée de nombreux livres enluminés dans lesquels les textes et les illustrations sont intimement mêlés. La poésie de Blake n'est pas beaucoup appréciée de son vivant, et une grande part sera mise au rebut. Ses poèmes les plus connus sont *Milton* et *Jérusalem*. Blake laissera de nombreux livres illustrés tels *Le Livre de Job* (1826), et des peintures comme *Job et ses filles* (1799 – 1800).

Plus célèbres recueils de poèmes : *Les Chants d'innocence* en 1789 ; *Les Chants d'expérience* en 1794. Poèmes célèbres : *Milton* (1804 – 1808) ; *Jérusalem* (1804 – 1820).

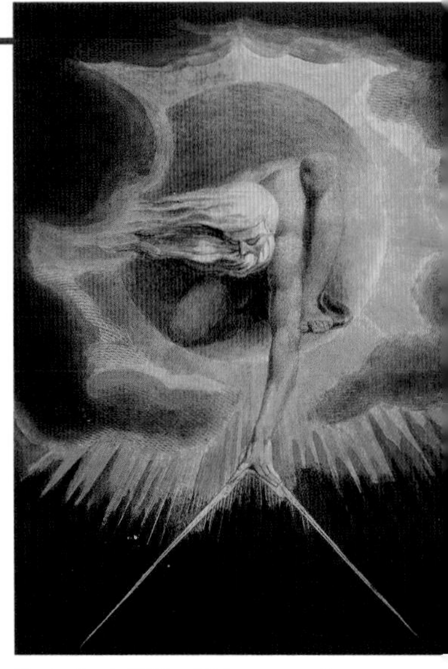

Illustration de William Blake pour son livre *Les chants d'expérience* (1794).

William Wordsworth

1770 – 1850

Wordsworth et sa femme Mary.

Le poète anglais William Wordsworth est né dans le nord-est de l'Angleterre et fait ses études à l'université de Cambridge. Après un court séjour en France et en Suisse, il s'installe dans le sud-ouest du pays avec sa sœur Dorothy et son ami, le poète Samuel Taylor Coleridge (p. 119). Worsdworth et Coleridge écrivent ensemble des poèmes, *Les Ballades lyriques*, dont le célèbre *Tintern Abbey* de Wordsworth. Ce dernier se marie en 1802 et s'installe avec sa femme Mary à nouveau dans le nord-ouest de l'Angleterre, où il écrira quelques-uns de ses plus charmants poèmes, le célèbre *Daffodils* (*Les Jonquilles*) notamment.

Poèmes célèbres : *Ballades lyriques* en 1798 ; *Lucy* en 1798 – 1799 ; *Le Prélude* en 1805.

PÉTRARQUE 1304 – 1374
L'humaniste et poète italien Pétrarque (en italien, Francesco Petrarca) s'installe en 1326 en Avignon, où il s'éprend d'une jeune femme, Laure. Cet amour lui inspire un recueil de sonnets et de chants, *Canzoniere* (1342). Pétrarque voyage beaucoup, à la recherche de manuscrits anciens. Son célèbre poème *Africa* est écrit à cette époque.

MATSUO BASHO 1644 – 1694
À 9 ans, le poète japonais Matsuo Basho est confié à un samouraï et étudie la littérature. Il mène une vie errante au cours de laquelle il écrit ses nombreux et célèbres poèmes (*L'Étroit chemin d'Oku*, 1689). Il est l'un des plus célèbres auteurs de haïkus, courts poèmes japonais en 17 syllabes réparties en trois vers.

HENRY LONGFELLOW 1807 – 1882
Né en Nouvelle-Angleterre, Longfellow sera professeur à l'université de Harvard avant de se consacrer à la poésie. Il fait plusieurs séjours en Europe, où son premier livre de poèmes, *Voix de la nuit* (1839), est bien reçu. Son poème épique *Hiawatha* (1855) raconte les mythes et les légendes des Indiens d'Amérique.

Samuel Taylor Coleridge

1772 – 1834

Le poète anglais Samuel Taylor Coleridge fait ses études à Cambridge. Après un bref passage dans l'armée, il se rend aux États-Unis où il projette de fonder une communauté. N'obtenant pas ce qu'il désirait, il retourne en Angleterre, où il devient professeur et journaliste. En 1797, il s'installe dans le Somerset où il rencontre le poète Wordsworth (p. 118). Ils écrivent ensemble *Les Ballades lyriques* (1798) où se trouve le chef-d'œuvre de Coleridge, *Le Dit du vieux marin*. En 1800, il se rend dans le nord-ouest de l'Angleterre, mais sa mauvaise santé, sa dépendance à la drogue et un mariage malheureux le poussent à partir pour Londres en 1810. Il écrit alors une pièce, d'autres poèmes et enseigne les sciences politiques, éducatives et religieuses.

Poèmes célèbres : *Le Dit du vieux marin* en 1798 ; *Kubla Khan* en 1816.

Lord Byron

1788 – 1824

Né en Écosse, le poète anglais Byron fait ses études à l'université de Cambridge. En 1809, il entreprend un grand voyage en Europe et écrit son premier chef-d'œuvre, *Le Chevalier Harold*, description poétique des pays qu'il a visité. En raison d'une vie amoureuse compliquée, il quitte Londres pour Venise où il écrit ses meilleurs poèmes. Il meurt en Grèce alors qu'il soutenait les Grecs combattant les Turcs pour leur indépendance.

Poèmes célèbres : *Le Chevalier Harold* en 1812 ; *Don Juan* (1819 – 1824).

Emily Dickinson

1830 – 1886

La poétesse américaine Emily Dickinson a passé la plus grande partie de sa vie dans sa ville natale d'Amherst (Massachusetts). En 1853, elle s'enferme dans une réclusion presque complète. Son seul contact avec le monde extérieur se réduit aux lettres qu'elle échange avec un petit nombre d'amis et avec l'écrivain abolitionniste et défenseur des droits des femmes, Thomas Higginson (1823 – 1911). Entre 1858 et 1865, Emily écrit près de 1700 poèmes, dont très peu sont publiés, anonymement, de son vivant. Son talent ne sera reconnu qu'après sa mort lors de la publication de ses poèmes en trois volumes.

Poèmes célèbres : *Success is counted sweetest* vers 1859 ; *There is no frigate like a book* vers 1873.

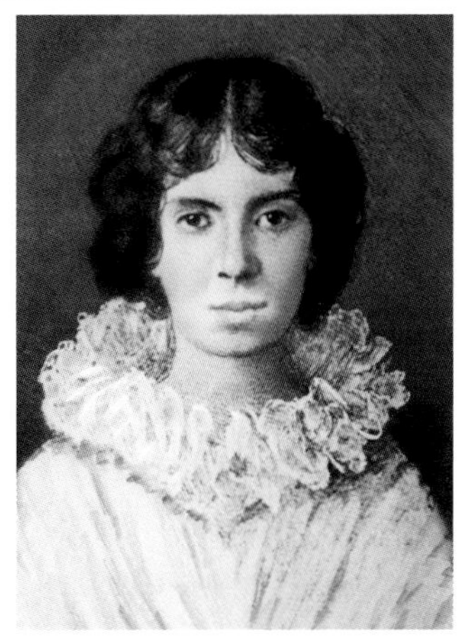

Miniature du XIXe siècle représentant la poétesse américaine Emily Dickinson

T.S. Eliot étudiant ses manuscrits.

T. S. Eliot

1888 – 1965

Né aux États-Unis, le poète Thomas Stearns Eliot a passé le plus clair de sa vie en Angleterre. Après des études à l'université d'Oxford, il travaille dans une banque avant de devenir éditeur. Il écrit son premier recueil de poèmes, *Le Chant d'amour de J. Alfred Prufrock*, en 1917. Le chef-d'œuvre de la production du poète, *La Terre vaine*, reçoit les éloges de la critique dès sa parution. Puis Eliot écrit des pièces à thèmes religieux dont *Meurtre dans la cathédrale* (1935) est la plus célèbre. Ses poèmes pour enfants, *Old Possum's Book of Practical Cats* (1939) donnèrent lieu à une comédie musicale, *Cats*, en 1981. Il a reçu le prix Nobel de littérature en 1948.

Poèmes célèbres : *La Terre vaine* en 1922 ; *Quatre Quatuors* en 1943.

CHARLES BAUDELAIRE 1821 – 1867
Le poète français Charles Baudelaire est un adolescent révolté. Il quitte sa famille et se rend à Paris pour se consacrer à l'écriture. Il devient opiomane. À 20 ans, sa famille l'envoie aux Indes, mais il ne va pas plus loin que l'île Maurice où il a une liaison. Il regagne Paris et il écrit entre 1845 et 1865 plusieurs recueils de poèmes et d'essais critiques, dont *Les Fleurs du mal* (1857).

e e cummings 1894 – 1962
Le poète américain Edward Estlin Cummings fait des études artistiques à Paris. Influencés par le jazz et par l'argot, ses premiers recueils de poésie paraissent dans les années 1920 : *Tulipes et cheminées* en 1920, et *XLI Poèmes*. Son travail se caractérise par un usage inhabituel de la ponctuation et de la typographie, comme le montre l'utilisation de lettres en bas de casse dans son nom.

ALLEN GINSBERG 1926 – 1997
À la fin des années 1950, le poète américain homosexuel Allen Ginsberg appartient au groupe d'écrivains américains appelé la Beat Generation. Ils détestent les valeurs des classes moyennes et tentent d'explorer toutes les facultés de leur esprit par la méditation religieuse, le sexe, les drogues et la musique. Ginsberg a écrit plusieurs recueils de poèmes dont *Hurlement* (1955).

LES AUTEURS DRAMATIQUES

Christopher Marlowe

1564 – 1593

L'auteur dramatique anglais Christopher Marlowe écrit sa première pièce, *Tamerlan*, à 23 ans. Il a une grande influence sur les premiers travaux de Shakespeare (ci-dessous), et l'on dit même qu'il a contribué à l'écriture d'au moins l'une de ses pièces. Marlowe a eu une vie privée tumultueuse et sera poignardé à mort dans une taverne de Londres.

Pièces célèbres: *La Tragique histoire du Docteur Faust* vers 1589; *Édouard II* vers 1592.

MOLIÈRE

Molière

1622 – 1673

De son vrai nom Jean-Baptiste Poquelin, l'acteur et auteur dramatique français, Molière, monte une troupe de théâtre à Paris en 1643. Avec le soutien du roi Louis XIV et de son frère le duc d'Orléans, sa troupe parcourt la France avec grand succès. En 1658, le roi lui accorde une scène permanente à Paris. À cette époque, Molière commence à écrire des comédies satiriques. Il meurt quelques heures après la quatrième représentation du *Malade imaginaire*.

Pièces célèbres: *Don Juan* en 1665; *Le Misanthrope* en 1666; *Tartuffe* en 1667; *Le Bourgeois gentilhomme* en 1670.

William Shakespeare

1564 – 1616

Auteur dramatique, poète et acteur, William Shakespeare est considéré comme le plus grand poète dramatique anglais.

Les premières années de la vie de Shakespeare se déroulent dans sa ville natale de Stratford-upon-Avon, dans le centre de l'Angleterre. Il se marie à 18 ans. On sait peu de chose sur lui jusqu'à ce qu'il devienne acteur à Londres en 1592. C'est à cette époque qu'il écrit sa première pièce de théâtre, *Les Deux Gentilshommes de Vérone*. Il rejoint la troupe du lord chambellan, les Chamberlain's Men, et joue régulièrement à la cour de la reine Élisabeth Ire (p. 15). Quand Jacques Ier monte sur le trône en 1603, la compagnie prend le nom de King's Men. Les premières pièces de Shakespeare, comme *Roméo et Juliette* (1595), remportent un succès immédiat à Londres et en font un homme fortuné. Shakespeare a écrit en tout 37 pièces – tragédies, comédies, drames historiques – et 150 sonnets.

Pièces célèbres: *Richard III* en 1593; *Richard II* en 1595; *Le Songe d'une nuit d'été* en 1596; *Le Marchand de Venise* en 1597; *Jules César* en 1599; *Hamlet* en 1601; *Othello* en 1604; *Macbeth* en 1606; *Le Roi Lear* en 1606.

Le théâtre du Globe, à Londres, où Shakespeare s'est lui-même produit et où furent montées beaucoup de ses pièces.

Jean Racine

1639 – 1699

L'auteur dramatique et poète Jean Racine est considéré comme l'un des plus grands auteurs français. Il commence à rédiger des poèmes alors qu'il étudie la philosophie au collège d'Harcourt. En 1664, il écrit sa première pièce, *La Thébaïde*, et en 1665 *Alexandre*, qui sera représentée par la troupe de Molière à Paris, puis confiée à celle de l'Hôtel de Bourgogne à la suite de la rupture des deux partenaires. Racine est très influencé par le théâtre grec antique. Il écrit ses meilleures pièces entre 1667 et 1677.

Pièces célèbres: *Andromaque* en 1667; *Iphigénie* en 1675; *Phèdre* en 1677.

Henrik Ibsen

1828 – 1906

Considéré comme le premier dramaturge moderne, le Norvégien Henrik Ibsen écrit sa première pièce alors qu'il travaille dans une pharmacie. En 1851, Ibsen est nommé directeur de plateau et auteur résidant au théâtre de Bergen en Norvège. Il devient directeur du Théâtre norvégien en 1857. C'est là qu'il écrit des poèmes dramatiques et les premières de ses meilleures pièces. Ses plus grandes œuvres seront composées durant ses séjours en Italie et en Allemagne entre 1864 et 1890.

Pièces célèbres: *La Maison de poupée* en 1879; *Les Revenants* en 1882; *Un ennemi du peuple* en 1882; *Hedda Gabler* en 1890.

HENRIK IBSEN

George Bernard Shaw

1856 – 1950

L'Irlandais Shaw s'installe à Londres en 1876. Là, il fait partie d'un groupe d'intellectuels socialistes et devient critique d'art pour plusieurs journaux. La première de ses nombreuses pièces, *L'Argent n'a pas d'odeur*, est montée pour la première fois en 1892. Shaw est également remarqué pour son livre *The Intelligent Woman's Guide to Socialism and Capitalism* (1928). Il reçoit le prix Nobel de littérature en 1925.

Pièces célèbres: *Pygmalion* 1913; *Sainte Jeanne* 1923.

Anton Tchekhov est le plus grand dramaturge russe.

Anton Tchekhov

1860 – 1904

Né dans une famille pauvre de Russie, Anton Tchekhov commence par écrire des nouvelles humoristiques alors qu'il est étudiant en médecine. Devenu médecin, il voit sa première pièce, *La Mouette*, jouée au Théâtre d'art de Moscou en 1898. Il écrit ensuite des pièces et des nouvelles qui lui apportent la notoriété; elles traitent toutes de la vie difficile du peuple russe dans la Russie tsariste. L'œuvre de Tchekhov a beaucoup influencé de nombreux auteurs occidentaux.

Pièces célèbres: *Oncle Vania* en 1896; *Les Trois Sœurs* en 1901; *La Cerisaie* en 1904.

BEN JONSON 1572 – 1637

L'auteur dramatique anglais Ben Jonson est maçon avant de s'enrôler dans l'armée anglaise pour combattre les Espagnols aux Pays-Bas. À son retour en Angleterre, il devient acteur dans une troupe à Londres, sans grand succès. Emprisonné pour avoir tué en duel un autre comédien, il entreprend d'écrire des pièces. Parmi les premières, *Chacun dans son caractère* (1598) s'assure la participation de Shakespeare (p. 120) dans sa distribution. Jonson est plus connu pour ses quatre comédies: *Volpone ou le renard* (1605), *Épicène ou la femme silencieuse* (1609), *L'Alchimiste* (1610) et *La Foire de la Saint-Barthélemy* (1614). Il bénéficie des bontés du roi Jacques Ier pour lequel il compose des ballets, des divertissements et de la musique qu'il met en scène avec la collaboration de l'architecte Inigo Jones (p. 173).

PIERRE DE BEAUMARCHAIS 1732 – 1799

Fils d'un horloger parisien, Pierre de Beaumarchais suit les traces de son père et s'enrichit à la suite de divers placements. Il est également dramaturge et écrit deux comédies qui connaissent un très grand succès: *Le Barbier de Séville* (1775) et *Le Mariage de Figaro* (1784). Suspect aux yeux du peuple français durant la Révolution de 1789, il se réfugie en Hollande, puis en Angleterre jusqu'en 1796.

AUGUST STRINDBERG 1849 – 1912

L'auteur dramatique et écrivain suédois August Strindberg a connu une vie très agitée. Il renonce aux études, exerce divers métiers, se marie trois fois, souffre d'un complexe de persécution, s'adonne à l'occultisme et frôle la folie. Cependant, ses œuvres, comme sa pièce *Mademoiselle Julie* (1888) ou son roman *La Chambre rouge* (1879), font de Strindberg le plus grand des écrivains suédois.

SEAN O'CASEY 1884 – 1964

L'auteur dramatique irlandais Sean O'Casey, issu d'une famille pauvre de Dublin, travaille d'abord dans le bâtiment. Ses premières pièces, écrites sur les pauvres de la ville pour le Théâtre de l'abbaye de Dublin, sont mal accueillies par le public. *La Charrue et les étoiles* (1926) provoque même une émeute. O'Casey quitte Dublin pour Londres où il continue à écrire des pièces qui traitent notamment du communisme et de l'Église d'Irlande.

Bertolt Brecht

1898 – 1956

Considéré comme le plus grand dramaturge moderne d'Allemagne, Brecht fait des études de médecine et de philosophie avant d'écrire sa première pièce, *Tambours dans la nuit* (1918). Il écrit aussi des opéras – *L'Opéra de quat'sous* (1928) – qui réunissent son goût pour la musique et le théâtre. Il rompt avec le théâtre traditionnel en écrivant des pièces expérimentales comme *Maître Puntila et son valet Matti* (1940). Brecht quitte l'Allemagne nazie en 1933 et s'installe en Californie. Accusé de communisme en 1948, il regagne l'Allemagne de l'Est où il fonde un théâtre.

Pièces célèbres: *Mère Courage et ses enfants* en 1941; *Le Cercle de craie caucasien* en 1947; *La Résistible ascension d'Arturo Ui* en 1957.

Tennessee Williams

1911 – 1983

L'auteur dramatique américain Tennessee Williams a fait toutes sortes de curieux métiers tout en travaillant à devenir écrivain. La notoriété lui vient en 1940 lorsqu'il est récompensé pour sa pièce *The Battle of Angels*. Son premier succès date de 1945: il est reconnu comme un important auteur dramatique par le New York Drama Critic's Circle pour sa pièce *La Ménagerie de verre*. En 1948, il remporte le prix Pulitzer pour *Un tramway nommé Désir*. Bon nombre de ses pièces ont donné lieu à des films célèbres.

Pièces célèbres: *La Chatte sur un toit brûlant* en 1955; *Soudain l'été dernier* en 1958; *La Nuit de l'iguane* en 1961.

La comédie de Terrence Rattigan *French Without Tears* remporta un grand succès.

Samuel Beckett

1906 – 1989

L'Irlandais romancier et dramaturge Samuel Beckett est d'abord professeur de langues à Paris et à Dublin. En 1937, il s'installe en France, où il travaille un temps comme assistant du romancier irlandais James Joyce (p. 115). Hormis quelques poèmes et deux romans, la quasi-totalité de son œuvre est écrite en français. Cependant, Beckett est surtout connu pour ses pièces de théâtre. *En attendant Godot* (1953) lui vaut une renommée internationale et le titre de chef de file du théâtre de l'absurde. Il reçoit le prix Nobel de littérature en 1969.

Pièces célèbres: *Fin de partie* en 1956; *Oh! les beaux jours* en 1961; *Comédie* en 1964.

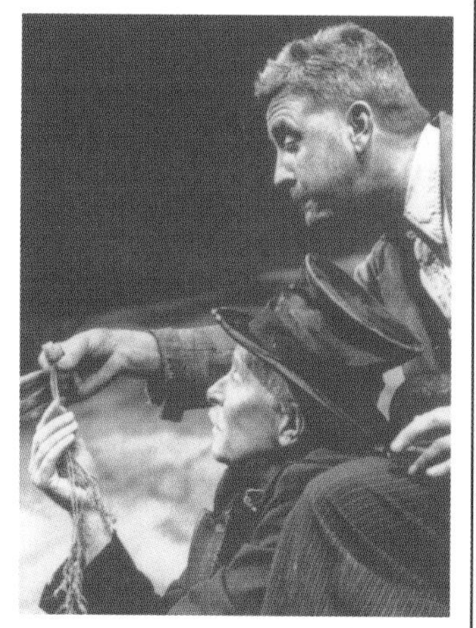

Le chef-d'œuvre de Beckett, *En attendant Godot*, traite de la condition difficile de l'homme moderne.

Terrence Rattigan

1911 – 1977

Né à Londres, Terrence Rattigan fait ses études à l'université d'Oxford. En 1936, sa comédie *French Without Tears* remporte un véritable succès dans le West End londonien. Suivent d'autres pièces tout aussi remarquées, dont beaucoup traitent de personnages et d'événements contemporains réels. Les pièces de Rattigan sont toujours populaires et régulièrement produites. Beaucoup ont été portées à l'écran avec des scénarios écrits par l'auteur.

Pièces célèbres: *Flare Path* en 1942; *Winslow contre le roi* en 1946; *L'Ombre d'un homme* en 1948; *Tables séparées* en 1954.

JEAN ANOUILH 1910 – 1987
L'auteur dramatique Jean Anouilh fait des études de droit à Paris et devient secrétaire de l'acteur et directeur de théâtre Louis Jouvet (1887 – 1951). De nombreuses pièces d'Anouilh s'inspirent de la mythologie classique grecque remise au goût du jour. Les plus célèbres d'entre elles sont *Antigone* (1944), *L'Alouette* (1953), *Becket ou l'honneur de Dieu* (1959).

ARTHUR MILLER né en 1915
L'auteur dramatique américain, Arthur Miller, se fait connaître en 1949 en recevant le prix Pulitzer pour sa pièce *Mort d'un commis voyageur*, s'inspirant des échecs vécus par son père. Miller est victime du maccarthysme et sa célèbre pièce, *Les Sorcières de Salem* (1953) traite de ce sujet. Son mariage avec l'actrice Marilyn Monroe (p. 143) durera cinq ans.

EDWARD ALBEE né en 1928
L'auteur américain Edward Albee est influencé par les écrivains du théâtre de l'absurde comme Samuel Beckett. Dans des pièces telles que *Qui a peur de Virginia Woolf?* (1962), il attaque les valeurs de la classe moyenne américaine. Albee remporte le prix Pulitzer pour ses pièces *Délicate Balance* (1966), *Seascape* (1975) et *Three Tall Women* (1991).

LES RÉFORMATEURS

Thomas Becket

1118 – 1170

Né à Londres, Becket accède rapidement au pouvoir. Le roi Henry II (1133 – 1189) le nomme chancelier en 1155 et archevêque de Canterbury en 1162. En tant que chancelier, Thomas Becket est ami et conseiller du roi. Devenu archevêque, il renonce à la vie de cour et s'oppose au roi dans de nombreux domaines. Depuis son exil en France, Becket excommunie le roi. Il revient en Angleterre en 1170 mais s'oppose encore à la politique royale. Quatre chevaliers l'assassinent dans la cathédrale de Canterbury à l'instigation du roi.

Martyr et saint anglais, assassiné en 1170.

François d'Assise

v. 1181 – 1226

Connu pour ses vœux de pauvreté totale et pour sa tendresse envers les animaux, François est le fils d'un riche drapier italien. Jeune homme, il se bat contre la ville de Pérouse où il sera capturé et emprisonné. Une fois libéré, il se met en quête d'une vie plus spirituelle. En 1205, il a une vision du Christ qui le conduit à repousser son père, à abandonner ses biens et à tenter de vivre comme vivait le Christ. Devenu ermite, il prêche et reconstruit des églises, et soigne les malades. Il a de nombreux disciples et fonde l'ordre des moines franciscains ou frères mineurs qui compte aujourd'hui quelque 18000 membres. Il est canonisé en 1228.

Fondateur de l'ordre des franciscains en 1209.

Martin Luther

1483 – 1546

Issu d'une famille d'origine paysanne, le père de Martin Luther acquiert une certaine aisance en travaillant dans l'extraction minière. Alors qu'il étudie le droit, Martin fait, en 1505, une expérience spirituelle qui l'incite à entrer dans un monastère.

Luther devient prêtre en 1507. Docteur en théologie, il est envoyé à Wittenberg pour enseigner et prêcher. Il mène une réflexion profonde sur les rapports entre Dieu et les hommes, et sur ce que Dieu attend d'eux. Ses conclusions diffèrent de celles de l'Église catholique romaine et mettent en cause l'autorité de la Bible. Il se dresse également contre les pratiques indulgentes de l'Église: la rémission des péchés sera accordée aux fidèles qui effectuent un pèlerinage ou à ceux qui participent à de bonnes œuvres. Pour lui, ces indulgences constituent une insulte au pardon de Dieu et il dénonce comme inacceptable leur pratique qui enrichit l'Église. Il résume ses objections en 95 thèses et, en 1517, il les affiche sur la porte d'une église de Wittenberg au mépris du pape. En 1519, il est excommunié après avoir déclaré que le pape n'est pas infaillible. En 1521, à la diète de Worms, Luther refuse de se rétracter devant Charles Quint, empereur du Saint-Empire romain germanique, sous prétexte qu'il ne peut pas aller contre sa conscience. Il échappe à la mort grâce à la protection de l'électeur de Saxe. Luther espère que ses enseignements aideront à la réformation de l'Église catholique, mais en fait ils deviennent les fondements d'un nouveau mouvement religieux, le protestantisme.

Fondateur du protestantisme dans les années 1530.

John Calvin

1509 – 1564

Né en France, Calvin passe la plus grande partie de sa vie en Suisse où il devient l'un des chefs les plus importants de la réforme protestante. Comme Luther (p. 123), il pense que la foi est plus importante que les bonnes actions. Intellectuel et administrateur, Calvin énonce les principes du protestantisme et organise la paroisse réformée, sorte de modèles des futures paroisses protestantes de France. Convaincu que l'Église doit se libérer de l'État pour travailler aux réformes sociales, Calvin sépare le pouvoir religieux du pouvoir civil.

Chef de la Réforme protestante (1541 – 1564).

John Knox

v. 1513 – 1572

Né en Écosse, John Knox est ordonné prêtre de l'Église catholique en 1540, mais devient protestant à la suite des réformes de Martin Luther (p. 123). En 1549, il se rend en Angleterre pour soutenir la politique protestante d'Édouard VI (1537 – 1553), mais il doit s'enfuir en Europe quand Marie Tudor (1516 – 1558), reine catholique, accède au trône, en 1553. Knox rejoint Calvin (ci-dessus) en Suisse et subit fortement son influence. En 1559, il revient en Écosse pour y diriger le mouvement calviniste. Ses prêches remarquables et son hostilité ouverte à l'égard de l'Église catholique contribuent en partie à la chute de Marie Stuart, reine d'Écosse (1542 – 1587).

Fondateur de l'Église d'Écosse en 1560.

William Penn

1644 – 1718

Fils d'un amiral anglais, William Penn est expulsé de l'université d'Oxford pour avoir rejeté l'enseignement de l'Église d'Angleterre. Après un bref séjour en France, Penn est envoyé en Irlande par son père pour y administrer les biens familiaux, et y devient quaker. En Angleterre, il prêche la tolérance religieuse et est emprisonné à plusieurs reprises. En 1681, le roi d'Angleterre Charles II lui octroie en Amérique du Nord des terres qu'il baptise « Pennsylvanie » en mémoire de son père. Une année plus tard, il s'embarque avec des émigrants quakers et fonde la colonie de Pennsylvanie.

Fondateur de la Pennsylvanie en 1682.

Samuel Adams

1722 – 1803

Né à Boston, l'homme politique américain Samuel Adams s'oppose constamment à la colonisation anglaise et s'élève tout particulièrement contre les taxes imposées aux colonies. En 1773, les Anglais imposent une taxe sur le thé et concèdent le monopole du commerce du thé à la Compagnie des Indes orientales. Avec d'autres patriotes bostoniens, Adams décide de s'opposer à l'arrivée de trois bateaux chargés de thé dans le port de Boston. Le gouverneur de Boston refusant de sommer ces bateaux de quitter le port, une soixantaine de Bostoniens habillés en Indiens Mohawks abordent les bateaux de nuit et, au signal d'Adams, jettent la cargaison à la mer. C'est l'un des événements décisifs qui mènera à la guerre révolutionnaire américaine (1775 – 1783) et à la Déclaration d'indépendance que Samuel Adams signe en 1776.

La Boston Tea Party est organisée par Samuel Adams en protestation symbolique contre les taxes imposées par les Anglais aux colonies américaines.

Organisateur de la *Boston Tea Party* en 1773.

JOHN WYCLIFFE v. 1329 – 1384
Philosophe et professeur anglais révolutionnaire, John Wycliffe met en cause l'autorité du pape et du clergé. Il pense que la seule autorité est la parole de Dieu comme elle nous a été rapportée par la Bible. Afin de populariser ses croyances, notamment pour les gens peu instruits, il dirige la première traduction de la Bible en anglais.

THOMAS MORE 1478 – 1535
En 1529, l'homme politique et humaniste Thomas More est nommé chancelier d'Angleterre par Henri VIII (p. 15). Il s'oppose à la réforme de l'église entreprise par le roi et à sa rupture avec Rome. More démissionne en 1532 et, deux ans plus tard, Henri VIII devient le chef de l'Église anglicane. More refuse d'admettre cette situation, ce qui entraîne son exécution comme traître.

ADAM SMITH 1723 – 1790
En 1776, le philosophe et économiste écossais Adam Smith publie *Recherche sur la nature et les causes de la richesse des nations*, premier livre d'économie moderne expliquant le fonctionnement et le développement des économies. Smith développe la théorie du libre-échange. Il estime que la liberté totale du commerce international permet le partage équitable des richesses du monde.

Edmund Burke

1729 – 1797

Né à Dublin, l'homme politique, philosophe et écrivain Edmund Burke est élu chef du parti Whig au Parlement anglais en 1765 et occupe le poste de secrétaire d'État pour l'Irlande. Excellent orateur, il soutient que les colons américains doivent avoir les mêmes droits que les Anglais. Burke s'oppose au commerce des esclaves, travaille à l'amélioration des relations entre l'Angleterre et l'Irlande, et lutte pour la tolérance religieuse. Il est un farouche adversaire de la Révolution française, la trouvant trop violente et sans respect pour les droits de l'homme. Les idées de Burke sont la base de la politique du Parti conservateur moderne de Grande-Bretagne.

Père du conservatisme britannique (1765 – 1783).

William Wilberforce

1759 – 1833

Homme politique anglais et philanthrope évangéliste, William Wilberforce se sert de sa position de membre du Parlement pour faire passer des réformes. Il se bat en faveur des pauvres, mais il se rend surtout célèbre pour son opposition à l'esclavage. En 1787, il entame une campagne antiesclavagiste. Son projet de loi sur l'abolition de l'esclavage est approuvé en 1807, mais ne joue qu'en faveur des esclaves des Antilles britanniques. Le reste de sa vie politique est entièrement consacré à la lutte pour l'abolition, qui prend acte en 1833.

Opposant au commerce britannique des esclaves (1787 – 1833).

Giuseppe Mazzini

1805 – 1872

L'Italien Giuseppe Mazzini est un révolutionnaire républicain et l'un des chefs du *Risorgimento*, mouvement politique qui aboutira à l'unification de l'Italie. Soupçonné d'appartenir à la société des carbonari, groupe révolutionnaire clandestin, Mazzini est arrêté en 1830 et exilé en France, où il fonde le mouvement Jeune Italie. Il parcourt alors le pays à la recherche de soutien puis regagne l'Italie en 1848 pour y diriger la lutte et prendre la tête à Rome d'un gouvernement éphémère. Il mène plusieurs révoltes au cours des années 1850, mais aucune n'aboutira.

Nationaliste italien et fondateur du mouvement Jeune Italie en 1833.

Thomas Paine

1737 – 1809

L'agitateur politique anglais Thomas Paine devient un héros révolutionnaire et un citoyen d'Amérique et de France, mais est considéré comme un traître dans son pays natal, l'Angleterre. En 1774, il se rend à Philadelphie afin de soutenir l'indépendance américaine et publie *Le Sens commun* en 1776, un pamphlet exposant les opinions des colons. De retour en Angleterre, il écrit *Les Droits de l'homme* (1791) en faveur de la Révolution française. Il se réfugie à Paris avant d'être arrêté pour trahison; il devient citoyen français mais il s'oppose à l'exécution du roi Louis XVI et est emprisonné. En prison, il écrit *Le Siècle de raison*, œuvre révolutionnaire sur la religion et la tolérance religieuse. Libéré en 1797, il retourne aux États-Unis où il meurt dans la pauvreté.

Auteur de l'ouvrage révolutionnaire *Les Droits de l'homme* (1791 – 1792).

Thomas Paine

Harriet Tubman

v. 1820 – 1913

Née dans l'esclavage, Harriet Tubman se bat pour l'abolition et pour les droits des femmes en Amérique. En 1849, elle se réfugie à Philadelphie (où l'esclavage était illégal) et organise l'Underground Railroad, un réseau de sympathisants venant en aide aux esclaves du Sud désirant s'enfuir vers le Nord et le Canada. Elle risque sa liberté à plusieurs reprises et aide plus de 300 personnes, y compris ses propres parents.

Organisatrice du réseau Underground Railroad (1849–1863).

ELIZABETH GARRETT ANDERSON 1836 – 1917
L'infirmière Elizabeth Garrett Anderson se voit refuser l'entrée dans une école médicale sous prétexte qu'elle est une femme. Elle étudie seule et, en 1865, elle est la première femme anglaise à obtenir la qualification de médecin. Elle organise un hôpital pour femmes et participe à la création du College of Medicine for Women à Londres.

CHARLES BOOTH 1840 – 1916
L'armateur anglais Charles Booth est le premier à établir des statistiques sur la pauvreté. *Life and Labor on the People in London* (1903) répertorie la pauvreté dans la ville et en démontre les causes, l'une étant le grand âge. Booth a l'idée d'un fond de retraite pour tous après 65 ans. La loi passe en 1908 en Angleterre.

CHARLES PARNELL 1846 – 1891
Homme politique irlandais, Charles Parnell consacre sa carrière à l'indépendance de l'Irlande face à la Grande-Bretagne, utilisant combat politique et violence au service de cette cause. En 1881, il est emprisonné pour son action à la tête de l'*Irish Land Ligue* après la grande crise agraire de 1878. Sa politique est remise en cause en 1886, mais Parnell n'abandonne pas la lutte.

LE VOTE DES FEMMES

Elizabeth Cady Stanton 1815 – 1902
Emmeline Pankhurst 1857 – 1928
Anita Augspurg 1857 – 1943

Du milieu du XIXe siècle au milieu du XXe siècle, des femmes engagent un mouvement pour obtenir le droit de vote.

Elizabeth Cady Stanton commence la lutte aux États-Unis en organisant, avec **Susan B. Anthony** (1820 – 1906), la première convention des droits des femmes en 1848. Elizabeth Stanton se bat sans relâche pour le droit de vote ainsi que pour l'abolition de l'esclavage. Le droit de vote est pour la première fois accordé au Wyoming en 1890, mais il faut attendre 1920 pour voir aboutir un suffrage égal (les mêmes droits que les hommes) dans tous les États-Unis. Les femmes noires des États du Sud ne bénéficieront de ce droit qu'en 1965. Au Canada, **Nellie McClung** obtient le droit de vote pour les femmes en 1916. En Allemagne, **Anita Augspurg** l'obtient en 1919. En Angleterre, la famille **Pankhurst** entraîne le mouvement. **Emmeline**, féministe convaincue, fonde la *Women's Franchise League*, qui remporte le droit de votes aux élections locales en 1894. En 1903, Emmeline et ses filles – **Christabel** et **Sylvia** – s'installent à Londres et fondent l'Union féminine sociale et politique. Favorisant l'action directe, elles défilent, manifestent, cassent des vitrines et s'enchaînent à des grilles. Avec bon nombre de leurs adeptes, elles sont à plusieurs reprises arrêtées et emprisonnées. Beaucoup entreprennent une grève de la faim sans succès. À la fin de la Première Guerre mondiale (1918), le Premier ministre Lloyd George (1863 – 1945) octroie le droit de vote aux femmes de plus de 30 ans. En 1928, la loi accordant les mêmes droits aux femmes qu'aux hommes est votée, trois semaines seulement avant la mort d'Emmeline.

◄ Emmeline Pankhurst fonde l'Union féminine sociale et politique et fait campagne pour le vote des femmes.

► Elizabeth Cady Stanton organise la première convention des droits des femmes aux États-Unis.

► Suffragettes manifestant pour le droit de vote à Londres en 1908.

BOOKER T. WASHINGTON 1856 – 1915
Booker Taliaferro Washington, né esclave, réforme grandement l'éducation des Noirs américains. Il estime que l'instruction mène à l'indépendance économique, qui à son tour mène à l'égalité sociale. En 1881, il fonde un institut pour adultes en Alabama pour former des Noirs aux métiers de professeurs, d'agriculteurs et de commerçants.

BERTRAND RUSSELL 1872 – 1970
Philosophe et mathématicien anglais, Bertrand Russell enseigne dans les universités anglaises et américaines, et publie de nombreux ouvrages de philosophie. Il est antimilitariste et pacifiste, et est emprisonné à plusieurs reprises pour ses idées. En 1961, il crée un tribunal révolutionnaire (le Tribunal Russell) et lutte pour la paix dans le monde et contre l'utilisation de l'arme nucléaire.

NELLIE McCLUNG 1873 – 1951
L'auteure canadienne Nellie McClung est l'une des Célèbres cinq de l'affaire « Personnes ». Les cinq Albertaines revendiquent et obtiennent en 1929 l'inclusion des femmes dans la définition du terme « personnes » de l'article 24 de l'Acte de l'Amérique du Nord britannique, donc le droit des femmes d'accéder au Sénat.

Carrie Chapman Catt

1859 – 1947

Carrie Chapman Catt – directrice puis présidente de la *National American Woman Suffrage Association* entre 1895 et 1920 – est une des principales militantes pour le droit de vote des femmes en Amérique. Elle cofonde également l'*International Woman Suffrage Alliance* et en est la présidente entre 1904 et 1923. Après avoir obtenu le droit de vote pour les femmes en 1920, Carrie Chapman Catt organise la *League of Women Voters* afin d'enseigner aux femmes comment faire efficacement usage de ce droit.

Organisatrice du *Woman Suffrage Movement* en Amérique (1890 – 1920).

Albert Schweitzer

1875 – 1965

Né en Alsace, alors sous domination allemande, Albert Schweitzer consacre sa vie au service des autres. Il est directeur du Collège de théologie de Saint-Thomas de Strasbourg quand il décide de devenir médecin en Afrique. Après des études de médecine de 1905 à 1913, il rejoint Lambaréné au Gabon, où il construit un hôpital et finance son fonctionnement, donnant des récitals d'orgue et écrivant des livres. Il utilise l'argent que lui procure le prix Nobel de la paix qu'il a reçu en 1952 pour fonder une léproserie.

Théologien, philosophe, musicien et médecin missionnaire (1913 – 1965).

Albert Schweitzer consacre sa vie à soigner les gens en Afrique.

Reconstitution de l'incident qui entraîne l'arrestation de Rosa Lee Parks (ci-dessus) en 1955.

Rosa Lee Parks

née en 1913

Née en Alabama, Rosa Lee Parks est une figure de proue du mouvement moderne pour les droits civiques aux États-Unis. Dans sa ville de Montgomery, en 1955, elle refuse de céder sa place d'autobus à un Blanc et est arrêtée, ce qui cause le boycott de la compagnie d'autobus mené par Martin Luther King (p. 128). Une pétition fédérale concernant les lois de ségrégation (séparation des Blancs et des Noirs) est déposée à la Cour suprême. L'année suivante, la Cour déclare que les lois de ségrégation de Montgomery enfreignent les règles de la Constitution. En 1999, le Congrès décerne une médaille d'or à Rosa Parks.

Elle entreprend le boycott des autobus qui mène à la création du Mouvement des droits civiques en Amérique, en 1955.

MARY BETHUNE 1875 – 1955
Mary McLeod Bethune, fille d'anciens esclaves de Caroline du Sud, est d'abord enseignante et, en 1935, fonde le *National Council of Negro Women*. De 1936 à 1943, en sa qualité de directrice des Affaires des Noirs au sein de la National Youth Administration, elle est la première femme noire à diriger une agence fédérale.

MARCUS GARVEY 1887 – 1940
Le militant noir Marcus Garvey est né à la Jamaïque. Il fonde l'Universal Negro Improvement Association en 1914 et s'installe à New York en 1916, où il organise un mouvement en faveur du « retour » des anciens esclaves sur la terre ancestrale afin d'inciter les Américains noirs à former un gouvernement noir en Afrique. Les idées de Garvey inspirent les groupes de la Black Pride en 1960.

MÈRE TERESA 1910 – 1997
Mère Teresa est née sous le nom d'Agnès Bojaxhiu à Skopjé, en Macédoine. À l'âge de dix-sept ans, elle entre chez les sœurs irlandaises de Lorette à Calcutta où elle enseigne pendant vingt ans. En 1950, elle fonde l'ordre des Missionnaires de la charité pour offrir un refuge aux malades et aux agonisants qui sans cela mourraient dans les rues.

Martin Luther King

1929 – 1968

Avant les années 1950, les Noirs du Sud ne fréquentent pas les mêmes magasins, les mêmes écoles, les mêmes rues et les mêmes transports que les Blancs. Pour combattre cette inégalité, le Mouvement des droits civiques se forme en 1951 et Martin Luther King en prend la tête.

Né à Atlanta en Géorgie, King est un pasteur baptiste. Profondément marqué par le Mahatma Gandhi (p. 20), il encourage la non-violence. En 1957, il met sur pied des campagnes pour l'égalité raciale. En 1963, il organise une marche à Washington où plus de 200 000 personnes – Noirs et Blancs – l'écoutent prononcer son célèbre discours sur son désir d'intégration des Américains blancs et noirs. En 1964, la loi sur les droits civiques met fin à la ségrégation dans les lieux publics. Un an plus tard, King est l'instigateur d'une marche à Selma, en Alabama, pour réclamer l'égalité du droit de vote. Le gouverneur de l'État fait arrêter la marche par la garde nationale, scandalisant de nombreux Américains. Le gouvernement ratifie la loi du droit de vote. King est assassiné en 1968 par James Earl Ray (p. 244).

Chef du Mouvement pour les droits civiques américains (1955 – 1968) ; fondateur de la Conférence des leaders chrétiens du Sud en 1957.

▼ En août 1963, Martin Luther King prononce son célèbre discours « I have a dream » devant 200 000 personnes à Washington.

Desmond Tutu

né en 1931

Desmond Tutu est né au Transvaal, en Afrique du Sud. Issu d'une famille pauvre, il peut cependant poursuivre des études pour être enseignant. En 1960, il devient pasteur anglican et se rend en Angleterre pour étudier la théologie. De retour en Afrique du Sud en 1967, il devient un chef important de la lutte non violente contre l'apartheid. En 1984, il est le premier archevêque noir de la ville du Cap et, la même année, il reçoit le prix Nobel de la paix pour ses travaux en faveur de l'unification des peuples de différentes ethnies de son pays.

Premier secrétaire général noir du Conseil sud-africain des Églises en 1978 ; premier archevêque noir d'Afrique du Sud en 1984 ; président de la Commission Vérité et réconciliation d'Afrique du Sud (1995 – 1997).

Lech Walesa

né en 1943

En 1980, le syndicaliste polonais Lech Walesa fonde le mouvement Solidarnosc (Solidarité) pour s'opposer aux autorités communistes. La popularité de Solidarnosc oblige le gouvernement à faire de nombreuses réformes. En 1981, le mouvement est interdit, Walesa est arrêté et l'armée prend les commandes du pays. Walesa est libéré, en 1982, et Solidarnosc est reconnu en 1988. Après la chute du communisme, les premières élections libres ont lieu en Pologne et Walesa est élu président.

Fondateur de Solidarnosc en 1980 ; premier président élu de Pologne en 1990.

Steve Biko

1946 – 1977

Opposant très engagé à l'apartheid et chef du mouvement Conscience noire d'Afrique du Sud, Steve Biko est assassiné en prison par des policiers en septembre 1977. Ayant poursuivi des études en médecine à l'université du Natal, Biko fonde la *All-black South African Student Association* en 1969 ainsi que le mouvement Conscience noire qui encouragent tous les noirs d'Afrique du Sud à se montrer fiers de leur culture. Mais le gouvernement blanc d'Afrique du Sud le considère comme un terroriste. Son assassinat scandalise le monde entier et entraîne des sanctions commerciales et culturelles à l'égard de l'Afrique du Sud.

Fondateur de la *All-black South African Student Association* et du mouvement Conscience noire en 1969.

CHAPITRE SIX

LES STARS DE LA SCÈNE ET DE L'ÉCRAN

Les spectacles avant l'an 1000

Bien longtemps avant l'invention du cinéma, chanteurs, danseurs et acteurs se produisaient sur des estrades et dans des théâtres. On pense que les origines du théâtre remontent à des milliers d'années et se trouvent dans les rituels religieux des communautés primitives. Mais ce que l'on considère comme l'ancêtre direct du théâtre moderne se retrouve dans la Grèce antique aux environs des années 400 av. J.-C.

Vers 500 av. J.-C., les autorités athéniennes instaurent quatre festivals annuels pour célébrer le culte de Dionysos, le dieu grec du vin et de la fertilité. Vers 534 av. J.-C., des concours d'art dramatique se déroulent pendant les trois derniers jours des Grandes Dionysies, le plus important et le plus prestigieux des festivals. Des poètes et des écrivains doivent présenter trois tragédies et une pièce satirique (comédie).

Le gagnant de la première Dionysie est **Thespis**, qui associe pour la première fois les talents d'un acteur à des chanteurs et à des danseurs.

Bien d'autres poètes présentent leurs travaux aux Grandes Dionysies. **Eschyle** (v. 525 – 456 av. J.-C.), qui écrit la trilogie de l'*Orestie*, est l'un des plus célèbres. D'autres grands écrivains ont remporté des prix aux Grandes Dionysies, comme **Sophocle** (v. 496 – 405 av. J.-C.) qui écrit *Antigone* et *Électre*, et **Euripide** (v. 484 – 406 av. J.-C.) qui est l'auteur du drame satirique *Le Cyclope*. Les drames satiriques deviennent des comédies dans les œuvres d'**Aristophane** (448 – 380 av. J.-C.). Vers la fin du IVe siècle av. J.-C., la comédie prend de l'importance ; l'un des auteurs les plus remarquables du genre est **Ménandre** (v. 343 – 291 av. J.-C.).

Lorsque leur empire s'étend vers le sud, les Romains font connaissance avec le théâtre grec et en adoptent de nombreuses caractéristiques. Le théâtre romain reste cependant très différent du théâtre grec. Semblable à d'autres de leurs divertissements, comme les combats de gladiateurs, leur théâtre n'est qu'un spectacle populaire, généralement très cruel. Les acteurs sont en général des esclaves qui se font parfois tuer au cours de la représentation.

Lorsque l'Église chrétienne s'affirme, ce genre de théâtre tombe en discrédit et les chrétiens se voient interdire d'assister ou de prendre part à des représentations théâtrales. Acteurs, acrobates, lutteurs, jongleurs et baladins se déplacent seuls d'un endroit à un autre, donnant un spectacle dans des occasions telles que mariages ou baptêmes.

Les théâtres grecs évoluèrent vers des sièges disposés en demi-cercle autour d'une scène plate et circulaire. Au VIe siècle av. J.-C., cet amphithéâtre en pierre est devenu le modèle standard du théâtre grec.

LES ACTEURS ET LES ACTRICES

Nell Gwyn est la maîtresse du roi Charles II d'Angleterre.

Nell Gwyn

1650 – 1687

Nell Gwyn, actrice anglaise très populaire, découvre le théâtre dès son plus jeune âge en vendant des oranges au King's Theater de Londres. L'acteur Charles Hart la remarque et lui fait faire ses débuts en 1665 au Théâtre royal de Londres dans des rôles écrits pour elle par le poète John Dryden (1631 – 1700). Le chroniqueur anglais Samuel Pepys (p. 108) chante ses louanges et elle conquiert de nombreux admirateurs parmi lesquels le roi Charles II (1630 – 1685). Nell devient l'une de ses nombreuses maîtresses et cesse d'exercer son métier en 1669 lorsqu'elle se trouve enceinte. Elle donne deux fils au monarque, James et Charles Beauclerk. Le roi, très fier de la jeune femme, demanda à son frère James, sur son lit de mort, « de ne pas laisser la pauvre Nell mourir de faim ».

Actrice anglaise (1665 – 1669) ; maîtresse de Charles II (1669 – 1685).

David Garrick

1717 – 1779

Garrick s'installe à Londres en 1737 avec son ami Samuel Johnson (p. 109). Après avoir tenu de petits rôles, il fait sensation en 1742 en jouant le *Richard III* de Shakespeare. Il crée un style rafraîchissant et naturel qui le rend très populaire. En 1747, il achète et dirige le théâtre de Drury Lane à Londres. Il pose les fondations du théâtre moderne par des réformes qui touchent tant au jeu qu'à l'éclairage de la scène.

Pièces qui l'ont rendu célèbre : *Richard III* en 1742 ; pièces dont il est l'auteur : *Miss in Her Teens* (1747) ; *Bon Ton* (1775).

Edmund Kean

1789 – 1833

L'un des plus célèbres tragédiens d'Angleterre, Edmund Kean s'impose comme l'interprète idéal des « vilains » de Shakespeare. Dans sa jeunesse, il est comédien itinérant et épouse l'une de ses partenaires, Mary Chambers, en 1808. La chance de sa vie se présente en 1814, lorsqu'il joue au théâtre de Drury Lane le rôle de Shylock dans *Le Marchand de Venise*. Kean excelle dans les rôles de Hamlet, de Macbeth et de Richard III, qu'il joue aussi bien en Angleterre qu'aux États-Unis. Le poète Samuel Taylor Coleridge (p. 119) dit de lui : « Le voir jouer, c'est lire Shakespeare dans un éclair de foudre. » Cependant, la popularité de Kean décline lorsqu'il est poursuivi en justice pour adultère en 1825, et son public devient hostile et violent. Othello est son dernier rôle. Il s'effondre durant une représentation et meurt deux mois plus tard.

Pièces célèbres : *Le Marchand de Venise, Macbeth* et *Richard III 1814 – 1825.*

P.T. Barnum

1810 – 1891

Né dans le Connecticut, Phineas Taylor Barnum, grand homme de spectacle américain, devient célèbre en présentant des phénomènes plus ou moins authentiques. Le public se presse au Musée américain de Barnum à New York, en 1842, pour y voir des attractions comme la femme à barbe, les frères siamois ou encore le Général Tom Pouce, un célèbre nain. Tom Pouce, de son vrai nom Charles Stratton (1838 - 1883), n'avait que 5 ans. Barnum organise aussi avec succès la tournée américaine de la cantatrice Jenny Lind (1820 – 1887) en 1850. Son cirque du «plus grand spectacle de la terre» ouvre à Brooklyn en 1871. Dix ans plus tard, il s'associe avec son rival James A. Bailey (1847 – 1906) pour créer le Cirque Barnum et Bailey. Excellent homme de communication, il écrit plusieurs autobiographies. Juste avant sa mort, il demande aux journaux d'écrire sa notice nécrologique de façon à ce qu'il puisse la lire avant de mourir.

Il ouvre le Musée américain en 1842. Spectacles célèbres: «Le plus grand spectacle de la terre».

P.T. Barnum fait connaître son cirque par de grands panneaux publicitaires en couleurs.

Sarah Bernhardt

1844 – 1923

Sarah Bernhardt est élève au Conservatoire d'art dramatique de Paris. Elle fait ses débuts en 1862, mais son talent ne sera reconnu qu'en 1869 lorsqu'elle se produit en travesti dans *Le Passant* de François Coppée. Elle est aussi très applaudie en reine d'Espagne dans *Ruy Blas* en 1872. Sarah joue aussi de 1872 à 1880 à la Comédie-Française, où elle est particulièrement émouvante dans *Phèdre* de Racine. Puis elle entreprend une série de tournées en Angleterre, aux États-Unis et au Danemark. En 1898, elle achète un théâtre qu'elle baptise Théâtre Sarah-Bernhardt. Amputée d'une jambe en 1915, elle continue cependant à jouer jusqu'en 1922.

Rôles célèbres: *Le Passant* en 1869; *Ruy Blas* en 1872; *Phèdre* en 1877; *La Dame aux camélias* en 1884; *L'Aiglon* en 1900.

Lillie Langtry

1853 – 1929

Née dans les îles Anglo-Normandes, Lillie Langtry est la fille d'un doyen de Jersey. Mariée à Edward Langtry en 1874, elle s'installe en Angleterre où sir John Millais (p. 161) peint son portrait et la surnomme «le lys de Jersey». Ayant de nombreux admirateurs, dont le plus célèbre est le prince Albert Edward, futur Édouard VII (1841 – 1910), Lillie monte sur scène et devient vite populaire. Elle inaugure le Théâtre impérial à Londres en 1901, mais elle vit également aux États-Unis où elle se lance dans le commerce du vin et dans l'élevage de chevaux de course, ce qui la rend millionnaire. Son mari mort en 1897, elle épouse Hugo de Bathe en 1899. Lillie monte sur scène pour la dernière fois en 1917.

Rôle célèbre: *L'Éventail de lady Windermere*, écrit pour elle par Oscar Wilde en 1892.

Charlie Chaplin

1889 – 1977

Cinéaste et acteur britannique né à Londres, Charlie Chaplin est le fils d'artistes de music-hall. Son père mourut d'alcoolisme et sa mère fit de fréquents séjours dans des hôpitaux psychiatriques.

Malgré une enfance passée dans les hospices et les orphelinats, Chaplin n'abandonnera jamais ses ambitions d'entrer dans le monde du spectacle. Il y réussit à 17 ans lorsqu'il est engagé par la troupe de music-hall de Fred Karno après avoir, depuis son plus jeune âge, développé ses talents de mime sur les scènes londoniennes. En tournée aux États-Unis, il est remarqué par Mack Sennett (1880 – 1960), le roi de la comédie burlesque au cinéma. Les studios Keystone de Sennett l'engagent et c'est le début de sa carrière à l'écran, avec un premier film muet intitulé *Pour gagner sa vie* (1914). Le public aime Chaplin, et il tourne *Charlot vagabond* (1915) qui rendra célèbres la moustache, le chapeau melon, les pantalons flottants, la canne et ses moulinets ainsi que la démarche en canard, traits caractéristiques du personnage. Il joue et réalise de nombreuses comédies pour différentes compagnies, qui deviennent très populaires: *Charlot policeman*, *l'Émigrant*, *Une vie de chien*, *Charlot soldat* (1915 – 1920). *Le Gosse* (*The Kid*), en 1921, est son premier long métrage. En 1919, il a fondé, aux côtés de D.W. Griffith (1875 – 1948), de Mary Pickford (p. 135) et de Douglas Fairbanks (à droite) les Artistes Associés, ce qui lui permet de tourner ses meilleures comédies: *La Ruée vers l'or* (1925) et *Le Cirque* (1928). Bien que le cinéma parlant ait déjà fait ses débuts en 1927, Chaplin continue à utiliser le mime dans des films comme *Les Temps modernes* (1936).

Principaux films: *Charlot vagabond* en 1915; *Charlot policeman* en 1917; *Le Gosse* en 1921; *La Ruée vers l'or* en 1924; *Les Temps modernes* en 1936; *Le Dictateur* en 1940, *Monsieur Verdoux* en 1947, *Limelight* en 1952.

Le Dictateur, film satirique sur Hitler (1940), est le premier film parlant de Chaplin et la dernière apparition de Charlot.

W. C. FIELDS 1880 – 1946

Fields, l'un des plus grands comédiens américains, développe son talent burlesque aux Ziegfeld Follies sur Broadway entre 1915 et 1921. Il devient une véritable star avec l'avènement du film parlant où peuvent s'épanouir sa voix nasillarde, son air solennel et son talent pour les mots piquants. Il s'installe en 1931 à Hollywood où il écrit, dirige et interprète ses propres films.

DOUGLAS FAIRBANKS Sr 1883 – 1939

Né dans le Colorado, Fairbanks débute comme acteur en 1901 et, en 1914, il est consacré vedette à Broadway. En 1915, il tourne son premier film, *Un timide*. En 1917, il crée sa propre société de production et, dans les années 1920, véritable « roi de Hollywood », il incarne le fringant héros de films très populaires. En 1919, il est le cofondateur de la compagnie des Artistes Associés.

BORIS KARLOFF 1887 – 1969

De son vrai nom William Henry Pratt, Karloff quitte en 1909 l'Angleterre pour le Canada, où il s'engage dans une compagnie théâtrale ambulante. Puis il gagne Hollywood où, à partir de 1918, il tient de petits rôles dans divers films. Il se fait remarquer pour la première fois dans *The Criminal Code* d'Howard Hawks, mais c'est à *Frankenstein* qu'il doit son rôle le plus célèbre, en 1931.

EDWARD G. ROBINSON 1893 – 1973

À l'âge de 10 ans, Edward G. Robinson quitte son pays la Roumanie pour émigrer aux États-Unis. Là, il fréquente l'Académie américaine d'art dramatique et il commence sa carrière à Broadway en 1915. Il apparaît dans les premiers films parlants. Son rôle le plus célèbre est celui du chef de gang Rico dans *Le Petit César* en 1930.

Laurel et Hardy

Stan Laurel 1890 – 1965
Oliver Hardy 1892 – 1957

Le maigre Stan Laurel et son partenaire, le gros Oliver Hardy, forment l'un des plus grands duos mythiques du cinéma. Laurel est né à Ulverston, en Angleterre, et Hardy à Harlem, en Géorgie.

Laurel, qui a grandi dans le milieu du music-hall, fait ses débuts sur scène dans des vaudevilles. À l'âge de 20 ans, il se rend aux États-Unis avec une troupe de comédie musicale et, en 1917, débute comme acteur de cinéma. Hardy, lui, se produit dans des comédies muettes depuis 1913 mais a également joué dans des vaudevilles. Tous deux fréquentent les studios de Hal Roach à Hollywood, en 1926. La comédie *Putting pants on Philip* (1927) est leur premier succès et ils deviennent bientôt un duo célèbre. Ils font ensemble plus de 100 films qui n'ont pas vieilli, tant les protagonistes en sont immortels.

Principaux films: *Putting pants on Philip* en 1927; *Livreurs sachez livrer* en 1932; *Les Compagnons de la nouba* en 1934; *Laurel et Hardy au Far West* en 1937; *Têtes de pioche* en 1938.

Laurel et Hardy deviennent l'un des plus célèbres duos de comédiens de toute l'histoire du cinéma.

Marx Brothers

Chico 1891 – 1961
Harpo 1893 – 1964
Groucho 1895 – 1977
Zeppo 1901 – 1979

En 1908, les Marx Brothers forment un quatuor de comiques américains qui débute au music-hall. En 1914, ils sont surnommés Chico, Harpo, Groucho et Zeppo. Leurs improvisations, leurs blagues, et leur satire de la société sont les ingrédients de leur popularité. Parmi leurs premiers succès sur les scènes de Broadway, citons *I'll Say She Is* (1924) et *Animals Crakers* (1928). Vers la fin des années 1920, ils commencent à tourner des films à succès, adaptations de leurs pièces de théâtre.

Principaux films: *L'Explorateur en folie* et *Monnaie de singe* en 1932; *Soupe au canard* en 1933; *Une nuit à l'opéra* en 1935; *Un jour aux courses* en 1937; *Chercheurs d'or* en 1940.

Mae West

1893 – 1980

Actrice, scénariste et productrice née à Brooklyn, la belle et spirituelle Mae West est toujours très appréciée aujourd'hui. Enfant, elle se produit au music-hall et, en 1911, elle débute à Broadway comme fantaisiste. En 1926, elle est arrêtée pour obscénité à la suite de son scandaleux spectacle de Broadway, *Sex*. En 1928, sa pièce *Diamond Lil* lui apporte le succès et les studios Paramount l'engagent. Mae West enthousiasme tout de suite le public avec sa performance dans *Night after night* (1932). Ses premiers films sont toujours considérés comme ses meilleures performances.

Principaux films: *Lady Lou* en 1933; *Je ne suis pas un ange* en 1933; *Annie du Klondike* en 1934; *Mon petit poussin chéri* en 1940; *Myra Breckenridge* en 1970.

Burter Keaton dans l'un de ses films les plus célèbres, Le Mécano de la « General » (1927).

Rudolph Valentino

1895 – 1926

Né en Italie, Valentino émigre aux États-Unis en 1913. À New York, il exerce divers métiers pour gagner sa vie, dont celui de danseur mondain. Cinq ans plus tard, il part pour Hollywood et conquiert la célébrité avec le rôle de Julio dans *Les Quatre Cavaliers de l'Apocalypse* (1921). Il devient le beau et exotique « grand séducteur latin », adulé de tous. Il meurt prématurément d'un ulcère perforant.

Principaux films : *Le Cheikh* en 1921 ; *Arènes sanglantes* en 1922 ; *L'Aigle noir* en 1925 ; *Le Fils du Cheikh* en 1926.

Rudolph Valentino dans *le Cheikh*.

Buster Keaton

1895 – 1966

L'acteur américain Buster Keaton apprend le métier de comédien et d'acrobate avec ses parents, eux-mêmes acteurs de music-hall. Il fait ses débuts au cinéma avec *Fatty garçon boucher* (1917) et, dès 1921, devient scénariste, réalisateur et acteur de ses propres films. Il signe avec les studios MGM en 1929 et perd de sa popularité, mais il fait un retour dans les années 1940. Il reçoit un oscar en 1959 pour « ses talents exceptionnels ».

Principaux films : *Ce Crétin de Malec* en 1920 ; *La Croisière du Navigator* en 1924 ; *Le Mécano de la « General »* en 1927.

Humphrey Bogart

1899 – 1957

Né à New York, Bogart fait ses débuts à Broadway après la Première Guerre mondiale. Ses succès le conduisent au cinéma, mais ce ne sera pas avant 1941 que ses rôles dans *La Grande Évasion* et *Le Faucon maltais* révéleront son véritable talent. « Bogie » a rarement joué dans de mauvais films. Il a composé un personnage cynique et désabusé au cœur d'or.

Principaux films : *Casablanca* en 1942 ; *Le Grand Sommeil* en 1946 ; *Key Largo* en 1948 ; *African Queen* (qui lui vaut oscar) en 1951.

MARY PICKFORD
1893 – 1979
Actrice née au Canada, Mary Pickford devient l'une des principales vedettes hollywoodiennes du cinéma muet. Elle tourne dans quelque 200 films et devient « la petite fiancée de l'Amérique ». Consacrée vedette en 1914, elle enthousiasme le public en incarnant des héroïnes angéliques. Dans les années 1920, sa popularité ne cesse de croître et elle reçoit l'oscar de 1928-1929 pour le film *Coquette*.

HAROLD LLOYD
1893 – 1971
Né au Nebraska, Lloyd s'installe à San Diego où il fréquente une école d'art dramatique. Il débute dans de petits rôles et, en 1915, il rejoint la compagnie de Hal Roach. Lloyd invente divers personnages très populaires – le pauvre Willie Work, Lonesome Luke et, en 1917, *The Glass Character*, un bon jeune homme à lunettes. Il apparaît dans au moins 100 courts métrages et dans 11 longs métrages.

SPENCER TRACY 1900 – 1967
Après avoir fréquenté la Marquette University et l'Académie d'art dramatique de New York, Spencer Tracy est embauché par diverses troupes ambulantes. Alors qu'il joue à Broadway en 1930, il est remarqué par un réalisateur de Hollywood. Il tient alors toutes sortes de rôles à l'écran et partage la vedette avec Katharine Hepburn (p. 139) dans neuf films. Il est le premier acteur à recevoir l'oscar deux années de suite, en 1937 et 1938.

CLAUDETTE COLBERT
1903 – 1996
Claudette Colbert est née en France et émigre aux États-Unis en 1910. Elle joue dans une soixantaine de films et incarne avec bonheur, entre autres, une riche héritière, Ellie Andrews, dans *New York-Miami* (1934). Pour ce film, elle reçoit un oscar avec Clark Gable. Mais son vrai talent est la comédie dans laquelle elle excelle au cours des années 1930 et 1940.

Fred Astaire

1899 – 1987

Né à Omaha dans le Nebraska, Fred Astaire a comme première partenaire de danse sa sœur Adèle. Tout jeune encore, c'est avec elle qu'il fait ses débuts au music-hall à Broadway. Dans les années 1920, ils sont de véritables vedettes internationales. Adèle se marie et quitte les planches en 1932. Fred se rend à Hollywood où Ginger Rogers (p. 139) devient sa partenaire.

Carioca (1933) marque les débuts du couple de comédiens comme danseurs au cinéma : l'harmonie qu'ils dégagent leur vaut un succès immédiat. Ils tournent ensemble 10 films, portant la comédie musicale à ses sommets. Le duo se sépare en 1946, mais Fred Astaire revient plus tard aux côtés de Judy Garland dans *Parade de printemps*. Les années suivantes, Astaire fait de la télévision et du cinéma. En 1981, il reçoit une distinction pour l'ensemble de sa carrière décernée par l'Institut du film américain.

Principaux films : *La Joyeuse Divorcée* en 1933 ; *Le Danseur du dessus* en 1935 ; *Sur les ailes de la danse* en 1936 ; *Parade de printemps* en 1948 ; *Drôle de frimousse* en 1956 ; *La Tour infernale* en 1974.

Fred Astaire et Ginger Rogers, pas encore en haut de l'affiche, dansent dans le film *Carioca* (1933).

James Cagney

1899 – 1986

Cagney a grandi dans les faubourgs de New York où il exerce un peu tous les métiers avant de se lancer dans le music-hall, comme chanteur et danseur, dans les années 1920. En 1929, il débute à Broadway avec succès dans la comédie musicale *Penny Arcade*. Engagé par la Warner, il se fait un nom en jouant le gangster impitoyable de *L'Ennemi public*, mais c'est dans son interprétation d'un homme de spectacle dans *La Glorieuse Parade* qu'il donne toute la mesure de son talent.

Principaux films : *L'Ennemi public* en 1931 ; *Les Anges aux figures sales* en 1938 ; *La Glorieuse Parade* en 1942.

Clark Gable

1901 – 1960

L'acteur américain Clark Gable débute sa carrière sur les planches puis tient de petits rôles cinématographiques à Hollywood dès 1924. Il signe avec les studios MGM en 1934 et devient si populaire qu'il est surnommé « The King ». On se souvient surtout de lui en Rhett Butler, le héros d'*Autant en emporte le vent*. Il reçoit un oscar pour son rôle dans *New York-Miami*.

Principaux films : *New York-Miami* en 1934 ; *Autant en emporte le vent* en 1939 ; *Mogambo* en 1953 ; *Les Désaxés* en 1961.

Clark Gable partage la vedette avec Vivien Leigh (p. 139) dans *Autant en emporte le vent*.

Gary Cooper

1901 – 1961

Gary Cooper et Grace Kelly dans le grand classique *Le train sifflera trois fois.*

Gary Cooper a grandi dans un ranch au Montana et son expérience de guide au parc national de Yellowstone lui sert au cinéma quand il débute comme cow-boy dans des films muets. Plus tard, il incarne de timides et courageux héros dans des westerns classiques.

Cooper est tout d'abord remarqué dans un rôle mineur qu'il tient dans *Barbara fille du désert* (1926). Il tient son premier grand rôle dans *L'Adieu aux armes* (1933) d'après Ernest Hemingway. Il joue également dans des films de gangsters et de guerre. Il reçoit des oscars pour *Sergent York* et *Le train sifflera trois fois*.

Principaux films: *L'Extravagant M. Deeds* en 1936; *Pour qui sonne le glas* en 1943; *Sergent York* en 1941; *Le train sifflera trois fois* en 1952.

Marlène Dietrich

1901 – 1992

Née à Berlin, en Allemagne, Marlène est d'abord chanteuse de cabaret puis se produit dans des films muets allemands. Elle devient célèbre quand Josef von Sternberg (1894 - 1969) la choisit pour interpréter le rôle de Lola, la chanteuse de cabaret de *L'Ange bleu*. Elle s'installe à Hollywood et devient une des grandes stars, interprétant souvent des rôles de femme fatale. Sa prestation dans *Femme ou démon* révèle ses talents de comédienne.

Principaux films: *L'Ange bleu* en 1930; *Cœurs brûlés* en 1930; *Shanghai Express* en 1932; *Femme ou démon* en 1939.

Jean Gabin

1904 – 1976

L'acteur français Jean Gabin travaille dans le bâtiment avant de débuter aux Folies-Bergère comme artiste. *Chacun sa chance* (1930) est son premier film, *Maria Chapdelaine* (1934) son premier grand succès et *Pépé le Moko* (1936) lui apporte une renommée internationale. Sa carrière dans le cinéma français est à son apogée dans les années 1930. Il interprète souvent des hommes forts et taciturnes au destin tourmenté.

Principaux films: *La Grande Illusion* en 1937; *La Bête humaine* en 1938; *Quai des brumes* en 1938; *Le jour se lève* en 1939.

RALPH RICHARDSON 1902 – 1983

Aussi à l'aise avec Shakespeare qu'avec les auteurs modernes, l'acteur anglais Ralph Richardson fait ses débuts sur scène en 1921. Il travaille à l'Old Vic Theatre à Londres dès 1930 où il rencontre des acteurs tels que John Gielgud (p. 138) et Laurence Olivier (p. 138). Il joue dans 70 films environ. Citons *Long voyage vers la nuit* (1962) et *Le meilleur des mondes possibles* (1973).

BOB HOPE 1903 – 2003

Né en Angleterre, Bob Hope vient s'établir avec ses parents aux États-Unis en 1907. Il débute au music-hall comme comédien et chanteur et, à la fin des années 1920, on le retrouve à Broadway. *Thanks for the memory* devient son air fétiche après qu'il l'ait chanté dans son premier film, *The Big Broadcast* (1938). Sa carrière cinématographique atteint son apogée lorsqu'il se produit dans la série des sept comédies *En route pour* avec Bing Crosby (1904 – 1977) pour partenaire.

HENRY FONDA 1905 – 1982

Né au Nebraska, Henry Fonda s'installe à New York en 1928 pour y faire une carrière d'acteur. En 1934, il joue à Broadway et, en 1935, remporte son premier grand succès dans *The Farmer Takes a Wife*. À l'écran, Fonda incarne le meilleur du héros américain et est la vedette d'environ 100 films. Citons parmi les plus célèbres *Vers sa destinée* (1939), *Les Raisins de la colère* (1940), *Douze Hommes en colère* (1957) et *La Maison du lac* (1981).

JOHN WAYNE 1907 – 1979

John Wayne incarne le héros américain taillé dans le roc des westerns et des guerres épiques. Il rencontre le réalisateur John Ford alors qu'il étudie en Californie. Il fait ses débuts en 1929 sous le nom de Duke Morrison, mais c'est *La Chevauchée fantastique* (1939) de Ford qui lui apporte la renommée. Parmi ses films les plus célèbres, citons *La Rivière rouge* (1948), *Iwo Jima* (1949), *La Prisonnière du désert* (1956) et *100 dollars pour un shérif* (1969).

Cary Grant incarne le héros de *La Mort aux trousses* d'Alfred Hitchcock.

Cary Grant

1904 – 1986

Cary Grant – de son vrai nom Archibald Leach – quitte l'Angleterre avec une troupe de jongleurs à l'âge de 20 ans. Après une tournée aux États-Unis en 1920, le jeune acteur décide d'y rester. Il joue alors dans beaucoup de comédies musicales sur scène avant de s'installer à Hollywood où il change de nom. Il débute à l'écran dans *Belle nuit* (1932). Il remporte de nombreux succès dans des comédies, mais se montre au sommet de son art dans les films d'Alfred Hitchcock.

Principaux films: *L'Impossible Monsieur Bébé* en 1938; *La Dame du vendredi* en 1940; *Les Enchaînés* en 1946; *Soupçons* en 1951; *La Main au collet* en 1955; *La Mort aux trousses* en 1959.

John Gielgud

1904 – 2000

L'acteur anglais John Gielgud étudie à l'Académie royale d'art dramatique de Londres. Il fait ses débuts comme acteur dans un petit rôle à l'Old Vic Theater. En 1929, il se révèle dans le domaine shakespearien par ses interprétations de *Hamlet*, de *Richard III* et de *Macbeth*. Acteur et créateur de grand talent, il connaît le succès dans des pièces d'Anton Tchekhov (p. 121), comme *La Mouette*. Au cinéma, il est l'interprète d'environ 80 films.

Pièces célèbres: *The Cherry Orchard* en 1954; *The Chalk Garden* en 1956. Principaux films: *Jules César* en 1953; *Les Chariots de feu* en 1980; *Prospero's Book* en 1991.

Greta Garbo

1905 – 1990

L'actrice suédoise Greta Garbo est découverte par le réalisateur Mauritz Stiller (1883 – 1928) alors qu'elle est vendeuse. Elle étudie l'art dramatique à Stockholm, en Suède, et elle tient son premier grand rôle dans le film *La Légende de Gösta Berling* (1924). Elle s'installe à Hollywood en 1925. Mystérieuse interprète du cinéma muet, elle passe sans difficulté au parlant. En 1951, elle se fixe à New York où elle vit en recluse jusqu'à la fin de sa vie.

Principaux films: *La Chair et le diable* en 1927; *Anna Christie* en 1930; *La Reine Christine* en 1933; *Ninotchka* en 1939.

Laurence Olivier

1907 – 1989

Laurence Olivier est l'un des acteurs les plus raffinés du XXe siècle. En 1937, il joue à Londres au Old Vic Theatre. Sur les planches, il a joué tous les grands rôles shakespeariens. Il apparaît dans une soixantaine de films, dont certains qu'il réalise lui-même. Son interprétation de Heathcliff dans *Les Hauts de Hurlevent* (1939) en fait une star de Hollywood.

Grands rôles au théâtre: *Othello* en 1964; *Le Cabotin* en 1957.Principaux films: *Rebecca* en 1940; *Henry V* en 1945; *Hamlet* en 1948; *Richard III* en 1955; *Le Limier* en 1972.

Laurence Olivier dans *Le Cabotin*.

Bette Davis

1908 – 1989

L'actrice américaine Bette Davis fait ses débuts à Broadway puis tente sa chance au cinéma en 1931. Avec *The Man who Played God* (1932), elle devient une vedette populaire. Elle excelle dans les rôles mélodramatiques tout au long de sa carrière qui durera 58 ans. Elle est nominée dix fois aux oscars et reçoit deux statuettes pour *L'Intruse* (1935) et pour *L'Insoumise* (1938).

Principaux films : *La Vie privée d'Élisabeth d'Angleterre* en 1939 ; *Une femme cherche son destin* en 1942 ; *Ève* en 1950 ; *Qu'est-il arrivé à Baby Jane ?* en 1962.

James Stewart

1908 – 1997

Après des études d'architecture à Princeton, James Stewart fait de brefs débuts à Broadway puis tient de petits rôles au cinéma. Sa carrière débute véritablement avec le grand succès de Frank Capra (1897 - 1991), *M. Smith au Sénat* (1939). Il reçoit un oscar pour son interprétation du rôle d'un reporter dans *Indiscrétions* de George Cukor en 1940. Dans les années 1950, il se distingue dans des westerns et dans quelques films policiers d'Alfred Hitchcock.

Principaux films : *Femme ou démon* en 1940 ; *La Vie est belle* en 1946 ; *Fenêtre sur cour* en 1954 ; *Sueurs froides* en 1958.

James Stewart dans *Harvey (1950).*

Katharine Hepburn

1907 – 2003

Née à Hartford dans le Connecticut, Katharine Hepburn débute sur les planches à Baltimore, dans le Maryland, en 1928. Après avoir joué à Broadway, elle démarre une carrière cinématographique en 1932. Elle participe à de nombreux grands films dont *Morning glory* (1933) et *L'Impossible Monsieur Bébé* (1938), récoltant 12 oscars et 4 Academy Awards. Elle compte également 25 ans de complicité, dans la vie comme à l'écran, avec l'acteur Spencer Tracy (p. 135).

Principaux films : *African Queen* en 1951 ; *La Maison du lac* en 1981.

Errol Flynn dans *Les Aventures de Robin des Bois.*

Errol Flynn

1909 – 1959

Né en Australie, Flynn fait ses débuts à l'écran dans le rôle de Fletcher Christian dans le film australien *Dans le sillage du Bounty* (1933), puis il rejoint une compagnie anglaise. Engagé par la Warner Bros, il se rend célèbre en jouant un pirate dans *Capitaine Blood* (1935). Flynn s'illustre dans des rôles de fringants héros de films d'action et d'aventures, romantiques et historiques.

Principaux films : *La Charge de la brigade légère* en 1936 ; *Les Aventures de Robin des Bois* en 1938 ; *L'Aigle des mers* en 1940.

GINGER ROGERS
1911 – 1995

À 14 ans, Ginger Rogers devient artiste de music-hall et débute à Broadway dans *Top Speed* en 1929. Elle part pour Hollywood où elle se fait remarquer dans *Carioca* aux côtés de Fred Astaire (p. 136) en 1933. Le couple se produit dans neuf autres films avec le même succès. En 1940, Ginger Rogers remporte un oscar pour sa prestation en solo dans *Kitty Foyle*.

VIVIEN LEIGH 1913 – 1967

Née en Inde, Vivian Leigh, actrice de théâtre et de cinéma, demeure la célèbre Scarlett O'Hara d'*Autant en emporte le vent* (1939), grande épopée romantique de la guerre de Sécession qui lui vaut un oscar. Elle épouse l'acteur anglais Laurence Olivier (p. 138) en 1940. Elle est également remarquable dans des films comme *Anna Karénine* (1948) et *Un tramway nommé désir* (1951) pour lequel elle reçoit un second oscar.

LOUIS DE FUNÈS
1914 – 1983

Né à Courbevoie, cet acteur de cinéma français a tourné plus d'une centaine de films. Tout au long d'une carrière très populaire, il joue des personnages souvent outrés et très agités. Parmi ses films les plus célèbres, citons *Le Gendarme de Saint-Tropez* (1964) ; *Le Corniaud* (1965) ; *La Grande Vadrouille* (1967) ; *La Folie des grandeurs* (1971) ; *Les Aventures de Rabbi Jacob* (1973).

BOURVIL 1917 – 1970

De son vrai nom André Raimbourg, Bourvil a été un comédien français extrêmement populaire. Il excelle aussi bien dans des rôles comiques comme celui de *La Grande Vadrouille* en 1967, aux côtés de Louis de Funès, que dans des performances dramatiques (*Fortunat* en 1960, avec Michèle Morgan). Il reçoit le grand prix d'interprétation du Festival de Venise pour son interprétation dans *La Traversée de Paris* en 1957.

Gene Kelly

1912 – 1996

Acteur, danseur, chorégraphe et réalisateur, Gene Kelly fait ses débuts comme danseur au music-hall dès l'âge de 8 ans, avec ses frères et sœurs, « Les cinq Kelly ».

Dès 1932, alors qu'il poursuit des études d'économie à l'université de Pittsburgh, Kelly ouvre sa propre école de danse. Puis il tente sa chance à Broadway en 1938 et se produit dans plusieurs spectacles. Sa prestation dans *Pal Joey* (1940) lui vaut des propositions de Hollywood, et le film *Pour moi et ma mie* sera son premier succès en 1944. Kelly, beau et athlétique, devient la vedette et le chorégraphe de grandes comédies musicales pour lesquelles il obtient un oscar spécial en 1951. Sa carrière culmine en 1952 avec le classique *Chantons sous la pluie*.

Principaux films : *Ziegfeld Follies* en 1946 ; *Les Trois Mousquetaires* en 1948 ; *Un Américain à Paris* en 1951 ; *Chantons sous la pluie* en 1952.

Gene Kelly (à droite) et le jeune Frank Sinatra (p. 189) chantent et dansent *dans Escale à Hollywood* (1945).

Ingrid Bergman

1915 – 1982

L'actrice suédoise Ingrid Bergman fait ses débuts au cinéma dans son pays avec *Munkbrogreven* (1934). En 1936, elle signe avec les studios MGM aux États-Unis et remporte de nombreux succès dans les années 1940, dont *Casablanca*. Elle obtient un oscar en 1944 pour *Hantise*. Après avoir vécu en Italie, elle regagne Hollywood en 1956 et reçoit un autre oscar pour son rôle dans *Anastasia*. En 1974, elle remporte un troisième oscar pour *Le Crime de l'Orient-Express*.

Principaux films : *Casablanca* en 1942 ; *Hantise* en 1944 ; *La Maison du Dr Edwards* en 1945 ; *Les Enchaînés* en 1946 ; *Anastasia* en 1956.

Kirk Douglas dans *Spartacus*.

Kirk Douglas

né en 1916

Né Yssur Danielovitch Demsky, Kirk Douglas est issu d'une famille pauvre de juifs russes qui émigre aux États-Unis en 1910. Il fait ses débuts au théâtre à Broadway en 1941, et au cinéma à Hollywood dans *L'Emprise du crime* en 1946. La célébrité lui vient en 1949 avec *Le Champion*. Il crée sa propre société de production en 1955. Il s'est produit dans près de 80 films. En 1991, il reçoit une distinction spéciale de l'Académie américaine du film pour l'ensemble de sa carrière.

Principaux films : *Le Champion* en 1949 ; *Les Ensorcelés* en 1952 ; *La Vie passionnée de Vincent van Gogh* en 1956 ; *Spartacus* en 1960.

Gregory Peck

1916 – 2003

Beau, grand et brun, l'acteur Gregory Peck est né à San Diego où, fils unique, il est élevé par sa grand-mère. Il entre à Berkeley mais abandonne l'université afin de donner libre cours à ses ambitions de comédien. Il fréquente alors la Neighborhood Playhouse de New York. Il débute à Broadway dans *The Morning Star* (1942) et, l'année suivante, il apparaît dans son premier film hollywoodien. Mais c'est son deuxième film, *Les Clefs du royaume* (1944) qui en fait une vedette. Peck joue souvent des héros intègres mais désabusés. Son interprétation d'un avocat sudiste modéré, Atticus Finch, dans *Du silence et des ombres*, lui vaut un oscar bien mérité. En 1989, il reçoit de l'Académie américaine du film une distinction spéciale pour l'ensemble de sa carrière.

Principaux films : *La Maison du Dr Edwards* en 1945 ; *La Cible humaine* en 1950 ; *Vacances romaines* en 1953 ; *Du silence et des ombres* en 1962 ; *La Malédiction* en 1976 ; *Les Nerfs à vif* en 1991.

Gregory Peck dans *La Cible humaine*.

Marcello Mastroianni

1923 – 1996

L'Italien Marcello Mastroianni est dessinateur à Rome lorsqu'il est envoyé par les nazis dans un camp de travail pendant la Seconde Guerre mondiale. Il s'en évade et se cache à Venise. Après la guerre, il travaille comme employé de bureau dans une compagnie cinématographique et commence à jouer avec un groupe d'art dramatique. Le metteur en scène Luchino Visconti (1906 – 1976) le remarque et le fait jouer dans ses pièces. *L'Évadé du bagne* (1947) marque les débuts de Mastroianni à l'écran, mais c'est *Nuits blanches* (1947) de Visconti qui le rend célèbre en Italie. Il acquiert une renommée internationale et s'impose dans de grands rôles de héros souvent dépassés par les événements, comme celui du journaliste Marcello Rubini de *La Dolce Vita*.

Principaux films : *La Dolce Vita* en 1960 ; *Divorce à l'italienne* en 1962 ; *Huit et demi* en 1963.

Robert Mitchum

1917 – 1997

Robert Mitchum – silhouette massive, paupières tombantes, nez cassé – a eu une carrière qui s'étend sur 50 ans. Il débute dans des pièces d'amateurs et devient une grande vedette d'Hollywood dans les années 1940 et 1950. Vagabond désabusé dans sa jeunesse, il exerce toutes sortes de petits métiers. Ses débuts à l'écran, dans des westerns de série Z, sont modestes. En 1945, la chance lui sourit : il est cité pour les oscars pour son interprétation du lieutenant Walker dans *Les Forçats de la gloire*. Les manières lasses de Mitchum sont uniques. Il excelle dans les drames romantiques et incarne les durs dans les westerns, les films d'action et les films de guerre. Il apparaît encore dans des mini-séries télévisées dans les années 1980.

Principaux films : *Les Forçats de la gloire* en 1945 ; *Rivière sans retour* en 1954 ; *La Nuit du chasseur* en 1955 ; *Les Nerfs à vif* en 1962 (remake en 1991) ; *La Fille de Ryan* en 1970 ; *Adieu ma jolie* en 1975.

Judy Garland

1922 – 1969

Judy Garland, actrice et chanteuse américaine, est devenue légendaire grâce à son rôle de Dorothy dans la comédie musicale *Le Magicien d'Oz*, où elle chante l'inoubliable *Somewhere Over the Rainbow*. Enfant précoce, elle joue d'abord avec ses sœurs au music-hall. *Broadway Melody* (1938) lance sa carrière au cinéma, et *Le Magicien d'Oz*, pour lequel elle remporte un oscar, fait d'elle une vedette à part entière. Elle joue dans deux films musicaux à succès mis en scène par Vincente Minelli, qu'elle épouse. Leur fille, Liza Minelli (née en 1946) est également actrice et chanteuse. Judy Garland meurt après avoir absorbé une trop grande quantité de somnifères.

Principaux films : *Le Magicien d'Oz* en 1939 ; *Le Chant du Missouri* en 1944 ; *Parade de printemps* en 1948 ; *Une étoile est née* en 1954.

Judy Garland, de son vrai nom Frances Gumm, devient vedette à 17 ans grâce au rôle de Dorothy dans *Le Magicien d'Oz*.

Marlon Brando

né en 1924

Né à Omaha, dans le Nebraska, Marlon Brando suit des cours de théâtre puis entre à l'Actor's Studio de New York. Il débute à Broadway dans *Un tramway nommé désir* (1947), puis se lance dans le cinéma et joue le rôle d'un jeune rebelle en T-shirt blanc et blouson de cuir dans *L'Équipée sauvage*. Il remporte un oscar pour *Sur les quais* en 1954. La carrière de Brando sombre dans les années 1960, mais il revient à l'écran dans le rôle spectaculaire d'un chef de la mafia, Don Vito Corleone, avec *Le Parrain*. Il refuse un oscar en signe de protestation en faveur des Indiens d'Amérique.

Principaux films: *L'Équipée sauvage* en 1953; *Sur les quais* en 1954; *Le Parrain* en 1972; *Le Dernier Tango à Paris* en 1973; *Apocalypse Now* en 1979.

Marlon Brando acquiert la célébrité en incarnant un motard rebelle dans *L'Équipée sauvage* (1953).

Sidney Poitier

né en 1924

Sidney Poitier est né à Miami mais a grandi aux Bahamas. Il se forme à l'American Negro Theater de New York et fait ses débuts cinématographiques en 1950. Nominé aux oscars pour *La Chaîne* (1958), Poitier recevra la statuette pour son interprétation de Homer Smith dans *Le Lys des champs* en 1963. Il est le premier Noir américain à remporter un oscar. Il a souvent incarné des personnages émouvants et intelligents, se battant contre les préjugés avec dignité et sans agressivité.

Principaux films: *La Chaîne* en 1958; *Le Lys des champs* en 1963; *Devine qui vient dîner* en 1967; *Dans la chaleur de la nuit* en 1967.

Richard Burton

1925 – 1984

Richard Burton est le fils d'un mineur du pays de Galles. De son vrai nom Richard Jenkins, il prend celui de Philip Burton, son tuteur et professeur, lorsqu'il monte sur scène à l'université d'Oxford. Son premier film notable est *Ma cousine Rachel* (1952). Même lorsqu'il devient célèbre au cinéma, il ne cessera jamais de jouer au théâtre. Sur le tournage de *Cléopâtre*, il s'éprend d'Elizabeth Taylor (p. 145) qu'il épousera deux fois. Ils forment un couple mythique du cinéma de leur époque.

Principaux films: *La Tunique* en 1953; *Les Corps sauvages* en 1959; *Becket* en 1964; *Qui a peur de Virginia Woolf?* en 1966.

Paul Newman

né en 1925

L'acteur américain Paul Newman débute à Broadway dans *Picnic* (1953) et devient l'une des plus prestigieuses vedettes du cinéma des années 1960. En 1956, il est remarqué pour sa prestation dans *Marqué par la haine*. La première des neuf nominations aux oscars qu'il va totaliser lui est attribuée en 1958 pour *La Chatte sur un toit brûlant*. Il remporte enfin cette récompense en 1986 pour son rôle dans *La Couleur de l'argent*.

Principaux films: *L'Arnaqueur* en 1961; *Le plus sauvage d'entre tous* en 1963; *Luke la main froide* en 1967; *Butch Cassidy et le kid* en 1969; *L'Arnaque* en 1973; *La Couleur de l'argent* en 1986.

Klaus Kinski

1926 – 1991

Après avoir servi dans l'armée allemande pendant la Seconde Guerre mondiale, Kinski devient acteur. Il joue dans 120 films environ, allemands comme américains, durant une période de 40 années. Il interprète des personnages souvent démoniaques dans des films dirigés par Werner Herzog (p. 151).

Principaux films: *Aguirre, la colère de Dieu* en 1972; *Nosferatu* en 1979; *Fitzcarraldo* en 1982; *Cobra verde* en 1987.

Marilyn Monroe

1926 – 1962

Marilyn Monroe, légendaire vedette de cinéma et la plus fameuse blonde de tous les temps, devient célèbre dans les années 1950. À Los Angeles, la jeune Norma Jean Baker n'a pas une jeunesse heureuse, ballottée de foyer d'accueil en nourrice, sa mère étant souvent hospitalisée pour maladie mentale. Remarquée par des studios de cinéma alors qu'elle est modèle, Norma Jean se transforme en starlette blonde et prend le nom de Marilyn Monroe.

Marylin Monroe dans un de ses plus célèbres films, *Sept Ans de réflexion*, une comédie de Billy Wilder (1955).

Au début des années 1950, ses rôles dans des films populaires et ses apparitions dans le magazine *Playboy* lui valent une très forte popularité. Elle se marie trois fois: la deuxième fois avec la star du base-ball Joe DiMaggio (p. 204), et la troisième fois avec l'auteur de théâtre Arthur Miller (p. 122). Elle interprète souvent des blondes évaporées, mais avec le temps elle se transformera en excellente actrice. Elle meurt d'une trop forte consommation de somnifères à l'âge de 36 ans.

Principaux films: *Les hommes préfèrent les blondes* en 1953; *Sept Ans de réflexion* en 1955; *Arrêt d'autobus* en 1956; *Certains l'aiment chaud* en 1959; *Le Milliardaire* en 1960; *Les Désaxés* en 1961.

Shirley Temple

née en 1928

Enfant prodige du cinéma américain dans les années 1930, Shirley Temple apparaît pour la première fois dans le film *War Babies* en 1932. En 1934, elle est déjà une véritable star: elle chante et fait des claquettes dans différents films dont *Petite Miss* et *Shirley aviatrice*, film dans lequel elle interprète son grand succès *On the Good Ship Lollipop*. Les films qu'elle tourne adolescente sont moins populaires et elle se retire en 1949. Elle entre en politique à la fin des années 1960, et devient ambassadrice des États-Unis.

Principaux films: *Shirley aviatrice* en 1934; *Pauvre Petite Fille* en 1936; *Heidi* en 1937; *Mam'zelle Vedette* en 1938.

Grace Kelly

1929 – 1982

Grace Kelly est issue de l'une des familles les plus riches de Philadelphie. Elle suit les cours de l'American Academy of Dramatic Arts de New York, se produit à la télévision et joue à Broadway avant de débuter au cinéma en 1951. Grace Kelly interprète d'élégantes blondes mystérieuses dans trois films d'Alfred Hitchcock (p. 149) et remporte un oscar pour *Une fille de la province* (1954). Elle épouse en 1956 le prince Rainier de Monaco et meurt dans un accident de voiture.

Principaux films: *Le train sifflera trois fois* en 1952; *Le crime était presque parfait* en 1953; *Fenêtre sur cour* en 1954; *La Main au collet* en 1955; *Haute Société* en 1956.

Audrey Hepburn

1929 – 1993

L'actrice Audrey Hepburn est la fille d'un banquier anglais et d'une baronne hollandaise. Née à Bruxelles, elle fréquente les écoles privées et apprend la danse à Londres. Elle débute au cinéma en 1948 et, en 1951, la romancière Colette la recommande pour jouer *Gigi* à Broadway. Son grand succès au cinéma est *Vacances romaines* (1953) pour lequel elle remporte un oscar et qui lui vaut la consécration de la presse. Le public admire son élégance et sa sophistication. Elle est l'inoubliable Holly Golightly de *Diamants sur canapé* (1961) et Elisa Doolittle de *My Fair Lady* (1964). Dans les années 1970, elle travaille pour l'UNICEF.

Principaux films: *Vacances romaines* en 1953; *Sabrina* en 1954; *Drôle de frimousse* en 1957; *Diamants sur canapé* en 1961; *My Fair Lady* en 1964; *Pour toujours* en 1989.

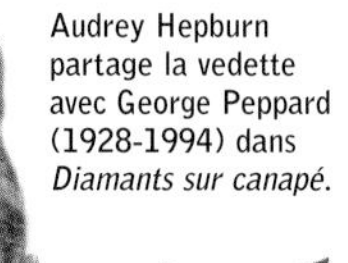

Audrey Hepburn partage la vedette avec George Peppard (1928-1994) dans *Diamants sur canapé.*

Steve McQueen

1930 – 1980

Avant d'étudier l'art dramatique à New York, Steve McQueen connaît une jeunesse agitée et sert dans les marines. *Marqué par la haine* est son premier film, en 1956. Entre 1958 et 1961, il joue dans la série télévisée *Au nom de la loi* qui le fait connaître. En 1960, il interprète l'un des mercenaires dans *Les Sept Mercenaires*: dès lors, sa réputation est bien établie. Dans la vie, McQueen aime les courses de motos et de voitures. Il joue souvent les cascadeurs et il est lui-même au volant lors de la légendaire poursuite automobile de *Bullitt*. Il épouse sa partenaire du *Guet-apens*, Ali McGraw (née en 1938).

Principaux films: *Les Sept Mercenaires* en 1960; *La Grande Évasion* en 1963; *Le Kid de Cincinnati* en 1965; *Bullitt* en 1968; *Le Guet-apens* en 1972.

Sean Connery

né en 1930

L'acteur Sean Connery devient célèbre en incarnant l'agent secret 007 créé par Ian Flemming, le charmant amateur de Martini James Bond. Né dans un quartier pauvre d'Edimbourg, en Écosse, Sean Connery abandonne l'école à 13 ans et sert dans la Royal Navy. Il exerce plusieurs métiers – ouvrier, garde du corps, modèle pour artistes – et arrive troisième au concours de M. Univers. En 1953, grâce à son physique, on le retrouve dans une comédie musicale, *South Pacific*. Il enchaîne des rôles au théâtre et à la télévision, dont *Requiem for a Heavyweight* (1956). Il est choisi pour interpréter James Bond dans *James Bond 007 contre Docteur No* (1962) et remporte un succès international. Il tient sept fois le rôle de James Bond. Ses 60 films ont permis à Sean Connery d'interpréter d'autres personnages à succès. Il remporte un oscar pour son interprétation du rôle de policier américano-irlandais dans *Les Incorruptibles* (1987). Il continue à jouer et à produire. C'est par ailleurs un nationaliste convaincu qui s'engage pour de nombreuses causes écossaises. Il est aussi un excellent joueur de golf.

Principaux films: *Bons Baisers de Russie* en 1963; *Goldfinger* en 1964; *Pas de printemps pour Marnie* en 1964; *Opération tonnerre* en 1965; *On ne vit que deux fois* en 1967; *Les diamants sont éternels* en 1971; *Jamais plus jamais* en 1983; *Highlander* en 1986; *Le Nom de la rose* en 1987; *Indiana Jones et la dernière croisade* en 1989; *À la poursuite d'octobre rouge* en 1990; *La Maison Russie* en 1991; *À la rencontre de Forrester* en 2000; *La ligue des gentlemen extraordinaires* en 2003.

Sean Connery dans son rôle le plus fameux, James Bond, l'agent secret 007.

Clint Eastwood

né en 1930

Né à San Francisco, c'est à la télévision que Clint Eastwood se fait connaître grâce à la série *Rawhide* (1959 – 1965). Dans les années 1960, il acquiert la célébrité au cinéma en incarnant un étranger portant poncho et chapeau dans la fameuse trilogie de westerns spaghetti de Sergio Leone. Puis il enchaîne au début des années 1970 en interprétant le rôle d'un policier violent dans *L'Inspecteur Harry*. Apprécié en tant que réalisateur, il fait ses débuts dans ce domaine avec *Un frisson dans la nuit* (1971). *Bird* (1987) est particulièrement bien accueilli et, en 1992, *Impitoyable* lui vaut deux oscars – celui du meilleur réalisateur et celui du meilleur film. De 1986 à 1988, il est maire de Carmel en Californie.

Principaux films: *Pour une poignée de dollars* en 1964; *Le Bon, la brute et le truand* en 1966; *Un frisson dans la nuit* en 1971; *L'Inspecteur Harry* en 1971; *Impitoyable* en 1992; *Sur la route de Madison* en 1995; *Mystic River* en 2003; *Million Dollar Baby* en 2004.

Elizabeth Taylor

née en 1932

Elizabeth Taylor débute sur les plateaux dès l'âge de 10 ans. Dans les années 1940, elle tourne les films de la série *Lassie* et, en 1944, elle se fait remarquer dans *Le Grand National*. Elle passe avec bonheur au statut d'actrice adulte avec *Géant* en 1956, et est nominée aux oscars pour *L'Arbre de vie*, *La Chatte sur un toit brûlant* et *Soudain l'été dernier*. Elle remporte finalement la statuette pour *La Vénus au vison*, en 1960. Elizabeth Taylor rencontre le plus célèbre de ses sept maris, l'acteur Richard Burton (p. 142), sur le tournage de *Cléopâtre*, et ils tournent ensemble de nombreux autres films. *Qui a peur de Viginia Woolf*? lui vaut son second oscar.

Principaux films: *L'Arbre de vie* en 1957; *La Chatte sur un toit brûlant* en 1958; *Soudain l'été dernier* en 1959; *La Vénus au vison* en 1960; *Cléopâtre* en 1963; *Qui a peur de Virginia Woolf?* en 1966.

Liz Taylor et Richard Burton tombent amoureux l'un de l'autre sur le tournage de Cléopâtre.

James Dean

1931 – 1955

Bien que n'ayant joué que dans trois films, James Dean s'élève au niveau du mythe et devient un véritable culte pour la jeunesse. Ce culte est entretenu par sa mort tragique et prématurée à l'âge de 24 ans. Il débute dans une petite troupe théâtrale à l'université de Californie avant de s'installer à New York. En 1951, après avoir tenu un certain nombre de petits rôles, il joue à Broadway dans *See the Jaguar*. Puis il se tourne rapidement vers la télévision et le cinéma. Son premier film, *À l'est d'Eden* (1955), fait immédiatement sensation. Le jeune adolescent tourmenté de son deuxième film, *La Fureur de vivre* (1955), fascine tous les jeunes cinéphiles. Le tournage de *Géant* (1956) est à peine achevé lorsque James Dean percute une automobile et meurt au volant de sa Porsche. On lui attribuera des oscars à titre posthume pour ses deux derniers films.

Principaux films: À l'est d'Eden en 1955; La Fureur de vivre en 1955; Géant en 1956.

Géant est le troisième et dernier film de James Dean.

Jean-Paul Belmondo

né en 1933

Jean-Paul Belmondo est l'un des plus grands talents de la Nouvelle Vague française des années 1960. Il étudie l'art dramatique au Conservatoire de Paris et, dans les années 1950, il joue sur plusieurs scènes et tourne dans différents films. Mais c'est en 1959 qu'il devient célèbre grâce au film *À bout de souffle* du nouveau réalisateur Jean-Luc Godard (né en 1930). Hormis des rôles dans des films de réalisateurs français comme Louis Malle (1932 – 1995) et François Truffaut (1932 – 1984), Belmondo joue également dans de grands films populaires – films d'amour, policiers, comédies d'action – réalisant souvent ses propres cascades. En 1988, *Itinéraire d'un enfant gâté* lui vaut un césar en France.

Principaux films: *À bout de souffle* en 1959; *Pierrot le fou* en 1965; *Le Voleur* en 1967; *Le Cerveau* en 1969; *Borsalino* en 1971; *L'As des as* en 1982.

Brigitte Bardot

née en 1934

Actrice française née à Paris, Brigitte Bardot est modèle pour un magazine lorsque le réalisateur Roger Vadim (1928 – 2000) la remarque. Il l'épouse alors qu'elle n'a que 18 ans. En 1956, il la fait tourner dans *Et Dieu créa la femme*, film qui marque le début de la libération sexuelle de la femme, et fait connaître BB. Elle se retire en 1974 et se consacre à la défense des animaux.

Principaux films: *Et Dieu créa la femme* en 1956; *La Vérité* en 1960; *Le Mépris* en 1963; *Viva Maria* en 1965.

Alain Delon

né en 1935

Alain Delon s'engage pour l'Indochine à 17 ans. Son allure et son magnétisme lui valent des propositions au Festival de Cannes en 1957. Il débute à l'écran dans *Quand la femme s'en mêle* (1957), et acquiert une renommée internationale avec *Plein Soleil* (1960). Dans les années 1970, il est l'une des plus grandes vedettes françaises du cinéma.

Principaux films: *Le Guépard* en 1963; *Le Samouraï* en 1967; *Borsalino* en 1969; *Monsieur Klein* en 1975.

Jack Nicholson

né en 1937

L'Américain Jack Nicholson débute à l'écran en 1958, mais il ne sera connu qu'en 1969 avec *Easy Rider* (1969). Très doué pour tous les genres, il interprète un ancien musicien dans *Cinq Pièces faciles* (1970), un détective dans *Chinatown* (1974), et obtient un oscar pour son rôle d'un malade mental dans *Vol au-dessus d'un nid de coucou* (1975). Il reçoit également des oscars pour *Tendres passions* (1983) et *Pour le pire et le meilleur* (1997).

Principaux films: *Vol au-dessus d'un nid de coucou* en 1975; *The Shining* en 1980; *Le facteur sonne toujours deux fois* en 1981; *L'Honneur des Prizzi* en 1985; *Les sorcières d'Eastwick* en 1987; Monsieur *Schmidt* en 2002.

En 1976, Robert Redford (à gauche) et Dustin Hoffman interprètent des journalistes d'enquêtes dans *Les Hommes du président*.

Robert Redford

né en 1937

Après des études de peinture au Colorado puis d'art dramatique à New York, Robert Redford devient acteur. Il se produit à Broadway et à la télévision avant de séjourner en Europe. Il devient une star après sa participation à *Pieds nus dans le parc* (1968). Il partage la vedette avec Paul Newman dans le classique *Butch Cassidy et le Kid* (1969) et à nouveau dans *L'Arnaque* (1973). Ses débuts comme réalisateur avec le film *Des gens comme les autres* lui valent un oscar.

Principaux films: *Butch Cassidy et le Kid* en 1969; *Les Hommes du président* en 1976; *Des gens comme les autres* en 1980; *Out of Africa* en 1985; *Proposition indécente* en 1993.

Dustin Hoffman

né en 1937

L'acteur américain Dustin Hoffman exerce d'abord toutes sortes de métiers bizarres tout en se battant pour devenir acteur. Il débute à Broadway en 1961 et travaille pour la scène et à la télévision avant de se produire au cinéma. En 1969, il se fait connaître avec *Le Lauréat*. Nominé pour sept oscars, Hoffman, doté de multiples dons, remporte deux oscars pour *Kramer contre Kramer* et pour *Rain Man*.

Principaux films: *Le Lauréat* en 1969; *Macadam cow-boy* en 1969; *Little Big Man* en 1970; *Kramer contre Kramer* en 1974; *Marathon Man* en 1976; *Les Hommes du président* en 1976; *Tootsie* en 1982; *Rain Man* en 1988; *Hook* en 1991.

Jack Nicholson est inoubliable dans le rôle d'écrivain schizophrène qu'il interprète dans le film d'horreur de Stanley Kubrick, *The Shining*.

Arnold Schwarzenegger

né en 1947

Dès l'âge de 14 ans, Arnold Schwarzenegger se lance dans le body-building afin d'échapper à son enfance malheureuse. Né en Autriche, il est le plus jeune M. Univers à 20 ans et gagne sept fois le titre de M. Olympia. Schwarzenegger se rend alors aux États-Unis et joue dans des films de cinéma et de télévision, mais avec assez peu de succès. *Arnold le magnifique* (1977), un documentaire sur la musculation, le fait connaître un peu partout. Puis il devient une vedette internationale avec *Conan le barbare* et les films de la série *Terminator*, le robot indestructible. Schwarzenegger est élu gouverneur de la Californie en 2003.

Principaux films : *Conan le barbare* en 1981 ; *Terminator* en 1984 ; *Predator* en 1987 ; *Total Recall* en 1990 ; *True Lies* en 1994.

Arnold Schwarzenegger dans *Conan le barbare*.

Russell Crowe

né en 1964

Né en Nouvelle-Zélande, Russell Crowe, encore enfant, part pour l'Australie. À six ans, il travaille à la télévision. En 1980, il forme un groupe de rock connu sous le nom de « 30 Odd Foot of Grunts » et réalise de nombreux enregistrements tout en travaillant à toutes sortes de petits travaux à la télévision et au théâtre. Dans *Frères de sang* (1990), il interprète son premier rôle à l'écran et reçoit plusieurs récompenses de l'Australian Film Institute. Il se rend à Hollywood et tourne dans *The Quick and the Dead* en 1995. Il obtient un oscar pour *Gladiator* en 2000.

Principaux films : *L.A. Confidential* en 1997 ; *Gladiator* en 2000 ; *A beautiful mind* en 2001.

Julia Roberts

née en 1967

Julia Roberts voulait être vétérinaire mais a poursuivi une carrière d'actrice. Elle devient une grande vedette et l'une des stars de Hollywood les mieux payées après avoir interprété le rôle d'une prostituée dans *Pretty Woman*. Elle reçoit un oscar pour sa performance dans le film *Erin Brockovich*, tiré d'une histoire véritable.

Principaux films : *Pretty Woman* en 1990 ; *L'Affaire Pélican* en 1993 ; *Erin Brockovich* en 2000.

Gérard Depardieu

né en 1948

Gérard Depardieu fait ses débuts à l'écran dans un court métrage, *Le Beatnik et le minet* (1965), mais c'est *Les Valseuses* (1974) qui le révèle en France. Il reçoit un césar pour son rôle dans *Le Dernier Métro* et connaît la gloire internationale avec *Cyrano de Bergerac*. Depardieu a tourné dans 100 films environ, en France comme à Hollywood.

Principaux films : *Les Valseuses* en 1974 ; *Le Dernier Métro* en 1980 ; *Jean de Florette* en 1986 ; *Camille Claudel* en 1988 ; *Cyrano de Bergerac* en 1990 ;

Michael J. Fox

né en 1961

Originaire de l'Alberta, au Canada, Michael J. Fox cumule d'abord trois Emmy Awards et un Golden Globe pour son rôle dans la télésérie américaine *Family Ties* (de 1982 à 1989). Puis il se taille une place sur la scène internationale en 1985 grâce au film *Retour vers le futur*, le premier d'une trilogie de Steven Spielberg. Atteint de la maladie de Parkinson, il réoriente sa carrière prématurément vers le doublage et s'investit entièrement dans la lutte contre cette maladie au sein de la fondation qu'il crée et qui porte son nom. L'idole des années 80 dévoile en 2002 son étoile sur le *Walk of Fame* de Los Angeles.

Principaux films : *Retour vers le futur I, II* et *III* (1985, 1989 et 1990) ; *Le secret de mon succès* (1987), *Outrages* (1989).

Nicole Kidman

née en 1967

Née à Hawaii, l'Australienne Nicole Kidman étudie la danse, l'art dramatique et le mime avant de débuter dans un théâtre de rue à 14 ans. En 1983, elle entame une carrière à la télévision et apparaît pour la première fois au cinéma dans *Calme blanc* (1989). Elle rencontre son futur mari, Tom Cruise (né en 1962) sur le tournage de son deuxième film, *Jours de tonnerre* (1990). Ils divorcent en 2001. Elle obtient un oscar en 2003 pour son rôle de Virginia Woolf dans *The Hours*.

Principaux films : *Eyes Wide Shut* en 1999 ; *Moulin Rouge* en 2001 ; *Les Autres* en 2001 ; *Les heures* en 2002.

DERRIÈRE LA CAMÉRA

Cecil B. De Mille

1881 – 1959

Cecil B. De Mille débute au théâtre à Broadway en 1900. En 1913, il fonde à Hollywood avec Samuel Goldwyn une compagnie de production qui deviendra en 1916 la Paramount. Il réalise le premier film muet, *Le Mari de l'Indienne* (1914). Il lance la carrière de nombreuses vedettes, et réalise des films spectaculaires, traitant souvent de thèmes bibliques.

Principaux films: *Forfaiture* en 1915; *Les Dix Commandements* en 1923 et en 1956; *Les Bateliers de la Volga* en 1926; *Sous le plus grand chapiteau du monde* en 1952.

Samuel Goldwyn

1882 – 1974

Le Polonais Goldwyn émigre en Amérique en 1895. En 1913, il fonde avec Cecil B. De Mille une compagnie de production: Paramount en 1916. En 1917, il crée la Goldwyn Pictures, qui deviendra en 1923 la Metro-Goldwyn-Mayer (MGM). Comme producteur, Goldwyn porte à l'écran beaucoup d'adaptations de livres qui ont un grand succès.

Principaux films: *À l'ouest rien de nouveau* en 1930; *Les Hauts de Hurlevent* en 1939; *Blanches Colombes et vilains messieurs* en 1955; *Porgy and Bess* en 1959.

Fritz Lang

1890 – 1976

Né à Vienne en Autriche, Fritz Lang, blessé au cours de la Première Guerre mondiale, se met à écrire des scénarios de films pour s'occuper. Il réalise son premier film, *Le Métis*, en 1919. Ses films allemands des années 1920 sont expressionnistes et froids. En 1934, il part pour les États-Unis et réalise de nombreux films policiers pour la MGM.

Principaux films: *Metropolis* en 1926; *M. le maudit* en 1931; *Furie* en 1936; *J'ai le droit de vivre* en 1937; *Règlement de comptes* en 1953; *Désirs humains* en 1954.

Busby Berkeley

1895 – 1976

Busby Berkeley monte des spectacles pendant la Première Guerre mondiale. Il poursuit sa carrière au théâtre et dirige plus de 20 comédies musicales à Broadway. À Hollywood, il réalise la chorégraphie de films pour Samuel Goldwyn. Il est célèbre pour ses créations spectaculaires rappelant des kaléidoscopes dont Esther Williams et ses girls sont les vedettes.

Principaux films: *42nd Street* en 1933; la série *Chercheuses d'or* de 1933 à 1938; *La Danseuse des Folies Ziegfeld* en 1941; *Lady Be Good* en 1941.

Sergueï Eisenstein

1898 – 1948

Le réalisateur soviétique Sergueï Eisenstein combat dans les rangs des bolcheviques pendant la révolution de 1917. Après avoir dirigé le Théâtre du Peuple à Moscou, il se lance dans la réalisation de films. Il n'en fait que sept au cours de toute sa vie, mais sa contribution à l'art cinématographique est proprement révolutionnaire. Les talents de créateur d'Eisenstein ont eu un immense impact sur les réalisateurs qui l'ont suivi.

Principaux films: *Le Cuirassé Potemkine* en 1925; *Octobre* en 1927; *Ivan le Terrible* en 1944 – 1946.

Busby Berkeley crée d'étonnants effets de kaléidoscope dans le film *Prologues* (1933).

Alfred Hitchcok et l'actrice Tippi Hedren sur le plateau du film *Les Oiseaux* (1963).

Alfred Hitchcock

1899 – 1980

Né à Londres en Angleterre, Alfred Hitchcock abandonne ses études d'ingénieur pour donner libre cours à ses ambitions de cinéaste. En 1922, il devient assistant réalisateur, ses débuts comme réalisateur datant de 1925 avec le film *The Pleasure Garden*. Il poursuit sa carrière aux États-Unis à partir de 1940. Il fait toujours une brève apparition dans ses films qui traitent de la lutte du bien contre le mal, de faux coupables et des relations entre le sexe et la violence. Le premier film de sa période américaine, *Rebecca*, lui vaut un oscar. Il est vite reconnu comme le « maître du suspense ».

Principaux films : *Les Trente-neuf Marches* en 1935 ; *Une femme disparaît* en 1938 ; *Rebecca* en 1940 ; *Soupçons* en 1941 ; *La Maison du Dr Edwards* en 1945 ; *Le crime était presque parfait* en 1954 ; *Fenêtre sur cour* en 1954 ; *La Main au collet* en 1955 ; *La Mort aux trousses* en 1959 ; *Psychose* en 1960 ; *Les Oiseaux* en 1963.

Luis Buñuel

1900 – 1983

À l'université de Madrid, le réalisateur espagnol de films surréalistes Luis Buñuel se lie d'amitié avec l'artiste Salvador Dali (p. 166). *Un chien andalou* (1928) est le premier film réalisé par Buñuel avec la collaboration de Dali. Leur deuxième film, *L'Âge d'or* (1930), est une critique féroce de la bourgeoisie et de l'Église qui soulève de grandes controverses. Le film audacieux de Buñuel sur les enfants des rues de Mexico, *Los Olvidados* (1950), fait sensation au Festival de Cannes de 1951. *Le Charme discret de la bourgeoisie* lui vaut un oscar en 1972.

Principaux films : *Un chien andalou* en 1928 ; *L'Âge d'or* en 1930 ; *Los Olvidados* en 1950 ; *Viridiana* en 1961 ; *Belle de jour* en 1967.

JEAN RENOIR
1894 – 1979
Le réalisateur Jean Renoir est le fils du peintre français Auguste Renoir (p. 161). Il fonde sa propre société de production en 1924 et devient l'un des plus grands réalisateurs de cinéma. Il est encensé par la critique pour les films qu'il réalise dans les années 1930, dont *La Grande Illusion* (1937), *La Bête humaine* (1939) et *La Règle du jeu* (1939). Il s'installe aux États-Unis en 1941.

MARCEL PAGNOL
1895 – 1974
Écrivain, dramaturge et cinéaste français, Pagnol est né en Provence et y reviendra en vacances chaque année. Professeur d'anglais, il écrit pour le théâtre et c'est avec *Topaze* qu'il connaît le succès et qu'il peut abandonner l'enseignement. Son exceptionnel talent de cinéaste lui permettra de réaliser de nombreux films célèbres avec Raimu, dont *Marius* (1930), *Fanny* (1934), *César* (1936). *La Femme du Boulanger* (1938).

WALT DISNEY 1901 – 1966
L'Américain Walt Disney est un artiste doué d'un sens commercial développé qui fonde une société de cinéma en 1923 pour réaliser de courts dessins animés. Ses plus célèbres personnages sont Mickey Mouse, créé en 1928, et Donald Duck en 1934. Le premier long métrage d'animation de Disney est *Blanche-Neige et les sept nains* (1937). Il réalise également des films où se mêlent animation et action en direct, comme *Mary Poppins* (1964).

ORSON WELLES 1915 – 1985
Réalisateur, auteur et acteur, l'Américain Orson Welles fait sensation dans le monde du cinéma avec *Citizen Kane* (1941), dont il est le scénariste, le réalisateur, l'interprète et le producteur. Il transforme définitivement l'art cinématographique, inventant de nouvelles techniques d'éclairage, de prise de vues et de son. Son rôle le plus célèbre est celui de Harry Lime dans *Le Troisième Homme* (1949).

Le réalisateur japonais Akira Kurosawa acquiert une renommée internationale en 1951 pour son film *Rashomon.*

Akira Kurosawa

1910 – 1998

Le réalisateur et scénariste japonais Akira Kurosawa débute sa longue carrière (50 ans) en 1936. Son premier long métrage, *La légende du grand judo*, date de 1943. En 1951, il remporte l'oscar du meilleur film étranger pour *Rashomon* qui lui vaut une renommée internationale. Ses films, mettant à l'honneur grandes scènes de batailles et nobles héros, ont inspiré de nombreuses productions hollywoodiennes. Le western de John Sturges (1910 – 1992) *Les Sept Mercenaires* (1960) est un remake du chef-d'œuvre d'Akira Kurosawa, *Les Sept Samouraïs*. La carrière de Kurosawa décline dans les années 1960, mais il recommence à produire des films épiques et reçoit un oscar pour *Dersou Ouzala* en 1976.

Principaux films : *Rashomon* en 1951 ; *Les Sept Samouraïs* en 1954 ; *Dersou Ouzala* en 1976 ; *Ran* en 1985 ; *Rêves* en 1990.

Federico Fellini

1920 – 1993

Le réalisateur italien Federico Fellini est d'abord journaliste et dessinateur humoristique avant de devenir scénariste dans les années 1940. Ses premiers films, d'inspiration néoréaliste, datent des années 1950. Il reçoit l'oscar du meilleur film étranger pour La *Strada* en 1956, pour *Les Nuits de Cabiria* en 1957 et pour *Amarcord* en 1974. Les films de Fellini traduisent souvent son aversion pour le catholicisme et font alterner imagination et réalité. Son film controversé sur la grande vie dans la Rome moderne, *La Dolce Vita* (1960), remporte le prix du Festival de Cannes. Citons encore *La Cité des femmes* (1980) et *La Voce della luna* (1990).

Principaux films : *La Strada* en 1954 ; *La Dolce Vita* en 1960 ; *Huit et demi* en 1963 ; *Fellini-Satyricon* en 1969 ; *Amarcord* en 1973.

Federico Fellini (à droite) sur le plateau de La Strada.

Satyajit Ray

1921 – 1992

Satyajit Ray, l'un des plus grands réalisateurs indiens, était bon musicien et devient scénariste avant de se lancer dans le cinéma. Alors qu'il illustre un livre pour enfants, il utilise l'histoire pour en faire le scénario de son premier film, *Pather Panchali* (*La complainte du sentier*, 1955). Ce film lui vaut un prix au Festival de Cannes. La reconnaissance et le succès international lui permettent de donner une suite à son film avec *L'Invaincu* (1957) et *Le Monde d'Apu* (1959).

Principaux films : *La Déesse* en 1960 ; *Charulata* en 1964 ; *Tonnerres lointains* en 1973.

Le film de science-fiction de Stanley Kubrick, *2001 : l'odyssée de l'espace*, enchante le public avec ses effets spéciaux sur grand écran.

Stanley Kubrick

1928 – 2000

Le réalisateur américain Stanley Kubrick reçoit un appareil photographique pour ses 13 ans et, à 17 ans, il travaille déjà pour *Look*. Son premier film, *Day of the Fight* (1951), est un court métrage mais il est décidé à produire des documentaires et des longs métrages. Kubrick s'installe à Hollywood où il réalise *Les Sentiers de la gloire* (1957) et *Spartacus* (1960). Puis il se rend en Angleterre où il réalise son célèbre film anticonformiste *Docteur Folamour*, le très original film de science-fiction *2001 : l'odyssée de l'espace*, et le très violent et très controversé *Orange mécanique*.

Principaux films : *Lolita* en 1962 ; *Docteur Folamour* en 1964 ; *2001 : l'odyssée de l'espace* en 1968 ; *Orange mécanique* en 1971 ; *Barry Lindon* en 1975 ; *Shining* en 1980 ; *Full Metal Jacket* en 1987.

Francis Ford Coppola

né en 1939

Le scénariste et réalisateur Francis Ford Coppola, lauréat de plusieurs oscars, est célèbre pour avoir réalisé *Le Parrain* et *Apocalypse Now*, épopée sur la guerre du Vietnam. Enfant d'un couple d'artistes italo-américains – son père était chef d'orchestre et compositeur, sa mère actrice – Coppola étudie le théâtre puis le cinéma à Los Angeles. Il apprend les méthodes de travail modernes avec le producteur et réalisateur Roger Corman, et fait ses débuts en tant que réalisateur avec le film *Dementia 13* (1963). En 1970, il reçoit l'oscar du meilleur scénario pour le film *Patton*. Il fonde l'American Zoetrope avec George Lucas (p. 152) en 1969. Un deuxième oscar lui est attribué pour le scénario du film *Le Parrain*, succès phénoménal dont il est aussi le réalisateur. Coppola récolte trois autres oscars pour l'écriture, la réalisation et la production du *Parrain II*.

Principaux films : *Le Parrain* (trois parties) en 1972, 1974 et 1990 ; *Conversation secrète* en 1974 ; *Apocalypse Now* en 1979 ; *Peggy Sue s'est mariée* en 1986 ; *Dracula* en 1992.

ROMAN POLANSKI né en 1933
Né à Paris de parents polonais, Roman Polanski étudie le cinéma en Pologne. Il est internationalement reconnu dès ses débuts avec *Le Couteau dans l'eau* (1962). Ses films sont souvent sombres et violents. Citons *Rosemary's Baby* (1968) et *Chinatown* (1974). En 1969, sa femme, Sharon Tate, est assassinée par Charles Manson (p. 245). Il poursuit sa carrière en France depuis 1977. En 2003, il obtient pour son film *Le Pianiste*, l'oscar du meilleur réalisateur.

DENYS ARCAND né en 1941
Le réalisateur et scénariste québécois Denys Arcand rafle en 1989 le Prix du jury du Festival de Cannes pour *Jésus de Montréal*. En 2003, il donne suite au *Déclin de l'empire américain* (Prix de la critique internationale en 1986) avec *Les Invasions barbares*. Ce film distribué dans sa version originale récolte aux Academy Awards l'Oscar du meilleur film en langue étrangère, et à Cannes, le Prix du scénario et celui d'interprétation féminine.

WERNER HERZOG né en 1942
Scénariste et réalisateur reconnu, l'Allemand Werner Herzog est né à Munich. Il étudie l'art dramatique, puis décide d'apprendre par lui-même le métier de cinéaste. En 1963, il fonde sa société de production. Grande figure de la nouvelle génération de réalisateurs allemands, il aborde souvent des sujets philosophiques. Ses films les plus connus sont *Aguirre, la colère de Dieu* (1972), *Nosferatu, fantôme de la nuit* (1978) et *Fitzcarraldo* (1982).

RAINER FASSBINDER 1946 – 1982
La carrière cinématographique de Rainer Werner Fassbinder ne dure que 14 ans, mais dans ce laps de temps il réalise près de 40 longs métrages qui ont fait de lui le chef de file du nouveau cinéma allemand. Son premier succès en Allemagne est *Katzelmacher* (1969). Beaucoup de ses films sont des critiques politiques de la société bourgeoise moderne de son pays. Il meurt d'une overdose à l'âge de 36 ans.

George Lucas

né en 1944

Producteur et réalisateur américain, George Lucas est le créateur des films de la série *La Guerre des étoiles*, dont le premier reçut sept oscars. Il étudie le cinéma en Californie du Sud et remporte un prix en 1965 pour son film *THX 1138*. Alors qu'il travaille à la Warner Bros, il rencontre le réalisateur Francis Ford Coppola (p. 151), et ils s'associent brièvement. Coppola aide Lucas à financer son premier long métrage, *American Graffiti* (1973), qui deviendra le film fétiche d'une génération. Il se joint au réalisateur Steven Spielberg (à droite) pour tourner *Les Aventuriers de l'arche perdue* (1981) et la suite du cycle Indiana Jones. En 1999, il revient à *La Guerre des étoiles*, avant d'entamer la Trilogie.

Principaux films: ***American Graffiti*** **en 1973; *La Guerre des étoiles*** **en 1977; *L'Empire contre-attaque*** **en 1980; *Le Retour du Jedi*** **en 1983; *Star Wars épisode 1. La Menace fantôme*** **en 1999.**

Wim Wenders

né en 1945

Le réalisateur allemand Wim Wenders étudie la philosophie et la médecine à l'université de Fribourg, puis fréquente l'École de cinéma et de télévision de Munich. Il dit lui-même que tous ses films traduisent l'américanisation de l'Allemagne. Wenders est principalement connu pour ses road-movies, comme le très remarqué *Paris, Texas* (1984). En 1987, *Les Ailes du désir* remporte le prix du meilleur réalisateur à Cannes.

Principaux films: ***Alice dans les villes*** **en 1974; *L'Ami américain*** **en 1977; *Paris, Texas*** **en 1984; *Les Ailes du désir*** **en 1987.**

Steven Spielberg

né en 1946

Né à Cincinnati, dans l'Ohio, Spielberg fait déjà des films lorsqu'il est enfant. À 21 ans, il devient producteur à la télévision pour Universal. Son premier film pour la télévision, *Duel* (1972) est bien accueilli et suivi par son premier long métrage pour le grand écran, une comédie, *The Sugarland Express* (1974).

Le premier grand succès de Spielberg, *Les Dents de la mer* (1975), bat tous les records au box-office; le réalisateur entraîne le spectateur dans un cauchemar aquatique avec une grande efficacité. Puis c'est *Rencontres du troisième type* (1977), *Les Aventuriers de l'arche perdue* (1981) et *E.T. l'extra-terrestre* (1982), qui à nouveau remporte un immense succès. En 1982, Spielberg fonde sa propre compagnie de production et réalise *Gremlins* (1984), *Retour vers le futur* (1985), *Qui veut la peau de Roger Rabbit?* (1988), *L'Empire du soleil* (1988) et *Hook* (1991). Le talent de Spielberg se manifeste encore en 1993 avec *Jurassic Park*, remarquable pour ses effets spéciaux et ses images de synthèse. Son film suivant sur l'holocauste juif durant la Seconde Guerre mondiale, est d'un genre totalement différent: *La Liste de Schindler* (1994), en noir et blanc, remporte six oscars dont celui du meilleur film. La même année, il fonde Dreamworks, le premier nouveau studio de Hollywood depuis 75 ans. Les derniers succès de Spielberg sont *Il faut sauver le soldat Ryan* (1998) et *A.I.* (2001).

Principaux films: ***Les Dents de la mer*** **en 1975; *Les Aventuriers de l'arche perdue*** **en 1981; *E.T. l'extra-terrestre*** **en 1982; *Jurassic Park*** **en 1993; *La Liste de Schindler*** **en 1994; *Il faut sauver le soldat Ryan*** **en 1998; *La Guerre des mondes*** **en 2005.**

▼ E.T., film de science-fiction de Steven Spielberg, compte parmi les plus attachants et les plus mémorables films de la fin du XXe siècle.

CHAPITRE SEPT

LES ARTISTES ET LES ARCHITECTES

Les artistes et les architectes avant l'an 1000

▲ Les artistes de Lascaux, en France, se servaient de pigments ocre, d'hématite et de manganèse en poudre. Ils les appliquaient, humides, avec des brosses et des tampons.

Les exemples d'art les plus anciens que nous connaissons remontent à 40 000 ans. À cette époque, les hommes vivaient dans des grottes. Ils étaient chasseurs, cueilleurs et se nourrissaient des animaux sauvages qu'ils tuaient. Pour montrer la façon dont ils vivaient, ils peignaient des représentations d'animaux et des scènes de chasse sur les murs des cavernes.

On trouve quelques grottes peintes très anciennes en Espagne, en France et au Sahara. Lascaux, dans le sud-ouest de la France, date de l'âge glaciaire : les hommes ornaient les parois de peintures afin d'honorer les esprits des animaux qu'ils chassaient pour se nourrir et se vêtir. Les premiers hommes qui vécurent en Europe ont façonné aussi de petites statues en terre, représentant des déesses et des animaux. Ces figurines étaient associées à la survie et symbolisaient en général la fertilité.

L'ART DES PREMIÈRES CIVILISATIONS

Entre 10000 et 5000 av. J.-C., les hommes se sont mis à cultiver la terre et à vivre dans des villages. Ils fabriquèrent des poteries qu'ils décorèrent. Lorsque le cuivre et le bronze remplacèrent la pierre pour les armes et les outils, ceux qui travaillaient les métaux devinrent très importants : les outils et les objets qu'ils réalisaient étaient richement décorés. À mesure que les villes et les cités se développaient et que les États devenaient plus riches, temples, palais et autres bâtiments embellirent et se couvrirent de sculptures et de peintures. Des fresques de Mycène aux tombes peintes des Égyptiens, des sculptures des Olmèques aux poteries chinoises, l'art de ces peuples anciens nous a fourni un bon aperçu de leurs modes de vie.

L'ARCHITECTURE ANCIENNE

Les premières constructions des hommes ont été des tentes en peau de bête tendues sur des perches de bois ou parfois sur de grands os d'animaux. Vers 6000 av. J.-C., le peuple de Çatal Hüyük, en Turquie, se mit à édifier des habitations en terre sèche et en bois. Les murs étaient recouverts d'un enduit que les hommes décoraient à l'aide d'une peinture à base de pigments végétaux.

DES CONSTRUCTIONS EN PIERRE

Vers 3000 av. J.-C., des peuples d'Europe, d'Égypte, d'Amérique du Sud, du Moyen-Orient et de Chine utilisèrent la pierre comme matériau de construction. Tous ces bâtiments anciens n'étaient pas destinés à l'habitation. Certains étaient des bâtiments religieux, d'autres des tombeaux : les pyramides et les temples d'Égypte et d'Amérique du Sud, les ziggourats du Moyen-Orient et Stonehenge en Grande-Bretagne. Près du Caire, en Égypte, la Grande Pyramide de Khéops est la plus haute. Elle fut construite par le pharaon Khéops (vers 2500 av. J.-C.) pour être sa sépulture. C'est l'une des sept merveilles

▼ À partir de 2630 av. J.-C., les Égyptiens construisirent des pyramides. La plus célèbre est la Grande Pyramide de Khéops. En construisant de tels monuments, les pharaons cherchaient à plaire aux dieux et à marquer l'histoire.

▼ Le Parthénon d'Athènes, achevé en 432 av. J.-C., était l'un des plus beaux temples grecs. Les constructions en pierre reflétaient un art très élaboré, et les échafaudages en bois permettaient de construire d'énormes édifices.

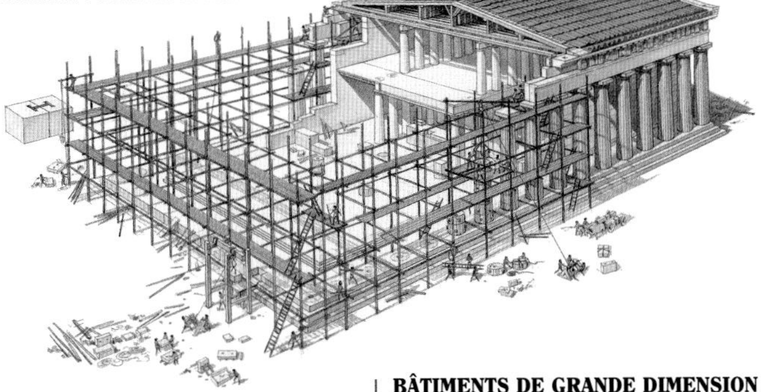

du monde : elle mesure 145,75 m de haut et il fallut 20 ans pour la construire.

L'ART DES PREMIERS EMPIRES

À partir du VIe siècle av. J.-C. environ, les arts se développèrent, les hommes exprimant leur créativité dans la décoration des maisons, des rues et des objets quotidiens. Les richesses accumulées par les empires et les commerçants servirent à financer les travaux des artistes et à les faire progresser. Dans la Grèce antique, les plus belles œuvres d'art datent de la période classique, qui atteignit son apogée vers 400-300 av. J.-C. Deux sculpteurs athéniens de cette époque, **Praxitèle** (v. 400 – 330 av. J.-C.) et **Scopas** (v. 395 – 350 av. J.-C.) travaillèrent surtout le marbre : leurs sculptures expressives ornaient les temples et les sépultures. **Lysippe**, autre sculpteur grec des années 300 av. J.-C., créa des statues en bronze d'un grand réalisme.

Grâce aux conquêtes d'Alexandre le Grand, l'art grec étendit son influence dans des pays aussi lointains que l'Inde, et l'expansion du bouddhisme le fit connaître jusqu'en Chine, au Japon et dans le Sud-Est asiatique. Les artistes romains copièrent souvent les œuvres des Grecs mais développèrent également leurs propres styles, parfois très réalistes.

La Chine aussi possédait ses styles propres, très particuliers. L'artiste **Gu Hong Zhong** (910 – 980) fut très célèbre grâce à ses délicates peintures représentant des scènes de cour de la période des Cinq Dynasties.

BÂTIMENTS DE GRANDE DIMENSION

Les Grecs étaient d'habiles architectes. L'étude des mathématiques les aida à concevoir des édifices bien proportionnés qui s'harmonisaient avec leur environnement. En 447 av. J.-C. débuta la construction du temple de la déesse Athéna – le Parthénon – sur l'Acropole d'Athènes. Cet immense édifice, créé par les architectes **Ictinos** et **Callicratès** vers 400 av. J.-C., fut achevé en 432 av. J.-C. Au cours du IVe siècle av. J.-C., les Grecs avaient aussi construit des villes au plan quadrillé. Les constructeurs d'Amérique centrale élaboraient également des plans urbains.

Les Romains copièrent bien des idées des Grecs, mais ils découvrirent de nouvelles techniques. Ils apprirent à faire du ciment en 200 av. J.-C. : ils l'utilisèrent pour construire des murs et des dômes imposants. Ils conçurent également l'arche pour les bâtiments, les ponts et les aqueducs. La plus vaste construction des hommes sur cette terre est la Grande Muraille de Chine, longue de 4 800 km : elle fut commencée en 221 av. J.-C. par le premier empereur de Chine, **Shi Huangdi** (vers 259 – 210 av. J.-C.), afin de protéger les frontières du nord du pays. Il fit également bâtir une immense sépulture qui requit le travail de 700 000 hommes pendant 34 ans. Il y fit mettre 7 000 soldats en terre cuite pour le protéger. En Amérique centrale, les Mayas construisirent d'immenses pyramides et édifices cultuels dans de vastes centres religieux.

L'ART RELIGIEUX

En 313, le christianisme était devenu la principale religion dans presque tout l'Empire romain. D'autres cultes – l'islam et le bouddhisme – avaient pris de l'importance dans d'autres parties du monde connu. Il en découla que, dans les 1 000 années qui allaient suivre, la plus grande part de l'expression artistique serait de caractère religieux.

Églises, mosquées et temples devinrent de plus en plus riches et attirèrent les meilleurs artistes. On dit que l'évêque de Lindisfarm, **Eadfrith**, écrivit et enlumina, vers 698, un livre remarquable, *Le Livre de Lindisfarm*, retrouvé dans le scriptorium du monastère du même nom. Ses riches décors d'entrelacs en font l'un des plus grands trésors artistiques de Grande-Bretagne. Les églises byzantines étaient décorées de mosaïques et d'images saintes les icônes. Les musulmans ornaient leurs édifices de motifs géométriques. Les bouddhistes, en Asie, peignirent des scènes de la vie de Bouddha. Dans la Chine des dynasties Tang et Song, les artistes peignirent et sculptèrent des paysages d'un style nouveau. Au Mexique, les gravures sur pierre et les murs peints étaient très répandus.

◄ La Coupole du Rocher à Jérusalem, achevée en 691 apr. J.-C., fut construite sur l'emplacement du temple de Salomon.

LES ARTISTES

La Vierge à l'enfant, avec saint Jean-Baptiste, par Sandro Botticelli.

Giotto di Bondone

v. 1267 – 1337

Giotto di Bondone est, à Florence, l'élève de Cimabue. Puis il devient peintre de fresques et à ce titre travaille dans l'église supérieure d'Assise où il peint 28 scènes de la vie de saint François. Devenu célèbre, il travaille sur des chapelles pour des familles de banquiers, les Bardi et les Peruzzi. En 1334, Giotto dirige les travaux de la cathédrale de Florence.

Œuvres célèbres : *Vie de saint François* (v. 1287 – 1299) ; chapelle Scrovegni à l'Arena, Padoue (1303 – 1306) ; chapelles des Bardi et des Peruzzi (v. 1320).

Sandro Botticelli

v. 1445 – 1510

En 1461, l'artiste florentin Botticelli travaille dans l'atelier du peintre Filippo Lippi (v. 1458 – 1504). Il ouvre son propre atelier en 1470 et peint des sujets religieux. Parmi ses clients figurent les Médicis et le pape Sixte IV (1414 – 1484), qui lui commande des fresques pour la chapelle Sixtine de Rome.

Œuvres célèbres : *Madone du Magnificat* (1480 – 1485) ; *La Naissance de Vénus* (v. 1485) ; *L'Annonciation* (1490).

Jérôme Bosch

1450 – 1516

L'artiste flamand Jérôme Bosch a peint des visions cauchemardesques de l'enfer et de la damnation qui traduisaient les croyances religieuses et la superstition de son époque du Moyen Âge. Aujourd'hui, on estime que *Les Sept Péchés capitaux* est sa toute première œuvre (vers 1475). Moraliste religieux, Bosch voulait, par ses peintures, mettre en garde contre le péché et les tentations des plaisirs terrestres. Jérôme Bosch a abordé des sujets nourris d'occultisme tels que la sorcellerie et l'astrologie, créant ainsi des scènes fantasmagoriques et diaboliques remplies de symboles médiévaux. Son chef-d'œuvre, *Le Jardin des délices*, est un triptyque d'autel.

Œuvres célèbres : *Le Jardin des délices* (v. 1500 – 1510) ; *La Tentation de saint Antoine* (v. 1500 – 1510).

L'enfer, panneau de droite du triptyque *Le Jardin des délices* de Jérôme Bosch.

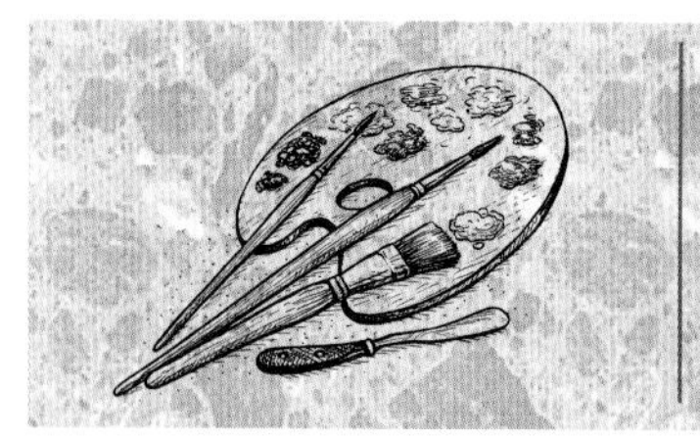

FRA ANGELICO v. 1387 – 1455
Le peintre italien Fra Angelico entre chez les dominicains à l'âge de 18 ans. Vers 1430, il se met à peindre et, en 1436, il rejoint le couvent de San Marco à Florence où il exécute près de 50 fresques. Puis il se rend à Rome en 1445, pour y peindre des fresques dans la chapelle de Nicolas V au Vatican, et à Orvieto où il travaille à la cathédrale.

PIERO DELLA FRANCESCA v. 1415–1492
Cet artiste et mathématicien passe presque toute sa vie dans sa ville natale de Borgo San Sepolcro, près de Florence. Il décore des chapelles pour le pape à Rome et pour de riches familles à Urbino, Rimini et Arezzo. On l'admirait pour sa façon de traiter la perspective et de rendre la lumière naturelle.

Léonard de Vinci

1452 – 1510

Léonard de Vinci est l'homme accompli de la Renaissance. À la fois artiste et mathématicien, il étudie toutes sortes de disciplines – peinture, aéronautique, géologie et ingénierie. Il dissèque même des cadavres afin d'apprendre l'anatomie humaine.

Né à Vinci en Italie, Léonard se montre un enfant très doué et s'initie aux arts dans l'atelier d'Andrea de Verrocchio (1435 – 1488) à Florence. Il prouve son talent en exécutant l'ange de gauche du *Baptême du Christ* (1472) de Verrocchio. À 20 ans, il est inscrit à la guilde des artistes. En 1482, il demande au duc de Milan, Ludovic Sforza, s'il peut créer pour lui une statue équestre de proportions colossales. Les Sforza acceptent mais il ne réalise que le modèle en argile en 1493 : la statue ne sera jamais fondue. Puis il peint la maîtresse de Sforza, *La Dame à l'hermine* en 1485, et *La Vierge aux rochers* (1508) qui lui a demandé un an de travail. Son chef-d'œuvre, *La Cène*, exécutée pour le réfectoire d'une église de Milan, s'est détérioré car l'artiste a expérimenté sur cette œuvre une nouvelle technique d'huile sur plâtre.

Lorsque la France envahit Milan, Vinci quitte la ville pour retourner à Florence en 1503. C'est à cette époque qu'il peint l'énigmatique *Joconde*. Il termine ses jours au manoir du Clos-Lucé, près d'Amboise en France, comme invité d'honneur du roi François Ier (1515 – 1547).

Œuvres maîtresses : *La Cène* en 1497 ; *La Joconde* vers 1500 – 1504 ; *Sainte Anne* vers 1510.

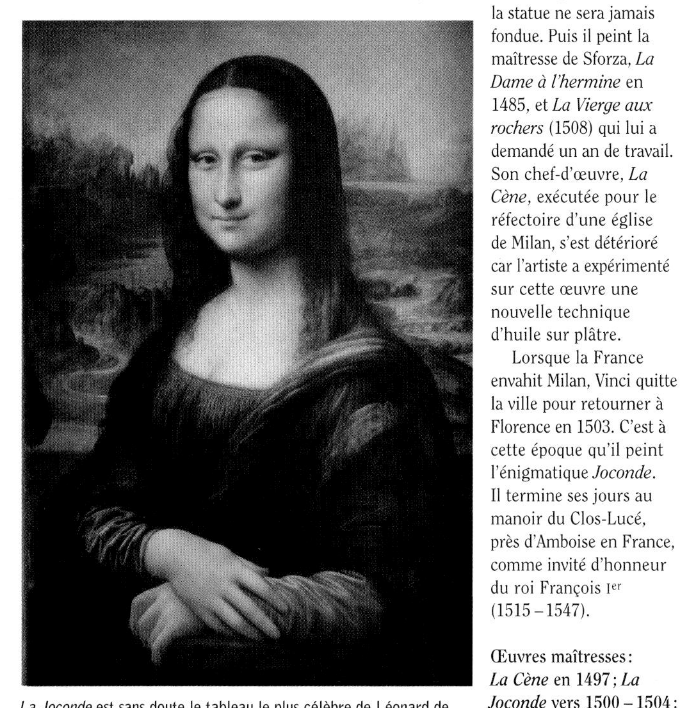

La Joconde est sans doute le tableau le plus célèbre de Léonard de Vinci ; on dit que ses yeux suivent ses admirateurs tout autour de la salle.

Raphaël

1483 – 1520

Raphaël est né à Urbino en Italie, où son père était peintre de cour. Orphelin à 11 ans, il est élevé par un oncle. En 1504, il part pour Florence où, inspiré par Léonard de Vinci (à gauche), il peint *La Madone et l'Enfant*. Il exécute ses principales œuvres au Vatican où il décore trois salles pour le pape Jules II et pour son successeur Léon X (1475 – 1521). Raphaël peint beaucoup de fresques pour des villas de particuliers et, en 1514, il devient architecte du pape. Son dernier travail est *La Transfiguration*, mais il meurt de fièvres avant d'avoir pu terminer son œuvre.

Œuvres maîtresses : *L'École d'Athènes* (1509 – 1511) ; *La Madone à la chaise* (1514) ; *La Transfiguration* (1517 – 1520).

Titien

1488 – 1576

Titien quitte sa ville natale des Alpes italiennes pour devenir apprenti à Venise. Giovanni Bellini (ci-dessous) lui enseigne la peinture à l'huile et, après la mort de son maître en 1516, Titien lui succède comme peintre officiel de la République. Il peint des retables, des portraits et des scènes mythologiques pour de riches protecteurs et pour des membres de familles royales, dont *L'Amour sacré et l'amour profane* pour le chancelier de la République et *L'Assomption* pour l'église des Frari à Venise. Il est aussi portraitiste à la cour de l'empereur Charles Quint (1500 – 1558).

Œuvres maîtresses : *L'Amour sacré et l'amour profane* (v. 1515) ; *Bacchus et Ariane* (1520 – 1523) ; *La Vénus d'Urbino* (1538).

GIOVANNI BELLINI v. 1430 – 1516
L'artiste italien Giovanni Bellini est influencé par la peinture flamande. Sur ses portraits et ses fresques figurent souvent des paysages détaillés. Il peint le portrait du doge de Venise, Leonardo Loredan, et décore le magnifique palais des Doges, et, en 1483, il devient le premier peintre de la République de Venise. Titien (ci-dessus) est l'un de ses célèbres élèves.

ALBRECHT DÜRER 1471 – 1528
Ce peintre et graveur allemand est très influencé par les artistes italiens de la Renaissance. Passé maître dans l'art du dessin, Dürer excelle en gravure sur bois et sur cuivre, et à l'aquarelle. Parmi ses protecteurs, citons l'empereur Maximilien Ier (1459 – 1519). Dürer traite des sujets religieux, *La Vierge et l'Enfant* (1512), et de thèmes de la vie sauvage.

TINTORETTO 1518 – 1594
Le peintre vénitien Jacopo Robusti est surnommé « le Tintoret » car son père était teinturier. Très religieux, il excelle dans l'art de capter les effets de perspective et de lumière, comme dans *La Découverte du corps de saint Marc* (1562). Trois de ses sept enfants deviendront peintres, dont sa fille Marietta (1560 – 1590), dite « la Tintoretta ».

Pieter Bruegel

1520 – 1569

Ce peintre flamand est surnommé « le Paysan » en raison de ses nombreuses œuvres représentant des scènes de fêtes et de danses rustiques. Homme pieux, ses tableaux évoquent souvent les péchés de l'humanité. En 1551, il est reçu franc-maître à la guilde des artistes d'Anvers. Il voyage en France et en Italie (vers 1552 – 1554) et est très impressionné par les Alpes. Durant son voyage de retour, il grave pour son employeur des paysages et des scènes dans le style de Bosch (p. 156). Il se marie en 1563 et s'installe à Bruxelles où il peint ses plus beaux tableaux de paysage, *La Fenaison* et *Les Chasseurs dans la neige*.

Œuvres maîtresses : *Proverbes flamands* (1559) ; *Le Repas de noces et la danse des paysans* (1566) ; *Les Aveugles* (1568).

Pierre Paul Rubens

1577 – 1640

Fils d'un échevin d'Anvers exilé à Cologne, le Flamand Rubens revient à Anvers en 1587. Il y devient maître à la corporation des artistes en 1598. Rubens est ensuite peintre à la cour de Vincent Ier (1562 – 1612) et est envoyé en ambassade auprès du roi d'Espagne Philippe III (1578 – 1621). De retour à Anvers (1609), il est nommé peintre de l'archiduc Albert (1559 – 1621). Parmi ses nombreuses commandes, citons des tapisseries pour le roi de France Louis XIII (1601 – 1643), et un plafond peint pour Charles Ier (p. 16), qui le fait chevalier en 1630.

Œuvres maîtresses : *Léda et le cygne* (1601 – 1602) ; *La Chute des damnés* (v. 1620).

Rembrandt van Rijn

1606 – 1699

En 1625, le Néerlandais Rembrandt fréquente divers ateliers, puis il vit seul à Leyde. En 1632, il s'installe à Amsterdam où il devient célèbre. Son premier succès est un tableau comportant un ensemble de portraits, *La Leçon d'anatomie du docteur Tulp* (1632). Rembrandt exécute plusieurs autoportraits (ci-dessus) et des portraits de son épouse Saskia qui sera, durant les huit ans de leur mariage, son modèle préféré. Elle meurt en 1642.

Œuvres maîtresses : *la Ronde de nuit* en 1642 ; *Hendrickje se baignant dans une rivière* en 1655.

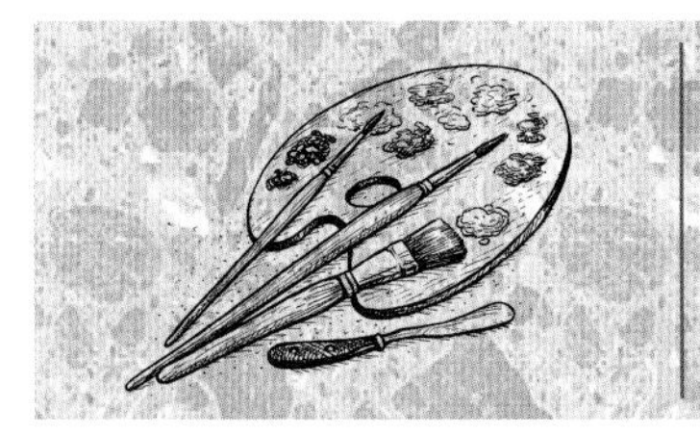

EL GRECO 1541 – 1614
Dhominikos Theotokopoulos, dit le Greco, est né en Crète. Installé à Venise, il travaille quelque temps avec Titien (p. 157). En 1577, il part pour Tolède, en Espagne, où il honore de nombreuses commandes d'œuvres religieuses et de retables pour des églises espagnoles. Le style du Greco est très particulier ; à la fin de sa vie, il peint des visages très étirés.

FRANS HAL v. 1581 – 1666
Frans Hals est né à Anvers en Belgique, mais il s'installe à Haarlem dès 1620. Ce portraitiste est renommé pour son aptitude à saisir la personnalité de ses modèles. Il se spécialise dans les portraits collectifs – groupes familiaux, compagnies militaires ou hommes importants de la société. Parmi ses portraits les plus célèbres, citons *La Bohémienne* (v. 1628).

Jan Vermeer

1632 – 1675

Le peintre hollandais Johannes Vermeer vit à Delft. À la mort de son père, il s'occupe de l'auberge familiale dans laquelle il vend des tableaux. Ses peintures représentent de paisibles scènes domestiques avec un ou deux personnages s'adonnant à leurs activités quotidiennes – la couture ou la musique – éclairés par la lumière d'une fenêtre. 35 de ces peintures sont parvenues jusqu'à nous, dont trois seulement sont datées. Il meurt couvert de dettes et son importance ne sera reconnue qu'au XIXe siècle.

Œuvres maîtresses: *Femme en bleu lisant une lettre* (v. 1662); *La Dentellière* (v. 1670).

Giovanni Antonio Canaletto

1697 – 1768

Giovanni Antonio Canaletto a passé sa vie à peindre des scènes représentant des *vedute* ou vues de sa belle ville natale, Venise. Peintes sur toile ou gravées sur cuivre, ces œuvres étaient très prisées par l'aristocratie anglaise qui les achetait lors des « grands tours » à travers l'Europe. Canaletto passe 10 ans en Angleterre où il peint des vues de Londres et de la Tamise.

Œuvres maîtresses: *La Cour du tailleur de pierre* (v. 1728); *Les Chevaux de Saint-Marc sur la Piazzetta* (1743).

Francisco de Goya y Lucientes

1746 – 1828

L'artiste espagnol Francisco de Goya commence par peindre des cartons (les dessins préparatoires) pour les tapisseries de la manufacture royale, à Madrid. Il est élu à l'Académie de Madrid en 1780 et devient directeur de la peinture en 1795. Il débute alors une brillante carrière officielle de portraitiste et, en 1789, est appointé par le roi Charles IV (1788 – 1819). Une maladie contractée en 1792 le laisse sourd et les dernières séries d'eaux-fortes qu'il produit – *Les Caprices* (1796 – 1798) et *Les Désastres de la guerre* (1810 – 1813) – traduisent sa fascination croissante pour le macabre et les horreurs de la condition humaine.

Œuvres maîtresses: *Le 3 mai 1808* (1814); *Saturne* (1820 – 1823); *La Course de taureaux* (v. 1827).

◀ Le Grand Canal de Venise est l'un des sujets de prédilection du peintre Canaletto. Beaucoup de ses peintures étaient achetées par de riches Européens qui visitaient la ville.

NICOLAS POUSSIN 1594 – 1665

L'artiste français Nicolas Poussin quitte sa Normandie natale en 1612 pour étudier à Paris. En 1624, il va à Rome pour y recevoir sa première commande officielle – *Martyre de saint Érasme* (1629) – dont l'impopularité le conduit à ne plus travailler que pour des clients privés. Ses peintures de récits religieux, de scènes héroïques et de paysages sont complexes et symboliques.

DIEGO VELASQUEZ 1599 – 1660

L'Espagnol Vélasquez s'inscrit en 1617 à la corporation des peintres de Séville et commence à peindre des scènes religieuses, *L'Adoration des mages*. En 1623, il devient peintre du roi Philippe IV (1605 – 1665) et consacre alors une grande part de son activité à peindre le monarque et la famille royale. En 1629, Vélasquez va en Italie où il est très impressionné par l'art de la Renaissance.

THOMAS GAINSBOROUGH 1727 – 1788

Gainsborough est un célèbre portraitiste anglais, mais ses préférences vont vers la peinture de paysages. À l'époque, presque tous les aristocrates et leurs familles se font représenter sur fond de paysage. Il réalise également le portrait d'acteurs, d'actrices et des membres de la famille royale au château de Windsor.

William Turner

1775 – 1851

Dès l'âge de 13 ans, le jeune Turner commence à exposer ses travaux à la vitrine de l'échoppe de barbier de son père, à Londres. À 16 ans, il expose des aquarelles à la Royal Academy de Londres. Il devient professeur de perspective à l'Academy en 1802. Turner peint des rivières, la mer et des paysages dans un style vibrant et expressif qualifié de romantique. Il sait capter la lumière particulière d'un lever de soleil, d'une ondée ou encore d'un violent orage en mer. Son traitement de la lumière naturelle influence les impressionnistes. Il meurt en reclus, laissant près de 20 000 peintures à la Grande-Bretagne.

Œuvres maîtresses: *Le Naufrage* (1805); *Le Téméraire au combat* (1839); *Pluie, vapeur, vitesse* (1844).

John Constable

1776 – 1837

Le peintre anglais John Constable suit des cours à la Royal Academy de Londres. Il exécute tant de toiles de sa région natale, le Suffolk, et de la vallée de la Stour, qu'on a appelé cette province « le pays de Constable ». Durant toute sa vie, il n'est guère reconnu en Angleterre, mais il est apprécié en France où il remporte une médaille d'or au Salon de Paris pour *La Charrette à foin* (1821). Constable travaille aussi en extérieur, représentant la campagne telle qu'il la voit. Il s'intéresse spécialement au ciel, à ses formations nuageuses et aux changements de lumière.

Œuvres maîtresses: *Vue du val de Dedham depuis les Combes* (1802); *Le Val de Dedham, le matin* (1811); *Le Moulin de Flatford* (1817); *Le Cheval blanc (1819); Champ de blé* (1827); *Le Château de Hadleigh* (1829).

James Abbott McNeill Whistler

1834 – 1903

En 1855, l'artiste américain James Whistler se rend à Paris pour y étudier l'art avant de s'installer à Londres en 1859. Il est le premier peintre américain bien accueilli par le milieu artistique parisien. Il croit à la recherche de la couleur et à l'art pour l'art, et il fait sensation en appelant le portrait de sa mère *Arrangement en gris et noir*. Inspiré par les estampes japonaises, il produit de nombreux « nocturnes », peintures et gravures de la Tamise à Londres.

Œuvres maîtresses: *Au piano* (1859); *Arrangement en gris et noir N° 1* (1872); *Nocturne en bleu et or – Le vieux pont de Battersea* (1875).

Naufrage du Minotaure à Haack Sands, peint par William Turner

Edgar Degas

1834 – 1917

Le peintre français Edgar Degas suit les cours d'Ingres à l'école de Beaux-Arts de Paris. À ses débuts, Degas copie des œuvres de grands maîtres et peint des sujets historiques qui ne sont pas bien accueillis. Il change immédiatement de centre d'intérêt et se tourne vers la vie qu'il observe autour de lui. Il peint donc des théâtres et des cirques, mais il est surtout connu pour ses études de courses de chevaux et de gracieuses ballerines. Une mauvaise vue le contraint à se tourner vers le pastel et la sculpture.

Œuvres maîtresses: *Courses de chevaux* (1868); *La Classe de danse* (1874); *Danseuse saluant* (1878); *Jockeys sous la pluie* (1879); *Les Repasseuses* (1884); *Quatre danseuses* (1899).

JEAN AUGUSTE INGRES 1780 – 1867
Artiste français, Ingres suit des études d'art à Toulouse et à Paris. Son style est classique et son talent de dessinateur légendaire. Il réalise les portraits de membres de l'aristocratie, dont Napoléon (p. 28). Ingres passe plusieurs années à Rome où il fait de nombreuses études de nus féminins. De retour à Paris en 1841, il est accueilli en héros.

JOHN AUDUBON 1785 – 1851
L'Américain John Audubon a grandi en France. En 1804, son père l'envoie à Philadelphie pour s'occuper de leurs propriétés. Aimant faire des croquis dans la nature, il décide de dessiner et de répertorier tous les oiseaux d'Amérique. Ses *Oiseaux d'Amérique*, publiés entre 1827 et 1838, renferment des planches en couleurs de quelque 1 000 espèces dans leur habitat naturel.

CAMILLE COROT 1796 – 1875
L'artiste français Camille Corot a 26 ans lorsque son père le laisse tenter sa chance dans le domaine artistique. Il devient un célèbre paysagiste, fermement convaincu qu'il faut peindre directement d'après nature. La forêt de Fontainebleau est un de ses lieux de prédilection. Bien qu'habitant Paris, il voyage dans toute l'Europe en quête d'inspiration.

Paul Cézanne

1839 – 1906

Alors qu'il est élève au lycée d'Aix-en-Provence, Paul Cézanne se lie d'amitié avec Émile Zola (p. 112). Le père de l'artiste désire qu'il fasse des études de droit mais, en 1861, le jeune homme suit Zola à Paris pour se consacrer à une carrière artistique. Le paysagiste Pissarro (ci-dessous) l'influence à ses débuts, et ils peignent ensemble à Pontoise. Cézanne participe à la première exposition impressionniste en 1873 où son nu féminin *Une moderne Olympia* choque le public. Il est très versatile et travaille pour représenter formes et structures et pas uniquement lumière et couleur. Il incite les artistes à rechercher « le cylindre, la sphère et le cône » dans la nature. Son approche ouvre la voie au fauvisme et au cubisme.

Œuvres maîtresses : *Les Joueurs de cartes* (1890 – 1892) ; *Pommes et oranges* (1899) ; *La Montagne Sainte-Victoire* (1904 – 1906) ; *Les Grandes Baigneuses* (1905).

Autoportrait de Paul Cézanne, 1869.

Claude Monet dans son atelier de Giverny, devant l'un de ses *Nymphéas.*

Claude Monet

1840 – 1926

Le peintre français Claude Monet est le chef de file du mouvement impressionniste. À Paris, il se lie avec Pissarro (ci-dessous), puis avec Renoir (à droite) et Manet (ci-dessous). Ils exposent ensemble en 1874 et le tableau de Monet, *Impression soleil levant,* leur vaut le nom d'impressionnistes. Monet se consacre à saisir la lumière et les couleurs naturelles et changeantes. En 1916, il entreprend son immense série de peintures proches de l'abstraction, *Les Nymphéas,* dans son jardin de Giverny.

Œuvres maîtresses : *Les Meules* (1890) ; *La Cathédrale de Rouen* (1891 – 1895) ; *série des Nymphéas* (1916 – 1923).

Pierre Auguste Renoir

1841 – 1919

Renoir est né à Limoges, mais il a vécu à Paris. À partir de 1860, il fait des études d'art et se lie avec Monet (à gauche). Durant les années 1870, il gagne sa vie en réalisant des portraits qui connaissent un grand succès. Il participe aux expositions des impressionnistes (1874 – 1879, 1882) et peint des scènes de café, des couples dansant, des fleurs et des paysages. À partir des années 1885, le nu féminin devient son sujet de prédilection.

Œuvres maîtresses : *Le Déjeuner des canotiers* (1880 – 1881) ; *Les Parapluies* (1880) ; *Les Grandes Baigneuses* (1884 – 1887).

JOHN MILLAIS 1829 – 1896

À 11 ans, John Everett Millais entre à la Royal Academy. En 1848, il fonde avec Dante Gabriel Rossetti (1828 – 1882) et Holman Hunt (1827 – 1910) la confrérie des préraphaélites. Millais pratique également la gravure pour l'illustration de magazines. L'une de ses peintures les plus célèbres, *Bulles de savon* (1886), est inspirée d'une photo prise par le père de Beatrix Potter (p. 114).

CAMILLE PISSARRO 1830 – 1903

Né aux Antilles, Pissarro se rend à Paris en 1855 pour y suivre des études artistiques. Fortement influencé par Corot (p. 160), il est célèbre pour sa manière d'utiliser la couleur afin de capter les effets de la lumière en extérieur. Pissarro est le seul artiste du groupe des impressionnistes à avoir participé à toutes les expositions du mouvement, soit huit en tout (1874 – 1886).

ÉDOUARD MANET 1832 – 1883

Le Français Édouard Manet est issu d'une famille de la grande bourgeoisie parisienne. Il commence à peindre dans un atelier (1850 – 1856) et voyage en Europe pour étudier les grands maîtres. Manet s'est attaché à saisir la vie quotidienne des Parisiens, des serveuses de bar et des musiciens. Il inspire de très nombreux artistes.

Paul Gauguin

1848 – 1903

Paul Gauguin est né à Paris, mais il passe une partie de son enfance au Pérou, le pays de sa mère. À 17 ans, il s'engage dans la marine puis, en 1871, il regagne Paris et travaille chez un agent de change. Il peint pendant son temps libre et expose son travail en 1876. Mais, en 1886, il abandonne sa femme et ses cinq enfants pour s'installer en Bretagne. En 1891, il part pour Tahiti, où il peint ses brillantes toiles aux motifs exotiques. Sans ressources, il fait un bref séjour à Paris en 1893, mais regagne Tahiti puis les îles Marquises où il meurt.

Œuvres maîtresses : *La Vision du sermon ou La Lutte de Jacob avec l'ange* (1888) ; *D'où venons-nous ? Que sommes-nous ? Où allons-nous ?* (1898).

Autoportrait de l'artiste français Henri de Toulouse-Lautrec

Henri de Toulouse-Lautrec

1864 – 1901

Toulouse-Lautrec est issu d'une vieille famille aristocratique d'Albi. Enfant, il se casse les deux jambes, ce qui perturbe énormément sa croissance et l'empêche d'atteindre une taille normale. Très jeune, il fait preuve d'un grand talent artistique et on lui donne des cours privés. En 1882, il se rend à Paris et fréquente divers ateliers. En 1885, il installe son propre atelier à Montmartre, quartier très apprécié des artistes. Il devient célèbre grâce à ses affiches du demi-monde de la Butte – divertissements et vie nocturne des cirques, des dancings, des maisons de tolérance et des cabarets comme le Moulin-Rouge. Il meurt d'alcoolisme à l'âge de 36 ans.

Œuvres maîtresses : *Au cirque Fernando* (1888) ; *La Goulue* (1891) ; *Les Ambassadeurs : Aristide Bruant dans son cabaret* (1892) ; *Le Divan japonais* (1892).

Vincent van Gogh

1853 – 1890

Malgré une vie tragiquement courte et souvent misérable, le peintre hollandais Vincent van Gogh a produit de très nombreux travaux qui ont eu une grande influence sur le monde artistique et fournissent la base du mouvement expressionniste. À 16 ans, il travaille avec son frère Théo (1857 – 1891) pour un marchand d'art. En 1877, sur les traces de son père, il se tourne vers la religion.

Van Gogh obtient de 1878 à 1880 une mission évangéliste en Belgique qui se solde par un échec. C'est à cette époque qu'il décide de se lancer dans une carrière artistique. Au début des années 1880, il étudie et pratique le dessin et la peinture en Belgique et en Hollande. En 1886, il va vivre avec son frère qui dirige alors une galerie d'art à Paris. Là, il rencontre les impressionnistes et les postimpressionnistes, parmi lesquels Toulouse-Lautrec (ci-dessus), Degas (p. 160) et Gauguin (ci-dessus). Inspiré par de tels artistes, il applique son énergique coup de pinceau et sa palette vibrante à peindre Montmartre, des fleurs, des portraits et des autoportraits. En 1888, il s'installe en Provence et se met à peindre les paysages dans un style expressif et vivant. Gauguin séjourne avec lui et ils peignent ensemble. Cependant, en décembre 1888, Van Gogh tombe dans une dépression profonde et se mutile l'oreille gauche. Durant les deux dernières années de sa vie, Van Gogh est enfermé dans des asiles mais il continue pourtant à peindre. Il vend son premier tableau en 1890. Il se suicide en juillet de la même année.

Œuvres maîtresses : *Les Mangeurs de pommes de terre* (1885) ; *Les Tournesols* (1888) ; *La Nuit étoilée* (1889) ; *La Chambre de Vincent à Arles* (1889) ; *Le Champ de blé aux corbeaux* (1890).

► L'église d'Auvers-sur-Oise vue du chevet de Van Gogh.

Odalisque à la culotte rouge d'Henri Matisse.

Henri Matisse

1869 – 1954

L'artiste français Henri Matisse suit des études de droit puis devient clerc de notaire avant de se consacrer à la peinture après une maladie. Ses premiers travaux portent la marque des impressionnistes, mais il trouve son style propre après avoir étudié l'art musulman. Il dirige un groupe d'artistes et crée des peintures expressives à l'aide de formes et de couleurs vigoureuses.

Œuvres maîtresses: *Portrait de Marguerite* (1906 – 1907); *La Joie de vivre* (1906); *La Danse* (1910); *Nus bleus* (1952).

Georges Braque

1882 – 1963

L'artiste français Georges Braque fonde le mouvement cubiste avec Picasso (p. 164). Leurs travaux représentent des personnes et des objets vus sous différents angles. Dans les années 1920, Braque crée des décors pour les ballets de Diaghilev (p. 199). Dans ses derniers travaux figurent souvent des oiseaux, comme ceux du plafond de la salle étrusque du Louvre.

Œuvres maîtresses: *Le Violon et la cruche* (1910); *Guitare bleue et rouge* (1930); *Les Oiseaux* (au Louvre, 1949 – 1951).

Paul Klee

1879 – 1940

Les travaux de l'artiste suisse, Paul Klee, sont influencés par la musique, les enfants, les rêves et le monde spirituel. Il pratique d'abord la gravure et expose en 1906. En 1911, il rencontre des artistes avant-gardistes dont Kandinsky (à droite), et fait partie du groupe expressionniste du *Blaue Reiter* (Cavalier bleu). Après un voyage en Tunisie en 1914, il peint à l'aquarelle des paysages colorés en mosaïque. Il est professeur au Bauhaus en Allemagne de 1920 à 1931, mais il regagne la Suisse, en 1933, lorsque les nazis accusent son art d'être «dégénéré». Son œuvre se caractérise par un grand raffinement très créatif.

Œuvres maîtresses: *Villa R* (1919); *Senecio* (1922); *Air ancien* (1925).

JOHN SINGER SARGENT 1856 – 1925

L'Américain John Singer Sargent est né en Italie. Il passe le plus clair de sa vie en Europe et suit des études artistiques à Paris. Il se fait connaître en faisant le portrait de gens du monde, de grands entrepreneurs, d'artistes et d'écrivains. Le portrait de Virginie Gautreau, *Madame X*, fait scandale au Salon de Paris en 1884. Il s'installe donc en Angleterre où il devient l'un des portraitistes les plus demandés. On lui commande également des peintures pour des bâtiments publics. Durant la Première Guerre mondiale, il est le peintre officiel des armées.

WALTER SICKERT 1860 – 1942

Le peintre impressionniste anglais Walter Sickert est né à Munich, mais est élevé en Angleterre à partir de 1868. Son père, peintre lui-même, le dissuade de s'engager dans cette voie et il devient acteur. Cependant, en 1881, il entre à la Slade School of Art. Il reçoit les conseils du peintre Whistler (p. 160) et, lors d'un voyage à Paris en 1883, il se lie d'amitié avec Degas (p. 160). Le music-hall et la vie citadine de Londres sont ses sujets de prédilection.

GUSTAV KLIMT 1862 – 1918

Le peintre et décorateur autrichien d'avant-garde Gustav Klimt est né à Vienne et fréquente l'École d'arts plastiques de cette ville de 14 à 20 ans. Puis, il travaille avec son frère Ernst (1864 – 1892) à des peintures murales pour les théâtres avant d'installer son propre atelier. En 1897, il fonde et dirige la Sécession de Vienne, équivalent autrichien de l'Art nouveau. Klimt exécute des portraits aux riches dorures comme *Le Baiser*, devenu très populaire, et des scènes fantastiques emplies de symbolisme.

WASILY KANDINSKY 1872 – 1944

Né à Moscou, Kandinsky suit des études juridiques avant de s'installer en Allemagne à l'âge de 30 ans. Il étudie l'art à Munich et, en 1896, peint ses premières œuvres. On le considère en général comme le fondateur de l'art abstrait. En 1911, il participe à la fondation du mouvement du *Blaue Reiter*. Entre 1914 et 1922, il vit en Russie. Il regagne l'Allemagne où il enseigne au Bauhaus, et part pour Paris en 1933 où il passe le reste de sa vie.

Pablo Picasso

1881 – 1973

À 16 ans, l'artiste espagnol Pablo Picasso étudie l'art à Madrid et fait preuve d'un grand talent, tant en dessin qu'en peinture. En 1901, il part pour Paris.

Entre 1901 et 1904, le bleu domine ses peintures : c'est la période bleue. De 1905 à 1906, il peint des artistes de cirque et des clowns en couleurs plus chaudes : c'est la période rose. En 1907, il peint *Les Demoiselles d'Avignon* dont le style révolutionnaire marque la naissance du cubisme. Avec Georges Braque (p. 163), Picasso défie les manières traditionnelles de représenter les personnes et les objets en se servant de la perspective et en les représentant en trois dimensions. Il dessine également des décors et des costumes pour les ballets et le théâtre. Il est également céramiste, lithographe et graveur. Son chef-d'œuvre *Guernica* est une réponse aux horreurs de la guerre civile espagnole.

Œuvres maîtresses : *Les Demoiselles d'Avignon* (1907) ; *Deux femmes courant sur la plage* (1922) ; *Mandoline et guitare* (1925) ; *Guernica* (1937).

Pablo Picasso est sans doute l'artiste le plus influent du XXe siècle. Durant ses 75 ans de carrière, il maîtrise tous les moyens d'expression qu'il utilise, de la peinture et la sculpture à la céramique et la gravure.

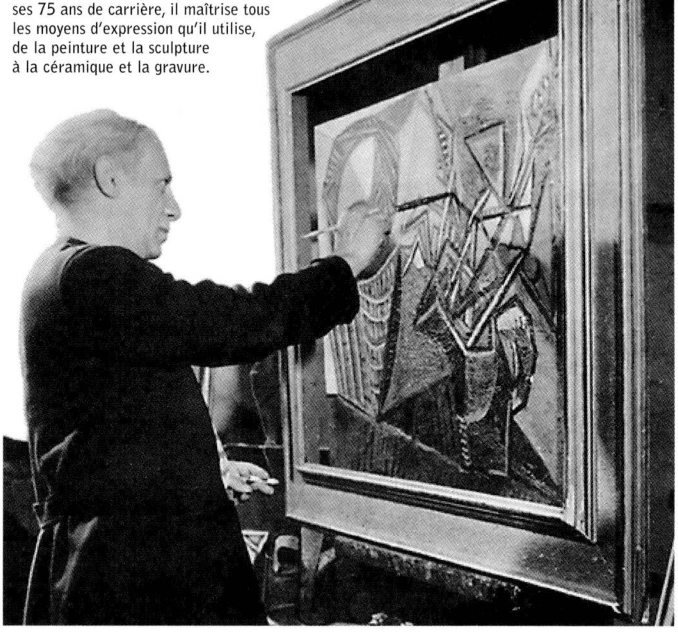

Amedeo Modigliani

1884 – 1920

Le peintre et sculpteur italien Amedeo Modigliani a reçu une formation artistique à Florence et à Venise avant de s'installer à Paris en 1906. Il est influencé par le sculpteur Constantin Brancusi (1876 – 1957) et, de 1910 à 1912, il sculpte d'élégantes têtes allongées en pierre, largement inspirées des masques africains. Puis il se remet à la peinture et produit des portraits sculpturaux de personnages « à l'allure de cygne » et de gracieux nus. Il meurt tragiquement de tuberculose à l'âge de 36 ans.

Œuvres maîtresses : *Têtes* (1912) ; *Jean Cocteau* (1916) ; *Nu assis au divan* (1917) ; *Autoportrait* (1919).

Modigliani peint *Le Marié et la mariée* en 1915. Son style est fortement inspiré des sculptures africaines aux têtes allongées.

Marc Chagall

1887 – 1985

L'art de Marc Chagall est imprégné de son expérience d'enfant né dans un village juif de Russie. Après des études de peinture à Saint-Pétersbourg, il part pour Paris en 1910 où il rencontre des fauves, des cubistes et des surréalistes. Ses peintures oniriques représentent des villageois juifs, des animaux, des amoureux et des musiciens qui flottent souvent dans les airs. Après un bref retour en Russie, il se rend aux États-Unis avant de s'installer définitivement en France. Il illustre des livres et exécute de nombreuses peintures murales, tapisseries et vitraux pour des édifices publics.

Œuvres maîtresses : *Moi et le village* (1911) ; *Les Mariés de la tour Eiffel* (1938 – 1939) ; *Les Amoureux au pont* (1948) ; *La Danse* (1950).

Joan Miró

1893 – 1983

L'artiste espagnol abstrait a conçu des peintures étranges, exécutées en couleurs primaires, simples et vives et représentant des formes organiques, des étoiles, des oiseaux, des symboles, des lignes et des gribouillis. Bien qu'abstraites, elles débordent de vie. Il pratique aussi la gravure et d'autres disciplines artistiques, comme la céramique murale.

Œuvre maîtresse : *Mur de la Lune et Mur du Soleil* de l'UNESCO (1957).

Norman Rockwell

1894 – 1978

L'illustrateur et peintre américain Norman Rockwell représente des « petites histoires » de la vie américaine de son temps. Il reçoit des commandes de couvertures de magazines et d'affiches patriotiques durant la Seconde Guerre mondiale. En 1977, il obtient la médaille présidentielle de la liberté pour son engagement dans la société américaine.

Peinture célèbre : *Les Quatre Libertés* (1943).

Jeune garçon chez le prêteur sur gages, peint par Norman Rockwell pour le *Saturday Evening Post.*

Maurits Escher

1898 – 1972

L'artiste hollandais Maurits Escher, bien que poursuivant des études d'architecte, est attiré par les arts graphiques. Il voyage beaucoup. Les décors et le travail des tuiles de style mauresque d'Espagne lui inspirent dès 1937 des travaux graphiques imaginatifs et très originaux : lithographies, gravures sur bois et dessins fondés sur des modèles mathématiques, la géométrie et les illusions optiques.

Œuvres maîtresses : *Évolution cyclique* (1938) ; *Mains dessinant* (1948) ; *Montée et descente* (1960) ; *Mouvement perpétuel* (1961).

La Relativité est une gravure sur bois d'Escher datant de 1953. L'illusion d'optique est magistrale.

PIET MONDRIAN 1872 – 1944
L'artiste néerlandais Piet Mondrian est le cofondateur, en 1917, de la revue *De Stijl* (Le Style) qui traite de peinture et d'architecture. Il vit à Paris de 1919 à 1938 où il subit l'influence de Matisse (p. 163) et du cubisme. Les travaux de Mondrian deviennent de plus en plus abstraits et ses peintures des années 1920, comme *Composition avec bleu et jaune* (1920), sont une série de formes géométriques en couleurs primaires prises dans un réseau de lignes noires. Il s'installe en Angleterre en 1938 puis à New York en 1940.

MARCEL DUCHAMP 1887 – 1968
L'artiste français Marcel Duchamp suit ses frères, également artistes, à Paris, pour y fréquenter l'Académie Julian. *Nu descendant un escalier N° 2,* corps en mouvement dans le style cubiste, fait scandale lors de son exposition à Paris et à New York en 1912 – 1913. En 1915, il est l'un des premiers adeptes du mouvement anticonformiste Dada, introduisant dans ses œuvres le thème du *ready-made,* comme les urinoirs. Il conçoit des sculptures dynamiques – objets d'art en mouvement – comme *La Roue de bicyclette* (1913 – 1915). Ses travaux et ses idées d'avant-garde inspirent les surréalistes et le mouvement du pop art.

GEORGIA O'KEEFE 1887 – 1986
Georgia O'Keeffe fait des études d'art à Chicago et à New York avant de devenir professeur et illustratrice. En 1916, certains de ses premiers dessins abstraits sont remarqués par le photographe Alfred Stieglitz (p. 172) qui les expose dans sa galerie de New York. Ils se marient en 1924. Ses peintures ultérieures – paysages et fleurs – deviennent très populaires et, en 1928, elle acquiert la notoriété.

MARK ROTHKO 1903 – 1970
L'expressionniste abstrait Rothko quitte la Lettonie pour les États-Unis en 1913. En 1935, il fonde le groupe The Ten avec d'autres artistes. Dans les années 1950, il commence à peindre de grandes toiles ornées de plages de couleurs flottant sans contour net sur un fond monochrome. On lui commande des décorations murales pour le restaurant new-yorkais Four Seasons (1958), et pour la chapelle Saint-Thomas de l'université de Houston qui sera construite par Philip Johnson (1964 – 1967). Il se suicide en 1970.

René Magritte

1898 – 1967

Le peintre surréaliste belge René Magritte fait ses études d'art à Bruxelles et part pour Paris en 1927. Il se lie avec des artistes comme Joan Miró (p. 165) et trouve son propre style, qu'on a qualifié de « réalisme magique ». Il peint des objets familiers de façon très réaliste, mais souvent dans d'étranges combinaisons – une pomme à la place d'une tête ou un homme portant un chapeau melon, ou encore une grosse pierre flottant dans les airs. Ses peintures sont mystérieuses, un peu comme des devinettes visuelles sans solution.

Œuvres maîtresses : *Le Temps menaçant* (1928) ; *La Clef des songes* (1930) ; *La Condition humaine* (1934 – 1935).

Tableau onirique surréaliste de René Magritte, *L'Heureux Donateur.*

Salvador Dali

1904 – 1989

L'artiste espagnol Salvador Dali est le plus célèbre et le plus excentrique des surréalistes. Il est très influencé par l'idée du subconscient développée par Sigmund Freud (p. 232) et il décrit ses peintures – qui renferment souvent des trompe-l'œil – comme des « photographies oniriques peintes à la main ». Dali écrit également des scénarios de films sur des sujets religieux et s'adonne encore à la sculpture et à la joaillerie.

Œuvres maîtresses : *Le Jeu lugubre* (1929) ; *Persistance de la mémoire* (1931) ; *Le Spectre du sex-appeal* (1937).

Francis Bacon

1909 – 1992

Né à Dublin, le peintre expressionniste Francis Bacon part pour Londres en 1928 et se met à peindre en 1930. Ses *Trois Études pour des personnages au pied d'une crucifixion* soulèvent des controverses lors de leur exposition en 1945. Presque toutes ses peintures évoquent la violence de la vie. Il trouve dans les abattoirs l'inspiration pour ses silhouettes humaines torturées.

Œuvres maîtresses : *Trois Études pour des personnages au pied d'une crucifixion* (1945) ; *Le Pape Innocent X* (1950).

Jackson Pollock

1912 – 1956

À la fin des années 1940, le peintre expressionniste abstrait américain Jackson Pollock abandonne le chevalet et se consacre au *dripping* (peinture s'écoulant par les trous d'une boîte) et à la projection de peinture multicolore répandue sur des toiles posées à même le sol. Pollack estime que cette méthode énergique, cette approche libre de l'art, exprime l'inconscient de l'artiste et libère le pouvoir de peindre.

Œuvres maîtresses : *Numéro 1* (1948) ; *Numéro 32* (1950) ; *Les Poteaux bleus* (1953).

Roy Lichtenstein

1923 – 1997

Le New-Yorkais Lichtenstein utilise les procédés de la bande dessinée – bulles, aplats de couleurs primaires, traits noirs – pour réaliser ses célèbres peintures pop art dans les années 1960.

Œuvres importantes : *Blam* (1962) ; *Whaam!* (1964) ; *As I Opened Fire* (1964) ; *M-Maybe* (1965).

Membre important du mouvement pop art des années 1960, Roy Lichtenstein peint en 1962 son *Blam* dans un style de dessin animé.

Andy Warhol

1926 – 1987

Andy Warhol est l'un des artistes les plus importants du XXe siècle. Il outrepasse largement ce qu'il a un jour déclaré : « tout homme connaît la gloire au moins 15 minutes dans sa vie ».

Andrew Warhola – son vrai nom – est né à Pittsburgh de parents tchécoslovaques. Il étudie l'histoire de l'art et le graphisme avant de s'installer à New York où il travaille comme illustrateur pour les magazines *Vogue* et *Harper's Bazaar*. Il devient célèbre dans les années 1960 grâce à ses sérigraphies représentant des boîtes de soupe Campbell ou des canettes de Coca-Cola. Dans son atelier, la « Factory », il entreprend les portraits de vedettes de cinéma et de célébrités comme Marilyn Monroe et Elvis Presley, répétant leurs visages à l'infini. Les travaux de Warhol traduisent bien la culture américaine de son époque – le culte de la célébrité et l'uniformité infinie d'une société de consommation saturée par les médias. Il a fait également des films d'art et a encouragé les jeunes artistes et les musiciens.

Sérigraphies célèbres : *Boîte de soupe Campbell* (1962) ; *Car Crash* (1963) ; *Marilyn* (1964).
Films célèbres : *Chelsea Girls* (1967) ; *Flesh* (1968) ; *Trash* (1969).

◀ La soupe Campbell, thème de l'une des sérigraphies d'Andy Warhol.

JEAN-PAUL LEMIEUX 1904 – 1990
Diplômé de l'École des Beaux-Arts de Montréal et enseignant, Lemieux réalise en 1951 *Les Ursulines*, le premier de ses tableaux dénudé de tout détail superflu, qui lui vaut le Grand Prix de la Province de Québec. Le succès de l'exposition qu'il tient à Montréal en 1965 est sans précédent sur le marché de l'art canadien. Lemieux se fait connaître à l'étranger lors d'événements internationaux et de l'exposition itinérante de ses œuvres en 1974.

SYDNEY NOLAN 1917 – 1992
Sidney Nolan est né à Melbourne et fréquente la National Gallery Art School à partir de 1934. Il sert dans l'armée australienne durant la Seconde Guerre mondiale et peint les paysages brûlants et désolés du district de Wimmera dans l'État de Victoria. Après la guerre, le sujet préféré de Nolan est Ned Kelly (p. 239), un hors-la-loi australien, et ses peintures le rendent célèbre. Une large part de ses travaux se centre sur des thèmes typiquement australiens, des portraits de personnages historiques, de paysages de villages lointains ou de déserts secs. Il travaille également à des décors de ballets et d'opéras.

JEAN-PAUL RIOPELLE 1923 – 2002
Peintre et sculpteur originaire de Montréal, Riopelle étudie à l'École du meuble puis découvre l'art surréaliste avec Paul-Émile Borduas (1905 – 1960). Il participe à la première exposition des automatistes à Montréal en 1947 et à l'Exposition internationale du surréalisme en 1948, puis il s'installe à Paris. Les expositions s'enchaînent et sa renommée internationale atteint son point culminant en 1967. La fresque *Hommage à Rosa Luxemburg*, qu'il réalise en 1992, est sa dernière grande œuvre.

ROBERT RAUSCHENBERG né en 1925
Le peintre américain Robert Rauschenberg étudie l'art à Kansas City, à Paris et à New York. En 1955, à New York, il travaille sur ses *combine paintings*, collages qui mêlent photos, peinture, papier imprimé, images de journaux et de magazines. Marcel Duchamp (p. 165) et le mouvement Dada l'influencent énormément. Les sujets qu'il choisit, la vie urbaine, les matériaux et les objets qu'il utilise annoncent le mouvement du pop art.

Jasper Johns

né en 1930

Jasper Johns – peintre, sculpteur et graveur américain – quitte la Géorgie pour s'installer à New York en 1949, où il effectue des travaux artistiques pour se nourrir. C'est alors qu'il se met à peindre d'audacieux manifestes, à l'encontre de la politique de l'expressionnisme abstrait – comme dans ses toiles autour du drapeau américain, *Flag*, de 1954-1955. Les banals sujets choisis par l'artiste – drapeaux, cibles, chiffres, lettres de l'alphabet, cartes – et son style de peinture simple et minimaliste préparent le terrain pour le mouvement du pop art. La première exposition de ses séries de drapeaux en 1958 lui vaut une renommée immédiate.

Œuvres maîtresses: *Flag* (1954 – 1955); *False Start* (1959); *Numbers* (1960); *Zero through Nine* (1961); *Perilous Night* (1982).

Le Plongeur (1971) de Hockney est exécuté en pâte à papier colorée et pressée.

Frank Stella

né en 1936

Après des études à l'université de Princeton, le peintre américain Frank Stella s'installe à New York en 1958. Il se fait rapidement remarquer par ses « peintures noires » simples, rayées et monochromes exposées au MoMa (musée d'art moderne) de New York. Stella est également graveur. Au milieu des années 1970, ses travaux deviennent tridimensionnels et très colorés par l'effet de mélange de matériaux. Récemment, il a travaillé avec de l'aluminium, de l'acier et des fibres de verre. Il a honoré des commandes publiques comme la sculpture *Bandshell* de Miami.

Œuvres maîtresses: *Black Paintings* (1959 – 1960); *Jarana II* (1982); *Die Marquise von O…* (1998).

David Hockney

né en 1937

L'Anglais David Hockney devient un artiste reconnu alors qu'il fait des études au Royal College of Art de Londres. Un séjour à Los Angeles en 1964 lui inspire l'idée de ses peintures acryliques sur le thème des piscines et de l'eau. Ses portraits les plus célèbres sont ceux du styliste Ossie Clark, de sa femme et de son chat. Parmi les autres travaux de Hockney, citons ses gravures, ses collages et ses peintures murales composées d'images faxées et de Polaroids.

Œuvres maîtresses: *We 2 Boys Together Clinging (1961); Bigger splash (1967); Mr. and Mrs. Clark and Percy (1970 – 1971).*

Damien Hirst

né en 1965

L'artiste conceptuel anglais Damien Hirst étudie les beaux-arts au Goldsmith's College de Londres. Il organise l'incroyable exposition Freeze qui lance une nouvelle génération d'artistes connue sous le nom de « Brit Artists ». Hirst utilise divers supports pour explorer les thèmes de la vie et de la mort. Il est surtout connu pour ses animaux disséqués et plongés dans de vastes récipients de formol, comme son requin de *The Physical Impossibility of Death in the Mind of Someone Living* (1991).

Œuvres maîtresses: *God* (1989); *Hymn* (1999).

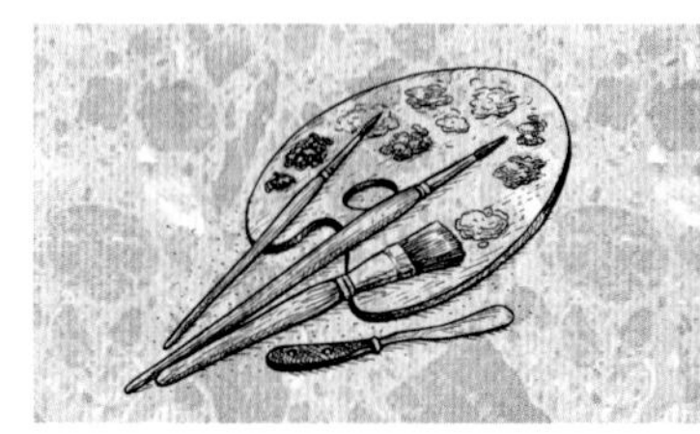

CLAES OLDENBURG née en 1929
La Suédoise Claes Oldenburg part pour Chicago en 1937. Cette artiste du pop art étudie à l'Art Institute de Chicago avant de s'installer à New York en 1956. Ses sculptures molles d'objets de consommation courante, qu'elle achète au magasin The Store, la rendent célèbre au début des années 1960. Dans les années 1970, elle les transforme en sculptures publiques.

JIM DINE né en 1935
Dans les années 1960, l'artiste américain Jim Dine participe à des *happenings* avec Claes Oldenburg (à gauche). Considéré comme un artiste du pop art, Dine est également influencé par le surréalisme. Ses travaux, qui utilisent divers supports, sont très personnels – ses premiers collages consistent en de grandes toiles colorées sur lesquelles sont collés des objets ménagers quotidiens.

LES SCULPTEURS

Michel-Ange

1475 – 1564

Le sculpteur, peintre, architecte et poète italien Michelangelo di Lodovico Buonarroti, dit Michel-Ange, est considéré, au même titre que Léonard de Vinci (p. 157), comme l'une des figures de proue de la Renaissance.

À 13 ans, Michel-Ange apprend à peindre des fresques. Il va à l'école Médicis (1449 – 1492) à Florence. Laurent de Médicis devient son maître. Lorsque celui-ci meurt en 1492, Michel-Ange part à Bologne puis à Rome quand le Cardinal San Giorgio l'appelle en 1496. Il y étudie les ruines antiques et compose une *Pietà* en marbre pour la basilique Saint-Pierre. En 1501, de retour à Florence, il taille dans un bloc de marbre un *David* plus grand que nature, avant de regagner Rome où il exécute le tombeau du pape Jules II (1443 – 1513). Il passe les 30 dernières années de sa vie dans cette ville et consacre le plus clair de son temps à peindre le magnifique plafond de la chapelle Sixtine.

Principales sculptures : *Bacchus* (1496 – 1498) ; *Pietà* (1498 – 1500) ; *David* (1501 – 1504) ; *Moïse* (1515) ; *Pietà Rondanini* (1564).
Principales peintures : *chapelle Sixtine* (1508 – 1512) ; *Le Jugement dernier* (1537).

► Le *Moïse* de Michel-Ange était, à l'origine, destiné au tombeau de Jules II.

Le Penseur de Rodin (1904).

Auguste Rodin

1840 – 1917

Le sculpteur français Auguste Rodin échoue au concours d'entrée des Beaux-Arts et devient apprenti dans divers corps de métiers, dont la maçonnerie. Lorsqu'il atteint ses 20 ans, il commence à sculpter *L'Homme au nez cassé* (1864). Sa statue sur pied, *L'Âge d'airain*, est si réaliste qu'on accuse Rodin d'avoir utilisé des moulages d'après nature. Il parvient cependant à démontrer qu'une partie du corps, comme des mains (*La Cathédrale*, 1907) peut constituer une sculpture en soi. Ses sculptures de marbre *Le Baiser* et *Le Penseur* proviennent de son grand projet La Porte de l'Enfer inspiré par l'Enfer de Dante (p. 118).

Sculptures célèbres : *L'Âge d'airain* (1877) ; *Le Baiser* (1898) ; *Le Penseur* (1904)

DONATELLO 1386 – 1466
Le sculpteur de la Renaissance italienne Donatello – Donato di Betto Bardi de son vrai nom – est considéré comme le fondateur de la sculpture moderne. Il a réalisé de nombreuses statues de saints et de héros en marbre et en bronze, comme le *Saint Marc* et le *Saint Georges* en marbre d'Orsammichele (1415) et le *David* en bronze du Bargello (1430 – 1434).

GIOVANNI BOLOGNA 1524 – 1608
Sculpteur d'origine flamande né sous le nom de Jean Bologne en France. Il se forme en Flandres avant de s'installer à Florence où il devient un des grands sculpteurs de la Renaissance. C'est alors qu'il change son nom. Il a de nombreuses commandes de la riche famille des Médicis, entre autres *Mercure volant* (1564) et *L'Enlèvement des Sabines* (1580).

LE BERNIN 1598 – 1680
Sculpteur, architecte, portraitiste et poète, l'artiste italien Gian Lorenzo Bernini, dit le Bernin, reçoit le soutien de prestigieux mécènes : plusieurs papes, de riches familles aristocratiques et le roi de France Louis XIV (p. 16). Le Bernin a marié des marbres de différentes couleurs, des verres colorés, du bronze, de la pierre, et est le créateur du style baroque italien.

Henry Moore

1898 – 1986

Henry Moore veut devenir sculpteur mais son père, qui est mineur, désire que son fils devienne enseignant. Moore fait la guerre de 1917 à 1919, puis il étudie la sculpture à Leeds et enfin à Londres. Devenu professeur au Royal College of Art (1924 – 1931) et à la Chelsea School (1931 – 1939), il est en mesure de sculpter pour lui-même. Moore crée de grandes statues semi-abstraites en bois, en pierre et en bronze que lui inspirent les formes naturelles qui l'entourent. Il est internationalement reconnu dans les années 1940 pour ses dessins d'abris, personnages blottis les uns contre les autres se cachant dans le métro londonien durant le Blitz. Il a une énorme influence sur le travail de nombreux artistes. Ses œuvres sont exposées un peu partout dans le monde.

Sculptures importantes : *Femme et enfant* (1943 – 1944) ; *Family Group* (1948 – 1949) ; *Figure étendue* (1958 et 1965).

Figure étendue
de Henry Moore

Alberto Giacometti

1901 – 1966

Ce sculpteur et peintre suisse s'installe à Paris en 1922. Au début des années 1930, il subit l'influence des surréalistes et produit des œuvres abstraites et symboliques. Cependant, en 1934, il se met à travailler sur des sculptures figuratives. On le connaît principalement pour ses sculptures à texture rugueuse, représentant des personnages allongés, décharnés et solitaires qu'il se met à créer à la fin des années 1940.

Sculptures importantes : *Femme debout* (1948) ; *Homme qui marche I et II* (1959 – 1960).

Barbara Hepworth

1903 – 1975

La Britannique Barbara Hepworth fait des études à la School of Art de Leeds, où elle rencontre Henry Moore (à gauche). Tous deux poursuivent leurs cursus au Royal College of Art de Londres. Au cours des années 1930, elle développe un style abstrait inspiré de la relation de l'homme avec la nature. Concavités et cavités tendues de fils deviennent un motif récurrent de ses formes simples et géométriques en bois, en pierre, en bronze et en albâtre.

Sculptures importantes : *Pierced Form* (1931) ; *Single Form* (1963) ; *Four Square* (1966).

Louise Bourgeois

née en 1911

En 1938, Louise Bourgeois quitte Paris pour s'installer à New York où elle vit toujours. Elle débute comme peintre, mais se consacre rapidement à la sculpture. Influencée par le surréalisme, elle crée des sculptures et des ensembles oniriques en utilisant du plâtre, du bois, du caoutchouc, du bronze et toutes sortes d'objets. Elle s'inspire souvent d'expériences enfantines pour créer ses œuvres.

Sculptures importantes : *Labyrinthine Tower* (1963) ; *Spiders* (1995).

► En 1995, Louise Bourgeois, artiste américaine née en France, crée une série de grandes araignées en métal.

JACOB EPSTEIN 1880 – 1959
Né à New York, Epstein étudie la sculpture à Paris avec Rodin (p. 169) pendant deux ans, jusqu'en 1904. Puis il s'installe à Londres où il passe le plus clair de son temps. Les sculptures officielles d'Epstein en bronze, en pierre et en aluminium sont puissantes et abstraites. Il sculpte également des têtes de gens célèbres et d'enfants.

JEAN ARP 1887 – 1966
Né à Strasbourg, Jean Arp fit partie du Blaue Reiter à Munich. Également membre fondateur du groupe Dada, il crée de nombreuses sculptures abstraites dans les années 1920, puis exécute des bas-reliefs et des collages en trois dimensions. Parmi ses œuvres importantes, citons une peinture murale pour l'UNESCO à Paris, réalisée en 1958.

ELIZABETH FRINK 1930 – 1993
Cette sculptrice britannique étudie dans les écoles d'art de Guildford et de Chelsea en Angleterre, et enseigne dans diverses écoles d'art dont le Royal College of Art de Londres dans les années 1960. Elle est connue pour ses sculptures en bronze de chevaux et de cavaliers, qu'elle modèle et sculpte d'abord en plâtre. Sa dernière commande est un Christ pour la cathédrale de Liverpool.

LES PHOTOGRAPHES

Louis Daguerre

1789 – 1851

Louis Daguerre commence sa vie professionnelle en travaillant à l'Opéra de Paris comme peintre de décors, au début du XIXe siècle. Puis il se voit confier la direction des décors de différents théâtres parisiens. En 1829, il s'associe à l'inventeur Nicéphore Niepce (1765 – 1833) pour travailler sur la mise au point de la photographie. Six ans après la mort de Niepce, Daguerre découvre des procédés permettant de fixer et de développer les images, ce qui signifie qu'il est en mesure de produire des images positives en grand nombre sur des plaques d'argent. Il offre son invention, le daguerréotype, à la France, en 1839, qui lui verse en retour une pension à vie.

Il invente le premier procédé photographique, le daguerréotype, en 1837.

Louis Daguerre, inventeur du daguerréotype.

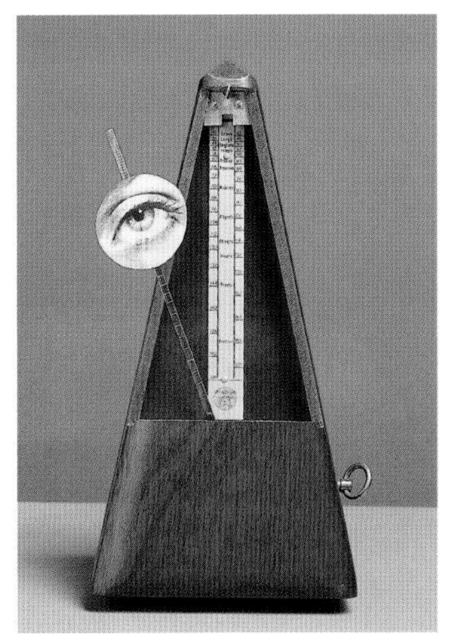

L'utilisation subtile de la photographie par Man Ray apparaît clairement dans *Métronome*.

Man Ray

1890 – 1976

Ce photographe, peintre et sculpteur américain d'avant-garde n'a pas gardé son véritable nom, Emmanuel Rudnitsky. Il obtient une bourse pour étudier l'architecture mais préfère se consacrer à la peinture à New York. À 25 ans, il se met à la photographie et ses portraits paraissent dans des magazines élégants comme *Vogue*. Il fonde le groupe Dada avec Marcel Duchamp (p. 165). Ray part pour Paris en 1921 où il tourne des films surréalistes. Il crée les rayographes – photographies sans appareil, l'objet étant placé directement sur le papier sensible.

Travaux importants: *Aviary* (1919); *Métronome* (1923 – 1972); *Champs délicieux* (rayographe, 1922); *L'Orateur* (1935).

Ansel Adams

1902 – 1984

Le photographe et écologiste américain Ansel Adams est bien connu pour ses photographies de paysages de l'ouest des États-Unis et tout spécialement du parc national de Yosemite. Il est d'abord pianiste, mais à l'approche de la trentaine, il change d'orientation et devient photographe. En 1932, il fonde avec le photographe Edward Weston (1886 – 1958) le Groupe f. 64 dont le but est d'obtenir des images d'une excellente qualité et de reproduire les sujets avec le plus de réalisme possible. Ses photographies de chaînes de montagnes escarpées, de vallées et de forêts présentent une grande profondeur de champ mais renferment également de fins détails de nature et de texture. Son *Zone System* fait comprendre aux autres photographes comment obtenir le plus large contraste avec des films en noir et blanc.

Travaux importants: photographies de l'ouest des États-Unis (1932); *Zone System* (1941).

Cecil Beaton

1904 – 1980

Homme du monde anglais, Cecil Beaton quitte l'université de Cambridge pour devenir photographe. À 22 ans, il présente sa première exposition à Londres. Ses photos de mode et ses portraits de la gentry, d'acteurs de cinéma, d'hommes politiques et de membres des familles royales le rendent célèbre dans les années 1930. Il réalise également des décors et des costumes pour des pièces de théâtre et des films, *Gigi* (1958), et remporte un oscar pour les costumes d'Audrey Hepburn dans *My Fair Lady* en 1964.

Travaux importants: photographies de mode pour *Vogue* et *Vanity Fair* (années 1920).

JULIA CAMERON 1815 – 1879

La photographe britannique Julia Cameron est née et a vécu aux Indes jusqu'à la mort de son mari, puis s'installe en Angleterre. Pour ses 48 ans, on lui offre un appareil photographique. Elle se fait rapidement connaître par ses portraits photographiques de personnages célèbres, comme Charles Darwin (p. 75) et l'artiste préraphaélite John Millais (p. 161).

EADWEARD MUYBRIDGE 1830 – 1904

Muybridge, né en Angleterre, part en 1852 pour la Californie où il devient photographe paysagiste professionnel. Il est connu pour ses études photographiques d'hommes et d'animaux en mouvement, considérées comme les ancêtres des films animés, surtout quand on les regarde en séquence avec le « zoopraxicope » qu'il invente en 1880.

LENI RIEFENSTAHL née en 1902

L'actrice et cinéaste allemande Leni Riefenstahl produit des films sur le congrès national-socialiste de Nuremberg en 1934 et sur les Jeux olympiques de 1936. En 1945, elle est emprisonnée pour ses sympathies nazies et est mise à l'index par les Alliés jusqu'en 1952. Dans les années 1970, elle publie deux livres de photographies sur les Nubas, une tribu d'Afrique.

Henri Cartier-Bresson

né en 1908

Avant de devenir photographe, Henri Cartier-Bresson étudie la peinture avec les cubistes et les surréalistes à Paris, sa ville natale. En 1930, lors d'un voyage en Côte d'Ivoire en Afrique, il prend ses premières photographies. Très rapidement, il vend ses travaux à des journaux et à des magazines du monde entier. Cartier-Bresson est l'un des pionniers du reportage photographique, défendant l'idée de capter la vue la plus expressive et la plus décisive d'une quelconque situation.

Il fonde l'agence Magnum avec Robert Capa (1913 – 1954) en 1947

Cartier-Bresson au travail à New York.

Paul Horst

1906 – 1999

Horst quitte son Allemagne natale pour aller vivre à Paris où il travaille avec Le Corbusier (p. 175). C'est alors qu'il rencontre le photographe de mode George Hoyningen-Huene et change d'orientation pour devenir photographe lui aussi. Horst commence à travailler pour *Vogue* en 1932. Il doit son style extravagant à ses connaissances de l'art classique et de la sculpture grecque. – Modèles et actrices de cinéma sont éclairées spectaculairement et se détachent sur un décor somptueux.

Travaux importants : Photographies de mode pour *Vogue*, photographies de la duchesse de Windsor, de Marlène Dietrich et de Coco Chanel (années 1930).

Richard Avedon

né en 1923

L'un des plus importants photographes du xxe siècle, le New-Yorkais Richard Avedon, est photographe dans la marine marchande durant la Seconde Guerre mondiale. Après la guerre, il devient photographe de mode pour *Harper's Bazaar* et *Vogue*. Avedon fait bouger ses modèles et traduit ainsi sur images leurs émotions ; il les photographie souvent en extérieur, dans des lieux insolites. Ses photoreportages ont traité des manifestations pacifistes des années 1960 et des victimes du Viêt Nam, ainsi que de la chute du mur de Berlin en 1989. Il entre au *New Yorker* en 1992.

Travaux importants : *Harper's Bazaar, Vogue* (1945 – 1988).
Publications : *Observations* (1959) ; *Nothing Personal* (1964).

Depuis 1945, Richard Avedon a réalisé des photos de mode spectaculaires pour *Harper's Bazaar, Vogue* et le *New Yorker.*

ALFRED STIEGLITZ 1864 – 1946
Né à New York, Stieglitz s'efforce de faire reconnaître la photographie comme un art véritable. Il étudie la photo à Berlin mais revient à New York en 1890. En 1902, en compagnie d'Edward Steichen (1879 – 1973), il organise le Groupe Photo Secession américain et fonde la revue *Camera Work*.

DAVID BAILEY né en 1938
Le Britannique David Bailey devient photographe de mode et travaille pour le magazine Vogue en 1959 et 1960. Durant les « Swinging Sixties », à Londres, Bailey photographie pratiquement tous les gens célèbres ou à la mode. Depuis, il a également produit de nombreux livres, documentaires et travaux pour la télévision.

ROBERT MAPPLETHORPE 1946 – 1989
Mapplethorpe, né à New York, est d'abord peintre mais, dans les années 1970, il se tourne vers la photographie. Ses photos en noir et blanc sont admirables de beauté classique. Ses sujets vont de nus masculins très controversés aux fleurs et aux portraits de célébrités.

LES ARCHITECTES

Filippo Brunelleschi

1377 – 1446

Né à Florence, Brunelleschi était l'un des grands architectes de la Renaissance italienne.

D'abord orfèvre et sculpteur, Brunelleschi est gagnant, en 1401, d'un concours pour réaliser les portes de bronze du baptistère de Florence ex aequo avec Ghiberti (1378 – 1455) mais il refuse de travailler avec lui. Il entreprend alors l'étude de l'architecture classique et visite Rome pour étudier les ruines. Il est également architecte consultant et, en 1418, il reçoit la commande de sa vie – la création du dôme de la cathédrale inachevée de Florence. Inspiré par des thèmes classiques, il construit l'énorme dôme – octogone de marbre – en utilisant des techniques romaines comme le travail des briques appareillées en arêtes de poissons.

Grands monuments de Florence : Sacristie de San Lorenzo (1418 – 1444) ; hôpital des Innocents (1421 – 1461) ; église Santo Spirito (v. 1436).

La construction du chef-d'œuvre de Brunelleschi, le dôme de la cathédrale de Florence, dura 42 ans. L'architecte y déploya tous ses talents d'ingénieur et de géomètre.

Andrea Palladio

1518 – 1580

Cet architecte italien est d'abord tailleur de pierre à Vicence. Vers 1540, le poète Giangiorgio Trissino (1478 – 1550) le pousse à étudier l'architecture. En 1545, Palladio visite Rome et est frappé par les ruines classiques. Son style – le palladianisme – a influencé un grand nombre d'architectes.

Édifices célèbres à Venise :
San Giorgio Maggiore (1566) ;
église du Rédempteur (1577).

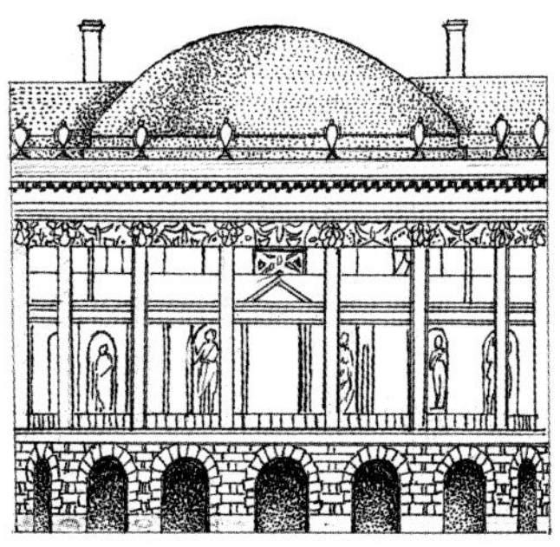

Palladio est influencé par la Rome antique.

Inigo Jones

1573 – 1652

La formation de l'architecte anglais Inigo Jones est mal connue. En 1615, il devient surintendant des bâtiments du roi et se fait le champion du style renaissance en Angleterre. Ses édifices, inspirés des villas italiennes, traduisent l'influence de Palladio.

Édifices célèbres de Jones à Londres : The Queen's House à Greenwich (1616 – 1618) ; Banqueting Houses, Whitehall Palace (1619 – 1622) ; Covent Garden (1631 – 1638).

JOHN VANBRUGH 1664 – 1726
Né à Londres, Vanbrugh est d'abord dramaturge avant de se tourner vers l'architecture où il se fait remarquer par ses édifices de style baroque. Parmi ses réalisations importantes, citons le Castle Howard dans le Yorkshire (1702), et Blenheim Palace dans l'Oxfordshire (1705), chef-d'œuvre du baroque anglais. Il est également chargé des bâtiments royaux en 1714.

JOHN NASH 1752 – 1835
L'architecte et urbaniste anglais John Nash a créé de vastes demeures campagnardes jusqu'à ce que le roi George IV (1762 – 1830) lui confie la rénovation d'une grande partie du centre de Londres. Entre 1811 et 1825, Nash conçoit Regent's Park, Regent Street, Trafalgar Square, Saint-James' Park, Marble Arch et Buckingham Palace.

AUGUST PUGIN 1812 – 1852
Né en Angleterre, Pugin apprend le dessin d'architecture avec son père, spécialiste français de l'art gothique. Il est à la tête du mouvement néogothique britannique en architecture. Il construit de nombreuses églises dans ce style. En 1840, on lui commande le mobilier, l'agencement et des sculptures pour le Parlement de Londres.

Christopher Wren

1632 – 1723

L'architecte anglais Christopher Wren est un remarquable homme de sciences ainsi qu'un érudit. À 25 ans seulement, il occupe la chaire d'astronomie au Gresham College de Londres, puis à l'université d'Oxford en 1661. Il devient l'un des membres fondateurs de la Société royale des sciences qui réunit un groupe d'éminents scientifiques. Ses premiers projets architecturaux sont la chapelle de Pembroke College de l'université de Cambridge (1663), et le Sheldonian Theatre d'Oxford (1664). Après le grand incendie de Londres de 1666, le roi Charles II (1630 – 1685) le nomme « Surveyor général » des bâtiments royaux en 1669 et lui confie la reconstruction de 51 églises dans Londres ainsi que de la nouvelle cathédrale Saint-Paul. Son style classique est influencé par le baroque.

Édifices célèbres dans Londres : Saint-Stephen Walbrook (1672 – 1687) ; cathédrale Saint-Paul (1675 – 1710) ; hôpital de Chelsea (1682 – 1692).

Robert Adam

1728 – 1792

Robert Adam est le fils de l'architecte écossais William Adam (1689 – 1748). À la mort de son père, il travaille dans le cabinet d'architecture familial. En 1754, il entreprend un voyage en Italie pour s'initier à l'architecture romaine. Il regagne Londres en 1758 et ouvre un cabinet d'architecture avec son frère, James Adam (1730 – 1794). Le style néoclassique d'Adam traduit des influences française, byzantine, grecque et baroque. Il conçoit des intérieurs décoratifs somptueux pour de vastes et imposantes demeures.

Édifices anglais célèbres : Osterley Park (1761 – 1780) ; Syon House (1762 – 1769) ; Kenwood (1767 – 1769).

Antonio Gaudí

1852 – 1926

L'architecte espagnol Antonio Gaudí a suivi à ses débuts le style néogothique, associé au nationalisme catalan, mais il est aussi inspiré par l'architecture maure. Son style devient de plus en plus décoratif : il crée des bâtiments incroyablement ornés de mosaïques organiques, contournées et colorées. Gaudí est tué par un tramway en sortant du chantier de son chef-d'œuvre inachevé, l'église de la Sagrada Familia à Barcelone.

Édifices célèbres à Barcelone : la Sagrada Familia (commencée en 1883) ; le Palais Guëll (1886 – 1889) ; la Casa Batlló (1904 – 1917).

La Sagrada Familia, chef-d'œuvre de Gaudí.

Charles Rennie Mackintosh

1868 – 1928

Architecte et décorateur influent, Charles Rennie Mackintosh est le chef de file du Groupe des Quatre de Glasgow. Il allie dans son travail l'art écossais traditionnel à l'Art nouveau. Il ne reste que très peu de ses réalisations.

Édifices célèbres : School of Art de Glasgow (1897 – 1909).

Frank Lloyd Wright

1869 – 1959

Le musée Guggenheim à New York, construit par F.L. Wright.

L'architecte, professeur et écrivain américain Frank Lloyd Wright a défini et défendu l'architecture organique. Ce mouvement prône des édifices en harmonie avec la nature. Wright étudie l'ingénierie avant de s'installer à Chicago en 1887 et, en 1893, il ouvre un cabinet d'architecture. Il est connu pour son adhésion au style Arts and Crafts – « maisons de la prairie » basses, proches du sol, avec espace intérieur fluide, relation avec l'extérieur par des porches, des terrasses, des ouvertures variées.

Édifices célèbres : Imperial Hotel de Tokyo (1916 – 1920) ; Maison sur la cascade en Pennsylvanie (1937 – 1939) ; musée Guggenheim à New York (1946 – 1959).

Ludwig Mies van der Rohe

1886 – 1969

D'origine allemande, l'architecte et dessinateur de meubles Ludwig Mies travaille avec son père maçon avant de s'installer à Berlin en 1905 pour assister divers architectes, dont Peter Behrens (1868 – 1940), entre 1908 et 1911. En 1912, il ouvre son propre cabinet et prend le nom de jeune fille de sa mère, Van der Rohe. Pionnier du modernisme et du fonctionnalisme, il prône une approche minimaliste de l'architecture. En 1930, il est le dernier directeur du Bauhaus de Dessau. En 1937, il part pour Chicago où il enseigne l'architecture.

Constructions célèbres: German Pavilion, Barcelona 1929; Mannheim Opera House 1954; Seagram Building, New York 1958; Berlin National Gallery 1962 – 1968

Le Corbusier

1887 – 1965

L'architecte, peintre, sculpteur et écrivain français Le Corbusier est l'initiateur principal du «style international» moderne en architecture. Charles Édouard Jeanneret de son vrai nom, il part pour Paris en 1917 et adopte le pseudonyme de Le Corbusier. Il privilégie les formes pures et le béton armé. Il estime que la maison doit être une «machine à vivre» et que les villes doivent être composées de tours d'habitation.

Édifices célèbres: Unité d'habitation de Marseille (1946 – 1952); chapelle Notre-Dame-du-Haut à Ronchamp (1955).

Louis Kahn

1901 – 1974

D'origine estonienne, la famille de Louis Kahn émigre en 1905 à Philadelphie en Pennsylvanie. Louis Kahn devient professeur d'architecture à Yale (1948 – 1957), puis doyen de l'université de Pennsylvanie (1957 – 1974). Kahn est un architecte fonctionnaliste qui aime utiliser du béton brut et des briques pour créer des formes géométriques simples. Ses réalisations sont parfois monumentales.

Édifices célèbres aux États-Unis: galerie d'art pour l'université de Yale à New Haven (1952 – 1954); building des Laboratoires Richards à Philadelphie (1958 – 1961).

Jørn Utzon

né en 1918

L'architecte danois Jørn Utzon travaille d'abord pour l'architecte Alvar Aalto (à droite). En 1950, il ouvre sa propre agence et est mondialement reconnu pour l'Opéra de Sydney en Australie. Les voiles des bateaux dans le port de la ville inspirèrent son majestueux projet. Utzon se retire avant l'achèvement des travaux en protestation contre des changements apportés à ses plans initiaux.

Édifices célèbres: maisons Kingo au Danemark (1956); Opéra de Sydney (1957 – 1973); parlement du Koweït (1972 – 1982).

Conçu par Jorn Utzon, l'opéra de Sydney est composé de voûtes de béton incurvées qui atteignent 67 mètres de haut.

EDWIN LUTYENS 1869 – 1944
Ancien élève du Royal College of Art de Londres, l'architecte anglais Edwin Lutyens a conçu du mobilier, des églises, des bâtiments commerciaux, des monuments, des châteaux et des maisons de campagne. Le mouvement Arts and Crafts l'influence, mais il maîtrise également le nouveau style anglais et le baroque et, plus tard, l'architecture classique. Lutyens a créé le cénotaphe de Whitehall (1919 – 1920) à Londres et le palais du vice-roi à New Delhi (1912 – 1930).

WALTER GROPIUS 1883 – 1969
Walter Gropius étudie l'architecture à Munich et à Berlin, et y fonde son agence avec Adolf Meyer en 1910. Ils créent ensemble le pavillon Werkbund, bâtiment ultramoderne à façade de verre sur cadre métallique, pour l'exposition de Cologne (1914). En 1919, Gropius fonde le Bauhaus, célèbre école d'arts plastiques installée à Weimar, en Allemagne, et la dirige jusqu'en 1928. Plus tard, il part pour les États-Unis pour enseigner l'architecture à l'université de Harvard (1937 – 1952). Il crée des résidences privées, des gratte-ciel et de nombreux édifices publics.

ALVAR AALTO 1898 – 1976
L'architecte finlandais Alvar Aalto est l'un des principaux artisans du mouvement moderne d'architecture de Scandinavie, et un fondateur influent du design organique. Il construit en Finlande le sanatorium de Paimio (1929 – 1932) et l'université technique d'Otaniemi (1949 – 1964). Il conçoit également des bâtiments résidentiels, religieux et publics à travers la Scandinavie et l'Europe. Aalto aime les matériaux naturels, surtout le bois, qu'il emploie de manière très inventive; il invente le contreplaqué travaillé (1932) qui change radicalement le design des chaises. Sa société d'édition de créations, Artek, fondée en 1935, fabrique ses meubles dont les célèbres tabourets à pieds en L (1933).

MINURO YAMASAKI 1912 – 1986
Né à Seattle, l'architecte Minoru Yamasaki fait ses études à l'université de Washington où il obtient son diplôme en 1934. Il part pour New York et devient célèbre dans les années 1950 grâce à ses structures sensuelles en résille. Il réalise l'aéroport de Saint-Louis (1951 – 1956) et l'American Concrete Institute (1958). Yamasaki conçoit également les tours jumelles du World Trade Center (1966 – 1977) de New York qui seront détruites lors d'une attaque terroriste le 11 septembre 2001.

Richard Rogers

né en 1933

L'architecte anglais Richard Rogers est né à Florence. Il fait des études d'architecture à Londres et à l'université de Yale où il rencontre Norman Foster (ci-dessous) avec lequel il s'associe pour former Team 4 (1963 – 1966). Ils réalisent l'usine Reliance Controls à Swindon en Angleterre (1965, démolie en 1991), qui est le début du style « high-tech ». Rogers est connu pour avoir conçu, avec son partenaire l'architecte italien Renzo Piano (né en 1937), le Centre Pompidou à l'allure d'usine colorée. Rogers apprécie les édifices aux vastes espaces intérieurs ouverts, et agence à l'extérieur les ascenseurs et les conduits d'aération et de fonctionnement. Il a également créé le bâtiment de la Cour européenne des Droits de l'homme à Strasbourg, achevé en 1995.

Édifices célèbres : Centre Pompidou à Paris (1972 – 1976) ; siège social de la Lloyd's à Londres (1979 – 1984).

Le siège social de la Lloyd's à Londres, dont la façade spectaculaire en verre et acier fut très controversée, est l'œuvre de Richard Rogers.

Philippe Starck

né en 1949

Le designer français Philippe Starck est célèbre pour ses aménagements de restaurants et d'hôtels, et pour ses objets très originaux comme son presse-citron à trois pieds « Juicy Salif ». Sa carrière a débuté en 1969 lorsqu'il est engagé comme directeur artistique chez Pierre Cardin pour concevoir 65 gammes de mobilier. Plus tard, il se consacre à l'architecture d'intérieur pour des boîtes de nuit comme les Bains-Douches (1978) et La Main bleue. Il devient célèbre en 1982 lorsqu'il réalise les appartements privés de François Mitterrand au palais de l'Élysée. Il conçoit encore des chaises à trois pieds, des passoires, des brosses à dents, des lampes et même une moto pour Aprilia. Depuis la conception du Royalton à New York en 1988, il a créé de nombreux hôtels.

Hôtels célèbres : Mondrian, Los Angeles 1996 ; Sanderson, London 2000

Norman Foster

né en 1936

L'architecte anglais Norman Foster fait ses études d'architecture à l'université de Manchester puis à Yale, où il rencontre son condisciple Richard Rogers (ci-dessus). De retour en Angleterre, ils fondent Team 4 en 1963, et conçoivent des bâtiments à structure d'acier d'allure industrielle et technologique. En 1967, Foster fonde Foster Associates, avec des bureaux à Londres, Berlin et Singapour. À ce jour, Foster et ses associés ont réalisé la Hong-Kong and Shanghai Bank à Hong-Kong (1979 – 1986), le terminal de Stanstead, le troisième aéroport de Londres (1981 – 1991), le London Millennium Bridge (1996 – 2000) et le siège social de Swiss Re à Londres (2003).

Édifices célèbres : Carré d'Art de Nîmes en France (1984 – 1992) ; aéroport de Chek Lap Kok à Hong-Kong 1992-1998 ; nouveau Parlement allemand à Berlin (1992 – 1999).

Conçue par Norman Foster, The Great Court du British Museum à Londres a été ouverte en 2000.

CHAPITRE HUIT

LES MUSICIENS ET LES DANSEURS

La musique et la danse avant l'an 1000

Depuis l'âge de pierre – les hommes fabriquaient alors des flûtes dans des os creux –, la musique et la danse ont joué un rôle important dans la vie des gens. Vers 3000 av. J.-C., les premières grandes civilisations s'épanouissent en Égypte et en Mésopotamie (Irak moderne). La musique accompagne rituels et divertissements. De nombreux instruments – harpe, lyre, trompette, crécelle, etc. – deviennent très familiers.

▲ Les Étrusques, qui habitaient l'Italie avant les Romains, jouaient une musique riche et variée sur des instruments comme la lyre et la flûte double.

LES GRECS ET LES ROMAINS

Musiciens accomplis, les anciens Grecs se servaient de la musique pour émouvoir et distraire leur public. Ils jouaient de différents instruments, flûtes de Pan, cithares (lyres à 12 cordes) et aulos (flûtes doubles), au cours des banquets, des diverses cérémonies et au théâtre. Certains dramaturges grecs étaient également de bons musiciens, et **Sophocle** (495 – 357 av. J.-C.) était aussi l'un des plus fameux danseurs de son temps. **Timothée de Milet** (446 – 357 av. J.-C.) et **Philoxène** (430 – 380 av. J.-C.) étaient de bons compositeurs de musique vocale qui ont inventé de nouvelles mélodies pour les instruments. Leur musique était basée sur des échelles appelées modes. Les Étrusques et les Romains furent très influencés par la musique et la danse grecques antiques. La plus célèbre danseuse du monde romain a sans doute été la princesse **Salomé** (dans les années 100 apr. J.-C.). On dit qu'elle dansa si bien la fameuse danse des sept voiles devant Hérode Antipas qu'il lui offrit la tête de Jean-Baptiste sur un plat d'argent.

LE MONDE CHRÉTIEN

Avec la chute de l'Empire romain, l'avènement de la chrétienté permet à la musique de pleinement se développer; les monastères deviennent les principaux lieux où l'on apprend la musique. **Saint Paul** (mort vers 64) exhortait ses disciples à chanter des psaumes et des hymnes et, vers 387, **saint Ambroise** instaure des chœurs professionnels qui chantent en chorales ou en solistes. À Rome, le pape **Grégoire Ier** (540 – 604) fonde une école de musique et compose des chants choraux. Ce genre de musique est toujours connu sous le nom de chant grégorien. On commence aussi à écrire la musique et des moines flamands comme **Hucbald** (840 – 930) inventent une nouvelle forme de notation, laissant un important traité de théorie musicale.

MUSIQUE D'ORIENT

De l'Arabie à la Chine, les cultures orientales créent leur propre style musical. Le sage **Bharata-Muni**, père de la musique indienne, écrit un livre sur la musique hindoue vers 200 av. J.-C. Les Arabes inventent le luth et voient émerger de grands musiciens comme **Ibn Misjah** (mort vers 715). En Inde, la danse et la musique se pratiquent dans les temples et les palais.

◀ Exécutée par des moines bouddhistes entre 200 av. J.-C. et 650 apr. J.-C., cette peinture pariétale d'Ajanta, en Inde, représente des musiciens et des danseurs pratiquant leur art lors d'un banquet royal.

LA MUSIQUE CLASSIQUE

Antonio Vivaldi

1678 – 1741

Antonio Vivaldi, violoniste et compositeur italien, est né à Venise. Ordonné prêtre en 1703, il devient maître de violon et de composition dans une institution pour jeunes orphelines. Il compose un grand nombre de concertos pour son enseignement. Leur publication le fait connaître par une plus vaste audience européenne. Il devient l'un des compositeurs les plus connus de l'ère baroque : il écrit près de 40 opéras et 500 concertos, dont 230 pour violons et 100 pour d'autres instruments. Il travaille à fixer la forme du concerto en trois mouvements, rapide, lent, rapide. Vivaldi termine sa vie dans une relative pauvreté et sa musique, oubliée, ne sera redécouverte qu'au XIXe siècle.

Œuvres célèbres : les 12 concertos de l'*Estro armonico* en 1711 ; *Les Quatre Saisons* en 1725.

Jean-Sébastien Bach

1685 – 1750

Orphelin à 10 ans, le compositeur allemand Johann Sébastian Bach est élevé par son frère aîné. Bach se révèle très doué pour l'orgue et, en 1717, il devient directeur de la musique à la cour du prince Leopold d'Anhalt. Il part pour Leipzig où il écrit ses œuvres chorales, *La Passion selon saint Matthieu* (1727) et la *Messe en si mineur* (1732 – 1737). Bien que n'ayant jamais quitté l'Allemagne, Bach est influencé par les styles français et italien. Il compose dans presque tous les genres à l'exception de l'opéra. Il est l'un des compositeurs les plus sublimes d'œuvres orchestrales et chorales.

Œuvres célèbres : *Les six Concertos brandebourgeois* (1721) ; *Le Clavecin bien tempéré* (1722) ; *La Passion selon saint Jean* (1724).

Georg Friedrich Haendel

1685 – 1759

Le compositeur allemand Haendel devient organiste de la cathédrale de Halle à 17 ans. Il passe plusieurs années en Italie où il acquiert une réputation de virtuose à l'orgue et au clavecin. En 1710, de retour en Allemagne, Haendel est nommé maître de chapelle de l'électeur de Hanovre. Cependant, il passe le plus clair de son temps à Londres, ce qui irrite fortement l'électeur qui, en 1714, monte sur le trône d'Angleterre sous le nom de George Ier. On dit que Haendel compose la *Water Music* en gage de paix pour le roi. Il a écrit 46 opéras, 32 oratorios et de la musique pour orchestre.

Œuvres importantes : *Water Music* (1714) ; *Le Messie* (1742).

▼ Haendel compose la plus grande partie de ses œuvres célèbres à Londres.

JOSQUIN DES PRÉS
v. 1450 – 1521
Le compositeur français Josquin des Prés est né en Picardie. Il vit longtemps en Italie comme compositeur attitré de la riche famille des Sforza. Josquin des Prés est un maître de musique très recherché et, à la fin de sa vie, il compose pour le roi de France Louis XII (1462 – 1515). Ses œuvres sont pléthoriques : messes, motets (chants d'église à plusieurs voix), chants profanes en français et en italien.

JOHN TAVERNER
v. 1490 – 1545
Le compositeur anglais John Taverner est organiste à Boston, dans le Lincolnshire, et au Christ Church College d'Oxford. Il est surtout connu pour sa musique sacrée et ses chants en latin. Son œuvre comprend huit messes et une trentaine de motets, courtes pièces chorales religieuses. Accusé d'hérésie, il fait un bref séjour en prison à Oxford, mais le cardinal Wolsey (v. 1475 – 1530) le fait libérer car il n'est qu'un musicien.

GIOVANNI PALESTRINA
v. 1525 – 1594
Le compositeur italien Giovanni Palestrina est appelé par le pape Jules III (1487 – 1555) pour occuper la charge d'organiste et de directeur de la maîtrise de Saint-Pierre de Rome. Là, il écrit un grand nombre de messes et d'œuvres chorales avant de se retirer. Palestrina est considéré par beaucoup comme le plus important des compositeurs de la Renaissance et son œuvre a largement influencé des musiciens comme Bach (à gauche) et Mozart (p. 180).

ALESSANDRO SCARLATTI
1660 – 1725
Le compositeur italien Alessandro Scarlatti est né en Sicile et débute sa carrière à Rome. Son premier opéra, écrit à l'âge de 21 ans, lui vaut la protection de la reine Christine de Suède (1626 – 1689). En 1693, Scarlatti devient directeur musical à la cour de Naples. Au cours de sa vie, il compose 120 opéras, 200 messes et 500 cantates.

Wolfgang Amadeus Mozart

1756 – 1791

Né en Autriche, Mozart est un enfant prodige : à 4 ans, il sait jouer du piano et, à 5 ans, il compose. Sous la direction de son père, il joue devant des parterres royaux dans de nombreux pays d'Europe.

À 13 ans, Mozart écrit son premier opéra et joue du violon devant les cours d'Europe les plus prestigieuses. En 1774, il est appointé comme premier violon à la cour de l'archevêque de Salzbourg, où il compose un grand nombre de symphonies, de sonates et de concertos. Mécontent de son employeur, il quitte Salzbourg pour Vienne, où il enseigne et écrit de la musique très populaire. Il compose ses plus belles œuvres au cours des années suivantes, dans une relative pauvreté. Afin de terminer son *Requiem*, il travaille dans un état d'épuisement complet. Il meurt à 35 ans.

Il a composé 41 symphonies, 11 opéras, 27 concertos pour piano et beaucoup de musique de chambre et de musique religieuse. Mozart est l'un des plus grands musiciens du monde. Sa musique est célèbre pour sa beauté mélodique et sa richesse harmonique.

Œuvres célèbres : *Les Noces de Figaro* (1786) ; *Don Giovanni* (1787) ; *Cosi fan tutte* (1790) ; *La Flûte enchantée* (1791).

◀ Enfant, Mozart joue du piano et du violon devant de nombreuses cours européennes et spécialement à la cour de l'impératrice Marie-Thérèse d'Autriche (1717 – 1780) et à celle du roi de France Louis XV (1710 – 1774). Mozart compose *La Petite Musique de nuit* à l'apogée de sa carrière, en 1787.

Ludwig van Beethoven

1770 – 1827

Le compositeur allemand Beethoven s'installe en 1787 à Vienne, où il est l'élève de Mozart pendant quelque temps (ci-dessus). En 1792, Joseph Haydn (p. 181) lui enseigne l'art de la composition et Beethoven fait ses débuts en public comme pianiste en 1795. En 1802, il a composé deux symphonies et trois concertos pour piano. Bien qu'atteint de surdité et de dépression, il continue à composer, dont certains de ses plus beaux chefs-d'œuvre.

Œuvres célèbres : *Sonate « Au clair de lune »* (1801) ; *Symphonie N° 3 dite « Héroïque »* (1804) ; *Lettre à Élise* (1810).

Beethoven influencera beaucoup ses successeurs.

Franz Schubert

1797 – 1828

Né en Autriche, Schubert obtient, en 1808, une bourse pour une école de musique. Il écrit sa première symphonie à 16 ans et, en 1815, il a déjà composé près de 100 lieder, dont *Marguerite au rouet* et *Le Roi des aulnes*. Schubert gagne sa vie en enseignant la musique jusqu'en 1817, mais il vivra dans le dénuement quasiment toute sa vie. Schubert a néanmoins écrit sept opéras, six messes, 600 lieder et neuf symphonies. Ses symphonies, très imaginatives, dégagent une émotion profonde et réclament une impressionnante direction d'orchestre.

Œuvres célèbres : *La Truite, quintet en la majeur* (1819) ; *Symphonie inachevée* (1822).

Frédéric Chopin

1810 – 1849

Le musicien et compositeur polonais Frédéric Chopin débute en public comme pianiste à l'âge de 8 ans. À 15 ans, il publie sa première composition. Chopin part pour Paris en 1831 et tente de gagner sa vie comme pianiste de concert. Cependant, la délicatesse de son toucher du clavier ne convient pas aux grandes salles de concert et il doit jouer dans des lieux plus intimes, comme les salons. Mazurkas, polonaises, études et valses traduisent les origines polonaises de leur compositeur.

Œuvres célèbres: *Scherzo en si bémol mineur* (1835 – 1837) ; *Fantaisie en fa mineur* (1842).

Johannes Brahms à la fin de sa vie.

Johannes Brahms

1833 – 1897

On dit que le compositeur allemand Brahms jouait déjà du piano à 7 ans. Pour gagner sa vie, il joue dans les bars et les tavernes de Hambourg. Il se lie d'amitié avec Robert Schumann (1810 – 1856) et Franz Liszt (1811 – 1886) et, en 1863, il s'installe à Vienne. Brahms, très exigeant avec lui-même, a détruit tous les travaux qu'il n'estimait pas parfaits.

Œuvres célèbres: *Danses hongroises* (1868 – 1880) ; *Requiem allemand* (1869).

Photographie de Tchaïkovski avec une dédicace pour son ami, le compositeur tchèque Antón Dvorák.

Piotr Ilitch Tchaïkovsky

1840 – 1893

Très jeune, le compositeur russe Tchaïkovski se montre doué pour la musique, mais il suit des études de droit et devient fonctionnaire au ministère de la Justice. Cependant, en 1862, il s'inscrit au conservatoire de musique de Saint-Pétersbourg et, en 1866, il est nommé professeur d'harmonie au conservatoire de Moscou. La même année, il écrit sa première symphonie. D'autres compositions suivent bientôt, le rendant célèbre dans le milieu moscovite des amoureux de la musique. Il se marie en 1877, mais souffrant de dépression, il quitte sa femme au bout d'un mois. Il démissionne du conservatoire et se retire à la campagne pour se consacrer à la musique. Il meurt peu après avoir donné en public sa Sixième Symphonie. On a longtemps dit qu'il était mort du choléra mais on pense plutôt aujourd'hui qu'il s'est suicidé. Sa musique si pleine d'émotion – ballets, opéras et symphonies – est toujours très jouée.

Ballet célèbre: *Le Lac des cygnes* (1876).
Œuvres célèbres:
Eugène Onéguine (1879) ; *Sixième Symphonie « Pathétique »* (1893).

JOSEPH HAYDN 1732 – 1809
L'Autrichien Joseph Haydn se forme à la musique tout seul. Il débute en jouant dans des orchestres de rue. Après avoir travaillé avec le compositeur d'opéras italien Niccola Porpora (1686 - 1766), Haydn devient en 1761 directeur musical pour une riche famille hongroise, les Esterházy. Durant 30 ans, il compose et joue de la musique d'orchestre, de la musique de chambre, de la musique religieuse et des opéras. Son œuvre immense en fait l'un des compositeurs les plus célèbres de son temps.

NICCOLO PAGANINI 1782 – 1840
Harcelé par un père dominateur, le violoniste italien Niccolo Paganini donne son premier concert à l'âge de 11 ans. En 1805, il entreprend une tournée en Italie. Au cours des années 1820, sa renommée se répand à travers l'Europe, le public étant ébloui par sa façon prodigieuse de jouer du violon et par son don de la mise en scène. Paganini a écrit de nombreuses pièces pour violon et pour guitare, instrument dont il jouait également avec une grande virtuosité.

HECTOR BERLIOZ 1803 – 1869
Le compositeur français Hector Berlioz a dû vaincre l'opposition familiale et abandonner une carrière médicale pour se consacrer à la musique. Après des études au Conservatoire de Paris, Berlioz écrit la *Symphonie fantastique* (1830) dans laquelle il exprime son amour pour l'actrice irlandaise Harriett Smithson (1800 – 1854), qui deviendra son épouse. Ses symphonies, ses ouvertures et ses opéras, très célèbres dans presque toute l'Europe, ne seront pas reconnus par ses compatriotes de son vivant.

JOHANN II STRAUSS 1825 – 1899
Né à Vienne, et l'un des 13 enfants du compositeur Johann Strauss (1804 – 1849), Johann monte un orchestre et entreprend des tournées en Europe et aux États-Unis. Surnommé le « prince de la valse », il est un compositeur prolixe : il possède à son actif des centaines de valses dont *Le Beau Danube bleu* (1867) et *Aimer boire et chanter* (1869), ainsi que des polkas et des opérettes (*La Chauve-Souris* en 1874).

Edward Elgar

1857 – 1934

En dehors de leçons de violon, le compositeur anglais Edward Elgar se forme seul. En 1891, encouragé par sa femme Caroline, Elgar va s'installer à la campagne pour se consacrer à la composition. Ses premiers travaux, dont *Enigma* (1899), variations pour orchestre, et *Le Songe de Geronthus* (1900), un oratorio, sont très bien accueillis en Angleterre comme en Allemagne, et il devient l'une des figures marquantes de la musique anglaise. Ses cinq marches *Pomp and Circumstance* augmentent encore sa renommée et, après le Festival Elgar de Londres en 1904, il est fait chevalier de la société britannique. À la mort de sa femme en 1920, Elgar s'arrête pratiquement de composer. Une symphonie et un opéra restent inachevés à sa mort.

Œuvres célèbres: *Variations Enigma* (1899); *Pomp and Circumstance* (1901); Cockaigne (1901); *Concerto pour violon* (1919).

À partir de 1924, Elgar est nommé à la tête de la musique royale par George V (1865 – 1936).

Gustav Mahler

1860 – 1911

Né en Bohême, Mahler entre au Conservatoire de Vienne en 1875 pour y étudier la composition et la direction d'orchestre. Il est chef d'orchestre dans différentes villes européennes avant de devenir directeur artistique de l'Opéra de Vienne en 1897. Mahler démissionne en 1907 à la suite d'attaques dirigées contre ses origines juives et, en 1908, il prend la direction de l'orchestre philharmonique de New York. Mahler a écrit neuf symphonies. Il est considéré comme le premier des compositeurs classiques modernes.

Œuvres célèbres: *Seconde Symphonie* (1895); *Le Chant de la terre* (1908).

L'importance de Mahler ne sera reconnue que dans les années 1960.

Sergueï Rachmaninov

1873 – 1943

Le compositeur et pianiste russe Sergueï Rachmaninov étudie la musique aux conservatoires de Saint-Pétersbourg et de Moscou. Il est l'un des plus grands pianistes de concert de son temps. Il acquiert une renommée européenne grâce à ses interprétations de Chopin (p. 181) et de Liszt (1811 – 1886), ainsi que de ses œuvres personnelles. En 1918, Rachmaninov s'enfuit aux États-Unis pour échapper à la révolution russe. Ses œuvres pour piano, tout particulièrement le *Prélude en do dièse mineur* (1938) et ses concertos ouvrent largement le répertoire de cet instrument.

Œuvres célèbres: *2e et 3e Concertos pour piano* (1900 – 1909); *Rhapsodie sur un thème de Paganini* (1934).

Gustav Holst

1874 – 1934

Né de parents suédois, le compositeur anglais Gustav Holst devient tromboniste dans un orchestre en 1892. En 1903, il enseigne la musique dans une école de filles à Londres, puis au Royal College of Music de Londres et dans des universités américaines. Il compose également des œuvres qui traduisent son intérêt pour la pensée orientale et pour le chant populaire anglais. Son travail le plus important, *The Planets* – série de portraits sonores de sept planètes du système solaire – devient l'une des pièces orchestrales les plus populaires du XXe siècle. Holst a écrit aussi quatre courts opéras, deux concertos et plusieurs petites pièces pour orchestre.

Œuvres célèbres: *The Planets* (1914 – 1916); *The Hymn of Jesus* (1917); *Ode to Death* (1919); *The Perfect Fool* (1922).

NIKOLAÏ RIMSKI-KORSAKOV 1844 – 1908

Le Russe Rimski-Korsakov étudie la musique alors qu'il est officier de marine. Malgré sa formation autodidacte, il se voit confier la classe de composition et d'instrumentation au Conservatoire de Saint-Pétersbourg en 1871. Ses œuvres les plus connues sont *Shéhérazade* (1888) et l'opéra *Le Coq d'or* (1907).

GABRIEL FAURÉ 1845 – 1924

Le compositeur français Gabriel Fauré fréquente une école de musique dès l'âge de 9 ans et devient un excellent organiste. Il s'installe à Paris et occupe le poste d'organiste de l'église de la Madeleine et enseigne au Conservatoire. Fauré a écrit de nombreuses mélodies, mais son chef-d'œuvre est sans conteste son *Requiem* (1900).

Pablo Casals

1876 – 1973

Le violoncelliste, chef d'orchestre et compositeur espagnol Pablo Casals suit des études au Conservatoire de Madrid avant de devenir professeur de violoncelle au Conservatoire de Barcelone. En 1895, Casals devient premier violoncelliste de l'orchestre de l'Opéra de Paris ; il débute sa longue carrière en solo trois ans plus tard. En 1919, il fonde l'Orchestre de Barcelone, qu'il dirige jusqu'au début de la guerre civile espagnole, en 1936. En protestation contre le fascisme, il quitte l'Espagne et s'installe définitivement en France. En 1950, il y crée, dans les Pyrénées, le Festival de musique de chambre classique de Prades. Casals meurt à Porto Rico.

Œuvres célèbres : *Suite en ré pour violoncelle* (1932) ; *El Cant dels ocells* (1950).

Le jeune Pablo Casals et son violoncelle.

Andrés Segovia, le maître de la guitare espagnole, lors d'un concert à la fin de sa vie.

Sergueï Prokofiev

1891 – 1953

Le compositeur russe Sergueï Prokofiev écrit son premier morceau de piano à l'âge de 5 ans. À 11 ans, il a déjà composé deux opéras. De 1904 à 1914, il fait ses études au Conservatoire de Saint-Pétersbourg. Élève rebelle, Prokofiev compose une musique moderne, ce qui provoquait de fortes critiques chez ses professeurs qui la trouvent laide et discordante. En 1917, il quitte l'Union soviétique, voyage aux États-Unis et s'installe à Paris. Prokofiev a composé des opéras, des symphonies, des ballets, des concertos pour piano et violon, et des musiques de films. Il retourne en Union soviétique en 1936, mais ne sera jamais reconnu par le régime communiste.

Œuvres célèbres : *L'Ange de feu* (1927) ; *Pierre et le loup* (1936).

Andrés Segovia

1893 – 1987

Le guitariste et compositeur espagnol Andrés Segovia est très influencé par la musique de son pays. Il crée donc un grand répertoire de tous genres musicaux pour guitare. Lorsqu'il était enfant, sa famille a tenté de le décourager de jouer de la guitare, sous prétexte que ce n'était pas un instrument sérieux. Il persiste cependant et donne son premier concert à Paris en 1924. En quelques années, il devient célèbre à travers le monde, de grands compositeurs composant spécialement pour lui. Grâce à lui, la guitare acoustique est reconnue comme un instrument classique. Segovia transpose de nombreux chefs-d'œuvre classiques pour la guitare.

Œuvre célèbre : *Étude pour la guitare en mi majeur* (1912).

JOHN PHILIP SOUSA 1854 – 1932

Le compositeur et chef de musique américain John Philip Sousa étudie le trombone avant de rejoindre l'orchestre de la marine américaine en 1867. En 1880, il est chef de musique militaire. Il forme sa propre harmonie en 1892 et acquiert une réputation internationale. Sousa a composé quelque 100 marches, dont *Stars and Stripes Forever* (1896).

CLAUDE DEBUSSY 1862 – 1918

Le compositeur français Claude Debussy entre au Conservatoire à 10 ans. À 18 ans, il a perfectionné ses talents de compositeur et remporté l'un des prix les plus prestigieux du Conservatoire. Ses œuvres, comme *La Mer* (1905), ont ouvert de nouvelles voies à l'expression musicale et ont grandement influencé la musique française.

ARNOLD SCHOENBERG 1874 – 1951

Schoenberg, compositeur autrichien naturalisé américain, apprend à jouer du violon lorsqu'il est enfant, puis continue seul sa formation. Il tente d'exprimer l'émotion pure par des sons et invente un nouveau style de composition connu sous le nom de dodécaphonie. Également très bon peintre, il est l'ami de l'artiste Vassily Kandinsky (p. 163).

Sichini Suzuki

1898 – 1997

Il n'est pas étonnant que Sichini Suzuki soit devenu violoniste: son père était luthier et il a passé son enfance au Japon entouré de ces instruments. Enfant, Suzuki apprend à jouer, puis poursuit ses études en Allemagne. En 1946, il ouvre sa propre école pour y enseigner la méthode Suzuki d'apprentissage du violon, consistant à jouer à l'oreille et non pas en lisant la partition. Cette méthode est pratiquée à travers le monde pour l'enseignement de divers instruments.

Œuvre célèbre: création de la méthode Suzuki pour l'apprentissage du violon.

Sichini Suzuki fait une démonstration de sa méthode à un groupe de jeunes violonistes.

Aaron Copland

1900 – 1990

Né de parents immigrés russes, le compositeur américain Aaron Copland a écrit différents genres de musique – concertos, musiques de film. Il étudie la musique à Paris, en 1921, et regagne les États-Unis trois ans plus tard. En 1925, il donne son premier concerto, *Symphony of organ and orchestra*. Influencé par le jazz et le folklore, Copland devient le premier compositeur de musique américaine. Il écrit plusieurs ballets, dont la plupart traitent de l'histoire des États-Unis, comme *Appalachian Spring* (1944).

Œuvres célèbres: *Billy the Kid* (1938); *Rodeo* (1942); *A Lincoln Portrait* (1942).

◀ Le joueur de sitar indien Ravi Shankar a été élevé par sa mère qui vivait dans le dénuement. Le frère aîné de Ravi, Uday (1900 – 1977), était danseur: il se produisit dans les années 1920 avec la danseuse Anna Pavlova (1881 – 1931) à Londres.

Ravi Shankar

né en 1920

Compositeur reconnu, professeur et joueur de sitar, Ravi Shankar est le plus grand musicien indien; grâce à lui, la musique indienne a été connue en Occident. En 1930, il vit, étudie à Paris et commence à jouer en public à l'âge de 12 ans. Il se fait rapidement connaître en jouant de la musique indienne classique au sitar, et donne son premier récital de soliste en 1939. Parmi ses nombreuses compositions, citons une pièce pour violon et sitar destinée à Yehudi Menuhin (p. 185). Il composera pour lui-même des concertos pour orchestre et de la musique de ballets, ainsi que de la musique de films, dont la bande originale de la trilogie *Apu* de Satyajit Ray (p. 150). Shankar a fait le tour du monde en jouant dans des festivals comme celui de Woodstock (1969). Il a également fondé une école de musique et créé l'Orchestre national indien. Il a enseigné et travaillé avec de nombreux musiciens occidentaux comme Philip Glass (p. 185) et George Harrison (p. 191) qui le surnommait le «parrain de la musique du monde».

Albums célèbres: *East Greets East* (1978); *Tana Mana* (1987); *Passages* (1990).
Musiques de films importantes: *Dharti Ke lal* (1946); *Neecha Nagar* (1946); *Gandhi* (1982).

Evelyn Glennie

née en 1965

L'Écossaise Evelyn Glennie est la seule soliste du monde pour percussions. Devenue sourde à 12 ans, elle apprend seule à ressentir la musique par ses vibrations. Formée à la Royal Academy of Music de Londres, Evelyn Glennie joue toutes sortes de musique – classique, populaire, etc. –, et a remporté de nombreuses récompenses.

Œuvre célèbre: *Sonate pour deux pianos et percussions* (1989).

De nombreux compositeurs célèbres ont écrit pour la percussionniste sourde Evelyn Glennie.

Les enfants prodiges

Yehudi Menuhin 1916 – 1999
Daniel Barenboïm né en 1942
Jacqueline du Pré 1945 – 1987
Nigel Kennedy né en 1956
Vanessa-Mae née en 1978

Dès le plus jeune âge, beaucoup de grands musiciens ont révélé leur don ; ils seront encouragés par leurs parents et leurs professeurs à développer leur talent hors pair.

À 7 ans, **Yehudi Menuhin**, né à New York, révèle ses dons de violoniste en exécutant le *Concerto pour violon* de Mendelssohn en public, à San Francisco. Il devient un violoniste mondialement célèbre. En 1963, il fonde une école de violon pour jeunes musiciens talentueux.

Né en Argentine, le pianiste et chef d'orchestre israélien **Daniel Barenboïm** se produit en public à l'âge de 7 ans. Il devient un grand chef d'orchestre et épouse la violoncelliste anglaise **Jacqueline du Pré**, en 1967. Les parents de celle-ci lui avaient offert son premier violoncelle à l'âge de 5 ans. Elle donne son premier concert à 16 ans et devient rapidement la plus grande violoncelliste du monde. Malheureusement, elle meurt à 42 ans de sclérose en plaques. Le violoniste anglais **Nigel Kennedy** a étudié à l'école de Yehudi Menuhin et débute comme soliste au Royal Festival Hall de Londres, en 1977. Il est l'un des grands violonistes internationaux.

Vanessa-Mae, née à Singapour, est aussi une enfant prodige. À 10 ans, elle est la plus jeune violoniste de tous les temps ; elle joue en soliste les concertos pour violon de Bach et de Mozart avec le Royal Philarmonic Orchestra d'Angleterre.

Le jeune Yehudi Menuhin jouant du violon.

◀ À 8 ans, Vanessa-Mae part pour la Chine où elle apprend à jouer du violon au Conservatoire central de Pékin. À 12 ans, elle avait déjà enregistré trois albums.

DIMITRI CHOSTAKOVITCH 1906 – 1975

Le compositeur russe Dimitri Chostakovitch étudie la musique au Conservatoire de Saint-Pétersbourg. Lorsqu'il donne sa *Première Symphonie* en public pour la première fois en 1926, il connaît une immédiate notoriété mondiale. Il a composé 15 symphonies et de nombreux concertos, ballets et opéras. Chostakovitch tombait souvent en disgrâce, car les dirigeants communistes n'appréciaient pas sa musique expérimentale, comme celle de son opéra *Le Nez* (1927 – 1928).

JOHN CAGE 1912 – 1992

Le compositeur américain d'avant-garde John Cage est connu pour sa curieuse musique expérimentale. Il a été l'élève des compositeurs Henry Cowell (1897 – 1965) et Arnold Schoenberg (p. 183) et s'intéresse particulièrement aux percussions et au rythme. Cage invente de nouveaux sons musicaux et compose en 1952 une pièce de musique totalement silencieuse ! Il crée le « piano préparé », en plaçant des objets à l'intérieur de l'instrument pour en modifier le son.

KARLHEINZ STOCKHAUSEN né en 1928

En 1951, le compositeur allemand d'avant-garde Karlheinz Stockhausen s'installe à Paris où il passe deux ans à travailler avec un groupe de musiciens théoriciens de la « musique concrète ». En 1954, il fréquente l'université de Bonn où il étudie l'acoustique, la composition et les sons. Il travaille également sur les bruits électroniques, et certains de ses travaux comme *Kontakte* (1959 – 1960) opposent les instruments de musique traditionnels aux sons électroniques.

PHILIP GLASS né en 1937

Le compositeur américain Philip Glass est l'élève de la musicienne française Nadia Boulanger (1887 – 1979) à Paris, où il séjourne de 1964 à 1966. Après avoir travaillé avec Ravi Shankar (p. 184), Glass est très influencé par la musique orientale. Il a composé de la musique pour ballets, films, opéras et pièces de théâtre (*Einstein on the Beach* en 1976 et *Satyagraha* en 1980).

L'OPÉRA

Claudio Monteverdi

1567 – 1643

Le compositeur italien Claudio Monteverdi débute sa carrière de musicien comme violoniste et enfant de chœur. À 15 ans, il a déjà publié ses premières créations. En 1607, il compose l'un des premiers grands opéras, *Orfeo*. En 1613, il est nommé maître de chapelle à Saint-Marc de Venise, poste qu'il occupera jusqu'à sa mort. Il continue à composer de la musique sacrée, mais il est surtout connu pour ses opéras. Ceux-ci ont développé l'expression dramatique de l'opéra à ses débuts.

Œuvres célèbres: *Orfeo* (1607); *Le Retour d'Ulysse dans sa patrie* (1640); Le *Couronnement de Popée* (1642).

Richard Wagner

1813 – 1883

Les premières œuvres du compositeur allemand Richard Wagner ne sont guère populaires. D'abord chef d'orchestre à Riga, il part pour Paris où il effectue toutes sortes d'activités, y compris celle de journaliste. La représentation de son opéra *Rienzi* à Dresde en 1842 lance sa carrière. En raison de ses idées révolutionnaires, il doit s'exiler en France et en Suisse entre 1848 et 1861. En 1876, il ouvre un théâtre à Bayreuth où il fait jouer sa *Tétralogie*, opéras traitant de mythes et de légendes germaniques.

Œuvres célèbres: *Lohengrin* (1850); *Tristan et Isolde* (1865); *La Tétralogie* (1876).

Giuseppe Verdi

1813 – 1901

L'Italien Verdi fait ses débuts musicaux dans l'église du Roncole, son village natal. Son éducation est prise en charge par des musiciens locaux qui l'envoient étudier à Milan. Malheureusement, en 1832, son admission est refusée au Conservatoire et il devra continuer sa formation en privé. Après la représentation de son premier grand opéra, *Nabucco* (1842), Verdi est sollicité par les plus grands théâtres d'Italie. Beaucoup de ses opéras s'inspirent des pièces de Shakespeare (p. 120); *Aïda* sera spécialement écrit pour l'ouverture du nouvel Opéra du Caire, en 1871.

Œuvres célèbres: *Rigoletto* 1851; *La Traviata* 1853; *Falstaff* 1893.

Nellie Melba

1861 – 1939

Nellie Melba, de son vrai nom Helen Mitchell, est née à Melbourne, en Australie. Ses parents, musiciens, lui font donner des leçons de chant dans sa jeunesse. Cependant, elle ne se lance vraiment dans une carrière de chanteuse qu'en 1882. Elle suit des études à Paris, et prend le nom de Melba, en hommage à Melbourne, sa ville natale. Elle se produit pour la première fois à Bruxelles, en 1887, dans le rôle de Gilda de *Rigoletto* de Verdi. Melba est la prima donna de Covent Garden à Londres, et chante dans le monde entier. Sa voix, très pure, est d'une virtuosité remarquable; elle a tenu les premiers rôles dans La *Bohême* et *Aïda*. Elle a également fait les premiers enregistrements de gramophone et a chanté pendant très longtemps avec le ténor italien Caruso (p. 187).

Rôles célèbres: *Rigoletto* en 1886; *Roméo et Juliette* (1889); *La Bohême* (1923).

Nellie Melba se produit souvent à Covent Garden, à Londres. Elle y chante pour la dernière fois en 1926.

Nellie Melba 1906

HENRY PURCELL 1659 – 1695
À 20 ans, le compositeur anglais Henry Purcell devient l'organiste de l'abbaye de Westminster à Londres. Il écrit de la musique pour le couronnement des rois Jacques II (1633 – 1701) et Guillaume III (p. 17). Il ne compose qu'un seul opéra, *Dido and Aeneas* (1689). Il écrit de la musique sacrée et de la musique de scène pour *King Arthur* (1691) et *The Fairy Queen* (1692).

GEORGES BIZET 1838 – 1875
Le pianiste et compositeur Georges Bizet entre au Conservatoire de Paris à l'âge de 9 ans. En 1857, il remporte le grand prix de Rome pour son mini-opéra *Le Docteur Miracle*. Bizet est surtout célèbre pour son opéra *Carmen* qu'il joue pour la première fois à Paris, sa ville natale, en 1875. Cet opéra est toujours très populaire aujourd'hui.

GIACOMO PUCCINI 1858 – 1924
Le compositeur italien Puccini obtient une bourse en 1880 pour étudier la musique au Conservatoire de Milan. Son premier grand succès est son opéra *Manon Lescaut* (1893), mais il est surtout connu pour ses chefs-d'œuvre *La Bohême* (1896), *Tosca* (1900), *Madame Butterfly* (1904) et *Turandot*, achevé par un autre compositeur après sa mort.

Richard Strauss

1864 – 1949

Le compositeur allemand Richard Strauss fait des études musicales à Berlin et devient chef d'orchestre à Bayreuth. Il écrit de nombreux poèmes symphoniques dont *Ainsi parlait Zarathoustra* (1895 – 1896). Son premier opéra, *Guntram*, est monté en 1894, mais d'autres opéras, comme *Salomé* et *Elektra*, choquent le public par leur violence. Par la suite, Strauss compose des opéras plus traditionnels comme *Le Chevalier à la rose*.

Œuvres célèbres : *Salomé* (1905) ; *Elektra* (1909) ; *Le Chevalier à la rose* (1911) ; *La Femme sans ombre* (1919).

Benjamin Britten

1913 – 1976

Le compositeur anglais Benjamin Britten obtient une bourse pour étudier au Royal College of Music de Londres, en 1930. Son premier opéra à succès, et sans doute le plus célèbre, est *Peter Grimes*. Britten adapte de nombreuses œuvres de la littérature anglaise à l'opéra. Citons parmi ses célèbres œuvres orchestrales, *The Young Person's Guide to the Orchestra* (1946) et *War Requiem* (1962).

Œuvres célèbres : *Peter Grimes* (1945) ; *Billy Bud* (1951) ; *Noyes Fludde* (1958) ; *Mort à Venise* (1973).

Grands Ténors

Enrico Caruso 1873 – 1921
Luciano Pavarotti né en 1935
Placido Domingo né en 1941
José Carreras né en 1946

Le ténor italien **Enrico Caruso** a chanté pour la première fois dans l'opéra *L'Amico Francesco* à Naples en 1894. À 25 ans, il devient célèbre après son apparition dans *Fedora* à Milan (1898). Il chante dans plus de 40 opéras et enregistre les tout premiers disques.

Luciano Pavarotti, également Italien, débute en 1961 avec le rôle de Rodolphe dans *La Bohême* qui restera sa prestation préférée. En 1990, il enregistre l'aria *Nessun Dorma* pour la Coupe du monde de football. La personnalité médiatique de Pavarotti a beaucoup contribué à rendre l'opéra plus populaire.

L'Espagnol **Placido Domingo** a suivi des études musicales à Mexico. En 1960, il tient pour la première fois le rôle d'Alfredo dans *La Traviata*. Il a chanté presque tous les grands opéras du monde et a fondé l'Opéra de Los Angeles en 1986.

José Carreras, autre ténor espagnol, a commencé à chanter à l'âge de 6 ans ; il commence des études musicales deux ans plus tard. À 18 ans, il est ténor et, en 1974, il débute sur la scène mondiale, à Londres et à New York.

Les « Trois Ténors » Pavarotti, Domingo et Carreras ont chanté ensemble plusieurs fois ; leur premier concert s'est tenu à Rome en 1990, un des grands moments de l'opéra au XXe siècle.

Domingo, Carreras et Pavarotti lors d'un concert commun.

MARIAN ANDERSON 1902 – 1993
La mezzo-soprano afro-américaine Marian Anderson a commencé, enfant, par chanter dans le chœur de son église baptiste. Les membres de la congrégation organisaient leurs propres cours. Elle est la première cantatrice de couleur à se produire sur la scène du Metropolitan Opera de New York dans le rôle d'Ulrica d'*Un bal masqué* de Verdi.

MARIA CALLAS 1923 – 1977
La soprano grecque Maria Callas quitte les États-Unis, où elle est née, à 14 ans pour suivre des études à Athènes. Elle y apprend le bel canto italien. Après ses débuts dans *La Gioconda* en Italie en 1947, Callas chante tous les grands opéras dans le monde entier. Sa dernière apparition a lieu au Metropolitan Opera de New York dans *Tosca*, en 1965.

KIRI TE KANAWA NÉE EN 1944
La soprano néo-zélandaise Kiri Te Kanawa s'installe en 1965 à Londres pour y étudier le chant. Ses débuts au Royal Opera de Covent Garden, en 1971, sont suivis par de grands rôles dans le monde entier. Elle connaît la célébrité avec sa prestation de *Let the Bright Seraphim* au mariage du prince et de la princesse de Galles, en 1981.

LA MUSIQUE POPULAIRE

Les comédies musicales

► Richard Rodgers et Oscar Hammerstein II ont écrit de nombreuses comédies musicales dont *Oklahoma* (1943), *South Pacific* (1949) et *The King and I* (1951).

Une des premières comédies musicales est née de l'association, longue de 18 ans, de deux Anglais, **William Gilbert** (1836 – 1911) et **Arthur Sullivan** (1842 – 1900). Gilbert, employé du gouvernement, profitait de son temps libre pour écrire des vers comiques pour des magazines. Avant de connaître Sullivan, en 1871, il écrivait des pièces, des récits burlesques et des comédies. Sullivan, lui, a suivi des études de musique classique, mais il est surtout connu pour les 14 opéras-comiques écrits avec Gilbert. Certains sont toujours populaires, tels *HMS Pinaflore* (1878) et The *Pirate of Penzance* (1880).

En 1928, le compositeur américain **Jérôme Kern** (1885 – 1945) se joignit à l'auteur lyrique **Oscar Hammerstein II** (1895 – 1960) pour créer une des comédies musicales les plus populaires de Broadway, *Showboat*. Un des plus remarquables duos de la comédie musicale fut formé par le compositeur américain **Richard Rogers** (1902 – 1979) et **Hammerstein**. Beaucoup de leurs succès, dont *The Sound of Music* (1959), sont devenus des films célèbres.

Le compositeur new-yorkais **George Gerschwin** (1898 – 1937) est bien connu pour les comédies musicales qu'il écrivit avec son frère **Ira** (1896 – 1983), dont *Porgy and Bess*, considéré comme leur plus belle œuvre avec la chanson *Summertime*.

West Side Story (1957) est sans doute la comédie musicale la plus célèbre et la plus populaire de tous les temps. Cette version moderne de *Roméo et Juliette* de Shakespeare (p. 120) a été écrite par deux Américains, le compositeur et chef d'orchestre classique **Leonard Bernstein** (1918 – 1990) et le compositeur lyrique **Stephen Sondheim** (né en 1930).

Plus récemment, l'auteur lyrique **Tim Rice** (né en 1944) et le compositeur **Andrew Lloyd-Webber** (né en 1944) ont aussi produit quelques-unes des meilleures comédies musicales du West End à Londres et de Broadway à New York. Depuis 1965, ils ont produit des opéras rock, *Joseph and the Amazing Technicolor Dreamcoat* (1968), *Jesus-Christ Superstar* (1971) et *Evita* (1978).

► *Starlight Express*, écrit par Andrew Lloyd-Webber et Richard Stilgoe (né en 1943) est représenté pour la première fois en 1984 à l'Apollo Theatre de Londres.

AL JOLSON 1886-1950

L'acteur et chanteur américain Al Jolson débute sa carrière dans le premier film parlant jamais tourné, *Le Chanteur de jazz* (1927). De son vrai nom Yasa Yoelson, il émigre de Russie avec sa famille en 1893. En 1911, Jolson fait ses débuts à Broadway où il est considéré comme « le plus grand chansonnier du monde » avec des chansons comme *Mammy* et *Sonny Boy*.

COLE PORTER 1891 – 1961

Le compositeur américain Cole Porter suit des cours de droit et écrit des revues pour le théâtre de son université ; il étudie la musique à Paris à la fin des années 1920. Ses comédies musicales, comme *The Gay Divorcée*, sont très bien accueillies, mais son plus grand succès reste la comédie musicale *Kiss Me Kate* (1948). Il écrit aussi des chansons populaires comme *Every Time We Say Goodbye* (1944).

PAUL ROBESON 1898 – 1976

Chanteur et acteur, l'Afro-Américain Paul Robeson monte sur scène en 1922. Son rôle le plus célèbre est *Othello* de Shakespeare (p. 120), en 1930. Robeson a fait de nombreuses tournées, chantant des negro spirituals dans le monde entier. En 1936, il enthousiasme son public avec sa version de *Old Man River* dans la comédie musicale *Showboat*.

Irving Berlin

1888 – 1989

Né en Russie sous le nom d'Israël Baline, l'auteur de chansons américain Irving Berlin émigre aux États-Unis en 1893. Son premier succès international est *Alexander's Ragtime Band* (1911). Berlin a écrit plus de 1 000 chansons pour des revues, des films et des comédies musicales. Il se retire en 1962.

Comédies musicales célèbres: *Top Hat* (1933); *Get Your Gun* (1946); *Easter Parade* (1948). Chansons célèbres: *God Bless America* (1939); *White Christmas* (1954).

Edith Piaf

1915 – 1963

La Française Édith Gassion, dite Édith Piaf est découverte en train de chanter dans les rues de Paris par un propriétaire de night-club en 1935. Il l'appelle Môme Piaf, car il trouve qu'elle ressemble à un moineau, un «piaf» en argot. Sa voix a charmé les publics du monde entier; elle a aussi interprété des rôles au théâtre et au cinéma.

Chanson célèbre: *Non, je ne regrette rien* (1960).

Frank Sinatra

1915 – 1998

Frank Sinatra, né dans le New Jersey, est un des chanteurs les plus populaires des États-Unis. Jeune séducteur, il se produit à guichets fermés. Il a aussi tourné de nombreux films dont *Escale à Hollywood* (1945). Des rumeurs de liens avec la mafia freinent sa carrière dans les années 1940 et au début des années 1950, jusqu'à ce qu'il remporte l'oscar du meilleur second rôle dans le film *Tant qu'il y aura des hommes* (1953). De grands rôles au cinéma suivent rapidement, puis la carrière de chanteur de Sinatra connaît de nouveau un ralentissement. Pendant les deux décennies qui suivirent, on peut citer *Ole Blue Eyes*, l'enregistrement d'albums de swing classique et de nombreux singles à succès, comme *My Way*. Sinatra monte pour la dernière fois sur scène en 1995, lors de la célébration de son 80e anniversaire, pour y chanter *New York New York*.

Films célèbres: *L'Homme au bras d'or* (1956); *Haute Société* (1956); *Un crime dans la tête* (1962). Albums célèbres: *Song for Swinggin'Lovers* (1956); *Come Fly With Me* (1959). Chansons célèbres: *Strangers in the Night* (1966); *My Way* (1969).

◄ Au cours de sa carrière d'acteur et de chanteur, Frank Sinatra a vendu des millions de disques; il a reçu neuf Grammy Awards et deux oscars et a tourné environ 60 films.

Chuck Berry

né en 1926

Le guitariste et chanteur américain Chuck Berry a connu une jeunesse difficile; il a été incarcéré pour vol à main armée avant de débuter une carrière de chanteur en 1955. Sa musique, fondée sur le blues, présente un riff d'ouverture de quatre mesures caractéristique, motif souvent imité mais jamais égalé. Sa musique a influencé le travail d'artistes comme les Rolling Stones (p. 191).

Chansons célèbres: *Maybellene* (1955); *Roll Over Beethoven* (1956).

BILL HALEY 1925 – 1981
L'Américain Bill Haley commence par jouer de la country dans des groupes, mais c'est avec son propre ensemble, The Comets, qu'il connaît la notoriété. Il compose et enregistre les premiers succès vocaux du rock'n roll, notamment *Rock Around the Clock* et *Shake, Rattle and Rock* (1954). Il est la première star du rock'n roll et vend un million de disques.

LITTLE RICHARD né en 1935
Le pianiste et chanteur de rock Little Richard chantait enfant dans la chorale de son église. À 14 ans, il joue dans un vaudeville. En 1952, il réalise son premier enregistrement et obtient, en 1955, son premier grand succès avec *Tutti Frutti*. Son jeu sur scène est tout à fait inhabituel: il lui arrive de jouer du piano avec les pieds.

LUC PLAMONDON né en 1942
Dépeignant le quotidien avec une admirable justesse, le parolier québécois se fait le porte-parole de son époque. Son opéra-rock *Starmania* (1979) et son spectacle musical *Notre-Dame de Paris* (1999) connaissent un succès fracassant à travers le monde. Il est le premier Québécois à être intronisé au Canadian Music Hall of Fame, en 1999.

Elvis Presley

1935 – 1977

Né à Tupelo, dans le Mississippi, Elvis Presley est le plus grand chanteur de rock du monde.

Il est découvert en 1953 par la maison de disques Sun Records qui, plus tard, vendra ses droits à RCA. Dès 1955, sa carrière est dirigée par Tom Parker (1909 – 1997) qui restera son manager jusqu'à sa disparition, en 1977. Subtil mélange de gospel, de country et de rythm and blues, la musique de Presley attire un jeune public énorme, alors que les États-Unis émergent de la période noire de la Seconde Guerre mondiale. Son premier succès, *Heartbreak Hotel*, atteint rapidement le sommet du hit-parade et est suivi de beaucoup d'autres, dont *Hound Dog* (1956), *Jailhouse Rock* (1958) et *King Creole* (1958). Presley, par sa voix, sa présence sur scène mais aussi par son talent de danseur avec un jeu de hanches inimitable, fascine les foules. Entre 1958 et 1960, Presley est incorporé dans l'armée américaine en Allemagne, mais sa société de disques continue à sortir ses chansons. Pendant la plus grande partie des années 1960, Presley s'intéresse au cinéma, apparaissant chaque année dans deux ou trois films où il chante et danse. En 1968, il se produit avec un succès sans précédent dans un night-club de Las Vegas. Il meurt en 1977 d'une crise cardiaque provoquée par des excès en tous genres. Sa maison de Memphis, Graceland, devient alors un véritable sanctuaire pour ses millions de fans du monde entier.

Chansons célèbres : *Heartbreak Hotel* (1956) ; *Blue Suede Shoes* (1956) ; *Love Me Tender* (1956) ; *All Shook Up* (1957) ; *His Latest Flame* (1961) ; *Return to Sender* (1962) ; *Suspicious Minds* (1969).

Elvis Presley est surnommé le « King ». Durant sa carrière, il a enregistré 94 succès en solo, 40 en albums et a joué dans 27 films.

Buddy Holly

1936 – 1959

L'auteur-interprète américain Buddy Holly est l'un des précurseurs du rock'n roll. Avec son orchestre d'accompagnement, The Crickets, il combine les styles du rythm and blues, de la country et de la musique mexicaine. *That'll Be the Day* est son premier succès, en 1957. Holly meurt dans un accident d'avion.

Chansons célèbres : *Peggy Sue* (1957) ; *Oh Boy* (1957) ; *Rave On* (1958) ; *Heartbeat* (1958).

Johnny Hallyday

né en 1943

Le Français Jean-Philippe Smet est plus connu sous son pseudonyme de Johnny Hallyday. Il débute sa carrière par des ballades comme *L'Idole des jeunes* en 1962. Son image de rebelle, son amour des motos Harley-Davidson et des femmes n'entravent en rien son statut de grand rocker national.

Chansons célèbres : *Pour moi la vie va commencer* (1963), *le Pénitencier* (1964), *Que je t'aime* (1969).

Bob Dylan

né en 1941

Né Robert Zimmerman, Bob est considéré comme un des plus influents auteurs compositeurs de la fin du XXe siècle. Il devient célèbre vers 1960 avec des chansons contestataires comme A Hard Rain's A-Gonna Fall (1963). En 1965, il s'associe avec The Band et produit des chansons de folk-rock comme Like a Rolling Stone.

Chansons célèbres : *Blowin'in the Wind* (1963) ; *Mr. Tambourine Man* (1965).

YVES MONTAND 1921 – 1991

Grande vedette populaire française, Yves Montand, né Ivo Livi, est un artiste complet. Son interprétation de chansons comme *Les Feuilles mortes*, *À bicyclette*, ou *Les Roses de Picardie* reste inoubliable. Parallèlement à sa carrière de chanteur, il a tourné plus de 50 films, parmi lesquels *Le Milliardaire* (1960) avec *Marilyn Monroe*, *Jean de Florette* et *Manon des Sources* (1986). Il meurt d'un infarctus en 1991.

JOHN WILLIAMS NÉ EN 1932

Le compositeur américain John Williams débute comme pianiste, puis se tourne vers la composition musicale pour la télévision et le cinéma. En 1971, il reçoit un oscar pour la musique du film *Un violon sur le toit*. Depuis 1974, Williams a écrit la musique de la plupart des films de Steven Spielberg (p. 152) dont *Les Dents de la mer*, *La Guerre des étoiles*, *E.T.* et *La Liste de Schindler*.

Les Beatles

John Lennon 1940 – 1980
Ringo Starr né en 1940
Paul McCartney né en 1942
George Harrison 1943 – 2001

En 1960, quatre jeunes musiciens de Liverpool, John Lennon, Paul McCartney, George Harrison et Pete Best (né en 1941) forment un groupe appelé The Beatles.

Pete Best est remplacé à la batterie par Ringo Starr. Le groupe commence par jouer dans des clubs à Liverpool et à Hambourg, en Allemagne. À partir de 1962, leur popularité ne cesse de croître en Angleterre, notamment à la suite du succès obtenu par *Love me Do* et *She Loves You*. Le phénomène connu sous le nom de Beatlemania apparaît lors de leur premier voyage aux États-Unis, en 1964. Ils attirent un public immense dont les acclamations vont même jusqu'à les empêcher de s'entendre jouer. Les Beatles interprètent également plusieurs films et leur musique devient de plus en plus accomplie, les deux principaux auteurs-compositeurs, Lennon et McCartney prouvant qu'ils peuvent écrire dans une très large gamme de styles. En 1967, le groupe est attiré par le mysticisme indien et par la drogue; il produit l'album révolutionnaire *Sergeant Pepper's Lonely Hearts Club Band*. Les Beatles se séparent en 1969, chacun des membres du groupe poursuivant avec succès une carrière en solo. Lennon est assassiné par un déséquilibré en 1980, et Harrison meurt d'un cancer en 2001.

Albums célèbres: *Rubber Soul* (1965); *Sergeant Pepper's Lonely Hearts Club Band* (1967); *The Beatles* (« *The White Album* »), (1968); *Abbey Road* (1969). Films célèbres: *Quatre Garçons dans le vent* (1964); *Au secours* (1965).

Jimi Hendrix

1942 – 1970

Le guitariste et chanteur américain Jimi Hendrix a joué avec plusieurs groupes aux États-Unis. En 1966, il s'installe en Angleterre où il crée sa propre formation, The Jimi Hendrix Experience. Il est un interprète remarquable, jouant même de la guitare avec ses dents ou derrière sa tête. Considéré comme l'un des plus importants musiciens de rock, Hendrix meurt à la suite d'une overdose.

Chansons célèbres: *Purple Haze* (1967); *Hey Joe* (1967); *Voodoo Chile* (1968).

Mick Jagger

né en 1943

Auteur et musicien de rock, l'Anglais Mick Jagger est le chanteur animateur énergique des Rolling Stones, groupe qu'il a fondé en 1961 avec Keith Richards (né en 1943). Bill Wyman (né en 1936), Charlie Watts (né en 1941) et Brian Jones (1942 – 1969) faisaient initialement partie du groupe. Leurs premières compositions sont inspirées par le blues, la soul et la country.

Chansons célèbres: *Satisfaction* (1965); *Jumpin'Jack Flash* (1968); *Brown Sugar* (1973).

JAMES BROWN né en 1933
Le chanteur afro-américain James Brown mélange le gospel, le blues et le rythm and blues pour composer des chansons inoubliables. Au milieu des années 1960, des titres comme *Papa's Got a New Bag* (1965) lui procurent le surnom de « Soul Brother N° 1 ». Brown a signé plus de 100 chansons à succès aux États-Unis et a influencé le hip-hop, le rap et le jazz contemporain.

JERRY LEE LEWIS né en 1935
Issu d'une famille blanche pauvre de Louisiane, Lewis se met à jouer du piano à l'âge de 9 ans. Sa frénésie sur scène et des chansons comme *Whole Lotta Shakin* et *Great Balls of Fire* l'ont situé comme l'un des plus originaux interprètes du rock'n roll. La carrière musicale de Lewis s'effondre après son mariage avec sa cousine de 13 ans, en 1958.

BOB MARLEY 1945 – 1981
Né à la Jamaïque, guitariste et chanteur de reggae, Bob Marley crée son groupe, The Wailers, en 1965. Avec des thèmes farouchement politiques, sociaux et religieux, Marley obtient un succès international aussi bien auprès des Blancs que des Noirs. *No Woman, No Cry* et *I Shott the Sheriff* sont ses chansons les plus célèbres. Il meurt d'un cancer en 1981.

Elton John

né en 1947

Auteur de chansons et pianiste virtuose, l'Anglais Elton John est né sous le nom de Reginald Dwight. Dès l'âge de 4 ans, il est très doué au piano ; à 11 ans, il obtient une bourse pour la British Royal Academy of Music. En 1967, il s'associe avec le parolier Bernie Taupin (né en 1950), formant un duo d'auteurs de chansons très célèbre dans les années 1970. Sa réécriture de *Candle in the Wind* pour les obsèques de la princesse Diana (p. 236) en 1997 aboutit à des ventes phénoménales, encore jamais atteintes pour un single.

Chansons célèbres : *Your Song* (1970) ; *Rocket Man* (1972) ; *Candle in the Wind* (1974).

ABBA

Björn Ulvaeus né en 1945
Anni-Frid Lyngstad née en 1945
Benny Andersson né en 1946
Agnetha Fältskog née en 1950

ABBA est le premier groupe suédois à remporter le grand prix de l'Eurovision en 1974, avec la chanson *Waterloo*. Ulvaeus et Andersson se rencontrent d'abord à Stockholm puis, avec leurs amies Anni-Frid et Agnetha, ils forment ABBA en 1972. Après leur victoire à l'Eurovision, ils connaissent de nombreux autres succès internationaux. Les deux couples se marient puis divorcent. Malgré la disparition de leur groupe en 1982, leur musique reste toujours très populaire. Andersson et Ulvaeus ont écrit la comédie musicale *Chess* (1984) pour Tom Rice (p. 188).

Chansons célèbres : *SOS* (1975) ; *Mamma Mia* (1975) ; *Dancing Queen* (1975) ; *Voulez-Vous* (1979) ; *Super Trouper* (1980).

Freddie Mercury

1946 – 1992

Le chanteur britannique Freddie Mercury, de son vrai nom Frederick Bulsara, est né sur l'île de Zanzibar et a grandi en Inde. En 1963, il s'installe en Angleterre où il étudie le design à l'Ealing College of Art. Après avoir joué avec plusieurs groupes, il forme Queen en 1971, avec Brian May (né en 1947), Roger Taylor (né en 1949) et John Deacon (né en 1951). *Killer Queen* (1974) est leur premier succès mais *Bohemian Rhapsody* sera leur titre le plus célèbre. La présence charismatique de Mercury au concert de Live Aid, en 1985, a dominé le spectacle. Il enregistre aussi un album, *Barcelona* (1988), avec la soprano espagnole Monserrat Caballé (née en 1933). Mercury meurt des suites du sida.

Chansons célèbres : *Bohemian Rhapsody* (1975) ; *We Are the Champions* (1977).

Freddie Mercury sur scène avec le groupe Queen.

PAUL SIMON né en 1942
En 1957, l'auteur-compositeur américain Paul Simon fait équipe avec Art Garfunkel (né en 1941). Leur premier grand succès est *The Sound of Silence* (1965) et c'est à leur brillante association que l'on doit les chansons du film *Le Lauréat* (1968). Simon, se produisant en solo, obtient un énorme succès avec son album antiapartheid, *Graceland* (1986).

BRIAN WILSON né en 1942
Avec d'autres membres de sa famille, l'interprète compositeur américain Brian Wilson forme en 1961 le groupe californien The Beach Boys. Ils connaissent un immense succès dans les années 1960, notamment avec *Surfin* (1962) et *Good Vibrations* (1966). La plus grande composition de Wilson est l'album créatif et très acclamé *Pet Sounds* (1966).

David Bowie

né en 1947

Né David Jones à Londres, David Bowie s'intéresse au jazz dès l'adolescence et apprend à jouer du saxophone. Après avoir obtenu ses diplômes d'art, il monte un orchestre. Son premier succès est *Space Oddity* (1969), succès qui sera suivi de beaucoup d'autres, autant en Grande-Bretagne qu'aux États-Unis. Durant les années 1970, sa carrière s'accélère. Il transforme sa personnalité et se déguise pour incarner le personnage de science-fiction *Ziggy Stardust*. Bowie a tourné aussi dans plusieurs films, dont *L'Homme qui venait d'ailleurs* (1976), *Furyo* (1983) et *La Dernière Tentation du Christ* (1990).

Albums célèbres: *The Rise and Fall of Ziggy Stardust and the Spiders from Mars* (1972); *Diamond Dogs* (1974).

David Bowie, habillé en *Ziggy Stardust*, lors d'une représentation à Londres en 1972.

Michael Jackson

né en 1958

Le chanteur et danseur américain Michael Jackson commence à se produire sur scène dès l'âge de 4 ans. En 1965, avec ses quatre frères, il fait partie des Jackson Five. Au cours des années 1969-1971, le groupe obtient quatre fois la première place au hit-parade avec, notamment, *I'll Be There*. Jackson entame une carrière en solo en 1972 puis, en 1979, sort son premier album seul, *Off the Wall*. C'est un énorme succès qui sera rapidement suivi par l'album *Thriller* qui bat tous les records de vente: 38 millions d'exemplaires vendus à travers le monde. Jackson vit aujourd'hui en reclus.

Albums célèbres: *Off the Wall* (1979); *Thriller* (1982); *Bad* (1987); *Dangerous* (1991); *Invincible* (2001).

Carlos Santana

né en 1947

Né à Mexico, le guitariste de rock Carlos Santana apprend d'abord la musique mexicaine traditionnelle avec son père, lui-même musicien. Le jeune Santana, qui apprécie aussi le rock'n roll, accompagne souvent ses guitaristes favoris à la radio. Il s'installe à San Francisco où il fonde le groupe Santana Blues Band en 1966. En 1969, Santana joue au festival de Woodstock et son mélange de blues et de musique latino rencontre un succès immédiat. En single, on peut citer *Evil Ways* (1969) et *Black Magic Woman* (1970). L'album *Supernatural* remporte neuf Grammy Awards en 2000.

Albums célèbres: *Santana* (1969); *Abraxas* (1970); *Caravanserai* (1972).

Madonna

née en 1958

Née au Michigan d'une mère québécoise, la chanteuse et actrice américaine Madonna Louise Ciccone a étudié la danse à l'université du Michigan. En 1979, elle s'installe à New York où elle forme le groupe Breakfast Club puis, un an plus tard, le groupe Emmy. Madonna atteint la première place du hit-parade en 1984, avec *Like a Virgin*. Elle cumule les succès, et les ventes de ses albums dépassent 100 millions d'exemplaires à travers le monde. Elle a également tourné dans plusieurs films, dont *Recherche Suzanne désespérément* (1985) et *Evita* (1996).

Albums célèbres: *Like a Virgin* (1984); *You Can Dance* (1987); *Like a Prayer* (1989); *Ray of Light* (1998); *Music* (2000); *Confessions on a Dance Floor* (2005).

Madonna dans un costume de scène.

ERIC CLAPTON né en 1945
Alors qu'il étudie l'art, le guitariste virtuose Eric Clapton aime beaucoup le blues américain, genre qu'il pratiquera avec le rock. Sa carrière commence en 1960 avec les Yardbirds et les Bluesbreakers de John Mayall. En 1966, Clapton forme le groupe Cream. *Tears in Heaven*, qui lui a apporté un Grammy Award, a été écrit après la mort de son fils.

STEVIE WONDER né en 1950
Le chanteur de soul américain Stevie Wonder, aveugle de naissance, montre des dispositions exceptionnelles pour chanter et jouer du piano. Son premier disque, *Little Stevie Wonder: the 12 Year-Old Genius*, obtient un succès immédiat en 1962. Son album le plus connu est *Song In The Key of Life* (1976). Il a joué *Ebony and Ivory* avec Paul McCartney (p. 191) en 1992.

GARTH BROOKS né en 1962
Le premier album du chanteur américain de country Garth Brooks, *Garth Brooks*, a été enregistré en 1988. En 1991, *Ropin'the Wind* est le premier album de musique country à entrer dans la liste officielle des succès de ce style de musique et à devenir numéro 1 au hit-parade. Depuis, plus de 60 millions de ses albums ont été vendus.

Whitney Houston

née en 1963

À l'âge de 11 ans, l'Américaine Whitney Houston, chanteuse populaire de soul, interprète déjà des gospels avec le chœur de son église baptiste locale. En 1985, son album *Whitney Houston* obtient un succès immédiat, et trois des singles qui en sont extraits, dont *Saving All My Love For You*, deviennent n° 1 au hit-parade américain. Son nouvel album, *Whitney* (1987) rencontre un énorme succès et elle devient la première artiste à obtenir sept fois d'affilée la première place au hit-parade. Elle a aussi tourné dans quelques films, dont *Bodyguard* avec Kevin Costner (né en 1955).

Chansons célèbres: *The Greatest Love of All* (1986); *Where Do Broken Hearts Go* (1988); *One Moment in Time* (1988); *I Will Always Love You* (1992); *I'm Every Woman* (1993).

Robbie Williams en concert à Birmingham, en 2000.

Robbie Williams

né en 1974

Chanteur anglais populaire, Robbie Williams commence sa carrière comme chanteur d'un groupe de jeunes musiciens, Take That. Après une série de sept succès en solo dans les années 1990, il quitte le groupe en 1995 pour poursuivre une brillante carrière personnelle. Ses talents multiples et son humour sur scène ont su conquérir le public. Parmi ses chansons les plus connues, on trouve *Angels*, *Let Me Entertain You*, *Millenium* et *Rock DJ*.

Albums célèbres: *Life thru a Lens* (1997); *Sing When You're Winning* (2000); *Escapology* (2002); *Intensive Care* (2005).

Kylie Minogue

née en 1968

Actrice et chanteuse, Kylie Minogue apparaît pour la première fois en 1986 dans le feuilleton australien *Neighbours*. Sa carrière de chanteuse prend son essor quand elle interprète en solo *I Should Be So Lucky* en 1987. L'année suivante, elle obtient un deuxième succès avec Jason Donovan (né en 1968) pour la chanson *Especially For You*. La consécration arrive en 1999 avec son disco *Spinning Around*. Kylie a interprété en duo avec Robbie Williams (ci-dessus) *Kids* en 2000.

Chansons célèbres: *I Should Be So Lucky* (1988); *Can't Get You Of My Head* (2001).

Britney Spears

née en 1981

Dès l'âge de 8 ans, la chanteuse pop américaine Britney Spears passe une audition pour le Mickey Mouse Club de Disney Channel; elle est trop jeune et doit retourner à l'école. Pendant ses vacances d'été, elle suit les cours du Off-Broadway Dance Center de New York et du Performing Art School. Elle entre finalement au Mickey Mouse Club à 11 ans. À 17 ans, elle commence à chanter en solo et son album, *...Baby One More Time*, est en tête des hit-parades américains, suivi de sa nouvelle chanson, *Oops!... I Did It Again*.

Chansons célèbres: *...Baby One More Time* et *Toxic* (2003).

PRINCE né en 1958

Né Prince Roger Nelson, le chanteur américain Prince enregistre son premier album, *For You*, à l'âge de 20 ans. Il connaît une notoriété internationale avec l'album *1999* (1982). Dans les années 1980, il devient très célèbre avec l'album *Purple Rain*, grâce notamment à la chanson *Little Red Corvette*. Pour un temps, on le connaît sous le nom de « l'artiste anciennement connu comme Prince ».

BONO VOX né en 1960

Bono Vox, chanteur animateur du groupe de rock irlandais U2, est né en Irlande sous le nom de Paul Hewson. Il a conduit son groupe de succès en succès pendant plus de 20 ans, depuis le fantastique album *The Joshua Tree* (1987), vendu à 12 millions d'exemplaires et numéro 1 dans 22 pays, jusqu'à sa légendaire tournée 1992, Zoo TV. U2 a vendu plus de 100 millions d'albums.

Les groupes féminins

Les groupes féminins sont apparus aux États-Unis dans les années 1950, à l'apogée du rock'n roll.

Constitué en 1959 sous le nom de les Primettes, ce groupe de filles américain devient **les Supremes** quand il signe avec Motown. Leur hit *Where Did Our Love Go* devient numéro 1 en 1964. En 1970, leur chanteuse animatrice Diana Ross (née en 1944) décide de poursuivre sa carrière en solo, avec succès.

Un autre groupe féminin américain, formé à la fin des années 1950, **les Ronettes**, découvert par le producteur Phil Spector (né en 1940), enregistre plusieurs succès importants, dont *Be My Baby* (1963). Pendant la période disco des années 1970, la formation féminine de Philadelphie, **les Three Degrees** obtient un gros succès avec *When Will I See You Again?* (1974). Un autre groupe américain, **Sister Sledge**, fait de même avec l'album *Lost in Music* (1979).

En 1996, apparaît le groupe anglais **les Spice Girls** – Victoria Adams (née en 1975), Melanie Brown (née en 1975), Emma Bunton (née en 1976), Melanie Chisholm (née en 1974) et Geraldine Halliwell (née en 1972) – deviennent n° 1 en Grande-Bretagne et dans 22 autres pays avec *Wannabe*. Les cinq membres du groupe poursuivent, depuis, des carrières en solo.

Les membres de la formation féminine américaine **Destiny's Child** sont encore très jeunes lorsqu'elles fondent le groupe au début des années 1990. **Destiny's Child** connaît par la suite un succès planétaire avec les albums *The Writing's on the Wall* (1999) et *Destiny Fulfilled* (2004).

Originaires de Detroit, dans le Michigan, les Supremes ont connu un grand succès dans les années 1960.

▼ Les Spice Girls furent un des plus célèbres groupes féminins de tous les temps.

CRAIG DAVID né en 1961
À 14 ans, Craig David se fait appeler Djing et rappe à Southampton, en Angleterre. Il ajoute ensuite de nombreuses activités à la liste de ses talents, produisant des disques, chantant et écrivant des chansons. À 19 ans, avec son deuxième single *Fill Me In*, il est en tête du hit-parade en Grande-Bretagne. Son premier album, *Born To Do It*, confirme son succès.

CÉLINE DION née en 1968
La chanteuse québécoise cumule les prix de l'industrie de la musique à travers le monde, entre autres avec l'interprétation de *My Heart Will Go On* du film Titanic. En 2004, elle est proclamée artiste féminine ayant vendu le plus d'albums de tous les temps, et son spectacle *A New Day...* tient l'affiche pendant quatre ans à Los Angeles.

JENNIFER LOPEZ née en 1970
La chanteuse et actrice américaine Jennifer Lopez débute sa carrière dans le spectacle comme danseuse à New York. Plusieurs films, dont *Out of Sight* (1998) et *Maid in Manhattan* (2002), la mettent en vedette. En 1999, elle entame une carrière de chanteuse à succès. Certains de ses albums, dont *On The 6* (1999) et *J-Lo* (2001), deviennent platines.

LE BLUES ET LE JAZZ

Scott Joplin

1868 – 1917

Pianiste et compositeur, l'Américain Scott Joplin est une personnalité phare du ragtime. Il commence à composer dans les années 1890 et la partition de son premier air à succès, *Mapple Leaf Rag*, s'est vendue à plus d'un million d'exemplaires, le rendant riche. Mais l'échec de ses compositions lyriques le conduira à la dépression. Cependant, son ragtime redevient à la mode dans les années 1970 à la suite de la sortie du film *L'Arnaque*.

Compositions célèbres : *Maple Leaf Rag* (1899) ; *The Ragtime Dance* (1902).

Duke Ellington est considéré comme étant le plus grand de tous les compositeurs de jazz.

Leadbelly jouant sur sa guitare à 12 cordes.

Leadbelly

1888 – 1949

Le chanteur de folk-blues et guitariste américain Huddie Ledbetter, connu sous le pseudonyme de Leadbelly, a été condamné deux fois à la prison, pour meurtre en 1917 et pour tentative de meurtre en 1930. En 1933, toujours incarcéré, Leadbelly est remarqué par un archiviste musical, Alan Lomax (1867 – 1948). Après la libération du prisonnier, Lomax le lance sur une scène populaire de New York et enregistre sa musique pour la bibliothèque du Congrès. Le blues truculent de Leadbelly a fortement influencé les musiciens de rock.

Chansons célèbres : *Goodnight Irene* (1933) ; *Midnight Special* (1934).

« Duke » Ellington

1899 – 1974

Né Edward Ellington, le chef d'orchestre de jazz, compositeur et pianiste Duke Ellington forme son premier orchestre de danse à New York en 1924. En 1927, l'orchestre compte 10 musiciens et joue au fameux Cotton Club de Harlem, devant un public exclusivement constitué de Blancs. Grâce à la radio, la réputation d'Ellington grandit rapidement et ses succès se multiplient, le rendant célèbre dans le monde entier. Pendant les 40 années qui suivent, il compose plus de 2 000 morceaux, parmi lesquels *Brown, Black and Beige* (1943).

Morceaux célèbres : *Hot and Bothered* (1928) ; *Mood Indigo* (1930) ; *It Don't Mean A Thing* (1932) ; *Take The A Train* (1941).

Glenn Miller et son orchestre de danse distraient les troupes pendant la Seconde Guerre mondiale.

Glenn Miller

1904 – 1944

Tromboniste et chef d'orchestre, l'Américain Glenn Miller joue dans des orchestres scolaires avant de débuter sa carrière musicale. Il accompagne plusieurs groupes avant de former le Glenn Miller Orchestra en 1938. Entre 1939 et 1942, plus d'une douzaine de ses compositions se retrouvent en tête du hit-parade, dont *Chatanooga Choo Choo*, vendu à un million d'exemplaires. Pendant la Seconde Guerre mondiale, Miller s'engage dans l'US Air Force et forme le Glenn Miller Army Air Force Band. En 1944, après une représentation donnée à Paris, Miller repart pour Londres en avion ; l'appareil disparaît au-dessus de la Manche et n'atteindra jamais sa destination.

Morceaux célèbres : *Moonlight Serenade* (1939) ; *A String of Pearls* (1941).

Louis Armstrong

1901 – 1971

Chanteur et trompettiste de jazz américain, Louis Armstrong passe son enfance dans la pauvreté. Considéré comme étant un délinquant juvénile, il est placé dans une maison de rééducation où il apprend à jouer du cornet. En 1914, il joue dans des bars locaux et est engagé comme musicien sur les bateaux qui sillonnent le Mississippi. En 1922, il intègre un orchestre de jazz à Chicago, commençant par accompagner les solistes et les chanteurs. En 1926, Duke Ellington lance un nouveau style de jazz qui s'appuie sur l'improvisation vocale et utilise la voix comme un instrument. À la fin des années 1920, Satchmo, comme on surnomme alors Armstrong, joue de la trompette dans de grands orchestres et se place, à plusieurs reprises, en tête du hit-parade pour des morceaux comme *West End Blues* (1928). En 1947, il fonde All Stars, un sextet qui joue toujours à guichets fermés. À la fin de sa vie, des problèmes aux lèvres le forcent à se tourner vers la chanson. Il a donné dans le monde entier des spectacles parrainés par le département d'État des États-Unis, et tourné plus de 50 films.

Chansons célèbres: *Star Dust* (1931); *Hello Dolly* (1964); *What a Wonderful World* (1968).

Lorsqu'il jouait de la trompette, Louis Armstrong avait toujours un mouchoir pour s'éponger le visage.

Billie Holiday

1915 – 1959

À 15 ans, la chanteuse de jazz américaine Billie Holiday chante déjà dans les clubs de New York. Elle enregistre son premier disque avec Benny Goodman (1909 – 1986) en 1933. Elle a interprété plus de 100 chansons, parmi lesquelles *Easy Living* (1937). Elle a aussi chanté avec le grand orchestre de Count Basie (1904 – 1984) et avec le saxophoniste Lester Young (1909 – 1959). Sa mort précoce est due à une overdose.

Chansons célèbres: *They Can't Take That Away From Me* (1937); *Strange Fruit* (1939).

Django Reinhardt

1910 – 1953

Django Reinhardt, guitariste de jazz d'origine tsigane, est le fondateur du jazz français. En 1934, il crée, avec le violoniste Stéphane Grappelli, le premier ensemble de jazz jouant uniquement d'instruments à cordes: le quintette à cordes du Hot Club de France. Les compositions de Django Reinhardt égalent le meilleur jazz américain.

Morceaux célèbres: *Djangology* (1935); *Nuages* (1940).

Ella Fitzgerald, la « première dame » de la chanson.

Ella Fitzgerald

1917 – 1996

Alors qu'elle est encore une petite chanteuse de jazz, l'Américaine Ella Fitzgerald remporte un prix dans un concours amateur à New York. Elle est remarquée par le chef d'orchestre Chick Webb (1909 – 1939) et commence à chanter avec son Savoy Swing Orchestra. En 1938, elle enregistre son premier disque *A Tisket, A Tasket*; trois ans plus tard, elle chante seule. Sa voix pouvait s'adapter à toutes sortes de musiques et ses interprétations de Gerchwin (p. 188) et de Jerome Kern (1885-1945) dans ses albums de mélodies sont devenues désormais des classiques.

Chansons célèbres: *Dream a Little Dream of Me* (1950); *I Can't Give You Anything But Love* (1960).

Charlie Parker

1920 – 1955

Saxophoniste de jazz américain, compositeur et chef d'orchestre, Charlie Parker a appris à jouer à l'école. En 1939, il s'installe à New York où il joue avec des groupes de be-bop. En 1945, « Bird », comme on le surnommait alors, fonde son propre quintette et impose une forme définitive au be-bop. Dans les trois années qui suivent, il joue avec des géants du jazz comme Miles Davis (1926 – 1991). Sa dépendance à la drogue et des troubles mentaux causent son décès prématuré.

Morceaux célèbres: *Anthropology* (1946); *Yardbird Suite* (1946); *Ornithology* (1946).

Stan Getz

1927 – 1991

Né à Philadelphie, le saxophoniste de jazz américain Stan Getz devient professionnel à 15 ans et travaille avec de nombreuses grandes figures du jazz. À la fin des années 1940, il s'installe sur la côte ouest des États-Unis et se joint à l'orchestre de Woody Herman (1913 – 1987). Plus tard, Getz dirige plusieurs groupes et développe un nouveau style de jazz, la bossa-nova. Il collabore avec beaucoup d'autres musiciens, dont le pianiste de jazz canadien Oscar Peterson (à droite). Il continue à influencer les saxophonistes actuels par son style aérien.

Morceaux célèbres: *Early Autumn* (1948); *The Girl From Ipanema* (1963).

Fats Domino

né en 1928

Natif de La Nouvelle-Orléans et influencé par le blues et le jazz traditionnels, le pianiste et chanteur Fats Domino rejoint son premier groupe en 1945. En 1950, il connaît de bons succès avec *Goin'Home* et *Going To The River*. Sa carrière est à son apogée au milieu des années 1950 avec des chansons comme *My Blue Heaven*. Il a continué à enregistrer et à faire des tournées jusqu'en 1990.

Chansons célèbres: *Ain't That a Shame* (1955); *Blueberry Hill* (1956).

Charlie Parker, saxophoniste, pionnier du be-bop.

BIX BEIDERBECKE 1903 – 1931
Pianiste de jazz et cornettiste, l'Américain Bix Beiderbecke est enthousiasmé par cette musique dès son adolescence. Après avoir été renvoyé d'une académie militaire en 1922, il travaille avec des musiciens professionnels et se fait rapidement un nom avec des classiques comme *In A Mist* (1927). Il est le premier musicien blanc à apporter une contribution notable au jazz; sa carrière s'achève brusquement lorsqu'il meurt d'une pneumonie aggravée par l'alcoolisme.

DIZZY GILLESPIE 1917 – 1993
Originaire de Caroline du Sud, le trompettiste et compositeur Dizzy Gillespie commence sa carrière en jouant dans des groupes de swing. Il accompagne aussi lorsqu'il le peut des musiciens comme Charlie Parker (à gauche) et Thelonious Monk (1917 – 1982) qui lancèrent le style be-bop. Son interprétation de *I Can't Get Started* reste un classique de cette époque. Il est aussi l'un des fondateurs du jazz afro-cubain. Gillespie reste le plus grand trompettiste de jazz de tous les temps.

OSCAR PETERSON né en 1925
Pianiste et compositeur de jazz, de blues et de swing né à Montréal, Peterson est doté d'une oreille absolue et excelle au piano dès l'âge de 7 ans. Faisant preuve d'une rapidité d'exécution, d'une puissance et d'une maîtrise surprenantes, il est considéré comme le meilleur pianiste de jazz au monde. Son talent exporté à l'échelle de la planète et maintes fois récompensé par l'industrie de la musique est consigné dans quelque 200 albums.

WYNTON MARSALIS né en 1961
Né à La Nouvelle Orléans, trompettiste et compositeur, Wynton Marsalis apprend à jouer de la musique à l'âge de 8 ans. Il maîtrise le jazz aussi bien que la musique classique, et joue avec des musiciens comme le batteur Art Blakey (1919 – 1990) et le pianiste Herbie Hancock (né en 1940). En 1993, il est le premier musicien nominé aux Grammy Awards à la fois dans la catégorie jazz et pour ses albums classiques.

LA DANSE

Isadora Duncan

1877 – 1927

Connue comme étant l'une des fondatrices de la danse moderne, l'Américaine Isadora Duncan, danseuse et chorégraphe, a créé plusieurs écoles de danse en Europe. En 1922, elle épouse le poète russe Sergueï Yesenin (1895-1925), mais ils ne parlent pas la même langue. Peu après, Yesenin se suicide. Isadora Duncan est morte étranglée par son écharpe, prise dans la roue de sa voiture alors qu'elle roulait.

Danses célèbres : *Valses* de Strauss : *Les Roses du Sud, Le Beau Danube bleu* (1903 – 1923).

Vaslav Nijinsky

1890 – 1950

Le danseur et chorégraphe russe Vaslav Nijinski entre à l'école du Ballet impérial de Saint-Pétersbourg à 9 ans. En 1909, il acquiert la célébrité comme danseur étoile des Ballets russes de Diaghilev (à droite) qui se produisent alors à Paris. Il obtient ensuite un succès considérable, en 1911, avec *Le Spectre de la rose* de Fokine (à droite) et le ballet *Petrouchka* de Stravinsky (à droite). Nijinski, souffrant d'une maladie mentale, se retire en 1917. Il est considéré comme l'un des plus grands danseurs de tous les temps.

Ballets célèbres : *L'Après-midi d'un faune* (1912) ; *Le Sacre du printemps* (1913).

Fonteyn and Noureïev

Margot Fonteyn 1919 – 1991
Rudolf Noureïev 1938 – 1993

Margot Fonteyn et Rudolf Noureïev ont formé le couple de danseurs sans doute le plus connu au monde lorsqu'ils se produisaient ensemble dans les années 1960.

Née Margaret Hookham, la ballerine anglaise Margot Fonteyn passe son enfance à Hong Kong. Lorsqu'elle revient en Angleterre, en 1934, elle entre au Sadler'Wells Ballet. Elle fait ses débuts de danseuse étoile dans *The Haunted Ballroom* (1939) et a été la plus célèbre des danseuses anglaises pendant presque 30 ans. Danseur et chorégraphe, le Russe Rudolf Noureïev étudie la danse dès l'âge de 11 ans et rejoint l'école du Ballet de Léningrad en 1955. En 1958, il est nommé danseur étoile du ballet du Kirov mais, ne voulant pas vivre dans un pays communiste, il se réfugie à Paris lors d'une tournée, en 1961. En 1962, il fait ses débuts avec Margot Fonteyn au Covent Garden de Londres. Il acquiert la nationalité autrichienne en 1982.

Ballets célèbres : *Giselle* ; *Marguerite et Armand* ; *Le Lac des Cygnes* (1962 – 1964).

Au cours de la période où il danse avec Margot Fonteyn, Rudolf Noureïev impressionne le public par sa grâce et ses qualités athlétiques.

FLORENZ ZIEGFELD 1869 – 1932
On doit au producteur de théâtre américain Florenz Ziegfeld les fameuses Ziegfeld's Follies, une revue musicale langoureuse qui a tenu la scène de 1907 à 1931. Le public se ruait pour assister à ce spectacle qui réunissait une grande variété de participants, des comédiens jusqu'aux fameux chœurs de danseuses et de chanteuses qui ont fait la réputation de la revue. Il a produit également des comédies musicales comme *Show Boat* (1927) et *Bittersweet* (1929).

SERGUEÏ DIAGHILEV 1872 – 1929
D'origine russe, Sergueï Diaghilev devient une figure très importante du monde des arts entre 1897 et 1906, organisant des concerts et des expositions de musique et d'art russes. Diaghilev fonde les Ballets russes, qui débutent sur la scène parisienne en 1909. Il produit des ballets remarquables et ouvre les portes des scènes européennes aux danseurs russes comme Nijinski (à gauche).

MICHEL FOKINE 1880 – 1942
Danseur et chorégraphe américain, Michel Fokine est originaire de Russie. À 9 ans, il entre à l'école du Ballet impérial de Saint-Pétersbourg. En 1909, Fokine se rend à Paris où il travaille comme chorégraphe pour Sergueï Diaghilev (ci-dessus). Il s'installe aux États-Unis dans les années 1920, adoptant la nationalité américaine en 1932. Il crée la chorégraphie de nombreux ballets dont *Les Sylphides* (1919) et *Petrouchka* (1911).

IGOR STRAVINSKY 1882 – 1971
Dès sa jeunesse en Russie, le compositeur américain Igor Stravinsky montre des talents musicaux exceptionnels, mais ses parents l'orientent vers des études de droit. C'est le compositeur russe Rimski-Korsakov (p. 182), dont il suit l'enseignement, qui le poussera à entreprendre une carrière musicale. Il écrit alors de grandes partitions pour les Ballets russes de Sergueï Diaghilev dont *L'Oiseau de feu* (1910), *Petrouchka* (1911) et *Le Sacre du printemps* (1913). Stravinsky, d'abord naturalisé français, devient américain en 1945.

MARIE RAMBERT 1888 – 1982
Née en Pologne, Marie Rambert vient à Paris pour faire ses études de médecine qu'elle abandonne pour se consacrer à la danse. En 1913, Diaghilev lui demande de travailler sur la chorégraphie du *Sacre du printemps* et elle se joint aux Ballets russes. Marie Rambert s'installe en Angleterre dont elle prit la nationalité en 1918. En 1935, elle fonde le Ballet Rambert à Londres.

Michael Flatley

né en 1958

Michael Flatley est né aux États-Unis de parents irlandais. À 11 ans, il entre dans une école de danse où il montre des dispositions naturelles exceptionnelles. En 1975, il devient le premier Américain à remporter le Championnat du monde de danse irlandaise en Irlande. Son style de danse irlandaise et son interprétation de *Riverdance* au concours Eurovision de 1994 le rendent célèbre. Il entreprend une tournée de 6 mois avec *Riverdance* et crée avec grand succès son propre spectacle en 1997, *Lord of the Dance*.

Danse célèbre : *Riverdance* (1994).

Le danseur américano-irlandais Michael Flatley.

Marie-Claude Pietragalla

née en 1963

La danseuse française Marie-Claude Pietragalla rentre au corps de ballet de l'Opéra de Paris en 1979. Consacrée « étoile » en 1990, elle est la danseuse fétiche de Maurice Béjart. On lui doit aussi des chorégraphies originales, *Sakounkala* (2000). Depuis 1998, elle dirige le Ballet national de Marseille.

Danses célèbres : *Don Quichotte* (1990) ; *Juan y Teresa* (1997) ; *l'Âme perdue* (1999)

Joaquín Cortés

né en 1969

Le danseur de flamenco espagnol Joaquín Cortés rejoint le Ballet national espagnol à l'âge de 15 ans. Il se produit bientôt seul et fait le tour du monde. En 1992, il quitte le ballet et fonde sa propre compagnie avec laquelle il entame une tournée mondiale présentant son spectacle *Cibayi*. Le style de Cortés, moderne et spectaculaire, sa chorégraphie et sa musique enthousiasment le public dans le monde entier.

Danses célèbres : *Cibayi* (1992) ; *Pasión Gitana* (1995).

Joaquín Cortés au cours d'une représentation de *Pasión Gitana* au Royal Albert Hall de Londres, en 1996.

MARTHA GRAHAM 1894 – 1991
La danseuse et chorégraphe américaine Martha Graham ouvre la voie au mouvement de la *modern dance*. En 1927, elle fonde une école de danse contemporaine à New York où elle présente de nouvelles façons d'exécuter les danses et des chorégraphies modernes basées sur des thèmes de tragédies grecques et de légendes indiennes. Le travail révolutionnaire de Martha Graham comprend sa *Vision de l'Apocalypse* (1929).

GEORGE BALANCHINE 1904 – 1983
Originaire de Russie, le chorégraphe George Balanchine étudie à l'école du Ballet impérial. Il quitte la Russie en 1924 et n'y revint jamais. Balanchine réalise la chorégraphie de ballets comme *Appolo* (1928) pour les Ballets russes de Diaghilev (p. 199) à Paris. Il s'installe aux États-Unis où il fonde à New York la School American Ballet en 1934. Il écrit aussi des comédies musicales et, à partir de 1948, assure les chorégraphies du New York City Ballet. Balanchine a créé plus de 100 œuvres.

MIKHAÏL BARYSHNIKOV né en 1948
Le chorégraphe et danseur américain Mikhaïl Baryshnikov a étudié la danse au ballet du Kirov de Saint-Pétersbourg. Il se réfugie en Occident en 1974 et devient le danseur étoile de l'American Ballet Theatre (1974 – 1978) et du New York City Ballet (1978-1979). Entre 1980 et 1989, Baryshnikov revient à l'American Ballet Theatre comme directeur artistique.

ÉDOUARD LOCK né en 1954
Arrivé au Québec alors qu'il était enfant, le chorégraphe fonde la compagnie de danse La La La Human Steps et transforme littéralement la danse contemporaine. Ses chorégraphies complexes, rapides et percutantes lui valent la plus haute distinction en danse au Canada et sont présentées sur les plus grandes scènes du monde. La version cinématographique de son spectacle *Amelia*, réalisée en 2003, a maintes fois été primée.

DARCEY BUSSELL née en 1969
La ballerine anglaise Darcey Bussel a étudié à la Royal Ballet School de Londres. En 1987, elle entre au British Royal Ballet où elle devient danseuse étoile. En 1989, alors qu'elle n'a que 20 ans, plus jeune première danseuse qu'ait jamais eu le Royal Ballet, elle tient le rôle de Rose dans *The Prince of the Pagodas*.

CHAPITRE NEUF

LES GRANDS NOMS DU SPORT

Les sports avant l'an 1000

Nous ne connaissons pas les noms des premiers champions, hommes ou femmes, mais une chose est sûre, les sports ont toujours existé, et ceci depuis les temps préhistoriques, bien avant que l'écriture ne permette de conserver la trace des noms et des exploits. Courir, sauter et lutter était vital pour chasser, se battre ou s'enfuir; aussi, pendant des milliers d'années, en cultivant ces qualités, les hommes ont pratiqué sans le savoir beaucoup de sports tels que nous les connaissons aujourd'hui.

Beaucoup d'événements sportifs ont développé chez les hommes le désir et la curiosité de se mesurer à la nature et à leurs semblables. Les courses et les épreuves de force faisant s'affronter les différents membres d'un même groupe ou d'une même tribu remontent à des milliers d'années. La lutte est une des plus anciennes activités physiques qui ait été pratiquée en Asie, en Afrique, en Amérique du Sud et en Europe.

Les Sumériens luttaient déjà il y a plus de 4000 ans. La plus ancienne épreuve sportive que l'on puisse rapporter est la lutte qui intervint en 1160 av. J.-C. entre des soldats égyptiens et des étrangers devant le pharaon **Ramsès III** (vers 1100 av. J.-C.).

Bien que la plupart des peuples de l'Antiquité aient sans doute pratiqué des sports, ils n'en ont laissé que très peu de trace. Les plus riches trésors représentant des scènes de sports antiques proviennent d'Égypte dont on sait qu'on y pratiquait de nombreuses activités physiques, comme le saut en hauteur, l'escrime et autres ancêtres des jeux de balle comme le handball ou le hockey.

LES JEUX OLYMPIQUES DE L'ANTIQUITÉ

Avant que les Olympiades modernes ne symbolisent, tous les quatre ans, le sommet de notre calendrier sportif, les Jeux olympiques existaient déjà depuis très longtemps. Avant l'an 1000, c'étaient les plus célèbres et les plus populaires de toutes les rencontres sportives. Dédiés à Zeus, le père des dieux et des hommes selon les Grecs, les Jeux olympiques étaient à la fois une fête et une compétition. Une trêve étant déclarée pendant les jeux, tous les combats cessaient et nul n'était autorisé à porter des armes. Les premiers jeux que nous connaissons ont eu lieu à Olympie, en Grèce, en 776 av. J.-C. Ils ne comportaient qu'une seule épreuve, le stadion, une course sur la distance d'un stade (environ 180 m). Le premier à gagner la course fut **Coroebus**, un jeune cuisinier originaire d'Élide, la province où se situait Olympie. Puis ces jeux se déroulèrent tous les quatre ans pendant des centaines d'années, accueillant chaque fois de nouvelles compétitions. En 724 av. J.-C., ce fut le diatus, une course sur les deux longueurs du stade d'Olympie (environ 400 m) puis, en 720 av. J.-C., le dolichus, une course de fond qui représentait 12 fois le tour du stade (environ 4,5 km), la boxe en 688 av. J.-C., la course de char en 680 av. J.-C. et la course en armure en 520 av. J.-C. Ces jeux révélèrent de nombreux champions dont l'histoire a gardé le nom, comme le coureur **Leonidas de Rhodes** (vers 100 av. J.-C.) qui a gagné trois fois le stadion en quatre jeux successifs. Un des athlètes légendaires de l'Antiquité était **Milon de Crotone** (vers 500 av. J.-C.), originaire du sud de l'Italie, qui gagna le concours de lutte des jeunes garçons en 540 av. J.-C. et revint huit ans plus tard pour gagner le premier de cinq titres consécutifs.

LES COURSES DE CHEVAUX

Le cheval a sans doute été domestiqué il y a environ 5000 ans, en Arabie. Les courses de chevaux et de chars étaient organisées dans de nombreuses civilisations anciennes. Une des plus célèbres conductrices de char de l'Antiquité fut **Cynisca** (vers 200 av. J.-C.), la fille d'Agesilas II, roi de Sparte. Elle a été la première femme à gagner une épreuve olympique en 396 av. J.-C. **Eurylon** (vers 200 av. J.-C.), une autre jeune femme originaire de Sparte, suivit son exemple en remportant une course de chars tirés par deux chevaux.

Le jeu de balle des anciens Mayas était un jeu d'équipe consistant à faire passer une lourde balle à travers des anneaux de pierre scellés dans les murs du terrain.

LES SPORTS DE BALLE

Le football américain

JOE MONTANA

Walter Camp

1859 – 1925

L'Américain Walter Camp excelle dans plusieurs sports alors qu'il est très jeune, mais devient passionné de football une fois étudiant à l'université de Yales. Il est à l'origine de plusieurs règles, dont le système du score et le nombre de joueurs, 11, par équipe. Il joue pour Yale de 1877 à 1882, assurant tous les postes, en défense comme en attaque.

Capitaine de l'équipe de Yale, 25 victoires, 6 matchs nuls et seulement une défaite.

Jim Brown

né en 1936

L'athlète américain Jim Brown était le meilleur joueur de basket-ball de l'université de Syracuse. Mais c'est en jouant au football qu'il devient célèbre. Mesurant 1,90 m et pesant près de 105 kg, il est pratiquement impossible à arrêter. Brown a joué neuf saisons pour le Cleveland Browns avant de se consacrer à une carrière cinématographique au cours de laquelle il a tourné 32 films.

126 *touchdowns* (essais) ; vainqueur du championnat NFL en 1963.

Walter Payton

1954 – 1999

Ayant joué pendant toute sa carrière NFL pour les Chicago Bears, Payton est un excellent arrière qui pousse et gagne du terrain contre des défenseurs nombreux et puissants. Il continue à jouer jusqu'à devenir le détenteur du maximum de yards gagnés, 16 726 pour toute sa carrière.

Il a couru plus de 100 yards en 77 parties ; il a gagné 1 000 yards lors de 10 de ses 13 saisons ; 125 *touchdowns*.

Joe Montana

né en 1956

Montana est l'un des plus grands quaterbacks (meneur de jeu) de sa génération grâce à ses passes précises, sa bravoure et la rapidité de ses réactions. Il joue pour Notre-Dame avant de passer professionnel et de rejoindre le San Francisco 49ers. À partir de 1981, Montana montre qu'il est le maître des jeux gagnants, partant souvent de positions difficiles. En 1993, il rejoint les Kansas City Chiefs.

Il a remporté quatre fois le Superbowl avec les San Francisco 49ers ; 3 409 passes réussies ; 273 *touchdowns*.

Dan Marino

né en 1961

Plus grand *quaterback* ayant jamais gagné un Superbowl, Dan Marino grandit à Pittsburgh, en Pennsylvanie. Enfant, il avait l'habitude de se faufiler entre les voitures stationnées et de prendre pour cible les bornes téléphoniques au ballon. Excellent lanceur, Marino est repéré par une équipe professionnelle de base-ball, mais il préfère entrer à l'université de Pittsburgh pour jouer au football. De là, il passe à la NFL où il joue avec les Miami Dolphins. Au cours de ses 17 ans de carrière avec cette équipe, Marino pulvérise presque tous les records des *quaterbacks*. Il prend sa retraite à la fin de la saison 1999.

Finaliste du Superbowl 1984 ; détenteur du record des *touchdowns* (420), des yards gagnés (61 361 yards) et du nombre de passes effectuées (4 967) au cours d'une carrière.

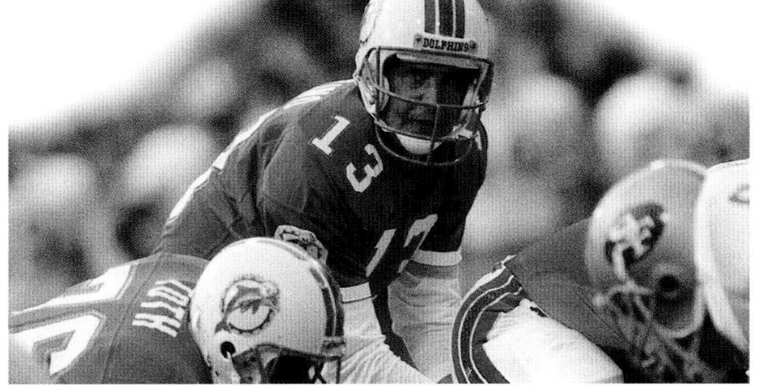

Le base-ball

Babe Ruth

1895 – 1948

Quand il eut 7 ans, les parents de Babe Ruth confièrent ce fils turbulent à la garde d'un orphelinat de missionnaires et d'une maison de redressement, n'étant plus capables de s'en occuper. Il fut poussé vers le base-ball par le frère Mathias.

Ruth devient rapidement aussi bon au lancer qu'à la batte, jouant pour les Orioles de Baltimore, le Red Sox de Boston et, en 1919, les Yankees de New York. Avant l'arrivée de Ruth, les Yankees n'avaient jamais gagné un championnat ou une *World Series*. Avec lui, ils gagnent sept championnats et quatre *World Series* entre 1920 et 1933. Au cours de 10 de ses 12 premières saisons, Ruth gagne plus de coups de circuit que tous les autres joueurs de son ancienne équipe réunis, les Red Sox. Ruth est la plus grande attraction du sport américain et, en 1923, les Yankees construisent un nouveau stade pour répondre à l'énorme demande de ceux qui veulent le voir jouer.

714 coups de circuit ; taux à la batte 0,847 en 1920 ; taux à la batte 0,846 en 1921 ; gagnant de quatre *World Series*.

À 26 ans, Babe Ruth a réussi plus de coups de circuit qu'aucun autre joueur dans l'histoire du base-ball. En 1927, il marque 60 coups de circuit, 14 % du total de ceux réussis par tous les joueurs de toutes les équipes de sa ligue cette année-là.

Ty Cobb

1886 – 1961

Fort d'une carrière controversée de 24 années, Cobb, lanceur droitier et batteur gaucher, figure parmi les meilleurs joueurs de base-ball jamais connus. Farouchement compétitif, Cobb intimide les joueurs adverses et n'hésite pas à se battre même en dehors du terrain. Malgré cela, peu de joueurs ont atteint ses résultats, 1 938 postes de batteurs et 4 189 postes de lanceur. Lors des élections pour la nomination dans le Hall of Fame du base-ball en 1936, il a recueilli plus de voix que Babe Ruth.

Taux d'occupation du poste de batteur 0,367 (le plus haut jamais atteint) ; il conduit huit fois l'American League au succès ; il prend 892 bases.

Joe DiMaggio

1914 – 1999

Joe DiMaggio fut un des joueurs de base-ball les plus élégants et les plus populaires. Rejoignant les Yankees de New York en 1936, sa puissance à la batte leur permet de gagner quatre *World Series* d'affilée. Vers la fin des années 1940, DiMaggio multiplie les blessures et doit se retirer, les larmes aux yeux, en 1951. Peu de temps après, il rencontre la star d'Hollywood Marilyn Monroe, qu'il épouse en 1954 pour divorcer neuf mois plus tard.

Neuf *World Series* ; 56 coups de batte réussis d'affilée en 1941 ; 361 coups de circuit.

DiMaggio est sacré le plus grand joueur de base-ball vivant lors des célébrations du centenaire en 1969.

Le football

Pelé

né en 1940

Pelé est né dans le village brésilien de Três Coroções. Il joue pour de nombreux clubs amateurs avant d'être remarqué par Valdemar de Brito (né en 1913), un membre de l'équipe brésilienne de la Coupe du monde 1934, qui l'embauche au Club Santos, une des meilleures équipes du Brésil.

Lors de son premier match pour sa nouvelle équipe, Pelé marque son arrivée avec quatre buts. Il fait ses débuts internationaux contre l'Argentine en 1957 et, lors de la Coupe du monde 1958 en Suède, Pelé s'impose définitivement en marquant six buts, dont 2 en finale, permettant ainsi au Brésil de remporter la Coupe. Excellent joueur d'équipe et buteur naturel, Pelé est capable de surprendre ses adversaires par l'audace, l'anticipation et la finesse de son jeu. Quand il quitte le Santos en 1974, le club lui fait l'honneur de retirer le n° 10 des maillots que portaient les joueurs. Pelé quitte sa retraite afin de promouvoir le football aux États-Unis et devient par la suite secrétaire des Sports au Brésil. En 2000, il est désigné « footballeur du siècle » par la FIFA.

Vainqueur de trois Coupes du monde pour le Brésil en 1958, 1962 et 1970; sélectionné 93 fois; auteur de 77 buts en matchs internationaux; auteur de 1280 buts en matchs nationaux; huit fois vainqueur en Ligue nationale brésilienne, vainqueur de trois Coupes du Brésil et de deux Coupes du monde des clubs avec le Santos.

Pelé a toujours porté le maillot n° 10. En 1969, il avait marqué 1000 buts comme joueur professionnel.

FERENC PUSKAS né en 1926
Membre de la meilleure équipe de Hongrie, la Honved, et de l'équipe nationale au début des années 1950, Puskas est petit, trapu et possède un tir du pied gauche incroyablement puissant. En 1956, Puskas, qui a alors la trentaine, rejoint le Real Madrid où il continue à marquer, se retrouvant quatre fois en tête des buteurs de la Ligue espagnole et marquant sept buts au cours de deux finales de Coupe d'Europe. Ayant pris sa retraite de joueur en 1966, il devient entraîneur. En 2001, le stade national de Hongrie est rebaptisé en son honneur.

EUSEBIO DA SILVA FERREIRA né en 1942
Originaire de la colonie portugaise du Mozambique, Eusebio a été âprement disputé par deux clubs portugais, Benfica et le Sporting de Lisbonne. Pendant les 15 années durant lesquelles il joue pour Benfica, il ne se passe pas deux ans sans qu'il ne gagne quelque coupe. Eusebio, avant puissant et rapide, est le meilleur buteur de la Ligue portugaise pendant cinq saisons d'affilée. Une grave blessure au genou stoppe brutalement sa carrière, le laissant avec un palmarès de 41 buts en 64 matchs internationaux.

MICHEL PLATINI né en 1955
Le Français Michel Platini est un meneur de jeu de grand talent. Il débute en jouant pour Nancy, puis pour Saint-Étienne et pour la Juventus de Turin, en Italie. En équipe de France, il inscrit 41 buts en 72 sélections. Il mène l'équipe de France en demi-finale de la Coupe du monde à deux reprises, en 1982 puis en 1986; il remporte, également avec l'équipe de France, la Coupe d'Europe en 1984. Sa façon de tirer les coups francs reste un modèle du genre.

Lev Yashin

1929 – 1991

D'origine moscovite, Yashin travaille dans une usine d'outillage jusqu'à ce qu'il soit remarqué, en 1950, par le Dynamo de Moscou, l'équipe de football géante de l'Union soviétique. Assis pendant deux ans sur le banc de touche, Yashin en conçoit une profonde amertume et manque se tourner vers le hockey sur glace. Cependant, en 1953, il devient le premier goal de son équipe et, en 1954, celui de l'équipe nationale. Gardien de but spectaculaire, Yashin possède un don extraordinaire d'anticipation et domine toute la zone de but. Bien qu'il ne s'agisse que d'un palmarès oral, on lui accorde plus de 150 penalties arrêtés au cours de sa carrière. C'est le seul goal à avoir gagné le Trophée annuel du football européen.

Médaille d'or olympique avec l'Union soviétique en 1956; vainqueur du Championnat d'Europe 1960; footballeur européen de l'année 1963; cinq titres en Ligue nationale soviétique.

Johan Cruyff

né en 1947

Cruyff a passé sa jeunesse à Amsterdam, aux Pays-Bas, tout près du stade de l'Ajax, l'équipe avec laquelle il remportera plus de 20 trophées. Il entre à l'académie junior de l'Ajax à 10 ans et il y progresse rapidement, faisant son entrée dans l'équipe de l'Ajax à 16 ans. Buteur extrêmement doué, Cruyff devient célèbre en imposant une nouvelle tactique: le «football total». Appliquée par l'Ajax et, plus tard, par l'entraîneur national de l'équipe hollandaise Rinus Michels (né en 1928), ce système de jeu permet aux joueurs de changer de position rapidement et facilement. Cruyff suit Michels à Barcelone, puis va aux États-Unis. Il fait un retour émouvant à l'Ajax où il effectue une brillante carrière d'entraîneur.

Trois fois footballeur européen de l'année; vainqueur de 16 titres en Coupe ou en Ligue hollandaise et de trois en Coupe d'Europe avec l'Ajax.

Diego Maradona

né en 1960

Diego Maradona est né dans les faubourgs de Buenos Aires, en Argentine. Pratiquant le football dès son plus jeune âge, Maradona est rapidement connu dans sa région sous le nom de «El pibe de oro» (le garçon en or) avant de devenir le plus jeune joueur jamais engagé par son pays dans une compétition internationale, à l'occasion d'un match contre la Hongrie. Il a alors 16 ans.

Deux ans plus tard, il devient capitaine de son équipe et remporte la Coupe du monde junior. Puis il s'installe en Europe, d'abord à Barcelone, en Espagne, puis au club de Naples, avec lequel il remporte deux Championnats d'Italie. Excellent dribbleur, Maradona signe une magnifique Coupe du monde en 1986, marquant deux des plus beaux buts de la compétition et menant son équipe à la victoire. La Coupe du monde suivante voit Maradona et l'équipe d'Argentine arriver en finale pour s'incliner devant l'Allemagne. Les dernières étapes de la carrière de footballeur de Maradona sont très controversées. Lors de tests antidopage, ses résultats sont deux fois positifs; il est interdit de compétition. Il prendra sa retraite officielle pour son 37e anniversaire.

Vainqueur de la Coupe du monde 1986 et nommé meilleur buteur avec cinq buts; vainqueur de la Ligue et de la Coupe d'Italie deux fois de suite (1986 et 1987); footballeur sud-américain de l'année 1979 et 1980.

Zinedine Zidane

née en 1972

Originaire de Marseille, ce Français est un excellent milieu de terrain. En 1998, lors de la finale de la Coupe du monde, il inscrit les deux premiers buts de la finale contre le Brésil. Il joue depuis au Real Madrid en Espagne.

Vainqueur de la Coupe du monde en 1998; Coupe d'Europe en 2000; Ligue des champions en 2002.

David Beckham

né en 1975

Né à Londres, David Beckham fait ses débuts en 1992 à Manchester United. Excellent milieu de terrain, Beckham quitte le Manchester United en 2003 pour rejoindre le Real Madrid. À titre de capitaine, il conduit deux fois l'équipe nationale d'Angleterre aux qualifications de la Coupe du monde.

Vainqueur de la Ligue des champions 1999.

Le tennis

René Lacoste

1904 – 1996

Le tennisman français René Lacoste possédait un jeu complet. Surnommé « le crocodile », il remporte avec trois autres Français (J. Borotra, J. Brugnon, H. Cochet) la Coupe Davis pendant 5 années consécutives, de 1927 à 1932. En 1925, 1927 et 1929, il gagne les Internationaux de France ; en 1925 et 1928, ceux de Grande-Bretagne ; en 1926 et 1927, ceux des États-Unis.

Trois titres à Roland-Garros, deux titres à Wimbledon ; 2 titres à l'US Open.

Fred Perry

1909 – 1995

Né à Stockport, en Angleterre, Frederick John Perry ne débute au tennis qu'à 18 ans. Personnalité majeure du tennis dans les années 1930, il est le premier joueur à gagner quatre matchs du grand chelem. En 1933, il remporte la Coupe Davis pour la Grande-Bretagne, qui n'avait pas gagné depuis 21 ans. Il est le dernier Anglais à remporter le simple messieurs à Wimbledon en 1936.

Trois fois vainqueur à Wimbledon ; trois fois vainqueur du Championnat des États-Unis ; deux fois vainqueur de la Coupe Davis.

Rod Laver

né en 1938

La silhouette élancée du joueur australien Rod Laver cachait l'énorme puissance de ses bras. En 1962, il remporte tous les tournois du grand chelem. Devenu professionnel en 1963, il ne peut plus participer au tournoi de Wimbledon jusqu'à la fin des années 1960. Néanmoins, en 1969, il remporte 17 tournois et un second grand chelem.

Seul joueur à avoir remporté deux fois le grand chelem, en 1962 et 1969 ; quatre fois vainqueur à Wimbledon ; 11 titres en simple dans des tournois du grand chelem.

Björn Borg a inspiré plusieurs générations de vedettes du tennis suédois, dont Stefan Edberg (né en 1966) et Mat Willanders (né en 1964).

Björn Borg

né en 1956

Borg a captivé les spectateurs à la fin des années 1970 et au début des années 1980. Il a remporté d'affilée cinq titres à Wimbledon et six à Roland-Garros. Sa victoire en 1980 contre John McEnroe (né en 1959) à la finale de Wimbledon figure parmi les tournois les plus excitants de l'histoire du tennis. Après avoir perdu la finale de Wimbledon en 1981, toujours contre McEnroe, Borg s'arrête de jouer et se retire définitivement en 1983. Il tente un retour en 1991, utilisant encore ses raquettes en bois alors que ses adversaires jouent avec des raquettes en graphite, beaucoup plus puissantes. Il ne renoue pas avec la victoire mais devient une grande attraction sur le circuit des seniors où les anciens champions s'opposent pour des œuvres caritatives, ce qui lui permet de rivaliser à nouveau avec McEnroe.

Onze titres au grand chelem ; 44 titres en simple ; quatre fois finaliste de l'Open US.

Martina Navratilova

née en 1956

D'origine tchécoslovaque, Martina Navratilova, enfant, présente déjà des capacités athlétiques hors du commun et aime particulièrement se mesurer aux garçons dans les compétitions de ski, de hockey et de football. Mais, appartenant à une famille passionnée de tennis, elle a toujours eu une préférence pour ce sport. Imposant un niveau athlétique nouveau au jeu féminin, Navratilova domine toutes les joueuses de son temps. Gardant la place de première joueuse mondiale pendant sept ans, elle est à l'aise sur toutes les surfaces. L'herbe de Wimbledon, cependant, devient sa seconde patrie : elle réussit l'incroyable exploit d'y remporter neuf titres. En 1994, elle se retire du simple dame, mais fait un retour au tennis en 2000 pour jouer en double. En 2003, elle gagne le double mixte tant à l'Australian Open qu'à Wimbledon.

18 titres du grand chelem en simple et 31 en double dame ; 9 titres du grand chelem en double mixte.

Lors de l'US Open de 1987, Martina Navratilova réalise l'exploit rarissime de gagner le simple dame, le double dame et le double mixte.

Steffi Graf

née en 1969

Née à Manheim, en Allemagne, Steffi Graf remporte à l'âge de 13 ans les Championnats d'Allemagne et d'Europe des moins de 18 ans. Elle passe professionnelle en 1982 et joue à Roland-Garros. À 19 ans, elle gagne un tournoi du grand chelem et est la seule joueuse du circuit à remporter quatre fois les principaux tournois. Surnommée « mademoiselle Coup droit » pour la puissance de sa frappe, elle possède également un service précis. Elle domine le tennis féminin pendant presque 10 ans avant de se retirer à l'âge de 30 ans. En 2001, elle épouse le champion de tennis américain André Agassi (né en 1970).

Vingt-deux titres du grand chelem; numéro 1 mondiale pendant 374 semaines; médaille d'or et grand chelem en 1989 en remportant tous les principaux tournois et les Jeux olympiques.

La première raquette de Steffi Graf lui a été offerte avant son quatrième anniversaire. À l'âge de 16 ans, elle fait déjà partie des 10 meilleures joueuses du monde.

Pete Sampras

né en 1971

Fils d'émigrants grecs aux États-Unis, Pete Sampras domine le tennis pendant les années 1990. Installée en Californie alors qu'il a sept ans, sa famille, inscrite au Peninsula Racket Club, découvre rapidement qu'un de ses quatre enfants est un prodige. Sampras se qualifie pour le circuit adulte alors qu'il a juste 16 ans, entrant dans le classement des 10 meilleurs joueurs du monde à 18 ans et devenant, à 19 ans et 22 jours, le plus jeune vainqueur de l'US Open en battant Ivan Lendl (né en 1960), John McEnroe (né en 1959) et André Agassi (né en 1970). Il remporte ensuite 13 tournois du grand chelem et plus de 60 autres titres qui témoignent de son tempérament farouche et déterminé. Il prend sa retraite en 2003.

Numéro 1 mondial pendant six années consécutives; sept titres à Wimbledon (1993-1995 et 1997-2000).

Le rugby

Barry John

né en 1945

Le Gallois Barry John électrifie le public avec son jeu d'attaque, son sens de l'anticipation, la précision de ses passes et de ses coups de pied. Il joue demi d'ouverture dans les équipes de Llanelli et de Cardiff, et débute pour le pays de Galles en 1966. On lui doit en grande partie la victoire de l'équipe britannique des Lions sur les All Blacks de Nouvelle-Zélande. John se retire à 27 ans.

Tacticien de l'équipe britannique des Lions contre la Nouvelle-Zélande en 1971; 25 sélections chez les Gallois.

BARRY JOHN

J. P. R. Williams

né en 1949

Williams, qui a joué dans des tournois junior à Wimbledon, est doué pour tous les sports, mais il choisit le rugby, faisant ses débuts dans l'équipe galloise de Bridgend en 1969. Au cours des 12 années qui suivent, il est considéré comme le meilleur arrière du monde. Rapide et audacieux, il se montre un plaqueur agressif et un coureur puissant. Sélectionné 55 fois, et jouant dans la superbe équipe galloise des années 1970, il gagne six fois le Tournoi des Cinq Nations et trois fois le grand chelem. Il joue 11 fois contre l'Angleterre et n'est jamais du côté des perdants. Pendant sa carrière de rugbyman, il passe ses examens de chirurgien.

Huit sélections chez les Lions, une seule défaite; six Tournois des Cinq Nations.

Jean-Pierre Rives

né en 1952

Facile à repérer sur le terrain par sa longue chevelure blonde, Rives est un avant solide et très compétitif, doué de vitesse et du flair d'un défenseur. Bien que petit pour un 3ème ligne aile, il montre toujours une farouche détermination à vaincre, une grande habileté et beaucoup de courage. Faisant ses débuts pour la France en 1975 lorsqu'elle bat l'Angleterre 27 à 20, Rives devient une pièce essentielle de la magnifique et prestigieuse équipe française. Nommé capitaine en 1978, il mène 34 fois l'équipe nationale à la victoire, assurant un grand chelem contre l'Angleterre, le pays de Galles, l'Irlande et l'Écosse en 1981.

Cinquante-neuf sélections en équipe de France; deux grands chelems en 1977 et 1981.

Le squash

Jahangir Khan

né en 1963

Le Pakistanais Jahangir Khan, fils de Roshan Khan, champion du British Open en 1957, est à 15 ans le plus jeune vainqueur du titre amateur mondial. Après la mort de son frère Torsam (1950 – 1979), son entraîneur et agent, Jahangir entreprend de devenir le meilleur du monde dans la spécialité. Il perd le British Open de 1981 contre l'Australien Geoff Hunt au cours d'une partie mémorable. C'est le dernier jeu qu'il concède pour les cinq ans et huit mois qui suivent. Sa forme physique, sa mesure et son calme deviennent légendaires, et c'est un événement majeur quand son record tombe contre le Néo-Zélandais Ross Norman, en 1986. Puis il redevient invincible pendant neuf mois avant de se retirer en 1993, après avoir remporté le Championnat du monde pour le Pakistan.

Dix titres consécutifs au British Open; six titres à l'Open mondial.

Jansher Khan

né en 1968

Le début de la carrière de Jansher Khan est marqué par plusieurs parties éblouissantes contre son compatriote, le légendaire Jahangir Khan (ci-dessus). Jahangir remporte les trois premières rencontres et Jansher les deux suivantes, ce qui lui vaut de remporter le titre de l'Open mondial pour la première fois. Sur 37 jeux, Jansher en gagne 19 et Jahangir 18, mais aucun autre joueur ne peut approcher son palmarès pendant les années 1990. Sérieusement blessé, Jansher Khan se retire en 2001.

Six titres d'affilée au British Open; huit titres à l'Open mondial (1987, 1989, 1990, 1992-1996).

Le basket-ball

Wilt « l'échasse » Chamberlain

1936 – 1999

Après un passage à l'université du Kansas, Chamberlain, 2,20 m de muscles, intègre la NBA en 1960. Outre sa taille impressionnante, il est aussi un athlète incomparable, tireur aussi bien que défenseur, et qui domine le jeu. Pendant ses 13 années passées à la NBA, il ne commet jamais de coups irréguliers et gagne quatre fois la distinction MVP de l'équipe.

Environ 50 points par partie durant la saison complète de la NBA en 1962; il gagne le titre NBA avec le Philadelphia 76ers en 1967 et les Lakers de Los Angeles en 1972; il marque 100 points en une seule partie en 1962.

Julius Erving

né en 1950

Irving joue pour l'American Basket-ball Association (ABA) pendant cinq saisons, gagnant deux titres de ligue et trois distinctions MVP, avant de rejoindre la NBA en 1976. Pendant ses 11 saisons avec les 76ers de Philadelphie, il enthousiasme le public par ses tirs puissants et ses déplacements sur le terrain. Les 76ers n'attribuent plus le maillot n° 6 quand il prend sa retraite, en 1987.

Il marque 30 000 points en NBA et ABA; record du plus haut score moyen de l'ABA (27,8 points par partie); score moyen pendant son passage à la NBA: 22,0 points par partie.

Magic Johnson

né en 1959

Alors qu'il a seulement 15 ans, Earvin Johnson est surnommé « Magic » par un journaliste sportif après avoir marqué 36 points en une seule partie. Entrant à la NBA avec les Lakers de Los Angeles en 1979, son exubérance et son talent hors du commun contribuent à faire de son équipe une des meilleures des années 1980. En 1991, il annonce qu'il est séropositif et se retire de la NBA. Il gagne une médaille d'or aux Jeux olympiques de 1992 avec l'équipe américaine. Toujours en excellente santé, Johnson fait un retour surprenant en 1996, aidant encore les Lakers à gagner 29 de leurs 40 derniers matchs.

Vainqueur de cinq championnats NBA avec les Lakers de Los Angeles (1980, 1982, 1985, 1987 et 1988); sélectionné pour jouer 12 parties All-Star.

Magic Johnson (à gauche) échappant à ses adversaires.

Michael Jordan

né en 1963

Considéré aujourd'hui comme le plus célèbre joueur de basket-ball du monde, le jeune Michael Jordan n'est pourtant pas sélectionné dans l'équipe de son lycée.

Encore amateur, Jordan, qui mesure 1,98 m, est sélectionné pour jouer dans l'équipe américaine lors des Jeux olympiques de 1984 à Los Angeles. La même année, il passe à la NBA et commence une longue association avec les Bulls de Chicago. Saison après saison, il continue son ascension et est élu le joueur le plus efficace de la NBA au cours de six finales différentes. Son père est tragiquement assassiné en 1993, et Jordan se retire de la NBA. Il part jouer au base-ball chez les Red Sox avec un succès limité. Cependant, l'attrait du basket-ball est le plus fort et Jordan réintègre les Bulls. En 1997, il pulvérise un célèbre record, marquant plus de 30 points pour les 788èmes match consécutifs. Ayant quitté les Bulls en 1999, il fait un retour surprise en 2001 chez les Wizards de Washington. Il se retire en 2003.

Chez les Bulls de Chicago, record absolu avec 29 277 points ; cinq fois vainqueur de la distinction MVP de la NBA en 1988, 1991, 1992, 1996 et 1998 ; vainqueur de six championnats MBA (1991 – 1993, 1996 – 1998).

Le cricket

Robert Colchin

1713 – 1750

Au cours du XVIIIe siècle, les premiers clubs de cricket se constituent en Angleterre, souvent sous l'égide de riches propriétaires terriens qui jouent à la fois le rôle de patron et d'organisateur. Beaucoup de joueurs sont des amateurs, bien que quelques équipes jouant pour la noblesse commencent à employer des professionnels. Colchin est considéré comme le meneur de la meilleure équipe de cricket de l'époque, celle du London Club, qui jouait sur le terrain de l'Artillery en plein centre de Londres. Colchin est principalement connu pour ses qualités de puissant batteur.

Robert Colchin est le plus brillant joueur de cricket de son époque, bien que le souvenir de ses scores se soit perdu au cours des ans.

W. G. Grace

1848 – 1915

Considéré comme le plus grand des joueurs de cricket anglais du XIXe siècle, Grace fait ses débuts professionnels en 1815, à l'âge de 17 ans. Trois ans plus tard, il est le premier joueur à marquer un 100 à chaque tour de batte d'un match. Personnage formidable, il joue au cricket pendant 40 ans tout en marchant dans les pas de son père médecin. Il est le fondateur de la Bowl Association et, en 1903, devient capitaine de l'équipe d'Angleterre pour le premier match international de cricket contre l'Écosse.

Premier joueur à totaliser 1 000 points en mai 1895 à l'âge de 47 ans ; total professionnel de 54 896 points, prenant 2 876 guichets et 887 reprises.

Don Bradman

1908 – 2001

Originaire d'Australie, Donald Bradman domine le cricket comme personne avant ou après lui. Batteur droitier, il perfectionne sa coordination œil-main alors qu'il est jeune. Il totalise en moyenne une centaine de points chaque fois qu'il fait trois tours de batte pendant ses 20 années de carrière, son plus haut score se situant à 452 sans hors-jeu. En tant que capitaine, il remporte pour l'Australie quatre Ashes (trophées fictifs des matchs Australie-Angleterre) entre 1928 et 1948. Sa moyenne de 99,94 pendant sa carrière représente 40 points de plus que tout autre joueur.

Cent dix-sept centaines de points et 37 doubles centaines en cricket professionnel; moyenne de 201,5 points par tour de batte dans les séries de 1931 contre l'Afrique du Sud.

Garfield Sobers

né en 1936

Gary Sobers est considéré comme le meilleur de tous les joueurs de cricket. Né à la Barbade, il excelle dans tous les sports, jouant au football, au basket-ball et au golf pour son île natale. Il fait ses débuts pour les Antilles à l'âge de 17 ans et, de 1966 à 1973, participe à 86 matchs internationaux. Lorsqu'il attaque, c'est un batteur précis disposant d'une grande variété de coups. Sobers totalise 8032 points, avec une moyenne de 57,78 par tour de batte. Magnifique athlète, on lui attribue plus de 100 reprises; il peut lancer une balle tourbillonnante à effet, prenant ainsi 235 guichets.

Plus haut score: 358 en 1958; il marque six fois six points en une partie (Angleterre, 1968).

En 1968, Sobers devient le premier joueur à réaliser 36 trajets (over).

Ian Botham

né en 1955

Ian Botham est le plus charismatique de tous les joueurs de cricket anglais, et l'un des plus grands de l'histoire de ce sport. Ses statistiques impressionnantes, 383 guichets, 120 reprises et 5200 allers et retours, ne suffisent pas à résumer sa carrière. Batteur spectaculaire, lanceur moyennement rapide et superbe repreneur hors du terrain, il transforme souvent le jeu grâce à son habileté. Botham débute pour le comté de Somerset en 1974 et, en 1977, joue son premier match international, prenant cinq guichets australiens en un tour de batte. Il joue la plupart de ses meilleurs matchs contre les Australiens. Lors des Ashes de 1981, Botham devient un héros national à la suite d'une série de victoires époustouflantes. Après s'être retiré en 1994, il fait des dons importants à des œuvres de charité.

Homme des séries, reprenant les Ashes pour l'Angleterre en 1981. Meneur de l'équipe d'Angleterre, preneur de guichet avec un score de 383 et 5200 points.

Vivian Richards

né en 1952

Né à Antigua, Viv Richards est le batteur le plus redouté de son époque. Il dispose d'une très grande variété de coups qui l'aident à reprendre plus de 8500 lancers et 6700 points en une journée internationale. Richards enflamme les spectateurs anglais en jouant pour le Somerset et Glamorgan, avant de se retirer en 1992.

Deux cent quatre-vingt-onze plus hauts scores; 189 lancers en une journée internationale en 1984.

Shane Warne

né en 1969

Depuis ses débuts en 1992, cet Australien extraverti terrorise les batteurs par ses lancers féroces et une formidable gamme de balles injouables. Il passe le dernier dans les tours de batte et possède la capacité d'augmenter le score rapidement. Il a gagné plus de 290 guichets au cours de journées internationales.

A gagné le plus de guichets au monde en 2005; gagne 600 guichets lors d'une série contre l'Angleterre en 2005.

Le golf

Bobby Jones

1902 – 1971

L'Américain Robert Jones n'a jamais pris de leçons de golf et s'est contenté de copier le jeu des professionnels. Gagnant son premier grand tournoi, l'U.S. Open, en 1923, il remporte 13 des 21 tournois majeurs auxquels il participe avant de se retirer, à 28 ans. Il devient alors créateur et architecte de terrains de golf. On lui doit le parcours d'Augusta, en Géorgie, qui accueille le tournoi des Masters.

Simple amateur, il remporte par deux fois l'US Open et le British Open la même année, en 1926 et 1930.

Jack Nicklaus

né en 1940

Jack Nicklaus est né à Colombus, dans l'Ohio. Il effectue son premier parcours de neuf trous à l'âge de 10 ans en 1951, un départ impressionnant pour une carrière qui va faire de lui le golfeur le plus brillant de tous les temps. À 19 ans, Nicklaus est le plus jeune vainqueur du Championnat amateur des États-Unis des 50 dernières années. À 21 ans, et après avoir gagné son second titre amateur aux États-Unis, il passe professionnel. Il balaie tous ses adversaires, remportant 100 tournois, dont 18 majeurs. Il est également célèbre pour les parcours qu'il a dessinés.

Six Masters ; cinq Championnats PGA ; trois British Open ; deux championnats amateurs des États-Unis ; membre de l'équipe américaine qui gagna cinq parties des six Ryder Cup et fit un match nul.

Tiger Woods jouant pour la victoire à l'US Open de 1997.

Tiger Woods

né en 1976

Surnommé « Tiger » par un soldat vietnamien ami de son père, le jeune Américain Eldrick T. Woods est un véritable enfant prodige du golf. À deux ans, il apparaît sur une chaîne de télévision nationale en train de putter des balles de golf contre le comédien Bob Hope (p. 137). À 8 ans, il gagne l'Optimist International Junior Championship, répétant cette victoire cinq fois dans les sept années qui suivent. Depuis, Tiger Woods est devenu le meilleur golfeur de la planète et, à 21 ans, il écrase le record de huit ans du plus jeune numéro 1 du golf.

Trois fois vainqueur du Championnat amateur des États-Unis ; le plus jeune vainqueur des Masters ; il gagne trois Majeurs en une année (2000).

BEN HOGAN 1912 – 1997
Quittant son poste de caissier dans une banque pour devenir golfeur professionnel, Hogan, originaire du Texas, remporte 63 tournois, dont quatre US Opens et quatre Masters. Mais un terrible accident de voiture survenu en 1949 le laisse presque mort. Cependant, courage et ténacité lui permettent de revenir sur les parcours et, grâce à sa détermination, il gagne 13 autres tournois.

ARNOLD PALMER né en 1929
Palmer, natif de Pennsylvanie, fait son entrée parmi les juniors amateurs en gagnant le Championnat amateur des États-Unis en 1954. Il remporte ensuite sept tournois majeurs dont quatre Masters, mais son impact à la télévision est beaucoup plus important que ses victoires, car son style spectaculaire et son caractère agréable ont incité des milliers de gens à jouer au golf.

L'ATHLÉTISME

Babe Didrikson

1914 – 1956

Fille d'immigrants norvégiens, l'Américaine Mildred Didrikson excelle dans de nombreux sports. Elle est très célèbre au basket-ball, mais est aussi connue au base-ball, d'où son surnom de « Babe », en référence au champion Ruth Babe (p. 204). En 1932, lors de la compétition nationale amateur des États-Unis, elle domine la compétition dans l'équipe féminine, remportant la victoire dans six disciplines différentes et battant quatre records du monde en un seul après-midi. Aux Jeux olympiques de 1932, elle reçoit la médaille d'or pour le 80 m haies et le javelot, et la médaille d'argent pour le saut en hauteur. Elle remporte aussi de nombreux tournois de golf avant de succomber à un cancer.

Deux médailles d'or et une d'argent aux Jeux olympiques de 1932 ; 10 titres professionnels et 55 amateurs en golf.

Jesse Owens

1913 – 1980

James Owens est né en Alabama dans une famille pauvre qui s'installe à Cleveland, dans l'Ohio, alors qu'il a seulement 8 ans. Il se tourne vers l'athlétisme après une visite du champion olympique Charles Paddock (1900 – 1943) à son école et, à 18 ans, il court le 100 m en 10,3 secondes.

En mai 1935, lors d'une rencontre d'athlétisme, Owens pulvérise trois records du monde et en égale un quatrième en un peu plus d'une heure. Aux tristement célèbres Jeux olympiques de Berlin, en 1936, Hitler (p. 22) attend le triomphe de ses athlètes blancs. Owens stupéfie les spectateurs en remportant le 100 m, le 200 m et le saut en longueur. Il est aussi un des vainqueurs américains du relais 4 x 400 m. Malgré ses succès, Owens, ayant toujours de gros problèmes financiers, se livre à des exhibitions devant le public, allant même jusqu'à affronter des animaux à la course. Il devient finalement un promoteur du mouvement olympique et encourage le sport comme moyen de sortir de la pauvreté.

Détenteur de trois records du monde ; quatre médailles d'or aux Jeux olympiques de Berlin en 1936.

◄ Jesse Owens en action pendant les Jeux olympiques de Berlin, en 1936

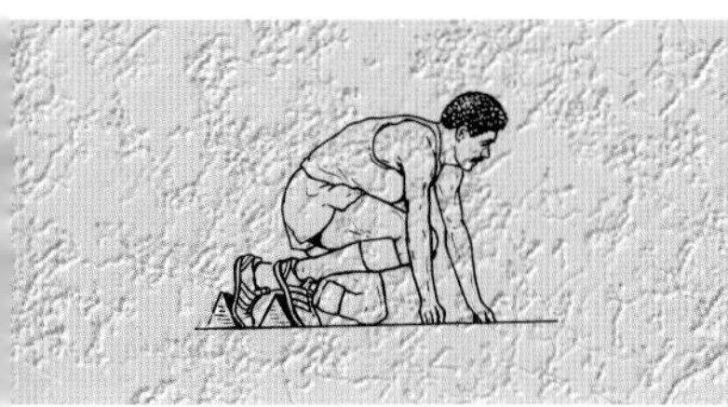

GÉRARD CÔTÉ 1913-1993
Le coureur québécois remporte en 1940 le premier de quatre marathons de Boston, celui de New York (championnat américain), et domine en Europe. Mais la guerre empêche la tenue des Jeux olympiques de 1940 et de 1944. En 25 ans de carrière, Côté cumule 112 victoires et 82 deuxièmes ou troisièmes places en 264 courses.

EMIL ZATOPEK 1922 – 2000
Né en Tchécoslovaquie, Zatopek travaille dès l'âge de 16 ans dans une usine de chaussures. Remarqué au cours des courses organisées par l'usine, il reçoit les conseils d'un spécialiste. Aux Jeux olympiques de 1948, Zatopek remporte le 10 000 m et arrive deuxième au 5 000 m le jour suivant. Aux Jeux olympiques de 1952, il remporte le 5 000 m, le 10 000 m et le marathon.

Fanny Blankers-Koen

1918 – 2004

Originaire d'Amsterdam, Francina Koen, représente les Pays-Bas à leur première participation aux Jeux olympiques, en 1936, obtenant la place de sixième au saut et hauteur et de cinquième au relais 4 x 100 m. Les Jeux suivants se tiennent à Londres, 12 ans plus tard. Entre-temps, elle a épousé son entraîneur, Jan Blankers, dont elle a eu deux enfants. Bien qu'elle soit détentrice de six records du monde, beaucoup pensent qu'elle est trop âgée pour cette compétition. Mais elle triomphe, remportant quatre médailles d'or dans le 80 m haies, le 100 m, le 200 m et le relais 4 x 100 m. Elle ne participe pas aux deux autres épreuves dont elle détient le record du monde, en raison de programmations simultanées du saut en hauteur (qu'elle n'aime pas) et de la course de haies. Adulée dans son pays, elle continue à faire de la bicyclette et du tennis.

Première femme à obtenir quatre médailles d'or aux Jeux olympiques.

Kip Keino

né en 1940

Kipchoge, dit « Kip », Keino est un coureur de demi-fond parmi les plus courageux et les plus doués, et l'inspirateur d'une nouvelle génération de brillants athlètes dans son Kenya natal. Aux Jeux olympiques de 1968, Keino, atteint d'une infection de la vessie, s'écroule pendant le 10 000 m. Il tient cependant à terminer la course et, quelques jours plus tard, il gagne sa première médaille olympique, une médaille d'argent pour le 5 000 m. Pour la finale du 1 500 m, Keino doit courir sur 1,6 km pour gagner le stade, son taxi étant pris dans les embouteillages, ce qui ne l'empêche pas de remporter l'épreuve. Il répète ces succès aux Jeux olympiques de 1972, avec une médaille d'argent dans le 1 500 m et une médaille d'or dans le 3 000 m steeple. Aujourd'hui président du Comité olympique kenyan, Keino a ouvert avec sa femme une maison pour les enfants abandonnés du Kenya.

Il triomphe de l'adversité pour gagner une médaille d'or aux Jeux olympiques de 1968.

Ed Moses

né en 1955

Né à Dayton, dans l'Ohio, Ed Moses suit de brillantes études et obtient ses diplômes en physique et en administration des affaires. En 1976, il bouleverse la scène mondiale en gagnant une médaille d'or dans le 400 m haies lors de la première compétition internationale à laquelle il participe. Moses signe ensuite une des plus longues séries de victoires de l'histoire de l'athlétisme. Entre août 1977 et juin 1987, il remporte chacun des 400 m auxquels il participe, recevant ainsi 107 prix.

Deux médailles d'or olympiques en 1976 et 1984 ; trois titres de champion du monde ; champion pendant neuf années consécutives.

Le record de 47,02 secondes qu'Ed Moses établit sur 400 m haies en 1983 reste invaincu pendant neuf ans.

Carl Lewis

né en 1961

Originaire de Birmingham, en Alabama, Frederick Carlton Lewis se développe tardivement et est malmené par ses camarades. Il fait la connaissance de Jesse Owens (p. 213) à 12 ans. Cette rencontre est le tournant de sa vie ; il grandit de façon inespérée de 10 cm pendant son adolescence, ce qui l'aide à devenir un des grands noms de l'athlétisme. Courant le 100 m en 9,3 s en 1976, Lewis entre à l'université de Houston. Le boycott appliqué par les Américains aux Jeux olympiques de Moscou en 1980 l'empêche de participer aux épreuves, mais il se rattrape en 1984. Aux Jeux olympiques de Los Angeles, Lewis égale l'exploit de Jesse Owens et remporte quatre médailles d'or. Doté de talents multiples, Lewis excelle non seulement dans le sprint, mais aussi dans le saut en longueur, pour lequel son record demeurera invaincu pendant 10 ans. Il remporte quatre médailles d'or supplémentaires avant de se retirer, en 1997.

Neuf médailles d'or en épreuves d'athlétisme ; record de saut en longueur invaincu pendant 65 compétitions consécutives.

Carl Lewis est considéré comme l'un des plus grands athlètes de tous les temps.

Daley Thompson

né en 1958

Dans de nombreux pays l'heptathlon (sept épreuves) pour les femmes et le décathlon (10 épreuves) pour les hommes sont considérés comme le summum de l'athlétisme.

L'un des plus brillants athlètes de décathlon est sans conteste Daley Thompson. Né à Londres d'une mère écossaise et d'un père nigérien, Thompson se découvre une aptitude pour les sports exceptionnelle alors qu'il est en pension. Il remporte le premier décathlon auquel il participe, pulvérisant le record britannique junior de la spécialité. À la suite de cet exploit, il est envoyé aux Jeux olympiques de 1976 où il termine dix-huitième le jour de son dix-huitième anniversaire. Aux Jeux du Commonwealth de 1978, il gagne la médaille d'or et termine peu après deuxième du championnat d'Europe. Durant les neuf années qui suivent, il remporte toutes les compétitions auxquelles il participe. Sa personnalité agace parfois les autorités mais lui attache le public, et il devient un des athlètes les plus célèbres du monde. Gêné par des blessures avant et pendant les Jeux olympiques de 1988, Thompson termine cependant quatrième, mais son état de santé ne lui permet pas de participer aux Jeux de 1992 et il se retire.

Il bat quatre fois le record du monde du décathlon ; deux médailles d'or olympiques en 1980 et 1984 ; détenteur de titres et de records pour les Jeux olympiques, le monde et l'Europe à la même période.

Sergueï Bubka

né en 1963

Originaire d'Ukraine, Bubka est destiné à l'athlétisme dès son plus jeune âge. Il fait sa première tentative au saut à la perche à 11 ans en passant 2,69 m. Bien qu'ayant terminé seulement huitième au Championnat d'Union soviétique, il est intégré à l'équipe qui participe au Championnat du monde d'athlétisme en 1983. Bubka stupéfie tout le monde en gagnant la compétition avec un saut de 5,69 m. L'année suivante, il conquiert le record du monde, le premier des 35 records qu'il battra au cours de sa longue carrière. Il se retire après les Jeux olympiques de Sydney en 2000 et est élu au parlement ukrainien en 2002.

Six titres de champion du monde consécutifs ; une médaille d'or olympique en 1988 ; détenteur du record du monde de saut à la perche.

Michael Johnson

né en 1967

Courant très droit, à petites foulées, dans un style introuvable dans les manuels d'entraînement, le Texan Michael Johnson domine les épreuves du 200 m et du 400 m pendant toutes les années 1990. Blessures et maladies le privent de médailles d'or aux Jeux de 1988 et 1992 mais, en 1996, il fait voler en éclat le record du monde du 200 m que Pietro Mennea (né en 1952) détenait depuis 17 ans. Johnson bat aussi le record du monde du 400 m avec un temps de 43,18 secondes. Après une spectaculaire victoire dans le 400 m aux Jeux olympiques de Sydney, en 2000, Johnson se retire en 2001.

Détenteur du record du monde pour le 200 m, le 300 m et le 400 m. ; deux médailles d'or au 400 m, deux au relais 4 x 400 m, et une au 200 m.

LES SPORTS MÉCANIQUES

Le cyclisme

Jacques Anquetil

1934 – 1987

Grand nom du cyclisme français, Jacques Anquetil est le premier coureur cycliste à remporter cinq fois le Tour de France. Grand spécialiste des étapes contre la montre et farouche compétiteur en montagne, il domine le monde du cyclisme pendant 10 ans. Il remporte aussi neuf fois le Grand Prix des nations, deux fois le Tour d'Italie, cinq fois le Paris-Nice. Il bat le record du monde de l'heure en 1967. Son plus grand rival est un autre cycliste français, Raymond Poulidor. Jacques Anquetil meurt prématurément à l'âge de 53 ans.

Cinq fois le Tour de France ; deux fois le Tour d'Italie ; neuf fois le Grand Prix des nations ; cinq fois le Paris-Nice ; détenteur du record du monde de l'heure en 1967.

Eddy Merckx

né en 1945

Le Belge Eddy Merckx est le plus grand cycliste de son époque, remportant 525 courses aussi bien sur longue que sur courte distance. Lors de son premier Tour de France en 1969, Merckx étonne tout le monde en remportant haut la main cette épreuve si disputée. Au cours des quatre années suivantes, Merckx, surnommé « le Cannibale », s'adjuge le Tour de France, et beaucoup d'autres courses. Il se retire et fonde une entreprise de construction de bicyclettes.

Cinq Tours de France ; cinq Tours d'Italie ; trois titres de champion du monde ; sept Milan-San Remo.

Miguel Indurain

né en 1971

L'Espagnol Miguel Indurain fit ses premiers tours de roue à bicyclette à l'âge de 9 ans, et, trois ans plus tard, remporta la deuxième course locale à laquelle il s'était inscrit. Indurain n'acheva pas ses deux premiers Tours de France et termina le troisième à la 97ème place. En 1991, il se retrouva sur la plus haute marche du podium. À partir de là s'ouvrit pour lui une remarquable période au cours de laquelle il gagna cinq Tours d'affilée. Indurain gagna en 1996 la médaille d'or olympique puis se retira peu après.

Trois Tours de France (1999 – 2001) ; champion du monde en 1993 ; médaille de bronze olympique en 2000.

MIGUEL INDURAIN

Les courses automobiles

Juan Fangio

1911 – 1995

Fils d'un émigrant italien vivant en Argentine, Fangio est d'abord mécanicien automobile avant de courir sur les redoutables circuits argentins des années 1930. Deux fois champion national d'Argentine, Fangio réalise son rêve de courir en Europe en 1947. Il a plus de 40 ans quand il gagne son premier championnat du monde mais, par la suite, il domine totalement les courses des années 1950. Ses 24 victoires pour 51 départs ont rarement été égalées. En 1952, il se brise le cou dans un accident et s'absente des circuits pendant deux saisons. Fangio se retire brusquement en 1958.

Cinq fois champion du monde en Grand Prix (1951, 1954 – 1957).

Alain Prost

né en 1955

Coureur automobile français, Alain Prost a un palmarès de champion particulièrement impressionnant. Surnommé « le Professeur » en raison de ses connaissances de la course et de son organisation, il détient un des meilleurs records du nombre des victoires en Grand Prix avec 51 titres à son effectif. Il domine le monde automobile de 1985 à 1993. Il se retire en 1994 et fonde trois ans plus tard l'écurie Prost Grand Prix, qui lui permettra de gagner une septième place au Championnat de 1999. Malheureusement, en 2002, il est contraint à la liquidation judiciaire de son entreprise.

Quatre fois champion du monde de formule 1 ; cinq fois vainqueur du Grand Prix de France ; quatre fois du Brésil ; quatre fois de Monaco.

Michael Schumacher

né en 1969

Un kart, propulsé par un vieux moteur de tondeuse, est la première voiture de course du jeune Schumacher âgé de 4 ans. En 1984 et 1985, il gagne le Prix junior de karting en Allemagne et, en 1987, le titre adulte. Il débute en formule 1 au Grand Prix de Belgique en 1991. Puis il passe chez Benneton et, remporte sa première course. Perfectionniste et adversaire impitoyable, Schumacher écrase ses rivaux par son style qui lui a permis de gagner deux titres de champion du monde pour Benneton. Il passe chez Ferrari en 1995 et remporte le titre de champion du monde cinq années consécutives, soit de 2000 à 2004.

84 victoires en Grand Prix ; sept fois champion du monde des conducteurs (1994, 1995, 2000, 2001, 2002, 2003, 2004).

TAZIO NUVOLARI 1892 – 1953
Chauffeur dans l'armée, Nuvolari débute les courses de motos à 28 ans. En 1924, il passe aux voitures et signe avec Alfa Romeo en 1928. Il devient vite une légende, très rapide, courageux et passionné par tout ce qui touche à la course. Il remporte de nombreuses compétitions jusqu'à ce qu'il atteigne la cinquantaine.

STIRLING MOSS né en 1929
Le plus grand conducteur de Grand Prix qui ait jamais gagné le championnat du monde. Moss se fait un nom en formule 3, participe aux 24 heures du Mans et est le premier britannique à remporter la course des Mille miles en 1955. Il gagne 16 Grands Prix ; il est battu en 1958 pour le championnat du monde par un compatriote, Mike Hawthorn (1929 – 1959).

NIKI LAUDA né en 1949
Autrichien d'origine, Lauda conduit pour Ferrari et remporte deux titres de champion du monde en 1975 et 1977, en dépit d'un grave accident survenu en 1976. Dix semaines plus tard, il retourne à la compétition, manquant de peu le titre de champion du monde que remporte James Hunt (1947 – 1993). Il se retire en 1979 pour se consacrer à sa compagnie aérienne. Mais il retourne à la course en 1982 avec McLaren et remporte son troisième titre de champion du monde en 1984.

AYRTON SENNA 1960 – 1994
Pendant son enfance, les parents de Senna font appel à un spécialiste tant leur fils a une mauvaise coordination motrice. Mais derrière le volant d'un kart, il révèle sa grande assurance et son habileté. Courant dès l'âge de 8 ans, Senna gagne le championnat britannique de formule 3 en 1983. Il remporte son premier Grand Prix en formule 1 à Estoril, au Portugal en 1985, victoire suivie de 40 autres. Senna se tue en 1994 lors du Grand Prix de San Marin.

JACQUES VILLENEUVE né en 1971
Né au Québec, Jacques Villeneuve partage la passion de son père, Gilles Villeneuve, pour la course automobile. Il remporte en 1994 – 1995 le championnat des conducteurs IndyCar. À l'âge de 24 ans, il est le plus jeune pilote à remporter l'épreuve des 500 milles d'Indianapolis. Dès sa première année en formule 1, en 1996, il mérite le titre de vice-champion du monde. Il décroche en 1997 le titre de champion du monde des conducteurs.

LES SPORTS AQUATIQUES ET LES SPORTS D'HIVER

La nage et le plongeon

Johnny Weissmuller

1903 – 1984

Hongrois de naissance, Peter Jonas, «Johnny», Weissmuller arrive très jeune aux États-Unis. À 16 ans, il se consacre sérieusement à la natation. Il remporte 52 championnats nationaux et conquiert plus de 60 records du monde au cours des neuf ans d'une carrière incroyable. Il abandonne la compétition en 1929 et, après une brève période où il donne des leçons de natation et présente des costumes de bain, il commence une longue carrière au cinéma dans le rôle de Tarzan.

Cinq médailles d'or olympiques en 1924 et 1928.

Johnny Weissmuller a joué le rôle de Tarzan dans 19 films entre 1932 et 1948.

Dawn Fraser

née en 1937

L'Australienne Dawn Fraser, souffrant d'asthme dans sa jeunesse, est encouragée à pratiquer la natation par son frère aîné. Repérée par l'entraîneur Henry Gallagher, elle remporte la médaille d'or pour le 100 m nage libre aux Jeux olympiques de Melbourne en 1956, ainsi qu'en 1960 et 1964. Dawn Fraser s'oppose souvent aux officiels et, après une querelle aux Jeux olympiques de 1964, elle est interdite de participation à toute compétition de natation pendant 10 ans, ce qui met fin à sa carrière.

Trois médailles d'or olympiques; première femme à effectuer le 100 m nage libre en moins d'une minute.

Mark Spitz au cours d'une de ses superbes performances des Jeux olympiques de 1972.

Mark Spitz

né en 1950

Bien qu'ayant étudié la chirurgie dentaire à l'université d'Indiana, Mark Spitz excelle en natation. Aux Jeux panaméricains de 1967, il remporte cinq médailles d'or et deux autres aux Jeux olympiques de 1968. En 1972, il surpasse tous les autres concurrents participant à sept épreuves différentes en natation et les remporte toutes. Au total, figurent à son palmarès 23 records du monde. Sa tentative de retour à la compétition en 1991, à l'âge de 41 ans, se solde par un échec.

Neuf médailles d'or olympiques en 1968 et 1972.

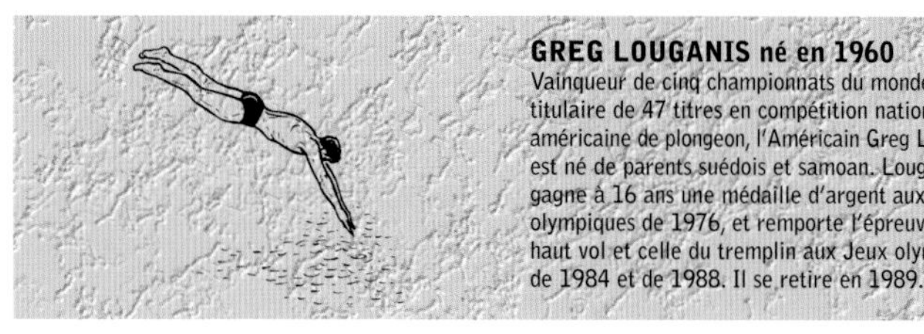

GREG LOUGANIS né en 1960

Vainqueur de cinq championnats du monde et titulaire de 47 titres en compétition nationale américaine de plongeon, l'Américain Greg Louganis est né de parents suédois et samoan. Louganis gagne à 16 ans une médaille d'argent aux Jeux olympiques de 1976, et remporte l'épreuve du haut vol et celle du tremplin aux Jeux olympiques de 1984 et de 1988. Il se retire en 1989.

IAN THORPE né en 1982

En 1997, âgé d'à peine 15 ans, Ian Thorpe représente l'Australie en natation aux Jeux pan-Pacifique, et obtient la deuxième place dans le 400 m. À 16 ans, en 1998, il triomphe aux Championnats du monde. En 2000, aux Jeux olympiques de Sydney, il remporte trois médailles d'or et deux d'argent. Viennent s'y ajouter deux médailles d'or, une d'argent et une de bronze aux Jeux d'Athènes en 2004.

L'aviron

Steve Redgrave

né en 1962

Le Britannique Steve Redgrave gagne une médaille d'or en quatre de pointe sans barreur aux Jeux olympique de 1984 avant de se consacrer au deux de pointe sans barreur et de gagner une médaille d'or dans cette discipline aux Jeux de 1988, avec Andy Holmes. Avec un nouvel équipier Matthew Pinsent (né en 1970), ils gagnent 61 courses d'affilée dont les médailles d'or olympiques en 1992 et 1996. Revenant au quatre de pointe sans barreur, Redgrave est médaille d'or aux Jeux olympiques de Sydney, en 2000.

Cinq médailles d'or olympiques; neuf médailles d'or en championnats du monde; trois médailles d'or aux Jeux du Commonwealth.

Steve Redgrave (3ème à partir de la gauche) aux Jeux olympiques de 2000.

La course au large

Dennis Conner

né en 1942

Originaire de Californie, Dennis Conner navigue pour les États-Unis dès 1963. Il remporte le Championnat du monde des stars en 1971 et une médaille olympique en 1976. Puis il participe à deux Whitbread, une course autour du monde en équipage. Mais c'est surtout pour ses exploits dans la Coupe de l'America qu'il est célèbre. Conner gagne la Coupe en 1980, la perd en 1983, la reprend en 1987, la conserve l'année suivante. Il prépare actuellement la course de 2003.

Trois fois vainqueur de la Coupe de l'America.

Le hockey

Wayne Gretzky

né en 1961

Wayne Gretzky débute sur une patinoire de fortune dans la cour de ses parents en Ontario, au Canada. Meilleur marqueur à la coupe du monde junior de 1977, il passe professionnel à 17 ans. Au cours de ses huit premières années à la Ligue nationale de hockey, il mène aux points chaque année et conduit les Oilers d'Edmonton quatre fois à la victoire en Coupe Stanley. Il passe aux Kings de Los Angeles en 1989 et aux Rangers de New York en 1997. Retiré en 1999, il est aujourd'hui actionnaire et conseiller de l'équipe des Coyotes de Phoenix.

Dix fois champion au score en Ligue nationale de hockey; quatre Coupes Stanley avec les Oilers d'Edmonton; meilleur meneur aux points de la Ligue nationale de hockey avec 894 buts et 1963 participations.

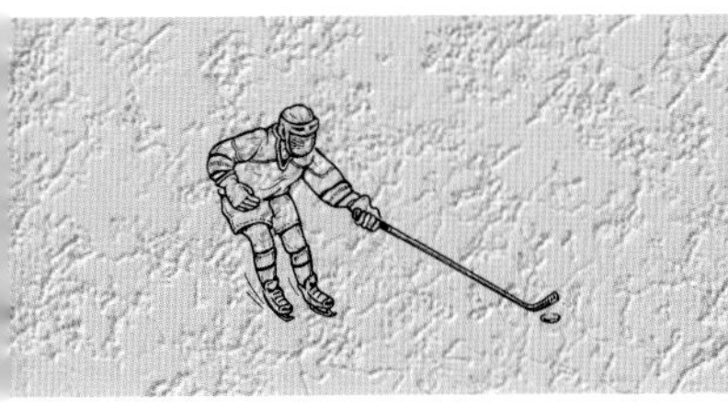

MAURICE RICHARD 1921 – 2000
En dix-huit saisons, le légendaire Maurice « le Rocket » Richard du Canadien de Montréal participe à la conquête de huit coupes Stanley dont cinq d'affilée, de 1956 à 1960. Il est le premier joueur de la Ligue nationale de hockey à enregistrer 50 buts en 50 parties et à dépasser 500 buts en carrière. La vie de ce héros est portée à l'écran en 2005.

BOBBY ORR né en 1948
Natif du Canada, Bobby Orr révolutionne la stratégie de défense du hockey par son habileté à relancer les attaques. Ayant joué la plus grande partie de sa carrière pour les Bruin de Boston, il est le seul joueur défensif à mener au score en Ligue nationale de hockey, exploit qu'il réalise deux fois. À 31 ans, il est élu au Hockey Hall of Fame.

Le ski

Jean-Claude Killy

né en 1943

Dominant le ski à la fin des années 1960, le Français Jean-Claude Killy remporte en 1967 la première Coupe du monde jamais organisée en gagnant 12 épreuves. Devant son public, il remporte trois titres aux Jeux olympiques de 1968, en descente, slalom et slalom géant.

Deux fois champion du monde en 1967 et 1968; trois médailles d'or olympiques en 1968.

Franz Klammer

né en 1953

L'Autrichien, Klammer est le skieur le plus rapide du monde en descente. Après avoir triomphé aux Jeux olympiques d'hiver de 1976, il est gravement affecté par l'accident de ski de son frère qui le laisse paralysé. Mais, Klammer revient à la compétition en 1983 et remporte de nouvelles victoires.

Klammer montre une audace sans égale en compétition, prenant tous les risques pour gagner.

Médaille d'or en descente en 1976; champion du monde de descente 1975, 1976 – 1978 et 1983.

Ingemar Stenmark

né en 1956

Né au nord de la Suède, Stenmark est le skieur le plus brillant et le plus célèbre des années 1970 et 1980. C'est un technicien hors pair, spécialiste du slalom et du slalom géant, et il gagne d'une façon impressionnante la Coupe du monde 1986. En 1978-1979, il établit un record, remportant 13 épreuves de la Coupe du monde au cours d'une seule saison. En 1989, Stenmark, surnommé « le Suédois silencieux », raccroche définitivement ses skis.

Trois fois champion du monde (1976 – 1978); deux médailles d'or olympiques en 1980.

Annemarie Moser-Pröll

née en 1953

Née près de Salzbourg dans une grande famille d'agriculteurs autrichiens, Annemarie Moser-Pröll est encouragée par le curé de son village à se lancer dans le ski. Effectuant ses débuts internationaux en 1969, elle domine la descente féminine entre 1970 et 1975 et se retire à l'âge de 22 ans. Elle revient à la compétition en 1978 pour gagner le Championnat du monde, une sixième coupe du monde et une médaille d'or aux Jeux olympiques de 1980.

Six Coupes du monde; médaille d'or aux Jeux olympiques de 1980.

Le patinage

Irina Rodnina et son partenaire, Alexandr Zaitsev, qu'elle épouse en 1975.

Irina Rodnina

née en 1949

Moscovite d'origine, Rodnina et son premier partenaire Alexei Ulanov (né en 1947) remportent l'épreuve de patinage en couple aux Jeux olympiques de 1972. Irina et un autre partenaire, Alexandr Zaitsev (né en 1952) remportent le Championnat d'Europe en 1973, avec le score maximal de 6,00, puis arrivent en tête de tous les Championnats du monde. Elle est la patineuse la plus âgée à obtenir une médaille d'or aux Jeux olympiques d'hiver de 1980.

Trois médailles d'or olympiques en 1972, 1976 et 1980.

Eric Heiden

né en 1958

Originaire du Wisconsin, Heiden remporte tous les titres de patinage de vitesse aux Championnats du monde de 1977, 1978 et 1979. Aux Jeux olympiques de 1980, il domine toutes les épreuves de vitesse masculines, pulvérisant à chaque fois records du monde et records olympiques. Il se retire peu après, se tournant d'abord vers le cyclisme puis vers la médecine.

Cinq médailles d'or olympiques en 1980.

LA BOXE

John L. Sullivan

1858 – 1918

John L. Sullivan, Américain d'origine irlandaise, est né à Boston, Massachusetts. Il possède la puissance, l'endurance, un incroyable punch et une force vitale qui lui permet de résister à 30 rounds ou plus. Après avoir battu tous les boxeurs américains et britanniques dans les années 1880, Sullivan fait une tournée aux États-Unis, offrant 1 000 $ à tous ceux qui tiendraient plus de quatre rounds en face de lui. Le public, qui n'avait rien vu de ce genre auparavant, se rue dans les salles de danse et les théâtres dans lesquels il se produit. En 1887, il vient en Europe pour combattre en Angleterre et en France, avec le même succès. Sa carrière s'achève après un KO que lui inflige Jim Corbett (1866 – 1933) en 1892.

Il bat le champion américain Paddy Ryan en 1882 ; il bat le champion britannique Charley Mitchell (1861 – 1918) en 1883.

Jack Dempsey

1895 – 1983

Natif du Colorado, Dempsey commence sa vie professionnelle comme mineur itinérant, arrondissant à l'occasion ses fins de mois en affrontant le tout-venant dans des combats organisés dans les saloons des petites villes minières. En 1914, il passe professionnel et, en 1919, envoie au tapis le géant Jess Willard, 113 kg, 1,98 m, remportant ainsi le titre poids lourd. Connu comme le « Manassa Mauler », il défend son titre six fois avant de perdre deux fois contre Gene Turney (1897 – 1978). Après ces défaites, Dempsey continue à boxer principalement dans des exhibitions, et se retire en 1940.

Un record de 60 victoires professionnelles, dont 49 par KO.

Sugar Ray Robinson

1920 – 1989

Né à Ailey, en Géorgie, il est considéré comme le plus grand boxeur de tous les temps, hors catégorie poids lourds. Robinson passe professionnel en 1940 et gagne ses 40 premiers combats d'affilée avant de s'incliner devant Jack LaMotta (né en 1921). Il ne perd plus aucun match dans les huit années qui suivent, pendant lesquelles il devient champion du monde des poids légers. En 1951, il combat dans une catégorie supérieure, toujours contre LaMotta, en vue d'obtenir le titre chez les poids moyens. En 1952, il se retire avec le titre de champion. En 1955, il remonte sur le ring et gagne le titre des poids moyens. Il quitte la carrière avec seulement 19 défaites dont 16 survenues après 1955.

Champion du monde des poids légers (1946 – 1951) ; champion du monde des poids moyens en 1951 ; 174 victoires professionnelles avec 109 KO.

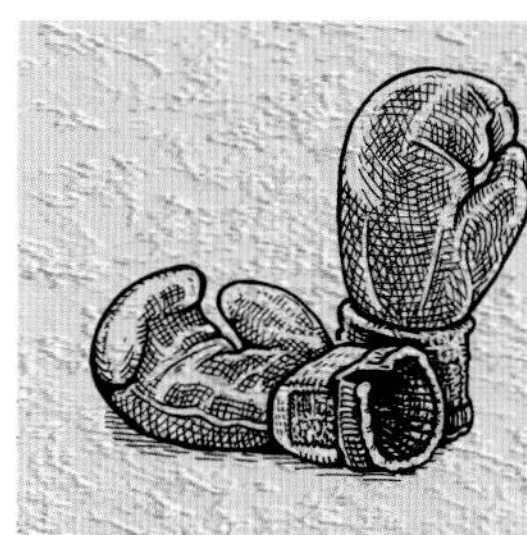

GEORGES CARPENTIER 1894 – 1975

Georges Carpentier est un boxeur français d'une grande popularité en raison de sa technique de combat très soignée. Il est champion de France des poids mi-moyens, moyens, lourds et mi-lourds. En 1920, il devient enfin champion du monde de la catégorie des mi-lourds. L'année suivante, il essaie de conquérir en vain le titre toutes catégories, mais est malheureusement défait par Jacques Dempsey (à gauche).

JOE LOUIS 1914 – 1981

Né Joseph Louis Barrow dans une cabane près de Lafayette, en Alabama, il voit son père interné dans une institution psychiatrique alors qu'il n'a que deux ans, et connaît une enfance difficile. Boxant comme amateur sous le nom de Joe Louis afin que sa mère ne puisse pas le reconnaître, il remporte 50 des 54 combats amateurs qu'il livre avant de passer professionnel en 1934. La « Bombe brune » devient célèbre en ne concédant aucune victoire en poids lourds pendant 12 ans et 25 combats. Ce record n'est toujours pas battu.

MARCEL CERDAN 1916 – 1949

Le Français Marcel Cerdan est né à Sidi Bel Abbès au Maroc, d'où son surnom de « Bombardier marocain ». C'est un redoutable frappeur et il remporte le titre de champion du monde des poids moyens en 1948. Un an plus tard, il est battu par l'Américain Jake LaMotta. Il trouve la mort dans un accident d'avion alors qu'il se rendait à New York, aux États-Unis, pour disputer le match revanche. Au cours de sa trop brève carrière, il a remporté 110 victoires sur 113 combats.

Muhammad Ali

Marié quatre fois et père de neuf enfants, Ali souffre aujourd'hui de la maladie de Parkinson à un stade avancé, mais reste toujours aussi populaire.

né en 1942

Cassius Marcellus Clay est né à Louisville, dans le Kentucky, et commence à boxer à l'âge de 12 ans. Il remporte des médailles olympiques à 18 ans, mais beaucoup de spécialistes de la boxe n'apprécient guère son style sur le ring, son assurance et sa célèbre rodomontade, « Je suis le roi du monde… ».

Lorsque Cassius Clay affronte le champion des poids lourd Sonny Liston (1932 – 1970), beaucoup pensent que ses chances sont minimes, mais il remporte le combat facilement. Puis il annonce qu'il s'est converti à l'islam et qu'il porte désormais le nom de Muhammad Ali. Ali, qui a une formidable main et une grande rapidité de jambe, porte la boxe à un niveau d'élégance inconnu jusqu'alors chez les poids lourds. Hors du ring, son intelligence, ses plaisanteries et sa générosité suscitent un intérêt sans précédent pour le milieu de la boxe. En 1967, il refuse d'aller servir au Viêt Nam ; il est arrêté, déchu de son titre et interdit de ring pendant plus de trois ans. Les années 1970 sont considérées comme l'âge d'or des poids lourds avec des champions comme Joe Frazier (né en 1947), Ken Norton (né en 1943) et George Foreman (né en 1949). Les combats fantastiques qu'Ali mène, et gagne en majorité, contre ces boxeurs, ont écrit une des plus belles pages de l'histoire de ce sport. Ali bat Foreman et lui prend le titre en 1974, puis, après l'avoir perdu au profit de Leon Spink (né en 1953) en 1978, le reconquiert six mois plus tard. Après cet exploit, Ali mène deux combats supplémentaires qu'il perdra, l'un contre Larry Holmes (né en 1949) et l'autre contre Trevor Berbick (né en 1952). Il raccroche les gants en 1981.

Médaille d'or olympique en 1960 ; trois fois champion du monde des poids lourds ; il remporte 56 des 61 combats professionnels auxquels il participe, dont 37 par KO.

En 1974, lors du fameux « Grondement dans la jungle », Ali bat George Foreman et reprend le titre mondial des poids lourds.

LES AUTRES SPORTS

La gymnastique

Olga Korbut

née en 1956

Originaire de Biélorussie, en Union soviétique, Olga Korbut est la plus petite de sa classe mais elle dépasse à la course comme au saut des enfants plus grands. Elle attire l'attention de l'entraîneur Renald Knysh, et ils créent ensemble une série de nouveaux mouvements en gymnastique, dont le saut arrière sur la poutre, appelé depuis le salto Korbut. Aux Jeux olympiques de 1972, elle captive le public par la hardiesse et la créativité dont elle fait preuve et qui lui rapportent quatre médailles. Elle abandonne la compétition en 1977 et est la première athlète à être inscrite à l'International Gymnastic Hall of Fame en 1988.

Quatre médailles d'or et deux d'argent aux Jeux olympiques de 1972 et 1976.

Nadia Comaneci

née en 1961

Native de Moldavie, en Roumanie, Nadia Elena Comaneci participe à sa première compétition nationale à l'âge de huit ans. Elle fait ensuite partie, à seulement 14 ans, de l'équipe roumaine aux Jeux olympiques de Montréal en 1976 où elle remporte trois médailles d'or, une d'argent et une de bronze. Elle est aussi la première gymnaste de l'histoire des Jeux olympiques à recevoir un 10 pour sa performance aux barres asymétriques. Elle se retire en 1984, devient juge international et entraîne l'équipe nationale de Roumanie. Elle émigre aux États-Unis en 1989.

Première à obtenir un 10 lors des Jeux olympiques ; cinq médailles d'or, trois d'argent et une de bronze aux Jeux olympiques de 1976 et 1980.

Nadia Comaneci reçoit un second 10 à la poutre aux Jeux olympiques de 1976.

L'escrime

Camillo Agrippa

v.1530 – v.1575

Agrippa est un architecte italien de la Renaissance, philosophe et amateur d'épée. Il étudie l'art de cette arme, et écrit un ouvrage définitif sur ce sport. Agrippa insiste sur la dynamique de la pointe de la lame et décrit en détail de nombreuses positions et de nombreux grips encore en usage aujourd'hui.

Auteur du *Trattato di Scientia d'Arme (Traité de la science des armes)* au XVIe siècle.

L'haltérophilie

Naim Suleymanoglu

né en 1967

Le Turc Suleymanoglu commence à soulever de la fonte à l'âge de 10 ans. À 16 ans, il remporte son premier record du monde adulte et gagne ensuite des médailles d'or lors de trois Jeux olympiques. Il se retire en 2000.

Trois médailles d'or olympiques en 1988, 1992 et 1996.

Le judo

Masahiko Kimura

1917 – 1993

Kimura devient le champion de judo du Japon toutes catégories à l'âge de 20 ans et garde ce titre 13 années, pendant lesquelles il ne perd pas un assaut. Mesurant 1,56 m et pesant 84 kg, Kimura affronte souvent des adversaires plus grands et plus lourds que lui. Son entraînement comportait 1 000 tractions consécutives.

Champion du Japon toutes catégories (1937 – 1950).

Le sumo

Kajinosyke Tanikaze

1750 – 1795

Le sumo est apparu il y a environ 2 000 ans, mais c'est à la fin du XVIIIe siècle que se situe son âge d'or. Un des plus grands lutteurs de sumo de cette période est Kajinosyke Tanikaze. Né à Sendai, au Japon, Tanikaze conquiert sa place pas à pas jusqu'à devenir un « grand champion », un *Yokozuna*, en 1789. Ayant atteint le plus haut niveau des lutteurs, la division supérieure, Tanikaze gagne 258 assauts et n'en perd que 14. Il remporte 21 titres et l'on trouve encore dans le Japon d'aujourd'hui des statues qui commémorent ses exploits.

Gagne 21 titres et 63 assauts d'affilée ; *Yokozuna* (« grand champion ») en 1789.

Mitsuga Chiyonofuji

né en 1955

Malgré ses 127 kg, Mitsuga Chiyonofuji est considéré comme léger pour appartenir à la catégorie supérieure des lutteurs japonais de sumo, mais il compense ce handicap par une vitesse et une puissance explosives. Repéré en 1974 par des observateurs qui lui font quitter Hokkaido pour Tokyo, Chiyonofuji gagne le surnom de « Loup » en raison de la façon dont il dévisage ses adversaires avant un combat pour dominer la bataille du mental. En 1987, le Loup a enregistré 53 victoires d'affilée, le score le plus élevé observé depuis la Seconde Guerre mondiale. Deux ans plus tard, il affiche 968 victoires, un record inégalé. Après de nombreuses blessures aux épaules, il se retire en 1991, sous les acclamations de tout le pays. Il dirige aujourd'hui une écurie de lutteurs de sumo, la Konokoe, dont il est aussi entraîneur.

Vainqueur de 31 tournois Grand Sumo ; 1 045 victoires, le plus haut score jamais atteint.

Les sports hippiques

Willy Shoemaker

né en 1931

Adolescent, Billy Lee Shoemaker gagne sa vie comme garçon d'écurie dans un ranch californien. À 18 ans, il passe professionnel de la course hippique, développant un style de monte coulé qui se montre particulièrement efficace. Il pulvérise le record américain de 6 033 victoires en course, totalisant 8 833 succès avant de se retirer en 1990. Shoemaker devient alors entraîneur, mais est cloué dans un fauteuil roulant à la suite d'un accident de voiture.

Il remporte six courses la même journée, six fois dans sa carrière ; quatre victoires au Derby du Kentucky ; 11 victoires à la Triple Crown.

Lester Piggott

né en 1935

Le jockey anglais Lester Piggott remporte plus de 5 300 courses en Angleterre et dans 27 autres pays. Timide et peu porté à accorder des interviews, c'est un cavalier agressif qui a souvent maille à partir avec les autorités hippiques. Mais il est le champion préféré du public depuis sa victoire au Derby, à l'âge de 18 ans. Il se retire en 1985 et commence à élever des chevaux. En 1987, il est condamné à trois ans de prison pour fraude fiscale. Après un an d'emprisonnement, il fait un retour remarqué comme jockey.

Champion d'Angleterre 11 fois (1960, 1964 – 1971, 1981 et 1982) ; neuf fois vainqueur du Derby.

Mark Todd sur « The Irishman » lors du parcours d'obstacles de Badminton en 1989.

Mark Todd

né en 1956

Originaire de Nouvelle-Zélande, Mark Todd gagne en 1980 le concours complet international de Badminton, la plus prestigieuse épreuve du genre, alors qu'il est quasi inconnu. Il renouvelle son exploit en remportant la médaille d'or du concours complet aux Jeux olympiques de Los Angeles. Après avoir remporté de nombreuses compétitions durant les années 1990, il est élu meilleur cavalier de concours complet du XXe siècle.

Deux médailles d'or, une d'argent, deux de bronze en concours complet aux Jeux olympiques ; trois fois vainqueur du CCI de Badminton.

CHAPITRE DIX

LES CÉLÉBRITÉS

Les célébrités avant l'an 1000

Dans l'Antiquité, les personnages les plus connus sont les fondateurs des grandes religions, mais leurs noms se perdent dans la nuit des temps. Les Hindous, par exemple, assurent que leur foi a toujours existé. Les prophètes juifs ont vécu aussi il y a très longtemps, mais la Bible a transmis leurs noms, et leur foi a inspiré chrétiens, juifs et musulmans.

Confucius était un philosophe chinois dont les paroles sont encore entendues aujourd'hui.

LES PROPHÈTES DU JUDAÏSME

On compte trois fondateurs principaux pour le judaïsme. **Abraham**, le père du peuple hébreu, a vécu probablement entre 2000 et 1650 av. J.-C. Il est considéré comme l'ancêtre de toutes les grandes religions monothéistes, le judaïsme, le christianisme et l'islam. Puis vient **Moïse**, l'homme qui conduit hors d'Égypte les Hébreux retenus en esclavage et les guide vers la Terre promise. C'est lui qui reçoit les Dix Commandements sur le mont Sinaï. Comme pour Abraham, les historiens ne connaissent pas exactement l'époque où il a vécu, mais ils la situent entre 1400 et 1200 av. J.-C. Le troisième est **Esdras**, qui sauve les Hébreux d'une autre captivité, celle de Babylone. Secrétaire des affaires juives auprès du roi des Perses, et vivant dans les années 500 av. J.-C., il réorganise la société juive après l'exil et écrit les cinq premiers livres de la Bible, la Torah. Le livre biblique d'Esdras décrit la façon dont les juifs regagnèrent Jérusalem après avoir quitté Babylone et la reconstruction du Temple.

Le dieu-éléphant Ganesh est l'un des dieux hindous les plus populaires.

LES MAÎTRES ORIENTAUX

Les origines de l'hindouisme remontent si loin dans le passé que ses fondateurs restent inconnus. Mais le plus grand philosophe de cette religion, Shankara, a vécu probablement vers 788 – 820 apr. J.C. L'existence de **Shankara** est celle d'un érudit voyageur et sage qui a attiré de nombreux disciples. Il a rédigé des commentaires sur les écritures sacrées des Hindous et a fondé d'innombrables temples et monastères; la plus grande partie de sa vie relève de la légende. Peu avant sa mort, il a affirmé qu'il disparaîtrait dans l'Himalaya, près de la montagne où le dieu Shiva était censé vivre.

Bouddha est un autre grand chef religieux de l'Inde. Il a vécu entre 563 et 483 av. J.-C. Né dans une famille princière de la tribu des shakya au Népal, son nom était Siddhartha Gautama. À 30 ans environ, le prince se détourne des fastes des palais et se consacre à une vie de pauvreté et de méditation. On dit qu'il atteint un état d'extase religieux intense, l'illumination, et qu'il prend alors le nom de Bouddha, «celui qui est illuminé». Dès lors, il commence à enseigner à ses compagnons la façon de suivre le chemin de la paix, de la souffrance et de la contemplation qui mène à l'illumination. Ses disciples voyagent à travers l'Asie puis dans le reste du monde, montrant à tous le chemin de Bouddha.

Le grand philosophe **Confucius** (551 – 479 av. J.-C.) a vécu en Chine à peu près à la même époque que Bouddha en Inde. Confucius, fonctionnaire du gouvernement chinois, quitte son poste pour se consacrer à la contemplation et à l'enseignement. Il montre ainsi comment des vertus comme l'ardeur au travail, la politesse, la sagesse et le respect des autres aident les hommes à mieux assumer leur vie. Son influence se répand rapidement en Chine et sa pensée est développée plus tard par d'autres philosophes tels **Mencius** (vers 372 – 289 av. J.-C.) qui en font un système religieux complet. Le confucianisme est la religion d'État en Chine depuis des siècles.

LE CHRISTIANISME

L'influence de **Jésus** (vers 6 apr. J.-C. –

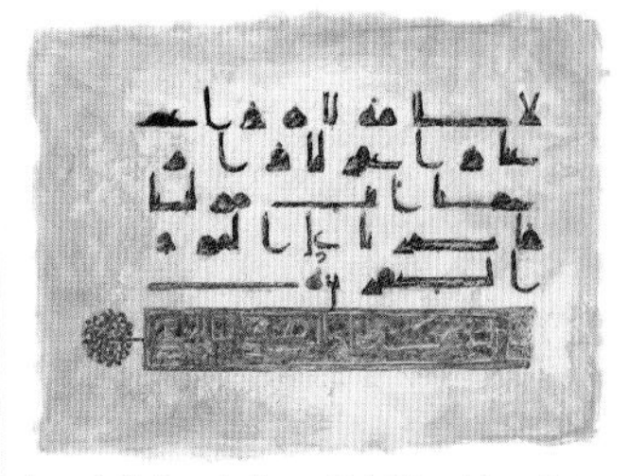

Les révélations de l'ange Gabriel sont inscrites dans le Coran, le livre saint de l'islam.

vers 30 apr. J.-C.) s'est seulement répandue après sa mort sur la croix. Dans la croyance chrétienne, Jésus est le fils de Dieu, il est monté à côté du Père après sa mort et reviendra un jour sur la Terre comme Messie. Cette croyance a été délivrée autour de la Méditerranée par les disciples, parmi lesquels saint Paul (mort vers 64 apr. J.-C.). Les premiers chrétiens sont persécutés par les Romains qui dominent la région à cette époque, jusqu'à ce que l'empereur **Constantin** (vers 274 – 337) fasse du christianisme la religion de l'Empire romain. Dès lors, la foi chrétienne se diffuse en Europe et ailleurs dans le monde.

Les enseignements de Bouddha sont aujourd'hui suivis par de nombreux fidèles à travers le monde.

Un des plus grands disciples de Jésus, qui vécut à ses côtés, est **saint Pierre**. Selon une tradition du Ier siècle de notre ère, il vient à Rome où il est crucifié. Les catholiques romains le considèrent comme le premier évêque de Rome, et donc comme le premier pape. Beaucoup d'hommes remarquables ont dirigé cette Église naissante. Parmi les plus influents, le pape **Grégoire Ier**, Grégoire le Grand (vers 540 – 604), qui organise l'Église et envoie des missionnaires pour convertir les populations d'Espagne et d'Angleterre, et **saint Augustin d'Hippone** (354 – 430), évêque de Numidie, en Afrique du Nord, à qui l'on doit quelques-uns des écrits les plus importants de l'Église primitive.

Le dimanche des Rameaux, Jésus entre triomphalement dans Jérusalem.

L'ISLAM

La dernière des grandes religions à apparaître, la foi musulmane, est révélée au prophète **Mahomet** (vers 570 – 632). En 610 environ, Mahomet commence à recevoir des révélations de l'ange Gabriel qui lui apporte les paroles de Dieu, lesquelles sont inscrites dans le Coran, le livre sacré de l'islam. Au cours de la vie du prophète, la foi musulmane se répand à travers la péninsule arabique. Après la mort de Mahomet, l'Empire islamique gagne le Moyen-Orient et l'Afrique du Nord, répandant sa religion de plus en plus loin. Quelques siècles plus tard, l'islam avait touché la totalité du monde et c'est aujourd'hui une religion en développement rapide.

LES MALFAITEURS

Ce chapitre présente aussi les plus célèbres malfaiteurs et hors-la-loi de l'histoire. L'Antiquité en a connu de nombreux, dont certains occupaient des postes importants. Parmi les empereurs romains, par exemple, deux ont laissé de sombres souvenirs d'abus de pouvoir: **Caligula** (12 – 41), qui a fait tuer ses proches, exécuter des citoyens romains pour s'approprier leurs biens et se couvrir d'honneurs dans l'espoir d'être traité comme un dieu; **Néron** (37 – 68) qui se comporta d'une manière analogue, commençant par faire assassiner sa mère, sa femme Octavia (morte en 62), et sa seconde femme Poppée. On le soupçonne même d'avoir mis le feu à Rome pour obtenir un terrain sur lequel il voulait construire un immense palais. Les chrétiens furent accusés de cet incendie, et Néron les fit massacrer. Un autre souverain célèbre, **Attila**, roi des Huns (vers 406 – 453), terrorisa son époque. Il tua et pilla tout au long du chemin qui le mena de la mer Noire à la mer Méditerranée, se taillant ainsi un immense empire. Il mourut le lendemain de ses noces avec Ildeco, une princesse burgonde. On raconte qu'elle assassina son nouvel époux pour venger son peuple des horribles traitements auxquels il avait été soumis.

L'empereur Caligula était l'un des plus célèbres souverains de l'Empire romain.

LES CÉLÉBRITÉS

Pierre Abélard

1071 – 1142

Le théologien français Pierre Abélard devient le chapelain de l'École de Notre-Dame à Paris en 1115. Il a une liaison avec Héloïse (1101 – 1164), sa jeune élève, et l'épouse. En raison du scandale, Abélard et Héloïse sont séparés et envoyés dans un couvent. Néanmoins, le moine Abélard continue ses travaux, impressionnant les uns par ses idées ou attisant de nombreuses querelles par ses vues peu orthodoxes.

Il a écrit une suite de lettres à Héloïse (1115 – 1120) ; auteur de plusieurs traités de théologie.

Eisai

1141 – 1215

Originaire du Japon, le moine Eisai parcourt la Chine pour étudier une version du bouddhisme appelée C'han. De retour au Japon, il y introduit cette variante sous le nom de zen. C'est une forme de bouddhisme très stricte qui impose aux moines de pratiquer la méditation. Partant du Japon, le zen s'est répandu sur la terre entière, devenant une des pratiques les plus populaires du bouddhisme.

Il fonde l'école rinzai du bouddhisme zen vers 1190.

Thomas d'Aquin

1225 – 1274

Thomas d'Aquin est né dans une riche famille près d'Aquino, en Italie. S'opposant aux souhaits de sa famille, il quitte son milieu aisé pour entrer chez les frères dominicains. Il devient bientôt un des prédicateurs les plus connus en Europe. Thomas d'Aquin a écrit de nombreux livres de théologie qu'il oppose aux connaissances scientifiques des Grecs de l'Antiquité comme Aristote (p. 106). Après sa mort, il est canonisé pour son œuvre philosophique et théologique.

Il a écrit *La Somme théologique* (1266 – 1273).

Nicolas Machiavel

1469 – 1527

Machiavel est un politicien italien, célèbre à travers le monde entier pour ses redoutables idées. Né à Florence, qui était alors une cité-État indépendante, il en devint un des représentants les plus puissants en 1498.

Pendant les quelques années qui suivent, il a la charge de la politique étrangère de la ville et est envoyé en missions diplomatiques auprès des plus grands souverains d'Europe. Cependant, en 1512, il perd son poste et est, l'année suivante, suspecté de trahison, arrêté et torturé. Bien que remis en liberté, Machiavel ne revient jamais à la politique mais consacre son temps à écrire, tant au sujet de l'Antiquité qu'à celui de l'art de la guerre. Son œuvre la plus célèbre, *Le Prince*, est un livre court où il explique dans le détail ce qu'il pense du comportement que devrait avoir un souverain. *Le Prince* s'appuie sur l'expérience de son auteur dans le domaine des responsabilités gouvernementales et de ses nombreuses lectures des livres de l'époque, prodiguant aux gouvernants toutes sortes de conseils. L'idée la plus célèbre est qu'un prince peut commettre le pire des crimes si cela justifie la réalisation de ses projets. Cette idée, résumée dans la fameuse phrase « la fin justifie les moyens », a conduit certains à célébrer le bon sens de Machiavel, alors que d'autres l'ont considéré comme un politicien maléfique.

Il participe à la politique italienne de 1498 à 1512 ; écrivain politique (1513 – 1532).

Machiavel est l'auteur d'un des plus célèbres livres politiques de l'histoire, *Le Prince* (1513).

John Wesley prêche devant les Indiens d'Amérique lors de son voyage en Géorgie.

John Wesley

1703 – 1791

L'Anglais John Wesley est un fervent chrétien qui devient prêtre de l'Église d'Angleterre en 1728. Prédicateur enflammé, il tente de convaincre ses compatriotes de vivre totalement leur foi. Mais son zèle est rejeté par les autorités de son Église qui lui interdisent de prêcher. Wesley, accompagné de son frère Charles (1707 – 1788), qui écrit des hymnes, lance un mouvement religieux, le méthodisme. Wesley effectue de nombreux voyages, prenant la parole devant des foules immenses, souvent en plein air, et convertit à ses idées des millions de personnes dans le monde.

Il fonde le méthodisme dans les années 1720; il traverse la Grande-Bretagne dans tous les sens, y prononçant près de 40000 sermons entre 1739 et 1789.

John Jacob Astor

1763 – 1848

Né en Allemagne, John Jacob Astor s'établit aux États-Unis en 1784 et vend de la fourrure. Ses entreprises le rendent riche, notamment après que le gouvernement américain ait acheté la Louisiane à la France en 1803, ouvrant ainsi une route commerciale vers l'ouest. Astor utilise son argent pour acheter des terrains dans la ville de New York et se retrouve propriétaire de la moitié du sud de Manhattan. Lorsqu'il se retire, il est l'homme le plus riche des États-Unis, bien qu'ayant donné de fortes sommes pour l'aménagement de la ville de New York.

Il acquiert une fortune de plus de 20 millions de dollars par spéculation foncière entre 1808 et 1848; il fonde la colonie d'Astoria, en Oregon, en 1811.

Cornelius Vanderbilt

1794 – 1877

Le New-Yorkais Cornelius Vanderbilt commence à travailler à 16 ans après avoir acheté un bateau, il créé une navette entre State Island et la ville de New York. Durant les 24 années qui suivent, il devient le plus prospère des armateurs de bateaux à vapeur des États-Unis. En 1862, il vend toute sa flotte et se lance dans les chemins de fer. Il contrôle bientôt de nombreuses compagnies ferroviaires qui parcourent tout le pays. À la quarantaine, il a déjà amassé une fortune de quelque 100 millions de dollars.

Armateur de bateaux à vapeur (1810 – 1862); il construit un empire ferroviaire sur tous les États-Unis (1862 – 1877).

POCAHONTAS 1595 – 1617

Fille d'un chef indien, Pocahontas œuvre à maintenir la paix entre son peuple et les colons anglais qui se sont établis en Virginie. On raconte qu'elle a sauvé deux fois la vie de John Smith (1580 – 1631), un colon anglais que son peuple menaçait de tuer. En 1613 – 1614, elle est capturée par les Anglais et finalement relâchée contre la libération de prisonniers anglais et la restitution de marchandises volées. Pendant sa détention, elle se convertit au christianisme et épouse un Anglais, John Rolfe (mort en 1622). En 1616, elle se rend en Angleterre avec Rolfe mais meurt avant son retour en Amérique.

GEORGE FOX 1624 – 1691

George Fox est un puritain qui rejette la position de l'Église dans son Angleterre natale. Il parcourt son pays, prêchant et rassemblant de nombreux disciples. Il dit que les hommes doivent s'aimer comme des frères, et ses adeptes s'appellent les « Amis de la vérité ». Leur organisation est connue sous le nom de la Société des amis (ou Quakers) et elle est encore admirée aujourd'hui pour son esprit de tolérance et de paix.

STAMFORD RAFFLES 1781 – 1826

Né à la Jamaïque, alors sous la domination de la Grande-Bretagne, Raffles est un de ces nombreux Anglais qui travaillent à l'étranger pour développer l'Empire britannique. En 1811, il est envoyé en Extrême-Orient, à la tête d'une expédition contre Java. Il s'empare de l'île dont il devient le vice-gouverneur. Quelques années plus tard, la maladie le force à se retirer. Il écrit alors l'histoire de Java. En 1818, il retourne en Asie et fonde la colonie britannique de Singapour qui sera plus tard une des plus importante cités commerçantes du monde.

Brigham Young

1801 – 1877

Le New-Yorkais Brigham Young se rallie à la secte des mormons en 1832. Il devient vite un des grands personnages de son Église et prend la direction de la colonie mormone de Nauvoo, dans l'Illinois. Lorsque Joseph Smith (ci-dessous), le fondateur des mormons, meurt, en 1844, Young dirige la présidence de l'Église. En 1847, il conduit ses fidèles en Utah et devient gouverneur. Mais, en 1857, la pratique de la polygamie par les mormons est fortement contestée et un nouveau gouverneur est désigné.

Chef des mormons (1844 – 1877); fondateur de Salt Lake City en 1847; gouverneur de l'Utah (1850 – 1857).

Joseph Smith

1805 – 1844

En 1827, Joseph Smith, un jeune habitant de Sharon, dans le Vermont, affirme avoir reçu un évangile inconnu écrit sur des feuilles d'or. Cet ouvrage, *Le Livre de Mormon*, prétend raconter l'histoire de l'Amérique du Nord avant 400 av. J.-C. Il aurait été écrit par un prophète nommé Mormon, et sa lecture pousse Smith à fonder une nouvelle Église, l'Église de Jésus-Christ des saints des derniers jours. Les adeptes de cette religion prennent le nom de mormons. L'Église s'agrandit et se répand dans l'Ohio et le Missouri. De nombreuses populations refusent de les accueillir et, en 1838, les mormons doivent quitter le Missouri pour se réfugier en Illinois. Smith est arrêté pour conspiration, emprisonné à Carthage (Illinois) et tué lors de l'assaut de la prison par une foule en délire.

Il fonde l'Église mormone en 1830.

Florence Nightingale était surnommée « la dame à la lampe ».

Florence Nightingale

1820 – 1910

Née à Florence, en Italie, Florence Nightingale est la fille de riches Anglais. Elle veut devenir infirmière, mais sa famille s'y oppose. Pourtant, en 1853, elle occupe le poste de superintendante dans un hôpital pour femmes à Londres. L'année suivante, elle apprend par la lecture des journaux le sort misérable réservé aux soldats blessés pendant la guerre de Crimée. Elle se porte alors volontaire pour aider ces malheureux et part pour la Turquie avec une équipe de 38 infirmières. Lorsqu'elles arrivent à l'hôpital militaire de Scutari, en Turquie, elles modifient la façon de travailler, améliorent l'hygiène et augmentent le confort des soldats, réduisant ainsi le taux de mortalité.

Elle réforme les pratiques sanitaires des hôpitaux militaires (années 1850 à 1870); elle réduit le taux de mortalité à l'hôpital militaire de Scutari (1854 – 1856); elle fonde une célèbre école d'infirmières à Londres et lui donne son nom en 1856.

William Booth

1829 – 1912

Né à Nottingham, en Angleterre, William Booth est un pasteur et un prédicateur méthodiste. Avec son épouse Catherine (1829 – 1890), il entreprend un voyage de prêche outre-mer et, à son retour, il établit une mission à Londres dont l'objectif est de venir en aide aux populations pauvres de l'East End, quartier déshérité situé à l'est de la ville. Appelée à l'origine East London Revival Society, elle prend finalement le nom d'Armée du salut. Le style direct des prédications de Booth convertit des milliers de personnes à ce nouveau mouvement religieux mais met aussi l'accent sur des problèmes plus matériels. Pauvreté, abus commis sur les enfants, maladie, alcoolisme – communs dans ces quartiers – diminuent sous l'action commune de Booth, de Catherine et de leurs huit enfants qui jouent tous un rôle important dans le développement de l'Armée du salut.

Il fonde l'Armée du salut en 1878.

Andrew Carnegie

1835 – 1919

Pendant sa jeunesse, l'Écossais Andrew Carnegie travaille pour la compagnie des chemins de fer de Pennsylvanie. Il est promu à la direction de la division chargée de l'ouest du pays et y introduit peu après les premiers wagons-lits Pullman. En 1865, il quitte les chemins de fer pour créer sa propre entreprise de métallurgie qui le rend multimillionnaire. Il vend sa société en 1901 et se consacre à de nombreuses œuvres caritatives.

Il fonde environ 2 500 bibliothèques ; il distribue 350 millions de dollars pour de bonnes causes entre 1901 et 1919.

John D. Rockefeller

1839 – 1937

Né à New York, John D. Rockefeller apprend le métier de pétrolier dans une raffinerie de Cleveland, dans l'Ohio. En 1870, avec son frère William (1841 – 1922), il fonde la Standard Oil, une entreprise qui deviendra la plus grande raffinerie de pétrole du monde, faisant de la famille Rockefeller une des plus riches de la planète. En 1911, la Cour suprême des États-Unis décide que la Standard Oil est trop puissante et impose sa division en 39 sociétés. À cette époque, la fortune de John D. Rockefeller avoisine déjà 1 milliard de dollars.

Cofondateur de la Standard Oil en 1870 ; il donne plus de 500 millions de dollars pour l'éducation et la recherche médicale (1911 – 1937) ; il crée la Fondation Rockefeller en 1913.

L'Armée du salut de William Booth est célèbre pour ses musiciens qui jouent dans les rues. C'est une façon d'attirer l'attention des passants.

MARY BAKER EDDY 1821 – 1910
Née et élevée en Nouvelle-Angleterre, sa vie d'adulte commence mal. Son premier mari meurt jeune, son second mariage se termine par un divorce et elle souffre constamment d'une douloureuse affection de la colonne vertébrale. Mais, en 1866, elle est soudainement guérie en lisant le Nouveau Testament. Dès lors, elle lance une nouvelle religion, la Christian Science, qui lie la foi et la guérison. Le mouvement se développe rapidement et fait de nombreux adeptes.

JOHN PEMBERTON 1831 – 1888
Le pharmacien John Pemberton vend divers médicaments de son cru en Géorgie quand il invente un remède contre le mal de tête composé d'un mélange de feuilles de coca, de sirops de fruit et d'extraits de noix de cola. Son associé en affaires, Frank Robinson, lui donne le nom de Coca-Cola. Cette boisson se vend bien mais n'apporte aucun bénéfice à Pemberton qui finit par vendre ses parts à un autre pharmacien, Asa Candler (1851 – 1929), ne tirant que très peu d'argent de son invention.

JOHN PIERPONT MORGAN 1837 – 1913
Fils d'un banquier de Hartford, dans le Connecticut, John Pierpont Morgan fait de l'affaire de son père la plus grande banque des États-Unis. Il devient si riche que, pendant la dépression de 1895, il peut soutenir les Réserves fédérales. En 1901, il achète l'immense entreprise de métallurgie d'Andrew Carnegie (ci-dessus, à gauche). Morgan finance de nombreuses œuvres caritatives et collectionne des objets d'art à une échelle inconnue jusqu'alors.

HENRY HEINZ 1844 – 1919
Allemand installé en Pennsylvanie, Henri John Heinz fonde une entreprise pour commercialiser des condiments et d'autres aliments en 1876. Fier de la diversité de ses produits, il invente le slogan « 57 variétés ». Son entreprise connaît un immense succès tout en gagnant la réputation de prendre grand soin de son personnel.

Thomas Barnardo

1845 – 1905

D'origine irlandaise, Barnardo gagne l'Angleterre pour y étudier la médecine et travailler comme missionnaire et médecin en Afrique. Choqué par le nombre d'enfants orphelins à Londres, il ouvre dans la ville des maisons d'accueil pour les loger. La première ouvre ses portes en 1867.

Il fonde des maisons d'accueil pour enfants orphelins (60 000 pensionnaires entre 1867 et 1905).

Sigmund Freud

1856 – 1939

Neurologiste autrichien, Sigmund Freud s'installe à Paris en 1885 où il se consacre à l'étude des désordres mentaux. De retour à Vienne, en Autriche, il développe la technique de la psychanalyse par laquelle il soigne en recherchant les réactions conscientes et inconscientes de l'esprit de ses patients. En les écoutant, Freud peut ainsi les aider à vaincre leurs peurs cachées. Freud invente le « complexe d'Œdipe ». Juif, Freud meurt à Londres (1938), contraint de fuir le nazisme.

Il fonde la psychanalyse en 1895.

William Randolph Hearst

1863 – 1951

Fils d'un éditeur de presse, Hearst hérite du *San Francisco Examiner* et entreprend de créer et d'acheter de nouveaux journaux, si bien qu'il finit par posséder une chaîne de journaux qui couvre tous les États-Unis.

Hearst séduit ses lecteurs en exploitant des thèmes populaires. Certains de ses articles s'insurgeant contre les combats des Cubains pour leur indépendance contribuent même au déclenchement de la guerre hispano-américaine de 1898. Hearst, très riche, est également célèbre pour son style de vie fastueux. Il construit à San Simeon, en Californie, une demeure en forme de château où il entasse toutes ses œuvres d'art.

Ses journaux américains sont dotés d'une maquette innovatrice (années 1890) ; il construit à San Simeon une maison de 165 pièces qu'il remplit d'œuvres d'art (1922 – 1947).

William Randolph Hearst

▼ La maison de Hearst à San Simeon, en Californie, le long du Pacifique.

WILLIAM KELLOGG 1860 – 1951

L'entrepreneur américain William Kellog et son frère John (1852 – 1943), médecin, s'associent pour créer un aliment nourrissant pour les petits déjeuners des patients de John au sanatorium de Battle Creek, dans le Michigan. Leurs céréales ont un tel succès qu'ils les distribuent à travers tout le pays, d'abord par correspondance puis dans le commerce traditionnel, avant de toucher le monde entier.

FRANK WOOLWORTH 1852 – 1919

Travaillant dans un entrepôt à Rodman, dans l'État de New York, Frank Woolworth apprend qu'un nouveau magasin, ouvert à Lancaster, en Pennsylvanie, en 1879, vend toutes ses marchandises pour 5 ou 10 cents. En 1905, il lance une chaîne de magasins similaires qui connaissent un succès immédiat. À sa mort, Woolworth possède plus de mille succursales aux États-Unis et en Angleterre.

Edith Clavell

1865 – 1915

Infirmière en 1907, la Britannique Edith Clavell dirige une école d'infirmières au centre médical de Berkendael, en Belgique. Au début de la Première Guerre mondiale en 1914, l'école se transforme en hôpital de la Croix-Rouge destiné à recevoir les blessés de guerre. Edith Clavell soigne tous les blessés, quelle que soit leur nationalité. Elle aide aussi à la résistance, aidant les soldats alliés à passer de la Belgique occupée par les Allemands aux Pays-Bas, qui sont alors neutres. En 1915, son activité est découverte par les Allemands qui la font passer devant une cour martiale et la condamnent à mort.

Elle soigne des centaines de blessés au cours de la Grande Guerre et fait évader de Belgique de nombreux soldats alliés (1914 – 1915) ; elle est exécutée par les Allemands en 1915.

Coco Chanel

1883 – 1971

Née dans une famille pauvre et très tôt orpheline, Coco Chanel travaille pour une modiste avant d'ouvrir une boutique à Deauville, en France, pour vendre des vêtements qu'elle a elle-même dessinés et fabriqués.

Elle devient célèbre en 1924, à l'ouverture de son magasin parisien, et ses créations changent la mode féminine. Ses vêtements sont décontractés et simples, mais aussi élégants, et beaucoup d'entre eux tiennent le haut de l'affiche pendant des décennies. La robe chemise et le cardigan sans col sont ses deux modèles les plus populaires, et chacun se souvient de sa « petite robe noire » qui est en fait une tenue du soir à porter en de nombreuses occasions. Chanel a également de grandes intuitions pour les accessoires, tels les écharpes et les bijoux à porter sur ses tailleurs. Elle lance des ateliers pour produire des tissus, des bijoux et des parfums, dont le célèbre *N° 5*, devenant ainsi la plus riche couturière de France.

Première maison de couture à Paris en 1913 ; première robe chemise en 1920 ; elle lance le parfum N° 5 en 1921 ; elle transforme la mode féminine entre 1924 et 1938.

Les vêtements créés par Coco Chanel inspirent encore les couturiers d'aujourd'hui.

GIOVANNI AGNELLI 1866 – 1945
Officier dans l'armée italienne, Giovanni Agnelli fonde la compagnie Fiat en 1899. L'entreprise produit des automobiles originales et il devient le premier constructeur automobile italien. Fiat fabrique aussi des équipements pour l'armée italienne pendant la Seconde Guerre mondiale. Agnelli, qui est alors sénateur, promeut l'industrie de son pays pendant cette période.

HELENA RUBINSTEIN 1870 – 1965
Née à Cracovie, en Pologne, Helena Rubinstein vit en Australie quand elle comprend que sa crème pour le visage est idéale pour le climat australien. Elle commercialise ce produit et est bientôt à la tête d'une affaire fructueuse. En 1917, Rubinstein a ouvert des salons de beauté dans toutes les grandes villes, installant des laboratoires et des ateliers de fabrication dans le monde entier.

MAX BEAVERBROOK 1879 – 1964
Le Canadien lord Beaverbrook émigre en Grande-Bretagne. Il est un brillant industriel et politicien avant de prendre le contrôle du *Daily Express*, célèbre journal britannique, en 1919. Il devient un des plus grands propriétaires de journaux du monde et occupe le poste de ministre de l'Approvisionnement pendant la guerre, en 1941 et 1942.

Les rois de la mode

Guccio Gucci 1881 – 1953
Christian Dior 1905 – 1957
Pierre Cardin né en 1922
Hubert de Givenchy né en 1927
Giorgio Armani né en 1935
Yves St Laurent né en 1936
Gianni Versace 1946 – 1997
Philippe Dubuc né en 1966
Alexander McQueen né en 1969

Les grands couturiers ont commencé à créer des vêtements pour une poignée de femmes richissimes, mais ils influencent la mode dans des domaines très divers.

La grande période des rois des défilés commence après la Seconde Guerre mondiale, quand **Christian Dior** lance ses premières collections, introduisant le « new-look », un style caractérisé par l'étroitesse de la taille et l'ampleur des jupes. Bientôt, chaque couturier produit des vêtements féminins inspirés de Dior, en réaction aux privations de la guerre et au style ajusté et proche de l'uniforme qui régnait alors. Les vêtements brillamment colorés et futuristes des années 1960 présentés par **Pierre Cardin**, les tailleurs élégants dessinés par **Hubert de Givenchy**, les tissus de couleurs douces de **Giorgio Armani**, les robes d'**Yves Saint Laurent**, souvent inspirées de l'art moderne, et les teintes vives de **Versace** ont tous eu leur influence sur la mode de la rue.

Beaucoup d'entre eux ont créé toutes sortes de produits : maroquinerie de **Gucci** aux parfums de Dior. Givenchy lance le prêt-à-porter dans les années 1960, moins onéreux que les créations de haute couture. De récents couturiers, comme **Alexander McQueen** maintiennent la tradition en présentant des modèles scandaleux. En 1997, Gianni Versace est assassiné. Sa sœur Donatella (née en 1955) est depuis en charge de sa maison.

Versace avec sa sœur Donatella (à droite) et des mannequins.

Conrad Hilton

1887 – 1979

L'Américain Conrad Hilton commence sa carrière comme banquier avant de reprendre l'auberge familiale en 1918. Il met alors en place une importante chaîne d'hôtels dans les grandes villes des États-Unis. Les hôtels Hilton deviennent bientôt renommés pour la qualité de leur service, le luxe de leurs chambres et leurs équipements. Après la Seconde Guerre mondiale, Hilton fusionne toutes ses activités pour former une seule société et s'établir à travers le monde entier sous le nom d'Hilton International.

Il fonde la chaîne des hôtels Hilton en 1919.

Lester B. Pearson

1897 – 1972

Alors qu'il est ministre des Affaires extérieures du Canada et que la crise de Suez laisse planer la menace d'une nouvelle guerre mondiale, Pearson suggère à l'Organisation des Nations Unies, en 1956, l'instauration d'une force internationale de maintien de la paix. La suggestion est retenue et lui vaut le prix Nobel de la paix en 1957. Il devient premier ministre du Canada (1958 – 1968), et laisse en héritage le drapeau national.

Il propose l'instauration d'une force de maintien de la paix en 1956.

Benjamin Spock

1903 – 1998

Ce médecin américain spécialisé en pédiatrie publie en 1946 un des ouvrages les plus populaires au monde sur les soins à donner aux enfants. Le livre exprime ses vues sur l'éducation et le rôle des parents, et sur l'attention à porter à leur progéniture. Son succès est immense et les 30 millions d'exemplaires vendus aident les parents dans leurs tâches éducatives.

Auteur de *Comment soigner et éduquer son enfant* en 1946.

Howard Hughes conçoit et construit un hydravion en bois, le *Spruce Goose*, en 1947.C'était le plus grand jamais construit, mais il ne vola qu'une seule fois.

Howard Hughes

1905 – 1976

Le père de Hughes développe son entreprise en proposant du matériel de forage pour l'industrie du pétrole. Après avoir hérité, Howard construit un gigantesque empire financier. Il investit dans des films et dans l'industrie aéronautique en construisant et en faisant voler des avions. Dans les années 1960, Hughes se retire du monde, menant une vie de reclus par crainte des maladies. La fin de sa vie reste aujourd'hui encore un mystère.

Il hérite de l'entreprise paternelle en 1924; il établit des records de vitesse en avion de 1935 à 1938; réalise le plus grand hydravion en 1947.

Rupert Murdoch

né en 1931

L'Australien Murdoch hérite de l'*Adelaïde News* avant de s'intéresser à l'étranger, rachetant le journal anglais *The Sun* et plusieurs autres, avant d'acquérir le *Times* de Londres. Il fonde la compagnie de télévision par satellite Sky en 1989, achète les studios de cinéma de la 20th Century Fox et d'autres publications américaines qui s'ajoutent à son empire, lequel constitue aujourd'hui l'entreprise de communication la plus importante du monde.

Propriétaire de journaux et de chaînes de télévision touchant 40 % de la population des États-Unis en 2002.

Billy Graham

né en 1918

Billy Graham, natif de Caroline du Nord, devient pasteur dans l'Église baptiste du Sud. En 1949, il lance une série de «croisades», prêchant devant des foules immenses. Son auditoire est captivé par le style spectaculaire de ses sermons qui entraînent de nombreuses conversions au christianisme. Il voyage à travers le monde entier, arrachant des conversions dans des pays où les autorités interdisent toute religion organisée.

Fondateur de l'Association évangéliste Billy-Graham en 1950; croisades importantes: Londres en 1954, New York en 1957.

Les prêches de Billy Graham ont entraîné des millions de conversions au christianisme.

SOICHIRO HONDA 1906 – 1991
Un des plus célèbres industriels du Japon, il débute comme mécanicien en 1922. En 1934, il possède son usine qui produit des segments de piston pour moteur à explosion. En 1948, devenu président de la Honda Corporation, il commence par fabriquer des motos qui se vendent dans le monde entier. Puis Honda fabrique des voitures, répétant son succès et exportant en Europe et aux États-Unis.

ALFRIED KRUPP 1907 – 1967
L'empire Krupp est déjà immense quand Alfred en hérite en 1943. Le benjamin des Krupp diversifie ses activités dans la métallurgie, les aciers et les armes mais en usant du travail forcé pendant la domination des nazis. Après la guerre, son succès continue et il installe des usines à l'étranger. En 1959, il doit verser des dédommagements aux victimes des pratiques de travaux forcés.

LUCILLE TEASDALE-CORTI 1929 – 1996
La chirurgienne québécoise et son conjoint, le Dr Piero Corti, s'installent en Ouganda en 1961. Ils établissent l'un des meilleurs hôpitaux d'Afrique orientale et une académie destinée à la formation d'infirmières. De 1982 à 1992, le Dr Teasdale-Corti dirige la formation de chirurgiens. Elle et son mari reçoivent en 1986 la plus prestigieuse distinction de l'Organisation mondiale de la santé. Elle meurt du sida, contracté en salle d'opération.

ANITA RODDICK née en 1942
Née en Angleterre, Anita Roddick fonde une chaîne de magasins appelée The Body Shop en 1976 dans laquelle elle vend des cosmétiques conçus uniquement à partir de produits naturels. Le succès de son entreprise montre qu'on peut réussir dans les affaires tout en préservant l'environnement et les ressources naturelles.

Bob Geldof

né en 1954

Musicien de rock irlandais, Bob Geldof travaille un certain temps comme journaliste au Canada avant de revenir en Irlande pour former son orchestre, le Boomtown Rats, en 1975.

En 1984, la vie de Geldof change. Après avoir vu une émission sur la famine en Éthiopie, il entreprend une action pour en aider les victimes. Il fonde une entreprise de charité, le Bandaid Trust, afin de recueillir des fonds. Geldof réunit un célèbre groupe de musiciens et enregistre *Do they know it's Christmas?*. Le disque rapporte des millions à l'Éthiopie en 1984. Un an après, il monte une action similaire, mais encore plus ambitieuse, Live Aid, qui collecte des fonds avec des concerts en Europe et en Amérique du nord. En 2005, il organise les concerts Live 8 pour sensibiliser le public au problème de la pauvreté en Afrique.

Il forme les Boomtown Rats (1975 — 1986) et Band Aid (1984) ; il organise les concerts Live Aid (1985) et Live 8 (2005).

En 1985, Bob Geldof organise Live Aid, le plus grand concert de charité du monde du rock.

Richard Branson

né en 1950

Né à Londres, Richard Branson est un des plus grands hommes d'affaires de Grande-Bretagne. En 1969, il fonde Virgin, qui vend des disques par correspondance. En 1973, il crée la maison de production du même nom. Ses succès le poussent à tenter d'autres aventures. Branson diversifie ses ambitions avec les trains et les avions, l'édition, la radio, l'immobilier et les boissons gazeuses. Il cède sa société de disques Virgin pour 840 millions de dollars en 1992. Ses expéditions en ballon autour du monde l'ont également rendu célèbre.

Fondateur de Virgin Music en 1969 ; traversées de l'Atlantique en ballon à air chaud en 1987 et du Pacifique en 1991.

Bill Gates

né en 1955

Né à Seattle, dans l'État de Washington, Bill Gates crée Microsoft, une entreprise qui produit des logiciels pour les nouveaux micro-ordinateurs en 1975. En 1980, Microsoft conçoit un système d'exploitation pour ces ordinateurs et passe un accord avec IBM qui en équipe tous ses modèles. Ce système, appelé MS-DOS, devient vite populaire sous son nom ou sous celui de Windows. Ce dernier, créé en 1983, est installé dans la plupart des micro-ordinateurs du monde. Ce développement, auquel vinrent s'ajouter d'autres aventures comme les logiciels à destination d'Internet, fait de Bill Gates un des hommes les plus riches du monde.

Fondateur de l'entreprise Microsoft en 1975 ; sa fortune atteint un milliard de dollars en 1986 ; il devient l'homme le plus riche du monde (42 milliards de dollars) en 1997.

Diana, Princesse de Galles

1961 – 1997

Lady Diana Spencer travaille à Londres comme puéricultrice jusqu'à son mariage avec le prince Charles, en 1981. Elle divorce en 1996. Diana est renommée pour ses nombreuses œuvres caritatives destinées aux enfants et aux victimes du sida. Elle a fait aussi campagne contre l'usage des mines antipersonnelles. Elle meurt dans un accident de voiture à Paris, en 1997.

Campagnes en faveur des enfants, des victimes du sida et des mines antipersonnelles dans les années 1980 et 1990.

EN MARGE DE LA LOI

Tomás de Torquemada

1420 – 1498

Le moine dominicain Torquemada est le confesseur de Ferdinand et d'Isabelle d'Espagne (p. 14). En 1483, on lui confie la mission de diriger l'Inquisition, un tribunal catholique destiné à débusquer et à punir les hérétiques. Sous son autorité, la répression est terrible, autant pour les hommes que pour les femmes, mais plus particulièrement pour les juifs ou les musulmans qui, forcés de se convertir au catholicisme, étaient soupçonnés de rester fidèles à leur foi. Torquemada condamne personnellement près de 2 000 personnes à être brûlées sur un bûcher.

Chef de l'Inquisition espagnole (1483 – 1498) ; il est encouragé par le roi d'Espagne Ferdinand à expulser 200 000 juifs en 1492.

Déjà trois fois mariée à 21 ans, Lucrèce Borgia est suspectée d'inceste avec son frère et avec son père.

Les Borgia

Rodrigue 1431 – 1503
César v. 1476 – 1507
Lucrèce 1480 – 1519

Les Borgia sont une des plus puissantes familles d'Italie au XVe et XVIe siècles. Rodrigue, né en Espagne, devient pape sous le nom d'Alexandre VI ; il connaît un pontificat très corrompu. César et Lucrèce sont ses enfants illégitimes. César est nommé cardinal par son père mais abandonne l'Église pour prendre les armes, se taillant un royaume personnel au centre de l'Italie. En 1500, il assassine Alphonse d'Aragon, le second mari de Lucrèce. Celle-ci n'a rien à envier à son frère dans le domaine de la corruption et du vice, mais cette réputation est surtout fondée sur des rumeurs.

Souverains corrompus de cités-États de l'Italie au XVe et au début du XVIe siècle.

Khayr ad-din Barberousse

v. 1483 – 1546

Barberousse, qui signifie « barbe rousse », est craint dans toute la Méditerranée au début du XVIe siècle. C'est un des plus célèbres pirates de l'époque.

Né dans l'île grecque de Lesbos, il s'appelle en fait Hizir. On le connaît aussi sous son nom arabe de Khayr ad-Din ou « don de Dieu ». Barberousse dépouille les bateaux le long des côtes des pays chrétiens de l'Europe de l'Ouest, attaquant les navires de guerre espagnols, les bateaux marchands et ceux du pontificat. Avec son frère pirate Arouj (v. 1474 – 1518), il fréquente plusieurs ports le long de la côte d'Afrique du Nord et remporte un tel succès que les habitants d'Alger lui confient la régence de leur ville en 1530. Bien que Khayr ad-Din ait perdu le contrôle de Tunis en 1535, il remporte des victoires notables à Majorque et à Nice. Il est très apprécié des souverains musulmans de l'Empire ottoman pour avoir défait les flottes du pape, de Venise et d'Espagne en 1538, lesquelles projetaient d'attaquer les Turcs.

Pirate en Méditerranée au début du XVIe siècle ; souverain d'Alger (1518 – 1535).

Barberousse et ses hommes forcent un soldat espagnol à assister au pillage de son navire.

Guy Fawkes et ses compagnons conspirent.

Guy Fawkes

1570 – 1606

Anglais né protestant, Guy Fawkes devient un fervent catholique après sa conversion. Il participe à la conspiration du 5 novembre 1605 qui tente de faire exploser la Chambre des lords lors de l'ouverture du Parlement en présence du roi et de tous les officiels du gouvernement. Avant qu'ils puissent mettre leur projet à exécution, Fawkes et ses compagnons sont arrêtés et exécutés.

Guy Fawkes et ses compagnons le jour du «complot des poudres» en 1605.

Mary Read et Anne Bonny

début du XVIIIe siècle

Déguisée en homme, l'Anglaise Mary Read sert à bord d'un bateau en route pour les Antilles. Le vaisseau est capturé par des pirates et Read se joint à eux. Avec Jack Rakham (mort en 1720), l'Irlandaise Anne Bonny terrorise la navigation dans les Caraïbes. Lorsqu'elle capture le bateau de Mary Read, les deux femmes deviennent de grandes amies et continuent leurs activités de pirate jusqu'à leur capture en 1720.

Femmes pirates au début du XVIIIe siècle.

Madame Cheng

active de 1807 à 1810

Madame Cheng était la femme d'un des plus puissants pirates de la côte de la Chine du Sud. À la mort de son mari, en 1807, elle prend le commandement de sa flotte. Ceux qui lui désobéissent sont immédiatement exécutés et les victimes sont exposées aux yeux de tous. Pour en venir à bout, la marine chinoise doit demander de l'aide aux forces britanniques et portugaises. Madame Cheng est capturée en 1810.

Elle commande 50 000 pirates en mer de Chine du Sud (1807 – 1810).

À bord d'une grande jonque, Madame Cheng donne des ordres à ses pirates.

Jesse James

1847 – 1882

Bien connu pour avoir inspiré de nombreuses chansons, beaucoup d'histoires et plusieurs films, Jesse James grandit pendant la guerre de Sécession (1861 – 1865). À 15 ans, il se range du côté des Confédérés en participant à des actions de guérillas. Après la défaite de son camp, il devient un hors-la-loi. Pendant des années, Jesse, son frère Frank et leur gang dévalisent des banques et des trains dans l'ouest des États-Unis. Finalement, les autorités promettent une grosse récompense pour sa capture, mort ou vif. La tentation est trop forte pour Robert Ford, un de leurs compagnons, qui tire sur Jesse en 1882, sûr d'obtenir l'argent promis. Frank se rend, il est condamné à la prison puis vit comme ouvrier agricole sur la ferme de la famille James jusqu'à la fin de ses jours.

Chef d'un gang de hors-la-loi dans le Grand Ouest (1866 – 1882).

THOMAS BLOOD v. 1618 – 1680
L'Irlandais Thomas Blood, ayant combattu les royalistes pendant la guerre civile anglaise, voit ses terres saisies par le roi Charles II (1630 – 1685). En 1663, Blood organise un complot qui échoue pour s'emparer du château de Dublin. En 1671, il pénètre dans la Tour de Londres et vole la couronne d'Angleterre. Il est capturé, mais gracié par le roi qui lui rend ses terres.

HENRY MORGAN v. 1635 – 1688
Enfant, le Gallois Henry Morgan est kidnappé et envoyé dans les Caraïbes. C'est là qu'il devient pirate, attaquant les bateaux espagnols et hollandais et s'emparant de Panama en 1671. Quand les Espagnols se plaignent des actions de Morgan, il est rappelé en Angleterre. Lorsque la guerre éclate entre l'Angleterre et l'Espagne, il est pardonné et retourne se battre contre les Espagnols.

DICK TURPIN 1705 – 1739
Le bandit anglais Dick Turpin est cambrioleur, contrebandier, voleur de bétail et assassin à ses heures. Il est pendu à York, en Angleterre, pour le meurtre d'un aubergiste. La légende raconte qu'il a chevauché de Londres à York en 15 heures sur sa fameuse jument Black Bess, mais c'est sans doute le bandit John Nevison (1639 – 1684) qui a réalisé cet exploit.

En 1873, Jesse James et son gang de hors-la-loi attaquent un train de la Compagnie Chicago et Rock Island près d'Adair, dans l'Iowa, et dévalisent les passagers. Ils s'enfuient avec 2 000 dollars et des objets de valeur.

Billy the Kid

1859 – 1881

William Bonney, ou « Billy the Kid », est un des plus célèbres malfaiteurs de son époque. Il tue son premier homme à l'âge de 12 ans parce qu'il avait insulté sa mère. En 1877, il participe à la guerre entre deux familles d'éleveurs avant de se lancer dans une carrière de tueur et de voleur de bétail dans le sud-ouest des États-Unis et au Mexique. En 1881, il est acculé et tué par le shérif Pat Garrett (1850 – 1908) à Fort Summer, au Nouveau-Mexique. Il était alors l'homme le plus recherché de tous les États-Unis.

Il tue 21 hommes entre 1871 et 1881 ; il est le bandit le plus recherché des États-Unis en 1881.

Pour se protéger, Kelly fabrique une armure, son étrange casque lui servant de signe de reconnaissance.

Ned Kelly

1855 – 1880

Fils d'un bagnard irlandais, le hors-la-loi australien Ned Kelly effectue un premier séjour en prison en 1870 à la suite d'une agression. Quand il est relâché, il devient voleur de bétail et retourne en prison pour trois ans. Après sa libération en 1874, sa mère est à son tour emprisonnée pendant trois ans pour avoir, paraît-il, tenté d'assassiner un policier. Pour venger leur mère, Kelly, son frère Dan (1861 – 1880) et deux autres vauriens, Steve Hart et John Byrne, se cachent dans le bush australien. Là, ils tuent trois policiers. Bien qu'ils soient recherchés et que leurs têtes soient mises à prix, le gang Kelly se met à dévaliser des banques. Ils sont finalement arrêtés dans un hôtel après un féroce combat, Kelly étant capturé et pendu.

Hors-la-loi australien, voleur, meurtrier et héros populaire (1878 – 1880).

Henri Landru

1869 – 1922

Henri Landru est le plus célèbre des tueurs en série français. Quand son histoire est connue, on lui attribue le surnom de « Barbe-Bleue », en référence au fameux conte dans lequel le personnage principal tuait ses femmes. En effet, Landru commence par charmer ses victimes, s'en fait des amies, puis il leur déclare son amour et leur promet le mariage. Ensuite, il les assassine pour récupérer leurs biens. En 1919, Landru est finalement arrêté. Il s'ensuit une longue bataille devant les tribunaux où Landru clame son innocence, mais il a gardé un carnet dans lequel il a noté tous les profits tirés de ses crimes, ce qui le perd. En 1922, il est condamné à mort et guillotiné.

Il assassine 10 femmes après leur avoir promis le mariage (1915 – 1919).

WILLIAM HARE 1790 – 1860
WILLIAM BURKE 1792 – 1829
Burke et Hare sont deux meurtriers qui vivent à Édimbourg, en Écosse. Ils rentabilisent leurs crimes en vendant les corps de leurs victimes à un professeur d'anatomie, Robert Knox, qui en recherche pour les disséquer. Finalement, Hare passe aux aveux et Burke est pendu.

JOHN WILKES BOOTH 1839 – 1865
L'acteur américain John Wilkes Booth soutient les Confédérés pendant la guerre de Sécession. Après la défaite de ces derniers, Booth se venge en tirant et en tuant le président Abraham Lincoln (p. 19) au Théâtre Ford à Washington, en 1865. Booth s'enfuit en Virginie et est abattu alors qu'il refuse de se rendre.

LIZZIE BORDEN 1860 – 1927
En août 1892, Lizzie Borden est accusée du meurtre de son père et de sa belle-mère qu'elle aurait exécutés à la hache. Elle crie son innocence, assurant qu'elle n'était pas dans la grange où le crime a été perpétré. Après un long procès, elle est finalement acquittée et revient vivre dans sa ville natale de Fall River, dans le Massachusetts.

Hawley Crippen

1862 – 1910

Né au Michigan, Hawley Crippen suit des études de médecine et vient à Londres avec sa première femme, Cora Turner (1875 – 1910), une chanteuse d'opéra. Crippen, qui n'est pas heureux en ménage, tombe amoureux de sa secrétaire, Ethel Le Neve (1883 – 1967). Les deux amants décident alors d'empoisonner Cora et de découper son corps avant d'enterrer ses restes dans le cellier de leur maison. Puis Crippen et Ethel s'enfuient aux États-Unis, embarquant sur un bateau américain sous de faux noms et se faisant passer pour le père et le fils. Le capitaine du paquebot, soupçonneux, contacte la police britannique par radio. Le couple est arrêté et Crippen exécuté.

Il assassine sa femme Cora en 1910 ; il est le premier criminel à avoir été arrêté grâce à l'usage de la radio.

La hors-la-loi « Ma » Barker pose avec un de ses amis alors qu'elle est recherchée par la police.

« Ma » Barker

1872 – 1935

La femme gangster « Ma » Barker est née sous le nom de Donnie Clark dans le Missouri. Avec son mari, George (1859 – 1941), et leurs quatre enfants, ils forment un gang de criminels qui terrorise le Middle West et s'enrichissent avec des enlèvements et des vols. Au cours des années 1920, la police offre une forte récompense à qui permettra de tous les arrêter, morts ou vifs. En 1935, « Ma » et son fils Arthur sont tués lors d'une fusillade avec le FBI à Lake Weir, en Floride. Ses trois autres fils meurent également de mort violente : Herman se suicide, Fred est tué alors qu'il tente de s'évader de prison et Lloyd est assassiné par sa femme.

Elle réalise une longue série d'attaques qui vont lui rapporter une fortune de plus de 3 millions de dollars dans les années 1920.

Grigori Rasputin

1871 – 1916

Issu d'une famille pauvre de paysans sibériens, en Russie, Raspoutine se fait moine et devient célèbre comme guérisseur. En 1905, il se rend à Saint-Pétersbourg où il est présenté au tsar Nicolas II (p. 18) et à l'impératrice Alexandra (1872 – 1918). Ils sont tous les deux impressionnés par cet homme qui pourrait guérir leur fils Alexis (1904 – 1918), qui souffre d'hémophilie. Raspoutine gagne la faveur de la maison impériale et persuade le tsar de lui confier la charge de choisir et de renvoyer ses ministres. En 1915, pendant l'absence de Nicolas II, Raspoutine prend les rênes du pouvoir, nommant et renvoyant les ministres à son gré. En 1916, des nobles mécontents l'empoisonnent, tirent sur lui et le jettent à la rivière.

Il exerce une influence extrême sur la famille impériale russe de 1907 à 1916 ; il est assassiné en 1916.

▼ Raspoutine, Alexandra et son fils Alexis.

Mata Hari

1876 – 1917

Née Margaretha Zelle, cette jeune femme d'origine hollandaise, connue sous le nom de Mata Hari, épouse Rudolf Macleod, un officier écossais servant dans l'armée hollandaise. Le couple fait de nombreux voyages avant de se séparer en 1905, lorsque Margaretha commence une carrière de danseuse. Elle connaît un bon succès à Paris où elle se présente soit comme lady Macleod soit comme Mata Hari, nom qui signifie «soleil» en langue malaise. Mata Hari a de nombreuses liaisons, parmi lesquelles quelques membres des forces armées. En 1907, on raconte qu'elle est devenue une espionne. Avant la Première Guerre mondiale, ses amants sont aussi bien des officiers supérieurs allemands que des alliés. Elle prétend être un agent double, espionnant pour l'Allemagne alors qu'elle donne des informations secrètes aux Alliés, en France. Mais elle est arrêtée par les Français et exécutée en 1917, accusée d'avoir espionné pour le compte des Allemands.

Danseuse exotique dans les music-halls européens, séductrice et espionne (1907 – 1917).

Gavrilo Princip assassine l'archiduc François-Ferdinand d'Autriche, alors que le souverain parcourt les rues de Sarajevo, en Bosnie.

Gavrilo Princip

1895 – 1918

Né en Bosnie, Gavrilo Princip combat pour l'indépendance de la Serbie à une époque où elle fait partie de l'Empire austro-hongrois. Membre d'un groupe terroriste serbe appelé la Main noire, il assassine l'archiduc François-Ferdinand d'Autriche (1863 – 1914) et sa femme à Sarajevo, en Bosnie. Ce meurtre est la cause du déclenchement de la Première Guerre mondiale après que l'Autriche ait déclaré la guerre à la Serbie. Princip est emprisonné en Autriche. Il meurt pendant sa détention en 1918.

Il assassine l'archiduc François-Ferdinand d'Autriche en 1914.

«Lucky» Luciano

1897 – 1962

Charles Luciano, chef de la mafia, est connu sous le sobriquet de «Lucky» (chanceux) car il a échappé à la justice pendant des années. Né en Sicile, il émigre aux États-Unis en 1907 et s'enrichit grâce à la prostitution, au racket et au trafic de drogue. Incarcéré en 1936, il garde toutefois le contrôle de ses opérations criminelles. Il est libéré après son intervention auprès des dockers pour éviter les sabotages pendant la guerre, et il retourne en Italie.

Parrain de la mafia dans les années 1920 et 1930; fondateur de la commission de contrôle sur les cinq «familles» de la mafia (1936 – 1946).

John Christie

1898 – 1953

Né en Angleterre, John Christie est condamné et pendu en 1953 pour avoir assassiné sa femme. Lors de son procès, il avoue le meurtre de six autres femmes dont une Madame Evans. Christie est aussi soupçonné d'avoir tué la petite fille de cette dernière, bien que le père de cet enfant, Timothy Evans (mort en 1950), ait été pendu pour ce crime. À la suite de cette erreur tragique, le parlement britannique abolit la peine de mort.

Il assassine au moins six femmes dans les années 1940.

Le parrain de la mafia «Lucky» Luciano est finalement arrêté par le FBI en 1936.

Al Capone

1899 – 1947

Sans doute le plus célèbre de tous les gangsters américains, Alphonse Capone est né à Brooklin dans une famille d'émigrés italiens. Encore adolescent, il s'intègre à des gangs de rue, époque à laquelle il est victime d'un coup de rasoir dont la cicatrice lui vaut le surnom de « Scarface » (le Balafré).

La puissance d'Al Capone atteint son apogée dans les années 1920, alors que la prohibition de l'alcool est imposée partout aux États-Unis. Opérant à Chicago, Capone gagne une fortune avec le commerce illégal de l'alcool, les jeux et d'autres activités criminelles. Il est sans pitié vis-à-vis de ses rivaux, n'hésitant pas à les abattre à la mitraillette s'ils font mine de s'immiscer dans ses affaires. Le 14 février 1929, il organise l'assassinat de sept membres d'une bande rivale. Cet événement est connu sous le nom du massacre de la Saint-Valentin. Il n'hésite pas à corrompre la police qui ne peut jamais trouver les preuves de ses crimes. Il finit cependant par être arrêté pour fraude fiscale et envoyé en prison pour 11 ans. Il est libéré en 1939 pour raison de santé et passe le reste de sa vie en Floride.

Il fait fortune avec les jeux, la prostitution, le racket et la vente illégale d'alcool (1920 – 1931) ; il tue sept rivaux lors du massacre de la Saint-Valentin en 1929.

Al Capone est connu dans le monde entier comme le plus grand gangster de Chicago.

John Dillinger

1903 – 1934

L'Américain John Dillinger débute dans le crime par une tentative de vol en 1923. En 1933, il est le cerveau d'une série de cambriolages de banques pendant lesquels lui et sa bande n'hésitent pas à tuer ceux qui se trouvent sur leur chemin. Il est alors considéré comme l'ennemi public n° 1. Arrêté en 1934, il échappe à ses gardiens, mais, peu après, un informateur le dénonce au FBI ; il est abattu par la police à Chicago.

Gangster accusé de sept meurtres années en 1930.

Marie Besnard

1896 – 1980

La Française Marie Besnard empoisonne son premier mari en 1927. Puis elle épouse Léon Besnard et, ensemble, ils projettent d'empoisonner leurs proches pour toucher leurs héritages. Ils obtiennent les bonnes grâces des membres de leurs familles pour être dans leurs testaments. Puis ils tuent le père de Marie, le père et la sœur de Léon, deux cousins et un riche couple de leurs amis. Finalement, Marie tue Léon. Pendant son procès, les parties civiles n'ont pas suffisamment de preuves et elle est acquittée en 1961.

Elle assassine 13 personnes entre 1927 et 1949.

Adolf Eichmann

1906 – 1962

Ce nazi autrichien entre dans les SS et organise la politique antisémite pendant la Seconde Guerre mondiale. Il participe à l'Holocauste et cause la mort de milliers de personnes (juifs et non-juifs) en camps de concentration. En 1945, Eichmann est fait prisonnier, mais il s'évade et s'enfuit en Argentine. Là, des agents israéliens le repèrent et le ramènent en Israël où il est jugé et exécuté.

Responsable nazi du génocide juif (1939 – 1945) ; il est exécuté par les Israéliens en 1962.

Bonnie et Clyde

Clyde Barrow 1909 – 1934
Bonnie Parker 1911 – 1934

Nés au Texas, Bonnie et Clyde laissent une image séduisante de leurs personnages bien qu'ayant commis d'horribles crimes à travers quatre États des États-Unis.

Ils deviennent amants en 1932. Clyde est arrêté peu après pour de nombreux vols et cambriolages et est emprisonné pendant deux ans. Au cours d'une de ses visites, Bonnie lui fit passer un revolver pour qu'il s'échappe. Bonnie et Clyde, auxquels s'étaient joints Raymond Hamilton, W.D. Jones, le frère de Clyde, Marvin, et sa femme Blanche, forment un gang qui persévère dans le crime. La plupart de leurs cambriolages, au Texas, dans l'Oklahoma, dans le Missouri et au Nouveau-Mexique, sont sans grande envergure, mais Bonnie et Clyde n'hésitent jamais à se servir de leurs armes. Bonnie écrit un poème appelé *L'Histoire de Bonnie et Clyde* qui les rend encore plus célèbres et qui prédit leur triste fin, prémonitoire cependant puisqu'ils sont tués par la police alors qu'ils forcent un barrage sur une route de Louisiane.

Ils commettent une série de crimes et de cambriolages aux États-Unis (1932 – 1934).

Cette photographie de Bonnie et Clyde, alors recherchés par la police, est prise par un membre de leur gang en 1933.

Joseph Mengele

1911 – v. 1979

Joseph Mengele est un médecin allemand s'occupant du camp de concentration d'Auschwitz pendant la Seconde Guerre mondiale. Là, il y sélectionne ceux qui sont destinés à la chambre à gaz. Il fait aussi des « expériences » en injectant des substances toxiques à des enfants ou en opérant sans anesthésie. Après la guerre, Mengele s'enfuit en Amérique du Sud et change d'identité. On pense qu'il est mort au Brésil vers 1979.

Meurtrier et tortionnaire d'enfants au camp de concentration d'Auschwitz de 1942 à 1945.

À Auschwitz, le docteur Joseph Mengele est surnommé l'« Ange de la mort ».

Kim Philby

1911 – 1988

L'espion britannique Kim Philby fait ses études à l'université de Cambridge. Communiste et agent de l'Union soviétique, il réussit à entrer dans les services secrets britanniques. Philby se voit attribuer un poste à l'ambassade d'Angleterre à Washington où il travaille avec la CIA. Pendant tout ce temps, il ne cesse de transmettre des informations confidentielles aux Russes. Il est démasqué en 1963 et s'enfuit à Moscou.

Agent double qui trompa les services secrets occidentaux entre 1944 et 1956.

Les Rosenberg

Ethel 1915 – 1953
Julius 1918 – 1953

Les Rosenberg sont un couple américain qui fait partie d'un des plus puissants réseaux d'espionnage du monde.

Ethel Rosenberg a un frère, David, qui travaille pour le centre de recherche nucléaire de Los Alamos. Julius, lui, travaille pour l'armée américaine. Ensemble, ils récupèrent des secrets nucléaires, les passent à un intermédiaire qui, à son tour, les transmet à un diplomate soviétique. Le réseau d'espionnage est découvert lorsqu'un autre spécialiste de la physique nucléaire, également espion soviétique, Klaus Fuchs (1912 – 1988), est envoyé devant un tribunal en Angleterre. Le frère d'Ethel se rend et fait des aveux afin de protéger sa propre vie. Les Rosenberg sont jugés coupables et condamnés à mort. Après plusieurs demandes de recours en grâce, ils sont finalement exécutés.

Ils dirigent un réseau d'espions qui transmettent de nombreux secrets américains à l'Union soviétique entre 1943 et 1950.

Ethel et Julius Rosenberg sont les premiers espions américains à subir la peine de mort en temps de paix.

Caryl Chessman

1921 – 1960

Originaire du Michigan, Caryl Chessman est recherché pour une série de cambriolages, de viols et de kidnappings commis alors qu'il a tout juste 20 ans. Connu comme étant le « Bandit à la lumière rouge », il est arrêté en Californie, condamné à mort mais, à la suite de nombreux recours, n'est exécuté que 12 ans plus tard. Pendant son incarcération, il apprend à parler quatre langues et écrit plusieurs livres contre la peine de mort. Il est finalement exécuté en 1960, mais cette exécution entraîne de vives critiques quant au fonctionnement de la justice américaine.

Condamné à mort pour 17 crimes de sang en 1948 ; il bénéficie de huit reports de son exécution.

James Earl Ray

1928 – 1998

Né à Alton, dans l'Illinois, James Earl Ray a une brève vie de criminel. En 1968, il tue Martin Luther King (p. 128) à Memphis, dans le Tennessee. En 1969, Ray est arrêté à Londres. Il avoue son crime et est envoyé devant un tribunal américain, mais il revient sur ses aveux quand il est condamné à une peine de prison de 99 ans. À partir de ce moment, de nombreuses personnalités, y compris des amis de Ray et des membres de la famille de Martin Luther King demandent la révision du procès. Ils n'ont pas gain de cause, et Ray meurt en prison en 1998.

Assassin présumé de Martin Luther King en 1968.

James Earl Ray prêtant serment devant le tribunal.

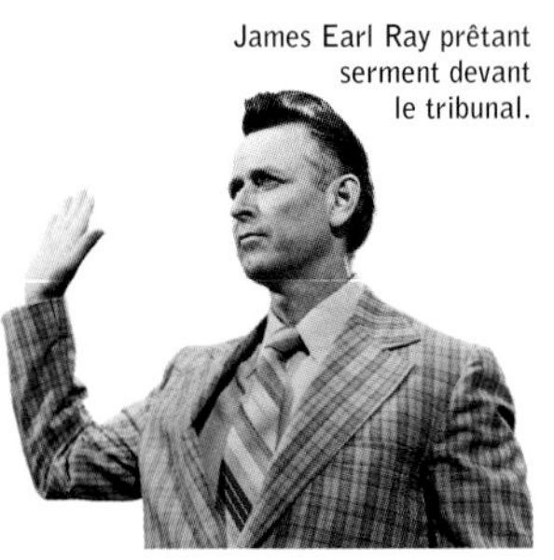

Ronald Biggs juste après son arrestation pour sa participation au vol du train postal Londres-Glasgow.

Ronald Biggs

né en 1929

Ronald Biggs, dit « Ronnie », est un cambrioleur anglais qui connaît son heure de gloire en 1963, lorsqu'il organise avec son gang le pillage du train postal Londres-Glasgow. Après avoir arrêté le convoi, ils assomment le mécanicien et dérobent des sacs postaux contenant 2,5 millions de livres (3,7 millions d'euros). Biggs est arrêté et condamné à 30 ans de prison. Il s'évade en 1965 et part pour l'Australie où la police britannique le poursuit. Il gagne alors l'Amérique du Sud et s'installe au Brésil d'où la Grande-Bretagne tente de le faire extrader. Sa compagne étant enceinte, l'extradition ne peut avoir lieu, la loi brésilienne protégeant les pères des enfants nés sur son sol. Biggs reste au Brésil jusqu'en 2001, date à laquelle, malade, il décide de rentrer en Angleterre. Il est arrêté à son arrivée sur le territoire britannique et renvoyé en prison.

Auteur du vol du train postal Londres-Glasgow en 1963 ; il échappe à la justice pendant 36 ans.

Les jumeaux Kray

Ronnie Kray 1933 – 1995
Reggie Kray 1933 – 2000

Nés dans les quartiers est de Londres, les Kray sont les criminels les plus redoutés de la ville. Imitant les truands de Chicago, ils bâtissent un empire du crime organisé avec des jeux illégaux, des débits de boissons et du racket. Bien que les Kray aient participé à des actes de violence et à la guerre des gangs, la police ne les confondra qu'en 1969. Ils sont alors condamnés à 30 ans de prison pour meurtre. Ronnie meurt pendant son incarcération et Reggie peu après sa libération.

Chefs d'un puissant gang londonien dans les années 1960.

Charles Manson

né en 1934

Natif du Kentucky, Charles Manson effectue son premier vol à main armée à 13 ans. Il poursuit ses activités criminelles pendant les années qui suivent, commettant vols, fraudes et voies de fait. Manson passe sept années en prison dans les années 1960 et, à sa libération, s'installe dans une communauté hippie en Californie. Là, il devient le chef d'une « famille » criminelle spécialisée dans le meurtre, le plus célèbre étant celui de l'actrice Sharon Tate (1943 – 1969), de ses amis et voisins. Il est emprisonné en 1979.

Il tue neuf personnes en 1969.

Ulrike Meinhof

1934 – 1976

Ulrike Meinhof travaille comme journaliste d'extrême gauche en Allemagne. Sa vie change lorsqu'elle rencontre Andreas Baader (ci-dessous), qui la persuade de devenir violente pour changer la société. Avec Baader, elle devient responsable de la Faction Armée rouge, menant des attaques terroristes contre des cibles allemandes. Elle est envoyée en prison en 1974 et s'y suicide.

Elle rejoint le terrorisme clandestin en Allemagne (1970 – 1972).

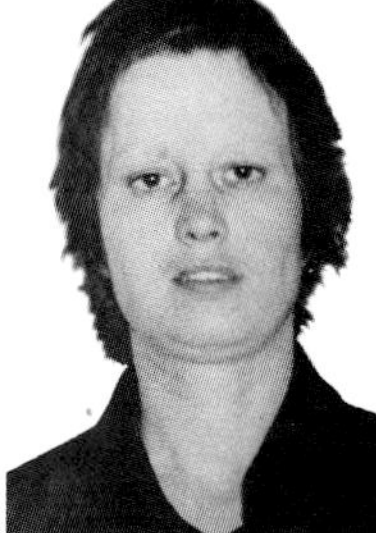

Ulrike Meinhof rencontre Andreas Baader lors d'une interview pour son journal.

Andreas Baader

1943 – 1977

Né à Munich, en Allemagne, Andreas Baader fonde le groupe terroriste Faction Armée rouge, commettant en son nom des violences et des meurtres politiques pour changer la société. Baader est finalement arrêté et incarcéré, mais il s'évade avec l'aide de ses partisans. Repris, des membres de la Faction tentent à nouveau de le faire évader en détournant un avion, mais ils échouent. Baader se suicide dans sa cellule.

Il fonde et dirige la Faction Armée rouge de 1970 à 1977.

Baader commence sa vie politique comme étudiant protestataire avant de se consacrer au terrorisme.

Lee Harvey Oswald

1939 – 1963

Lee Harvey Oswald, de la Nouvelle-Orléans, en Louisiane, sert dans les marines, mais, marxiste, il vit un temps en Union soviétique.

Oswald devient célèbre en novembre 1963 lorsqu'il est accusé d'avoir assassiné le président John F. Kennedy. On pense qu'il était au sixième étage d'un dépôt, à Dallas située sur le passage du cortège présidentiel. Mais la culpabilité d'Oswald ne sera jamais reconnue. Deux jours après l'attentat, Oswald est abattu par Jack Ruby (1911 – 1967), propriétaire d'une boîte de nuit, qui affirme avoir voulu venger la veuve du président, Jackie (1929 – 1994). Ce second assassinat suscite de nombreuses rumeurs supposant que la mort d'Oswald cache un autre assassin. On a également avancé qu'Oswald était en contact avec la mafia ou les services secrets américains. Rien n'a cependant jamais été prouvé. Un comité, dirigé par le sénateur Warren, mis en place par le gouvernement américain pour élucider les circonstances de la mort du président Kennedy, déclare qu'il s'agissait probablement d'une conspiration, sans pour autant apporter de preuves formelles. La vérité sur ce meurtre ne sera sans doute jamais connue.

Suspecté d'avoir assassiné le président John F. Kennedy le 22 novembre 1963.

Deux jours après l'assassinat du président John F. Kennedy, son meurtrier présumé est à son tour abattu par Jack Ruby avant que ses gardiens n'interviennent.

Le 22 novembre 1963, les Kennedy traversent Dallas dans une voiture décapotable quand le président est assassiné.

JAMES HANRATTY v.1936 – 1962
L'Anglais James Hanratty est accusé de meurtre en 1962. Il est identifié par une amie de sa victime mais clame son innocence. À son procès, Hanratty est jugé coupable et condamné à la pendaison. Des témoins affirment ensuite qu'il n'était pas sur le lieu du crime. Une nouvelle enquête est diligentée qui conclut à l'erreur judiciaire.

ANDREI CHIKATILO 1936 – 1994
Un des pires tueurs en série du monde, le Russe Andrei Chikatilo assassine plus de 50 enfants à Rostov, en Russie, entre 1982 et 1990, à coups de couteau. Chikatilo est finalement reconnu coupable de ses crimes après l'établissement par des experts de son profil psychologique. Il est exécuté en 1994.

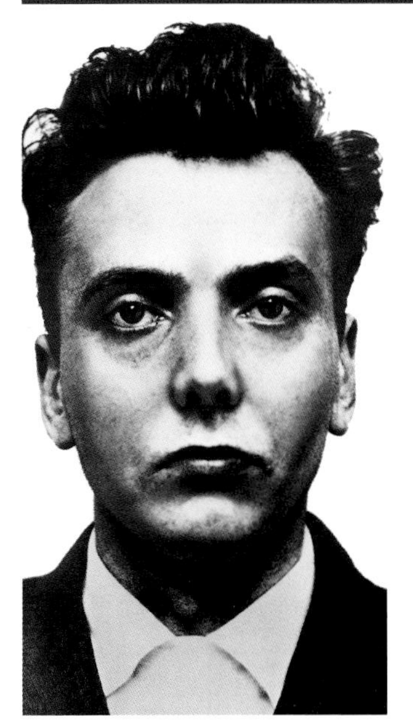

Les meurtriers de la lande

Ian Brady né en 1938
Myra Hindley 1942 – 2002

Ian Brady, né à Glasgow, en Écosse, est un magasinier obsédé par l'Allemagne nazie. En 1961, il devient l'amant de Myra Hindley, une employée de bureau de Manchester, en compagnie de laquelle il mène une vie de criminel qui choquera le monde. Brady et Hindley attirent de jeunes enfants chez eux pour les torturer et les tuer. Ils enterrent la plupart de leurs victimes dans la lande de Saddleworth, au nord de l'Angleterre, d'où leur surnom de Meurtriers de la lande. La vérité éclate en 1965 lorsque le beau-frère de Myra informe la police qu'elle forme avec Brady un couple d'assassins. L'année suivante, Brady est jugé coupable de trois meurtres, deux jeunes enfants, John Kilbride et Lesley Ann Downey, et un adolescent de 17 ans, Edward Evans, dont le corps est retrouvé dans la maison du couple. Myra Hindley est à son tour accusée de deux meurtres, et ils sont tous deux condamnés à la prison à perpétuité. Myra Hindley confesse plus tard deux autres crimes. Elle meurt en prison en 2002. Ian Brady assure avoir complètement changé.

Ils torturent et tuent au moins cinq enfants de 1963 à 1965.

Gary Gilmore

1940 – 1977

Originaire de l'Oregon, Gary se tourne vers le crime très jeune. Après de nombreux délits, dont des cambriolages, des vols et des voies de fait, il passe près de la moitié de sa vie en prison, avant l'âge de 30 ans. Il commet son premier meurtre en 1976, tuant un employé d'une station-service. Son second meurtre est celui d'un gérant de motel. Gilmore est rapidement arrêté et condamné à mort. Malgré de nombreuses protestations, Gilmore demande lui-même à être exécuté. Il est fusillé à la prison de l'État de l'Utah. Son exécution ouvre la voie à une extension de l'application de la peine de mort aux États-Unis.

Psychopathe et double meurtrier en 1976.

Harold Shipman

né en 1946

Le médecin britannique Harold Shipman exerce dans le West Yorkshire puis dans le Grand Manchester. Pendant 24 ans, depuis le début de sa carrière, on constate un taux de mortalité anormalement élevé chez ses patients par rapport à celui des autres médecins. Personne n'en tire de conséquences jusqu'à ce qu'un autre praticien, un parent de Shipman, tire la sonnette d'alarme en 1998. Une enquête de la police révèle alors que Shipman tue systématiquement la plupart de ses malades âgées en leur injectant un produit létal. Il est accusé de 15 meurtres, mais le nombre réel est probablement beaucoup plus élevé.

Il a tué peut-être plus de 300 personnes entre 1977 et 2000.

PETER SUTCLIFFE né en 1946
Peter Sutcliffe est un chauffeur routier originaire du Yorkshire, en Angleterre, qui a tué 13 femmes. Sa brutalité le fait surnommer l'Éventreur du Yorkshire. Après avoir été interrogé plusieurs fois par la police, il est finalement jugé en 1981 pour meurtre et condamné à la prison à perpétuité.

JOHN HINKLEY né en 1955
À l'âge de 21 ans, Hinkley, natif de l'Oklahoma, devient obsédé par l'actrice Jodie Foster et le film *Taxi driver*, l'histoire d'un psychopathe traquant un politicien. En 1981, Hinkley tire sur le président Ronald Reagan (p. 23) et le blesse, espérant ainsi impressionner son actrice fétiche. Il est arrêté, déclaré fou et interné dans un hôpital psychiatrique.

NICK LEESON né en 1967
Leeson est un jeune financier qui travaille pour la banque Barings, vieille de 200 ans. Alors qu'il est rattaché au bureau de Singapour, il perd, pour le compte de sa banque, plus d'un milliard de dollards à la Bourse de Tokyo. Barings fait faillite et Leeson se retrouve en prison pour six ans.

David Berkowitz

né en 1953

Se nommant lui-même le « Fils de Sam », David Berkowitz commence à faire régner la terreur sur New York en 1976. Pendant plus d'un an, il tire sur des femmes seules et des couples, tuant les uns, blessant les autres. Il s'avère très difficile à capturer, et la police de New York doit mobiliser 200 inspecteurs pour le trouver. Lorsqu'il est arrêté, il déclare qu'il a agi sous l'emprise de voix diaboliques qui lui enjoignent d'aller tuer ses victimes. Il est condamné à 365 années de prison.

Il assassine six personnes et en blesse sept autres (1976 – 1977).

Guy Georges

né en 1962

Né à Angers, Guy Georges vit à Paris où il devient célèbre sous le nom du « Tueur de l'Est parisien ». Il assassine de nombreuses femmes dans le quartier de la Bastille, à Paris, au cours des années 1990. Il traque ses victimes pendant des jours, puis les ligote, les torture et finalement les égorge. Il est arrêté à la suite de la plus grande chasse à l'homme jamais menée en France. Il nie ses crimes, mais finit par tout avouer en 2001. Il est condamné à la prison à perpétuité.

Il assassine environ 10 femmes à Paris entre 1991 et 1997.

Timothy McVeigh

1968 – 2001

Le 19 avril 1995, une bombe détruit le bâtiment fédéral d'Oklahoma City. Originaire de New York, McVeigh a placé la bombe. Il a servi dans l'armée américaine durant la guerre du Golfe et en est revenu obsédé par les armes. En 1995, il loue un camion, le remplit d'explosifs et le gare près du bâtiment fédéral. La moitié de l'édifice s'écroule, faisant de nombreuses victimes. McVeigh est arrêté et condamné à mort.

Il tue 168 personnes et en blesse 500 autres dans l'attentat d'Oklahoma City en 1995.

Oussama ben Laden

né en 1957

Oussama Ben Laden est né en Arabie saoudite. C'est le plus jeune des 24 enfants d'une riche famille qui a fait fortune avec une entreprise de construction fondée par son père, Mohammed.

Durant ses études dans un collège saoudien, Ben Laden se consacre aux problèmes du monde islamique. En 1979, l'Union soviétique envahit l'Afghanistan et Ben Laden part soutenir la résistance afghane, recrutant des milliers de musulmans à travers le monde au nom de l'islam. C'est à cette époque qu'il fonde *al-Qaida* (« la Base »), un réseau qui réunit 5000 membres dans 50 pays différents. En 1991, Ben Laden s'installe au Soudan d'où il organise des attaques contre les soldats américains basés au Yémen et en Somalie. Sous la pression du gouvernement des États-Unis, il est expulsé du Soudan en 1996 et retourne en Afghanistan. Là, il reçoit le soutien tacite des fondamentalistes islamiques qui dirigent le pays, les talibans, et crée des camps d'entraînement pour les terroristes. Il poursuit sa campagne anti-américaine en organisant des attentats contre les ambassades américaines du Kenya et de la Tanzanie. En 1998, Ben Laden appelle au djihad (la « guerre sainte ») contre les Américains et les juifs.

Un avion piloté par des terroristes s'écrase sur les Twin Towers, à New York, le 11 septembre 2001.

Oussama ben Laden et *al-Quaida* revendiquent la responsabilité des attentats du 11 septembre 2001, lors desquels des terroristes détournent quatre avions, dont trois furent précipités sur le World Trade Centre, à New York, et le Pentagone, à Washington. Le nombre de victimes s'élève à plus de 3000. Par la suite, d'autres actes terroristes sont commis par *al-Quaida*, dont des attentats à la bombe à Madrid, Bali et Londres.

Il fonde *al-Quaida* en 1988; il est impliqué dans des actes terroristes ayant causé la mort de milliers de personnes.

Oussama ben Laden, natif d'Arabie saoudite et chef de l'organisation *al-Quaida*, est un des hommes les plus recherchés de la planète. Il passe pour un héros aux yeux de nombreux jeunes Arabes.

Index

A

Aalto, Alvar 175
ABBA 192
Abélard, Pierre 228
Abraham 226
Adam, James 174
Adam, Robert 174
Adam, William 174
Adams, Ansel 171
Adams, Samuel 124
Adams, Victoria 195, 206
Adenauer, Konrad 20
Agassi, André 208
Agassiz, Louis 79
Agésilas II, King 202
Agnelli, Giovanni 233
Agricola, Georg 78
Agrippa, Camillo 223
Akbar le Grand 15
Akhenaton 10
Alaric 13
Albee, Edward 122
Albert, archiduc 158
Alcock, John 51
Alcott, Louisa May 112
Alcuin 107
Aldrin, Buzz 54,55
Alexandra, impératrice 18, 240
Alexandre Ier, empereur 49
Alexandre le Grand 11
Alexandre VI 237
Alfonse d'Aragon 237
Alfred le Grand 13
Ali, Muhammad 222
Allende, Salvador 23
al-Mamun 13
al-Rashid. Harun 13
Ambrose, saint 178
Ampère, André 69
Amundsen, Roald 43, 51
Andersen, Hans Christian 110
Anderson, Elizabeth Garrett 125
Anderson, Marian 187
Andersson, Benny 192
Angelico, Fra 156
Anning, Joseph 79
Anning, Mary 79
Anouilh, Jean 122
Anquetil, Jacques 216
Anthony, Susan B. 126
Antonio, josé 29
Appert, Nicolas 102
Aquin, Thomas d' 228
Aquino, Cory 25
Arafat, Yasser 25
Arcand, Denys 151
Archimède 59, 83
Archytas de Tarente 83
Aristophane 106, 130
Aristote 58, 106, 228
Arkwright, Richard 90, 91
Armani, Giorgio 234
Armstrong, Louis 197,198
Armstrong, Neil 54, 55
Arnesen, Liv 43
Arp, Jean 170
Arthur, King 13
Asimov, Isaac 117
Asoka 11
Assise, François d' 123
Assurbanipal 11
Astaire, Fred 136,139
Astor, John Jacob 229
Atahualpa 36
Atatürk, Kemal 21
Attila, roi des Huns 13, 227
Audubon, John 160
Augspurg, Anita 126
Augustin d'Hippone, saint 227
Aurengzeb 15
Avedon, Richard 172

B

Baader, Andreas 245
Babbage, Charles 102
Baber 15
Bach, Jean-Sébastien 179
Bacon, Francis 166
Bacon, Roger 60
Bailey, David 172
Bailey, James A. 132
Baird, John Logie 81, 88
Baker, Benjamin 86
Balanchine, George 200
Balboa, Vasco 36
Balzac, Honoré de 109
Bamford, J. C. 93
Bancroft, Ann 43, 44
Bandaranaike, Sirimavo 24
Banks, Joseph 38, 48
Banting, Frederick Grant 77
Barberousse, Khayr ad-Din 237
Bardeen, John 87
Bardot, Brigitte 146
Barenboim, Daniel 185
Barents, Willem 47
Barker, «Ma» 240
Barnard, Christiaan 77
Barnardo, Thomas 232
Barnum, P. T 132
Barrow, Blanche 243
Barrow, Clyde 243
Barrow, Marvin 243
Baryshnikov, Mikhail 200
Basie, Count 197
Bass, George 48
Batista y Zaldivar, Fulgencio 32
Batten, Jean 53
Baudelaire, Charles 119
Bazàn, Emilia Pardo 113
Beach Boys, The 192
Beatles, The 191
Beaton, Cecil 171
Beau de Rochas, Alphonse 92
Beauclerk, Charles 131
Beauclerk, James 131
Beaumarchais, Pierre Caron de 121
Beauvoir, Simone de 117
Beaverbrook, Max 233
Becket, Thomas à 123
Beckett, Samuel 122
Beckham, David 195, 206
Becquerel, Henri 69
Béde le Vénérable 107
Beethoven, Ludwig van 180
Begin, Menahem 24, 30
Behrens, Peter 175
Beiderbecke, Bix 198
Bell, Acton 110
Bell, Alexander Graham 87
Bell, Currer 110
Bell, Ellis 110
Bell, Jocelyn 66
Bellingshausen, Fabian von 49
Bellini, Giovanni 157
Belmondo, Jean-Paul 145
Beloff, Anne 73
Bemers-Lee, Timothy 63
Bemini, Gian Lorenzo 169
ben Laden, Oussama 248
Bennett, Floyd 52
Benoît, saint 107
Benz, Karl 94
Berbick, Trevor 222
Bergman, Ingrid 129, 140
Bering, Vitus 48
Berkeley, Busby 148
Berkowitz, David 248
Berlin, Irving 189
Berliner, Émile 102
Berlioz, Hector 181
Bernhardt, Sarah 132
Bernstein, Leonard 188
Berry, Chuck 189
Besnard, Léon 242
Besnard, Marie 242
Best, Pete 191
Bethune, Mary 127
Bharata-Muni 178
Biggs, Ronald 245
Biko, Steve 128
Billy the Kid 239
Birch, Thomas 79
Bird, Isabella 41
Birdseye, Clarence 104
Biro, Lazlo 104
Bismarck, Otto von 19
Bizet, Georges 186
Bjerknes, Vihelm 79
Blake, William 118
Blakey, Art 198
Blankers, Jan 214
Blankers-Koen, Fanny 214
Blériot, Louis 99
Blood, Thomas 238
Blücher, Gebhard von 28
Boardman, Chris 96
Boeing, William 99
Bogart, Humphrey 129, 135
Bohlin, Nils 95
Bohr, Niels 63
Boleyn, Anne 15
Bolivar, Simón 27
Bologna, Giovanni 169
Bombardier, Joseph-Armand 91
Bondone, Giotto di 156
Bonney, William 239
Bonnie et Clyde 243
Bonny, Anne 238
Bono Vox 195
Bonpland, Aimé 38
Boole, George 61
Booth, Catherine 230
Booth, Charles 125
Booth, John Wilkes 19, 239
Booth, William 230, 231
Borden, Lizzie 239
Borg, Björn 207
Borges, Jorge Luis 115
Borgia, César 237
Borgia, Lucrèce 237
Borgia, Rodrigue 237
Bosch, Hieronymous 156,158
Boswell, James 109
Botham, lan 211
Botticelli, Sandro 156
Bouddha 226
Boudicca, reine 12
Boulanger, Nadia 185
Boulton, Matthew 90,91
Bourgeois, Louise 170
Bourvil, 139
Bowie, David 193
Boyle, Robert 71
Bradman, Don 211
Brady, lan 247
Bragg, William 73
Brahe, Tycho 64, 65
Brahms, Johannes 181
Bramah, Joseph 91
Brancusi, Constantin 164
Brand, Hennig 71
Brando, Marlon 142
Branson, Richard 53, 236
Braque, Georges 163, 164
Brattain, Walter 89
Braun, Eva 22
Bray, Steve 193
Brecht, Bertolt 122
Brindley, James 84
Britten, Benjamin 187
Broglie, Louis de 70

INDEX

Brontë, Anne 110
Brontë, Branwell 110
Brontë, Charlotte 110
Brontë, Emily 110
Brontë, Patrick 110
Brooks, Garth 193
Brown, Arthur 51
Brown, James 191
Brown, Jim 203
Brown, Melanie 195
Browne, Elizabeth 74
Bruegel, Pieter 158
Brunel, Isambard Kingdom 84
Brunel, Marc 84, 85
Brunelleschi, Filippo 173
Bubka, Sergueï 215
Bunton, Emma 195
Buñuel Luis 149
Burke, Edmund 125
Burke, Robert O'Hara 41
Burke, William 239
Burrows, Mike 96
Burton, Philip 142
Burton, Richard (acteur) 142, 145
Burton, Richard (explorateur) 41
Bushnell, Nolan 104
Bussell, Darcy 200
Byrd, Richard 52
Byrne, Joe 239
Byron, Lord 109, 119

C

Caballé, Montserrat 192
Cabot, John 45
Cabot, Sébastien 46
Cabral, Pedro 45
Cage, John 185
Cagney, James 136
Cai Lun 83
Caillié, René 39
Caligula 227
Callas, Maria 187
Callicratès 155
Callinicus d'Héliopolis 82
Calvin, John 124
Cameron, Julia 171
Camp, Walter 203
Canaletto, Giovanni Antonio 159
Candler, Asa 231
Capone, Al 242
Capra, Frank 139
Cardin, Pierre 176, 234
Carnegie, Andrew 231
Carpentier, Georges 221
Carreras, José 187
Carroll, Lewis 112
Carter, Jimmy 24
Cartier, Jacques 37
Cartier-Bresson, Henri 172
Caruso, Enrico 186,187
Casals, Pablo 183
Castro, Fidel 23, 32
Catesby, Robert 218
Catherine, la Grande 17
Cavell, Edith 233
Cayley, George 98
Celsius, Anders 67
Cerdan, Marcel 221
Cervantes, Miguel de 108
César, Jules 12
Cetewayo 18
Cézanne, Paul 161
Chaffee, Roger 54
Chagall, Marc 164
Chah Jahan 15
Châhpuhr Ier, roi de Perse 13
Chain, Ernst 73, 77
Chamberlain, «Wilt the Stilt» 209
Chambers, Mary 131
Champlain, Samuel de 37
Chandragupta Maurya 11
Chanel, Coco 233
Chang Ch'ien 35
Chaplin, Charlie 133
Chapman Catt, Carrie 127
Charlemagne 13, 107
Charles Ier, roi d'Angleterre 16, 19, 74,158
Charles II, roi d'Angleterre 131, 174, 238
Charles IV, roi d'Espagne 159
Charles IX, roi de France 15
Charles Quint, roi d'Espagne 36, 47
Charles V, Empereur du Saint Empire 15, 46, 123, 157
Charles VII, roi de France 27
Charles X, roi de Suède 16
Charles, prince de Galles 236
Chaucer, Geoffrey 118
Che Guevara 32
Cheng, Madame 238
Chéops 10
Chessman, Caryl 244
Chikatilo, Andrei 246
Chisholm, Melanie 195
Chiyonofuji, Mitsuga 224
Chopin, Frédéric 181, 182
Chostakovitch, Dimitri 185
Christiansen, Ole 104
Christie, John 241
Churchill, Winston 20
Cierva, Juan de la 100
Cimabue 156
Citroën, André 94
Clapperton, Hugh 39
Clapton, Eric 193
Clark, Donnie 240
Clark, Ossie 168
Clark, William 39
Clarke, Arthur C. 116
Claude, empereur romain 12
Clay, Cassius Marcellus 222
Cobb, Ty 204
Cochrane, Josephine 102
Cockcroft, John 70
Cockerell, Christopher 100
Colbert, Claudette 135
Colbert, Jean 16
Colchin, Robert 210
Coleridge, Samuel Taylor 118, 119, 131
Colette 114
Coligny, Gaspard de 15
Collins, Eileen 56
Collins, Michael 54, 55
Colomb, Christophe 45, 46
Colt, Samuel 102
Coltrane, John 197
Comaneci, Nadia 223
Commode 12
Confucius 226
Conner, Dennis 219
Connery, Sean 144
Constable, John 160
Constantin Ier, empereur 12, 227
Cook, Frederick 42
Cook, James 38, 43, 49
Cooper, Gary 137
Copernic, Nicolas 64
Copland, Aaron 184
Coppola, Francis Ford 151, 152
Corbett, Jim 221
Corman, Roger 151
Coroebus 202
Coronado, Francisco 36
Corot, Camille 160, 161
Cortés, Hernàn 14, 37
Cortés, Joaquin 200
Côté, Gérard, 213
Cousteau, Jacques 50
Cousteau, Jean-Michel 50
Coward, Noël 149
Coweil, Henry 185
Crazy Horse 27
Crick, Francis 77
Crippen, Hawley 240
Crompton, Samuel 90
Cromwell, Oliver 19
Crosby, Bing 137
Crowe, Russell, 147
Cruise, Tom 147
Cruyff, Johann 206
Ctesibios 83
Cugnot, Nicolas 95
cummings e. e. 119
Curie, Marie 69
Curie, Pierre 69
Curtiss, Glen 99
Custer, George 27
Cynisca 202
Cyrus II 11

D

Da Silva Ferreira, Eusebio 205
Daguerre, Louis 171
Dahl, Roald 116
Daimler, Gottlieb 92
Dalai Lama 25
Dali, Salvador 149, 166
Dalton, John 71
Dante, Alighieri 118
D'Anthès 109
Darius Ier 11
Darwin, Charles 75, 78, 171
David, Craig 195
David, Jacques 28
Davis, Bette 139
Davis, Miles 198
Davy, Humphry 68, 72
De Almagro, Diego 36
De Brito, Valdemar 205
De Cuellar, Diego Velàzquez 37
De Forest, Lee 88
De Gaulle, Charles 31
De Klerk, E W. 24
De León Juan Ponce 46
De Mille, Cecil B. 148
De Soto, Hernando 36
De Valera, Éamon 21
Deacon, John 192
Dean, James 145
Debussy, Claude 183
Degas, Edgar 160, 162, 163
Delon, Alain 146
Démétrios, Poliorcète 82
Dempsey, Jack 221
Depardieu, Gérard 147
Des Prés, Josquin 179
Descartes, René 60
Destiny's Child 195
Dewar, James 72
Diaghilev, Sergueï 163, 199, 200
Diana, princesse de Galles 192, 236
Dickens, Charles 2, 5, 111
Dickinson, Emily 119
Diderot, Denis 109
Didrikson, Babe 213
Diesel, Rudolf 92
Dietricht, Marlene 137
Dillinger, John 242
DiMaggio, Joe 143, 204
Dine, Jim 168
Dioclétien 12
Dion, Céline 195
Dior, Christian 234
Disney, Walt 149
Domingo, Placido 187
Domino, Fats 198
Donatello 169
Donovan, Jason 194
Dostoïevski, Fiodor 111
Douglas, Kirk 140
Downey, Lesley Ann 247
Doyle, Arthur Conan 114
Drake, Edwin 79
Drake, Francis 15, 47
Drebbel, Cornelis 96
Dreyfus, Alfred 112
Dryden, John 131
Du Cros, W. H. 94
Du Fu 107
Du Pré, Jacqueline 185
Dubuc, Philippe 234
Duchamp, Marcel 165, 167, 171
Dumas, Alexandre (fils) 111
Dumas, Alexandre (père) 109
Dumont d'Urville, Jules 43
Duncan, Isadora 199
Dundas, Lord 96
Dunlop, John 94
Dürer, Albrecht 157

Dvoràk, Antonin 181
Dylan, Bob 190

E

Eadfrith 155
Earhart, Amelia 52
Eastman, George 103
Eastwood, Clint 145
Edberg, Stefan 207
Eddington, Arthur 65
Eddy, Mary Baker 231
Edison, Thomas 87, 95
Edmond, John 80
Édouard III, roi d'Angleterre 14, 118
Édouard VI, roi d'Angleterre 124
Édouard le Confesseur 14
Egbert de Wessex 13
Ehrenberg, Christian 38
Eichmann, Adolf 242
Eiffel, Gustave 85
Einstein, Albert 62
Eisai 228
Eisenhower, Dwight D. 23, 31
Eisenstein, Sergueï 148
Elgar, Edward 182
Elizabeth Ire, reine d'Angleterre 15, 48, 67, 74, 101, 120
Ellington, Duke 196
Elliot, T. S. 119
Ellsworth, Lincoln 51
Engels, Friedrich 111
Englebart, Douglas 89
Epstein, Jacob 170
Erasme, Didier 108
Erving, Julius 209
Escher, Maurits 165
Eschyle 106,130
Euler, Leonhard 61
Euripide 106,130
Eurylon 202
Evans, Edward 247
Evans, Timothy 241
Everest, George 39
Ezra 226

F

Fa Hsien 35
Fairbanks, Douglas, Sr. 133
Fâltskob, Agnetha 192
Fangio, Juan 217
Faraday, Michael 68
Farouk, roi d'Égypte 24
Fassbinder, Rainer 151
Fauré, Gabriel 182
Fawkes, Guy 238
Fellini, Federico 141, 150
Ferdinand, roi d'Espagne 14, 46, 237
Fermat, Pierre de 60
Fermi, Enrico 70
Ferranti, Sebastian de 88
Fessenden, Reginald 103
Feynman, Richard 70
Fields, W. C. 133
Fiennes, Ranulph 44
Fitzgerald, Ella 198
Flatley, Michael 200
Flaubert, Gustave 113
Fleming, Alexander 57, 77
Flemming, John 87, 88
Flemming, Peter 207
Flinders, Matthew 48
Florey, Howard 73
Flynn, Errol 139
Fokine, Michel 199
Fonda, Henry 137
Fonteyn, Margot 199
Ford, Henry 95
Ford, John 137
Ford, Robert 238
Foreman, George 222
Forrester, Jay 89
Fossett, Steve 53
Foster, Jodie 247
Foster, Norman 176
Fowler, John 86
Fox, Michael J. 147
Fox, George 229
Francesca, Piero Della 156
François Ier, empereur d'Autriche 17
François Ier, roi de France 37
François II, roi de France 15
François, saint 156
François-Ferdinand 241
Frank, Anne 117
Frank, Otto 117
Franklin, Benjamin 67, 71
Franklin, Rosalind 77
Fraser, Dawn 218
Frazier, Joe 222
Frédéric le Grand, roi de Prusse 17
Frédéric VI, roi du Danemark 110
Frémont, John 40
Freud, Sigmund 166, 232
Frink, Elizabeth 170
Frobisher, Martin 47
Frontenac, comte de 29
Fuchs, Klaus 244
Fuchs, Vivian 44
Fulton, Robert 97
Funès, Louis de 139

G

Gabin, Jean 137
Gable, Clark 136,139
Gagan, Emile 50
Gagarine, Iouri 55
Gainsborough, Thomas 159
Galileo Galilei, dit Galilée 64, 101
Gallagher, Harry 218
Galle, Johann 65
Galvani, Luigi 71
Gama, Vasco de 47
Gandhi, Indira 24
Gandhi, Mahatma 20, 128
Garbo, Greta 138
Garfunkel, Art 192
Garibaldi, Giuseppe 29
Garland, Judy 136, 141
Garrett, Pat 239
Garvey, Marcus 127
Gates, Bill 236
Gaudí, Antonio 174
Gauguin, Paul 162
Gauss, Carl 61
Geldof, Bob 225, 236
Genghis Khan 27
George Ier, roi d'Angleterre 179
George III, roi d'Angleterre 65
George IV, roi d'Angleterre 49, 173
George, Lloyd 126
Georges, Guy 248
Geronimo 29
Gershwin, George 188,198
Getz, Stan 198
Ghiberti, Lorenzo 173
Giacometti, Alberto 170
Gibbs, Josiah 73
Gibson, Albert 42
Gielgud, John 137,138
Giffard, Henri 99
Gilbert, William 67,188
Giles, Ernest 42
Gilgamesh, roi 10
Gillespie, Dizzy 198
Gillette, King 103
Gilmore, Gary 247
Ginsberg, Allen 119
Givenchy, Hubert de 234
Glau, Philip 184,185
Glenn, John 54
Glennie, Evelyn 184
Godard, Jean-Luc 145
Goddard, Robert 93
Goethals, George 86
Goethe, J. W. von 108
Goldwyn, Samuel 148
Goncharova, Natalia 109
Goodman, Benny 197
Gorbatchev, Mikhaïl 25
Goya y Lucientes, Francisco de 159
Grace, W. G. 210
Graf, Steffi 208
Graham, Billy 235
Graham, Martha 200
Grant, Cary 138
Grant, général Ulysses 29
Greene, Graham 115
Grégoire Ier, pape 178,227
Grégoire VIII, pape 15
Gretzky, Wayne 219
Griffith, D. W. 133
Grissom, Virgil 54
Gropius, Walter 175
Gu Hong Zhong 155
Gucci, Guccio 234
Guillaume d'Orange 17
Guillaume III, roi d'Angleterre 186
Guillaume le Conquérant, Guillaume Ier d'Angleterre 13, 14
Gutenberg, Johannes 101
Gwyn, Neil 131

H

Haber, Fritz 73
Hadley, John 96
Hadrien, empereur 12
Haendel, Georg Friedrich 179
Hahn, Otto 69
Haile Selassie 118
Hale, George Ellery 65
Haley, Bill 189
Halley, Edmond 65
Halliwell, Geraldine 195
Hallyday, Johnny 190
Hals, Frans 158
Hamilton, Raymond 243
Hammerstein II, Oscar 188
Hammurabi 10
Hancock, Herbie 198
Hannibal 11, 12
Hannon 34
Hanratty, James 246
Hardington, John 101
Hardy, Oliver 134,139
Hardy, Thomas 113
Hare, William 239
Hargreaves, James 90, 91
Harold, roi 14
Harrington, John 101
Harrison, George 184, 191
Harrison, John 101
Hart, Charles 131
Hart, Steve 239
Harun al-Rachid 13
Harvey, William 74
Hatshepsout, reine 10, 34
Hawkes, Howard 139
Hawking, Stephen 66
Hawthorn, Mike 217
Haydn, Joseph 180, 181
Hearst, William Randolph 232
Hedrun, Tippi 149
Heiden, Eric 220
Heinz, Henry 231
Heisenberg, Werner 63
Héloïse 228
Hemingway, Ernest 137
Hendrix, Jimi 191
Henri II, roi de France 15
Henri III, roi de France 15
Henri IV, roi de France 37
Henri le Navigateur 45
Henri VI, empereur du Saint Empire 26
Henry II, roi d'Angleterre 123
Henry V, roi d'Angleterre 14
Henry VII, roi d'Angleterre 45
Henry VIII, roi d'Angleterre 15, 124
Henry, Joseph 91
Henson, William 98
Hepburn, Audrey 144, 171
Hepburn, Katherine 139
Hepworth, Barbara 170
Herbert, Wally 44
Herman, Woody 198
Héron d'Alexandrie 83
Herschel, William 65

INDEX

Hertz, Heinrich 69, 79
Herzog, Werner 142,151
Heyerdahl, Thor 50
Higginson, Thomas 119
Highsmith, Patricia 146
Hillary, Edmund 44
Hilton, Conrad 234
Hindenburg, Paul 29
Hindley, Myra 247
Hinkley, John 247
Hipparque, 58
Hippocrate 59
Hirohito, empereur 18
Hirst, Damien 168
Hitchcock, Alfred 138, 139, 143, 149
Hitler, Adolf 22, 30, 95, 213
Hizir, Aruj 237
Hô Chi Minh 31
Hockney, David 168
Hodgkin, Dorothy 73
Hoffman, Dustin 146
Hogan, Ben 212
Hoist, Gustav 182
Holiday, Billie 197
Holland, John 97
Holly, Buddy 190
Holmes, Andy 219
Holmes, Larry 222
Homère 106
Honda, Soichiro 235
Hoover, Herbert 78
Hope, Bob 137, 212
Hopkins, Frederick 76
Hopps, John Alexander 89
Horst, Paul 172
Ho-Ti, empereur 83
Houston, Sain 27
Houston, Whitney 194
Howe, Elias 103
Hoyle, Fred 66
Hoyningen-Huene, George 172
Hsüan Tsang 35
Huangdi 155
Hubble, Edwin 66
Hucbald 178
Hudson, Henry 47
Hughes, Howard 235
Hugo de Bathe 132
Hugo, Victor 110
Humboldt, Alexander von 38
Hunt, Geoff 209
Hunt, Holman 161
Hunt, James 217
Hunt, John 44
Hurley, Frank 33
Hussein, Saddam 31
Huygens, Christiaan 101

I

Ibn Battuta 36
Ibsen, Henrik 121
Idris Ier, roi 31
Iktinos 155
Ildeco 227
Imhotep 82
Indurain, Miguel 216
Ingres, Jean-Auguste 160
Innocent XII, pape 74
Isabelle Ire, reine d'Espagne 14, 46, 237
Issigonis, Alec 96
Ivan le Terrible 15

J

Jackson, Michael 193
Jacquard, Joseph-Marie 90
Jagger, Mick 191
Jahan, Shah 15
James, Frank 238
James, Henry 113
James, Jesse 238, 239
Jansky, Karl 70
Jean Ier, roi d'Angleterre 48, 74, 120
Jean Ier, roi du Portugal 45
Jean II, roi d'Angleterre 124, 186
Jeanne d'Arc 27
Jefferson, Thomas 19, 39
Jenney, William Le Baron 85
Jessop, William 85
Jésus 227
John, Barry 208
John, Elton 192
Johns, Jasper 168
Johnson, Amy 53
Johnson, Magic 209
Johnson, Michael 215
Johnson, Philip 167
Johnson, Samuel 109, 131
Jolson, Al 188
Jones, Bobby 212
Jones, Brian (aérostier) 53
Jones, Brian (chanteur de rock) 191
Jones, Inigo 173
Jones, W. D. 243
Jonson, Ben 121
Joplin, Scott 196
Jordan, Michael 210
Josquin des Prés 179
Joule, James 68
Jouvet, Louis 122
Joyce, James 115, 122
Jules II, pape 157, 169
Jules III, pape 179
Juvénal 107

K

Kadhafi, Muammar al- 31
Kahn, Louis 175
Kalidasa 107
Kanawa, Kiri te 187
Kandinsky, Wassily 163,183
Kangxi 17
Karloff, Boris 133
Karno, Fred 133
Kaunda, Kenneth 25
Kean, Edmund 131
Keaton, Buster 135
Keino, Kip 214
Kellogg, John 232
Kellogg, William 232
Kelly, Dan 239
Kelly, Gene 140
Kelly, Grace 137, 143
Kelly, Ned 167, 239
Kennedy, John F. 23, 246
Kennedy, Nigel 185
Kenyatta, Jomo 22
Kepler, Johannes 65
Kern, Jerome 188, 198
Khan, Jahangir 209
Khan, Jansher 209
Khan, Roshan 209
Khan, Torsam 209
Khrouchtchev, Nikita 22
Khufu 155
Kidman, Nicole 147
Kilbride, John 247
Killy, Jean-Claude 220
Kimura, Masahiko 223
King, John 41
King, Martin Luther 105, 127, 128, 244
Kingsford Smith, Charles 52
Kingsley, Mary 42
Kinski, Klaus 142
Kipfer, Paul 53
Kipling, Rudyard 114
Klammer, Franz 220
Klee, Paul 163
Klimt, Gustav 163
Knox, John 124
Knysh, Renald 223
Koch, Robert 76
Koen, Francina 214
Korbut, Olga 223
Kray, Reggie 245
Kray, Ronnie 245
Krupp, Alfried 235
Kubilay Khan 36
Kubrick, Stanley 116,146,151
Kurosawa, Akira 150

L

Lacoste, René 207
La Pérouse, Jean de 48
La Salle, René Cavelier de 37
LaMotta, Jake 221
Land, Edwin 104
Lander, Richard 39
Landru, Henri 239
Lang, Fritz 148
Langen, Eugen 92
Langtry, Edward 132
Langtry, Lillie 132
Laplace, Pierre 65
Lauda, Niki 217
Laurel, Stan 134, 139
Laurent, François marquis d'Arlanges 98
Laver, Rod 207
La Vérendrye, Sieur de 38
Lavoisier, Antoine 71
Lawrence, D. H. 115
le Cid 26
Le Corbusier 175
le Greco 158
Le Neve, Ethel 240
Le Verrier, Urbain 65
Leadbelly 196
Leakey, Louis 80
Leakey, Mary 80
Leakey, Richard 80
Lee, Bruce 147
Lee, Robert E., Central 29
Leeson, Nick 247
Leibniz, Gottfried 61
Leichhardt, Friedrich 40
Leigh, Vivien 136, 139
Lemaître, Georges 66
Lemieux, Jean-Paul 167
Lemelin, Roger 113
Lendl, Ivan 208
Lenin, Vladimir 20, 21, 30
Lennon, John 191
Lenoir, Jean 92, 93
Léon III, pape 13
Léon X, pape 157
Léonard de Vinci 157, 169
Léonidas de Rhodes 202
Leopold, prince de Côthen 179
Leplée, Louis 189
Lesseps, Ferdinand de 85
Lewis, Carl 214
Lewis, Jerry Lee 191
Lewis, Merriwether 39
Li Bo 107
Li Shangyin 107
Lichtenstein, Roy 167
Lilienthal, Otto 98
Lincoln, Abraham 19, 239
Lind, Jenny 132
Lindbergh, Charles 52
Linnée, Carl von 74
Lippershey, Hans 101
Lippi, Filippo 156
Lister, Joseph 76
Liston, Sonny 222
Liszt, Franz 181, 182
Little Richard 189
Liu Hsiu 12
Livingston, David 2, 5, 40
Lloyd, Harold 135
Lloyd-Webber, Andrew 188
Lock, Édouard 200
Locke, John 60
Lomax, Alan 196
Longfellow, Henry 118
Lopez, Jennifer 195
Louganis, Greg 218
Louis XII, roi de France 157, 158, 179
Louis XIV, roi de France 16, 37, 101, 120, 169
Louis XV, roi de France 180
Louis XVI, roi de France 17, 48, 125
Louis, Joe 221
Lucas, George 151, 152

Luciano, Charles «Lucky» 241
Lumière, Auguste 103
Lumière, Louis 103
Luther, Martin 108, 123, 124
Lutyens, Edwin 175
Lyell, Charles 78
Lyngstad, Anni-Frid 192
Lysippe 155

M

MacGraw, Ali 144
Machiavel, Nicolas 228
MacGill, Elizabeth Muriel Gregory 100
Mackintosh, Charles Rennie 174
Macleod, Rudolph 241
Madonna 193
Mae, Vanessa 177, 185
Magellan, Ferdinand de 47
Magritte, René 166
Mahal, Mumtaz 15
Mahler, Gustav 182
Mahomet 227
Maiman, Theodore 70
Maintenon, madame de 16
Malpighi. Marcello 74
Mandela, Nelson 24
Mandelbrot, Benoit 63
Manet, Édouard 161
Manson, Charles 245
Mao Tse-toung 21, 23
Mapplethorpe, Robert 172
Maradona, Diego 206
Marco Polo 36
Marconi, Guglielmo 87, 88
Marcus, Garvey 18
Marie-Antoinette, reine 17
Marie-Thérèse, reine 16, 180
Marino, Dan 203
Marley. Bob 191
Marlowe, Christopher 120
Marquette, Jacques 37
Marsalis, Wynton 198
Martel, Charles 13
Marx Brothers 134
Marx, Karl 20, 21, 30, 111
Mary Ire, reine d'Angleterre 124
Mary, reine d'Écosse 15, 124
Mastroianni, Marcello 141
Mata Hari, 241
Mathias Frère 204
Matisse, Henri 163, 165
Matsuo, Basho 118
Maupassant, Guy de 113
Maury, Matthew 79
Mawson, Douglas 43
Maximilien Ier, empereur du Saint Empire 157
Maximilien, empereur 12
Maxwell, James Clarke 62
May, Brian 192
Mayall, John 193
Maybach, Wilhelm 92
Mazarin, Jules 16
Mazzini, Giuseppe 125
McAdam, John 84
McCartney, Paul 191, 193
McClung, Nellie 126
McCormick, Cyrus 91
McDivitt, James 54
McEnroe, John 208
McQueen, Alexander 234
McQueen, Steve 144
McVeigh, Timothy 248
Medicis, Catherine de 15
Medicis, Laurent de 15, 169
Medicis, Marie de 158
Meinhof, Ulrike 245
Meir, Golda 23
Meitner, Lise 69
Melba, Nellie 186
Menander 130
Mencius 226
Mendel, Gregor 75
Mendeleïev, Dimitri 72
Mengele, Joseph 243
Mennea, Pietro 215
Menuhin, Yehudi 184, 185
Mercator, Gerard 78
Merckx, Eddy 216
Mercury, Freddie 192
Mestral, George de 104
Meyer, Adolf 175
Meyer, Julius von 72
Michelangelo 169
Michels, Rinus 206
Mies van der Rohe, Ludwig 175
Millais, John 132, 161, 171
Miller, Arthur 122, 143
Miller, Glenn 196
Milon de Crotone 202
Minnelli, Liza 141
Minnelli, Vincent 141
Minogue, Kylie 194
Mirô, Joàn 165
Misjah, Ibn 178
Mitchell, Charley 221
Mitchell, Ed 54
Mitchum, Robert 141
Modigliani, Amedeo 164
Moffat, Robert 40
Moïse 226
Molière 120, 121
Mollison, James 53
Mondrian, Piet 165
Monet, Claude 161
Monroe, Marilyn 7, 122, 142, 167, 204
Montana, Joe 203
Montand, Yves 190
Montespan, Madame de 16
Monteverdi, Claudio 186
Montezuma II 14
Montgolfier, Jacques de 98
Montgolfier, Joseph de 98
Montgomery, Bernard 30
Moore, Henry 170
More, Thomas 124
Morgan, Henry 238
Morgan, John Pierpont 231
Morita, Akio 104
Morse, Samuel 86, 91
Moser-Prôll, Annemarie 220
Moses, Ed 201, 214
Moss, Stirling 217
Mozart, Wolfgang Amadeus 180
Murasaki, Shikibu 107
Murdoch, Rupert 235
Mussolini, Benito 30, 70
Muybridge, Eadweard 171

NO

Nabopolassar 11
Nansen, Fridtjof 42
Napoléon Bonaparte, empereur 9, 28, 65, 71, 86
Napoléon III, empereur 110
Narmer 10
Nash, John 173
Nasser, Gamal Abd el- 24
Navratilova, Martina 207
Nebuchadezzar 10, 11
Néchao, roi 34
Nefertiti, reine d'Égypte 10
Nehru, Jawaharlal 23
Nelson, Horatio 27, 28
Néron 227
Nevison, John 238
Newcomen, Thomas 90, 94
Newman, Paul 142, 146
Newton, Isaac 61, 65
Nicholson, Jack 146
Nicklaus, Jack 212
Nicolas Ier, tsar de Russie 109
Nicolas II, tsar de Russie 18, 240
Nicollier, Claude 56
Niepce, Joseph 171
Nightingale, Florence 230
Nijinsky, Vaslav 199
Nikolayev, Andrian 55
Nixon, Richard 23
Nobel, Alfred 103
Nobel, Emil 103
Nobile, Umberto 51
Nolan, Sydney 167
Nordenskjöld, Otto 44
Norgay, Tenzing 44
Norman, Ross 209
Normandie, Robert, duc de 14
Norton, Ken 222
Noureïev, Rudolf 199
Nuvolari, Tazio 217
Nyerere, Julius 24
O'Casey, Sean 121
Octavie 227
Octavien 12
O'Keefe, Georgia 165
Oldenburg, Claes 168
Oldham, Richard 79
Olivier, Laurence 137, 138, 139
Orr, Bobby 219
Orwell, George 116
Oswald, Lee Harvey 23, 246
Otis, Elisha 92
Otto, Nikolaus 92, 93
Ovide 106
Owens, Jesse 213, 214

PQ

Paddock, Charles 213
Paganini, Niccolô 181
Pagnol, Marcel 149
Paine, Thomas 125
Palestrina, Giovanni 170
Palladio, Andrea 173
Palmer, Arnold 212
Pankhurst, Christabel 126
Pankhurst, Emmeline 126
Pankhurst, Sylvia 126
Papineau, Louis-Joseph 20
Park, Mungo 38
Parker, Bonnie 243
Parker, Charlie 198
Parker, colonel Tom 190
Parks, Rosa Lee 127
Parnell, Charles 125
Parry, William 50
Parsons, Charles 93
Pascal, Blaise 60
Pasteur, Louis 76
Paul, saint 178, 227
Pauling, Linus 73
Pavarotti, Luciano 187
Pavlova, Anna 184
Paxton, Joseph 84
Payette, Julie 56
Payton, Walter 203
Pearson, Lester B. 234
Peary, Robert 42
Peck, Gregory 141
Peel, Robert 90
Pelé 205
Pemberton, John 231
Penn, William 124
Peppard, George 144
Pepys, Samuel 108, 131
Peres, Shimon 25
Périclès 11
Perkin, William 73
Perón, Eva 25
Perón, Juan 25, 32
Perry, Fred 207
Peterson, Oscar 198
Pétrarque 118
Philby, Kim 243
Philippe II, roi de Macédoine 11
Philippe III, roi d'Espagne 158
Philippe II, roi d'Espagne 15, 157
Philippe IV, roi d'Espagne 159
Philon de Byzance 83
Philoxène 178
Piaf, Édith 189
Piano, Renzo 176
Picasso, Pablo 164
Piccard, Auguste 53
Piccard, Bertrand 53
Pickford, Mary 133, 135
Pierre II, roi de Yougoslavie 32
Pierre le Grand 17
Pierre, saint 227
Pietragalla, Marie-Claude 200
Piggott, Lester 224
Pike, Zebulon 38

INDEX

Pindare 106
Pinochet, général Augusto 23
Pinsent, Matthew 219
Pissarro, Camille 161
Pizarre, Francisco 36
Plamondon, Luc 189
Planck, Max 62
Platini, Michel 205
Platon 106
Pline l'Ancien 59, 106
Pocahontas 229
Poe, Edgar Allen 111
Poitier, Sidney 142
Pol Pot 31
Polanski, Roman 151
Pollock, Jackson 166
Ponce de Leon, Jean 46
Poppaea 227
Porpora, Niccola 181
Porsche, Ferdinand 95
Porsche, Ferry 95
Porter, Cole 188
Portinari, Beatrice 118
Potter, Beatrix 114
Pouchkine, Alexandre 109
Poussin, Nicolas 159
Praxitèle 155
Preminger, Otto 139
Presley, Elvis 167, 190
Priestley, Joseph 71
Primo de Rivera, Miguel 29
Prince 194
Princip, Gavrilo 241
Prokofiev, Sergueï 183
Prost, Alain 217
Proust, Marcel 114
Puccini, Giacomo 186
Pugin, August 173
Pullman, George 95
Purcell, Henry 186
Puskas, Ferenc 205
Pythagore de Samos 58
Pythéas 34, 35
Queen 192

R

Rabin, Itzhak 25
Rachmaninov, Sergueï 182
Racine, Jean 121, 132
Raffles, Stamford 229
Rainier de Monaco, prince 143
Rakham, Jack 238
Raleigh, Walter 15, 48
Rambert, Marie 199, 200
Ramsès III 202
Ramsès II 10
Raphaël 157
Raspoutine, Grigori 2, 5, 18, 240
Rattigan, Terrence 122
Rauschenberg, Robert 167
Ray, James Earl 128, 244
Ray, Man 171
Ray, Satyajit 150, 184
Read, Mary 238
Reagan, Ronald 23, 247
Redford, Robert 146
Redgrave, Steve 219
Reinhardt, Django 197
Rembrandt, van Rijn 158
Renault, Louis 94
Rennie, John 85
Renoir, Jean 149
Renoir, Pierre-Auguste 149, 161
Rice, Tim 188, 192
Richard, Maurice 219
Richard Ier, roi d'Angleterre 26
Richards, Keith 191
Richards, Vivian 211
Richardson, Ralph 137
Richelieu, Armand du Plessis, cardinal de 19
Richter, Charles 80
Ride, Sally 56
Riefenstahl, Leni 171
Rimski-Korsakov, Nikolaï 182, 199
Riopelle, Jean-Paul 167
Rives, Jean-Pierre 208
Roach, Hal 134, 135, 139
Roberts, Julia 147
Robeson, Paul 189
Robinson, Edward G. 133
Robinson, Frank 231
Robinson, Sugar Ray 221
Rockefeller, John D. 231
Rockefeller, William 231
Rockwell, Norman 165
Roddick, Anita 235
Rodgers, Richard 188
Rodin, Auguste 169, 170
Rodnina, Irina 220
Rogers, Ginger 136, 139
Rogers, Richard 176
Rohan-Chabot, chevalier de 108
Rolfe, John 229
Rolling Stones, The 191
Rolls, Charles 95
Rommel, Erwin 30
Ronettes, les 195
Röntgen, Wilhelm 69
Roosevelt, Franklin Delano 21
Roosevelt, Theodore 86
Rose, Gustav 38
Rosenberg, Ethel 244
Rosenberg, Julius 244
Ross, Diana 195
Ross, James 50
Ross, James Clark 43
Ross, John 49, 50
Rossetti, Dante Gabriel 161
Rothko, Mark 165
Rousseau, Jean-Jacques 109
Rowling, J. K. 117
Royce, Henry 95
Rubens, Peter 158
Rubinstein, Helena 233
Ruby, Jack 246
Russell, Bertrand 126
Ruth, Babe 204
Rutherford, Ernest 63, 68, 69
Ryan, Paddy 221
Ryle, Martin 66

S

Sadate, Anouar el- 30
Saint-Laurent, Yves 234
Saladin 26
Salinger, J. D. 117
Salomé 178
Salomon 11
Sampras, Pete 208
Sanche II, roi de Castille 26
Santana, Carlos 193
Sappho 106
Sargent, John Singer 163
Sargon II, roi d'Assyrie 11
Sargon, roi de Sumer 10
Sartre, Jean-Paul 117
Saul, roi d'Israël 11
Saxe-Cobourg-Gotha, prince Albert de 18
Scarlatti, Alessandro 179
Scheele, Cari 71
Schoenberg, Arnold 183, 185
Schubert, Franz 180
Schumacher, Michael 217
Schumann, Robert 181
Schwann, Theodor 75
Schwarzenegger, Arnold 147
Schweitzer, Albert 127
Scipion 12
Scopas 155
Scott, Robert Falcon 43
Segovia, Andrés 183
Sei Shonagon 107
Selim Ier, sultan de Turquie 14
Senna, Ayrton 217
Sennacherib 11
Sennett, Mack 133
Sex Pistols, The 194
Sforza, Ludovico, duc de Milan 157
Shackleton, Ernest 33, 43
Shakespeare, William 120, 131, 186
Shankar, Ravi 184, 185
Shankar, Uday 184
Shankara 226
Shaw, George Bernard 121
Shelley, Mary 109
Shelley, Percy 109
Shepard, Alan 54
Shi Huangdi 155
Shipman, Harold 247
Shockley, William 89
Shoemaker, Willy 224
Sickert, Walter 163
Siemens, Ernst von 87
Sikorsky, Igor 100
Simon, Paul 192
Sinatra, Frank 140, 189
Sinclair, Clive 89
Sister Sledge 195
Sitting Bull 27
Sixte, pape 156
Smeaton, John 85
Smirnova, Ludmilla 220
Smith, Adam 124
Smith, John 229
Smith, Joseph 230
Smith, William 79
Smithson, Harriet 181
Sobers, Garfield 211
Socrate 106
Soliman le Magnifique 14
Soljenitsyne, Alexandre 117
Sondheim, Stephen 188
Sophocle 130,178
Sopwith, Thomas 100
Sostrate de Cnide 82
Sousa, John 183
Spears, Britney 194
Spector, Phil 195
Speke, John Hanning 41
Spice Girls, The 195
Spielberg, Steven 152,190
Spinks, Leon 222
Spitz, Mark 218
Spock, Benjamin 234
Staline, Joseph 21, 22, 30,117
Stanley, Henry Morton 40
Stanton, Elizabeth Cady 126
Starck, Philippe 176
Starr, Ringo 191
Steichen, Edward 172
Stein, Gertrude 115
Stella, Frank 168
Stenmark, Ingemar 220
Stephenson, George 94
Stephenson, Robert 94
Sternberg, Josef von 137
Stevenson, Robert Louis 113
Stewart, James 139
Stieglitz, Alfred 165, 172
Stilgoe, Richard 188
Stiller, Mauritz 138
Stockhausen, Karlheinz 185
Stratton, Charles 132
Strauss Ier, Johann 181
Strauss II, Johann 181
Strauss, Levi 103
Strauss, Richard 187
Stravinsky, Igor 199
Strindberg, August 121
Stringfellow, John 98
Stroud, Michael 44
Sturges, John 150
Sturt, Charles 39
Suleymanoglu, Naim 223
Sullivan, Arthur 188
Sullivan, John L. 221
Sun Yat-Sen 19
Suppiluliuma, roi des Hittites 10
Supremes, les 195
Sutcliffe, Peter 247
Suzuki, Shinichi 183
Swift, Jonathan 108
Syme, James 76
Symington, William 96

T

Taisho, empereur 18
Take That 194
Talbot, William 102
Tamerlan 27

Tanikaze, Kajinosike 224
Tasman, Abel 48
Tate, Sharon 24.5
Taupin, Bernie 192
Taverner, John 179
Taylor, Elizabeth 142, 145
Taylor, Roger 192
Tchaïkovski, Piotr Ilitch 181
Tchang Kaï-chek 21
Tchekhov, Anton 121, 138
Teasdale-Corti, Lucille 235
Telford, Thomas 84
Teller, Edward 70
Temple, Shirley 143
Teresa, Mère 127
Tereshkova, Valentina 55
Terrell, Tammi 190
Thalès de Milet 58
Thatcher, Margaret 25
Thespis 130
Thompson, Daley 215
Thomson, Joseph 68
Thomson, William 68
Three Degrees, les 195
Thrope, Ian 218
Tiglath-pileser III 11
Timothée 178
Tintoret 157
Tintoretta, La 157
Titien 157, 158
Tito, Josip 32
Todd, Mark 224
Tolkien, J.R.R. 115
Tolstoï, Léon 111
Tom Thumb, général 132
Tombaugh, Clyde 66
Torquemada, Tomás de 237
Torricelli, Envangelista 101
Toulouse-Lautrec, Henri de 162
Tracy, Spencer 135, 139
Trajan, empereur romain 12
Trissino, Giangiorgio 173
Trotsky, Léon 2, 5, 21, 30
Truffaut, François 145
Tubman, Harriet 125
Tunney, Gene 221
Tupolev, Alexei 100
Tupolev, Andrei 100
Turing, Alan 63
Turner, Cora 240
Turner, William 160
Turpin, Dick 238
Tutu, Desmond 128
Twain, Mark 112

UV

U2 195
Ulanov, Alexei 220
Ulm, Charles 52
Ulvaeus, Björn 192
Utzon, Jørn 175
Vadim, Roger 146
Valentino, Rudolph 135
Valérien, empereur romain 13
Van Gogh, Vincent 153
Van Leeuwenhoek, Antonie 74
Vanbrugh, John 173
Vanderbilt, Cornelius 229
Velasquez, Diego 159
Verdi, Giuseppe 186
Vermeer, Johannes 159
Verne, Jules 111
Verrocchio, Andrea del 157
Versace, Donatella 234
Versace, Gianni 234
Vespucci, Amerigo 45
Vian, Boris 117
Victoria, reine 18, 93
Villeneuve, Jacques 217
Vincenzo Ier, duc de Mantoue 158
Virgile 106
Visconti, Luchino 141
Vitruve 82
Vivaldi, Antonio 179
Volta, Alessandro 71, 72, 86
Voltaire 17, 108
Vortigern 13

W

Wagner, Richard 186
Walcott, Jersey Joe 221
Walesa, Lech 128
Wallace, George 128
Walton, Ernest 70
Wankel, Felix 93
Warburton, Peter 40
Warhol, Andy 167
Warne, Shane 211
Washington, Booker T. 126
Washington, George 19
Watson, James 77
Watson-Watt, Robert 89
Watt, James 90
Watts, Charlie 191
Wayne, John 137
Webb, Chick 198
Weddell, James 49
Weissmuller, Johnny 218
Welles, Orson 149
Wellesley, Arthur 28
Wells, H. G. 114
Wells, Mary 190
Wenders, Wim 152
Wesley, Charles 229
Wesley, John 229
West, Mae 134
Weston, Edward 171
Wheatstone, Charles 87
Whistler, James McNeill 160, 163
White, Ed 54
Whitney, Eli 91
Whittle, Frank 93
Wilander, Mats 207
Wilberforce, William 125
Wilde, Oscar 2, 5, 113
Wilkes, Charles 43
Wilkins, George 51
Wilkins, Maurice 77
Willard, Jess 221
Williams, J.P.R. 208
Williams, Robbie 194
Williams, Tennessee 122
Willoughby, Hugh 47
Wills, William 41
Wilson, Brian 192
Wilson, Tuzo 80
Wolsey, Cardinal 179
Wonder, Stevie 193
Woods, Tiger 212
Woolworth, Frank 232
Wordsworth, Mary 118
Wordsworth, William 118, 119
Wren, Christopher 174
Wright, Frank Lloyd 174
Wright, Orville 2, 5, 99
Wright, Wilbur 99
Wu Ti 35
Wycliffe, John 124
Wyman, Bill 191

XY

Xerxès 11
Xiaoping, Deng 23
Yamasaki, Minuro 17,5
Yashin, Lev 206
Yesenin, Sergueï 199
Yokoi, Gunpei 104
Yongle, empereur 45
Yoritomo, Minimato 26
Young, Brigham 230
Young, John 55
Young, Lestie 197
Young, Thomas 67

Z

Zaitsev, Aleksandr 220
Zatopek, Emil 213
Zeppelin, Ferdinand von 98
Zhang Heng 59
Zheng 11
Zheng He 45
Zidane, Zidanine 206
Ziegfeld, Florenz 199
Zola, Émile 112, 161
Zworykin, Vladimir 89

Sites Internet

Les lecteurs peuvent trouver les adresses Internet sur tous les moteurs de recherche *http://www.toile.qc.ca/guides/societe/enfants/* ou *http://www.google.ca/intl/fr/*). Tapez simplement le nom d'un personnage cité dans cet ouvrage. Il existe cependant quelques sites plus généraux qui permettent une recherche par thème ou une recherche plus élargie.

http://www.sciencepresse.qc.ca/cyber-express/920.html/ Une référence biographique
http://www.biographie.net/ Une référence biographique
http://www.nfb.ca/f/ Base de données Internet pour le cinéma
http://www.nfb.ca/acic/liens.html Office national du film du Canada
http://www.insas.be/biblio/cinema.htm Cinéma
http://www.toile.com/quebec/Arts_et_Culture/Cinema_et_video/ Culture, cinéma
http://www.collectionscanada.ca/8/2/index-f.html Canadiens inoubliables
http://www.filmdeculte.com/ Biographies actuelles
http://www.gallica.bnf.fr/ Biographies générales
http://www.civilization.ca/vmnf/vmnff.asp Musée virtuel
http://www.edimage.ca/edimage/grandspersonnages/fr/index.html Biographies de personnalités canadiennes
http://www.distinguishedwomen.com/ Biographies de femmes célèbres

http://www.histoiredumonde.net/ L'histoire du monde
http://www.cappelloart.com/ Vedettes d'Hollywood, héros du sport et personnalités politiques
http://www.laser-imprints.com/famous.htm/ Célébrités et site de références
http://www.aboutfamouspeople.com/ Biographies de personnages historiques
http://www.peoplespot.com/ Recherche de personnalités
*http://www.libraryspot.com/*biographies/ Informations biographiques
http://www.ordre-national.gouv.qc.ca/recherche.htm/ Biographies des membres de l'Ordre national du Québec
http://www.sciencetech.technomuses.ca/francais/about/hallfame/u_main_f.cfm/ Personnalités scientifiques du Canada
http://www.rds.ca/pantheon/ Personnalités sportives du Québec

Remerciements

L'éditeur tient à remercier les personnes suivantes, qui ont autorisé la reproduction de leur matériel. Tous les efforts ont été déployés pour retracer les détenteurs de copyright. Nous nous excusons des cas ou nous n'avons pu y parvenir ou de toute omission involontaire. Une fois avisés de ces erreurs, nous tenterons de les rectifier dans la prochaine édition.

Crédits photographiques

(h = haut; b = bas; m = milieu; g = gauche; d = droite)
Page 1 Magnum; 3 Art Archive; 6 Kobal; 13 bg Art Archive; 17 h Art Archive; 17 bd Art Archive; 18 hg Illustrated London News; 18 m Illustrated London News; 19 m Illustrated London News; 19 b illustrated London News; 20 m Art Archive; 21 hd Illustrated London News; 21 bd Illustrated London News; 22 m Illustrated London News; 22 bg Corbis; 22 bd Corbis; 23 m Magnum; 23 b Popperfoto; 24 bg Magnum; 24 m Popperfoto; 25 hg Popperfoto; 25 hd Magnum; 28 mg Art Archive; 29 bd Illustrated London News; 30 bg Illustrated London News; 30 h Illustrated London News; 30 bd Illustrated London News; 31 Popperfoto; 32 tr Corbis; 32 b Popperfoto; 33 Royal Geographical Society; 36-37 Art Archive; 37 bd Bridgeman Art Library; 38 hd Bridgeman Art Library; 38 bg Mary Evans Picture Library; 41 b Mary Evans Picture Library; 43 bd Popperfoto; 44 mg Royal Geographical Society; 50 h Popperfoto; 50 b Corbis; 51 bg Corbis; 51 hd Popperfoto; 52 md Illustrated London News; 53 mg Popperfoto; 53 bd Popperfoto; 54 h NASA, 54 bg NASA; 55 hd Popperfoto; 55 md Popperfoto; 56 (fond) NASA; 56 hd Popperfoto; 56 b NASA; 57 Art Archive; 59 bd Corbis; 60 h Corbis; 61 Art Archive; 62 bd Hulton; 65 bg Corbis; 66 b Popperfoto; 69 b Corbis; 70 bd Corbis; 72 g Science & Society Photo Library; 72 bd Hulton; 73 h Corbis; 73 bg Corbis; 74 hd Mary Evans Picture Library; 74 b Art Archive; 75 bd Corbis; 76 Illustrated London News; 78 Art Archive; 79 Natural History Museum; 80 ml Popperfoto; 80 bd Corbis; 81 Illustrated London News; 86 bg Corbis; 86 bd Corbis; 87 h Hulton; 89 Rex Features; 90 Mary Evans Picture Library; 91 m Mary Evans Picture Library; 92 bd Hulton; 93 h Hulton; 93 b Corbis; 95 h Hulton; 95 b Corbis; 96 h Corbis; 97 hd Corbis; 97 b Corbis; 98 bg Rex Features; 99 hd Art Archive; 99 b Science Photo Library; 100 hg Corbis; 102 bd Hulton; 103 hd Art Archive; 104 bd Science Photo Library; 105 Hulton; 108 hd Art Archive; 109 bg Bridgeman Art Library; 110 h National Portrait Gallery; 111 hg Illustrated London News; 111 b Art Archive; 112 hd Illustrated London News; 113 h Corbis; 113 b Illustrated London News; 114 bg Art Archive; 115 ArtArchive; 116 h Kobal; 116 b Popperfoto; 117 Hulton; 118 h Art Archive; 118 b Bridgeman Art Library; 119 hd Corbis; 119 b Corbis; 120 h Art Archive; 121 bg Corbis; 121 m Bridgeman Art Library; 122 b Hulton; 122 hd Hulton; 126 hd Corbis; 126 md Corbis; 126 b Art Archive; 127 bg Corbis; 127 hd Hulton; 128 h Popperfoto; 128 b Corbis; 129 Kobal; 131 h Art Archive; 131 bd Art Archive; 132 h Corbis; 132 bg Kobal; 133 Kobal; 134 h Kobal; 134 b Kobal; 135 h Kobal; 135 bg Kobal; 136 bg Kobal; 136 bd Kobal; 137 Kobal; 138 hg Kobal; 138 bd Corbis; 139 bg Kobal; 139 m Kobal; 140 h Kobal; 140 b Kobal; 141 h Kobal; 141 bd Kobal; 142 h Kobal; 142 bg Kobal; 143 m Kobal; 143 hd Kobal; 144 h Kobal; 144 bd Kobal; 145 bg Kobal; 145 hd Kobal; 146 h Kobal; 146 b Kobal; 147 h Kobal; 147 bg Kobal; 148 Kobal; 149 Kobal; 150 g Kobal; 150 d Kobal; 151 h Kobal; 151 g Kobal; 152 hg Kobal; 152 hd Kobal; 152 b Kobal; 153 Art Archive; 156 hg Art Archive; 156 bd Art Archive; 157 Art Archive; 158 Art Archive; 159 Art Archive; 160 Art Archive; 161 bg Art Archive; 161 hd Bridgeman Art Library; 162 h AKG; 162 bd Art Archive; 163 © Succession H. Matisse/DACS 2002 Art Archive; 164 h Illustrated London News; 164 b Art Archive; 165 m Art Archive; 165 b AKG; 166 bg Illustrated London News; 166 hd © ADAGP, Paris and DACS, London 2002 Art Archive; 167 bg © The Andy Warhol Foundation for the Visual Arts, Inc/ARS, NY and DACS, London. Trademarks licensed by Campbell Soup Company. All rights reserved. Bridgeman Art Library; 168 Bridgeman Art Library; 170 bd Corbis; 171 h Art Archive; 171 bg Bridgeman Art Library; 172 h Corbis; 172 b Victoria & Albert Museum; © Richard Avedon 1955; 174 hd Bridgeman Art Library; 175 b Bridgeman Art Library; 176 h Arcaid; 176 b Arcaid; 177 Redfems; 179 h Bridgeman Art Library; 179 b Art Archive; 180 m Corbis; 180 b Corbis; 181 mg Hulton; 181 h Art Archive; 182 bg Hulton; 182 hd Bridgeman Art Library; 183 bg Hulton; 183 hd Hulton; 184 mg Hulton; 184 h Redferns; 184 bd Redferns; 185 h Hulton; 185 b Redferns; 186 Corbis; 187 h Hulton; 187 bd Retna; 188 hd Hulton; 188 b Donald Cooper; 189 mg Redferns; 189 bd Retna; 190 Redferns; 191 h Redferns; 191 b Redfems; 192 hg Redferns; 192 bd Redferns; 193 h Redferns; 193 bd Redferns; 194 h Redferns; 194 bg Redferns; 195 hd Redferns; 195 b Kobal; 196 mg Redferns; 196 hd Redferns; 196 b Hulton; 197 m Redferns; 197 bg Redferns; 198 hg Corbis; 198 b Redferns; 199 Hulton; 200 h Corbis; 200 b Rex Features; 201 Colorsport; 203 h Colorsport; 203 bd Colorsport; 204 bg Hulton; 204 bd Hulton; 205 Allsport-Hulton; 206 bg Colorsport; 206 hd Colorsport; 207 h Colorsport; 207 bd Colorsport; 208 hg Colorsport; 208 bg Colorsport; 209 hg Colorsport; 209 bd Allsport; 210 hd Colorsport; 210 b Colorsport; 211 bg Colorsport; 211 hd Colorsport; 212 bg Colorsport; 212 hd Colorsport; 213 hg Hulton; 213 bd Hulton; 214 hd Colorsport; 214 b Colorsport; 215 hd Corbis; 215 bd Colorsport; 216 Colorsport; 217 Allsport; 218 h Hulton; 218 b Allsport; 219 hd Colorsport; 219 b Colorsport; 220 m Empics; 220 hd Associated Press; 221 m Corbis; 221 b Hulton; 222 hd Allsport; 222 b Alisport; 223 Allsport; 224 Colorsport; 225 AKG; 227 bd Art Archive; 228 Bridgeman Art Library; 229 Hulton; 230 hg Popperfoto; 230 bg Popperfoto; 230 h Illustrated London News; 231 mg Hulton; 232 mg Hulton; 232 hd Hulton; 232 b Corbis; 233 hg Hulton; 233 bd Hulton; 234 Retna; 235 h Hulton; 235 b Popperfoto; 236 h Corbis; 236 bd Popperfoto; 237 h AKG; 240 h Corbis; 241 hg Bridgeman Art Library; 241 bd Popperfoto; 242 Popperfoto; 243 bg Popperféto; 243 md Hulton; 244 bg Hulton; 244 bd Hulton; 245 hg Popperfoto; 245 mb Corbis; 245 md Hulton; 245 bd Hulton; 246 hd Popperfoto; 246 b Popperfoto; 247 hg Popperfoto; 247 mh Popperfoto; 248 bg Associated Press 248 (fond) Associated Press; 248 bd Corbis

Maquette

Jonathan Adams; Nemesh Alles; Marion Appleton; Owain Bell; Peter Bull; Norma Burgin; Vanessa Card; Nigel Chamberlain; Peter Chesterton; Peter Connelly; Peter Cornwell; Peter Dennis; Jeff Farrow; Chris Forsey; Terry Gabbey; Luigi Galante; Jeremy Gower; Nick Harris; Nick Hewitson; Adam Hook; Christian Hook; Richard Hook; John James; Peter Jones; Jack Keay; Chris Lyon; Kevin Maddison; John Martin; D. Mayer; Angus McBride; Chris Molan; Teresa Morris; Doug Post; Bernard Robinson; Rodney Shackell; Bob Vénables; Mike White